Sommaire

*Avec ce guide
voici les
Cartes Michelin
qu'il vous faut :*

PRINCIPALES CURIOSITÉS

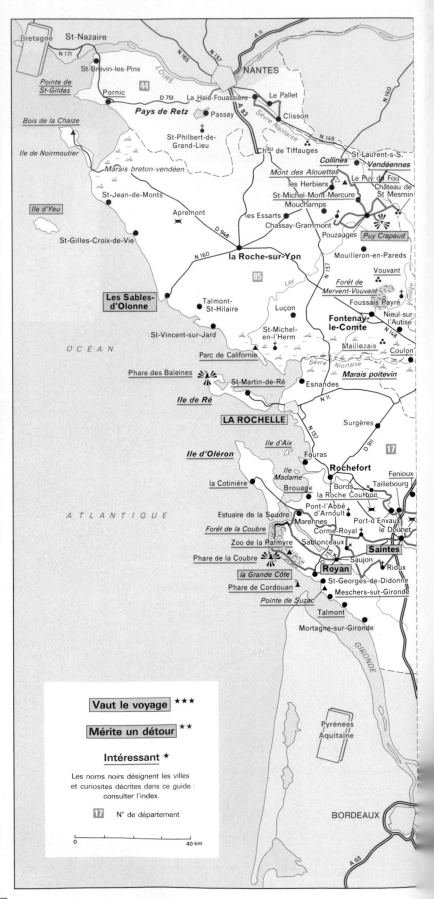

Bretagne
St-Nazaire
N 171
St-Brevin-les-Pins
Pointe de St-Gildas
Pornic
44
D 751
Pays de Retz
Passay
LOIRE
La Haie-Fouassière
Le Pallet
NANTES
A 11
N 165
N 137
N 160
Bois de la Chaize
Sèvre Nantaise
Clisson
N 149
St-Philbert-de-Grand-Lieu
Chau de Tiffauges
St-Laurent-s-S.
Collines
Vendéennes
Ile de Noirmoutier
Marais breton-vendéen
Mont des Alouettes
les Herbiers
Le Puy du Fou
Château de St Mesmin
St-Jean-de-Monts
St-Michel-Mont-Mercure
Mouchamps
Ile d'Yeu
Apremont
les Essarts
Chassay-Grammont
St-Gilles-Croix-de-Vie
D 948
la Roche-sur-Yon
Pouzauges
Puy Crapaud
N 160
Mouilleron-en-Pareds
85
Lay
Vouvant
Forêt de Mervent-Vouvant
Les Sables-d'Olonne
Talmont-St-Hilaire
Luçon
Foussais Payré
Nieul-sur-l'Autise
St-Vincent-sur-Jard
St-Michel-en-l'Herm
Fontenay-le-Comte
N 157
N 148
OCÉAN
Parc de Californie
Maillezais
Coulon
Sèvre Niortaise
Phare des Baleines
St-Martin-de-Ré
Esnandes
Marais poitevin
Ile de Ré
N 11
LA ROCHELLE
Surgères
N 137
Ile d'Aix
D 911
17
Ile d'Oléron
Fouras
Rochefort
Fenioux
Ile Madame
Taillebourg
la Cotinière
Brouage
Bords
la Roche Courbon
ATLANTIQUE
Estuaire de la Seudre
Pont-l'Abbé d'Arnoult
Port-d'Envaux
le Douhet
Forêt de la Coubre
Marennes
Corme-Royal
Zoo de la Palmyre
Sablonceaux
Saintes
Phare de la Coubre
Saujon
Rioux
la Grande Côte
Royan
Phare de Cordouan
St-Georges-de-Didonne
Pointe de Suzac
Meschers-sur-Gironde
Talmont
Mortagne-sur-Gironde
GIRONDE

Pyrénées Aquitaine

BORDEAUX

Vaut le voyage ★★★

Mérite un détour ★★

Intéressant ★

Les noms noirs désignent les villes
et curiosités décrites dans ce guide :
consulter l'index.

17 N° de département

0 ─────────── 40 km

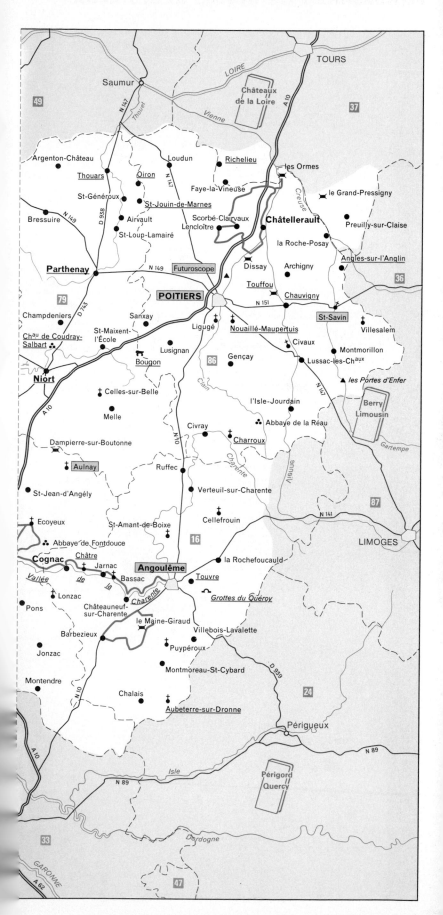

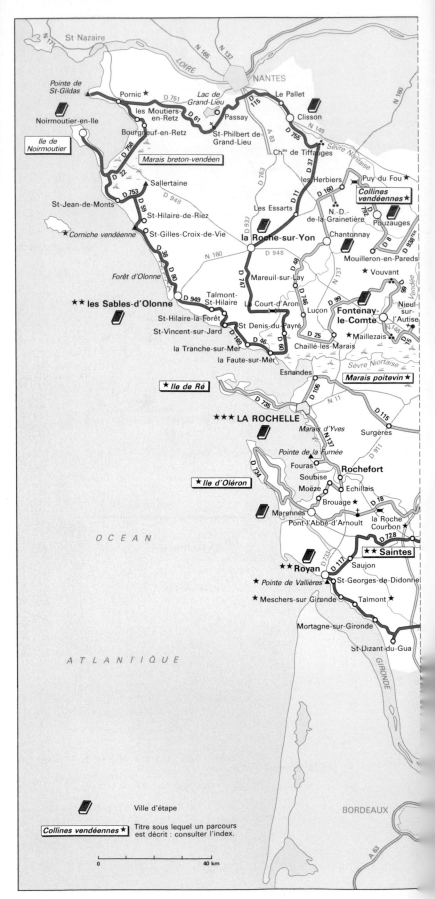

Ville d'étape

0   40 km

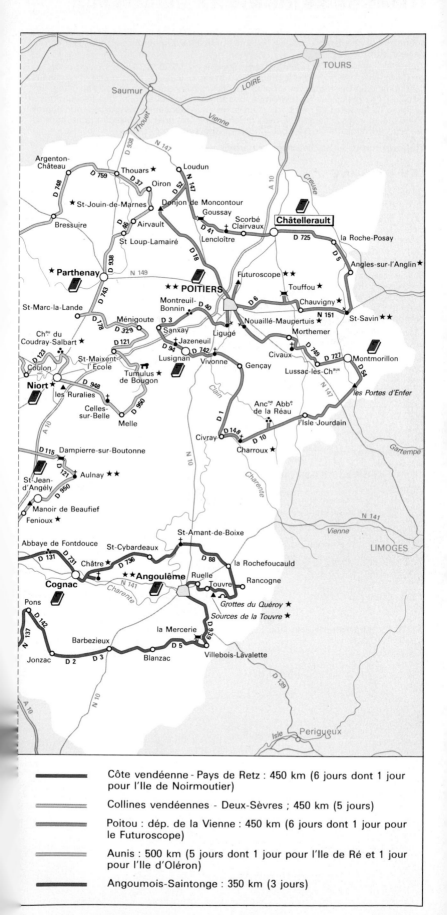

▬▬▬▬	Côte vendéenne - Pays de Retz : 450 km (6 jours dont 1 jour pour l'Ile de Noirmoutier)	
▬▬▬▬	Collines vendéennes - Deux-Sèvres ; 450 km (5 jours)	
▬▬▬▬	Poitou : dép. de la Vienne : 450 km (6 jours dont 1 jour pour le Futuroscope)	
▬▬▬▬	Aunis : 500 km (5 jours dont 1 jour pour l'Ile de Ré et 1 jour pour l'Ile d'Oléron)	
▬▬▬▬	Angoumois-Saintonge : 350 km (3 jours)	

LIEUX DE SÉJOUR

Sur la carte ci-dessous ont été sélectionnées quelques localités particulièrement adaptées à la villégiature en raison de leurs possibilités d'hébergement et de l'agrément de leur site.

Pour plus de détails, consulter les **cartes Michelin** au 1/200 000 *(assemblage p. 3)*. Un simple coup d'œil permet d'apprécier le site de la localité. Elles donnent, outre les caractéristiques des routes, les emplacements des baignades en rivière ou en étang, des piscines, des golfs, des hippodromes, des terrains de vol à voile, des aérodromes... Le verso de la carte **171** met particulièrement en évidence les ressources touristiques d'une région et les activités sportives qu'on peut y pratiquer (thalassothérapie, centres de voile, location de house-boats, parcours de santé, etc.).

Hébergement. – *Voir le chapitre Renseignements pratiques, en fin de guide.*

LES SAISONS

Un ensoleillement exceptionnel, comparable à celui de l'arrière-pays méditerranéen, favorise la côte entre St-Gilles-Croix-de-Vie et Royan, qui reçoit plus de 2 250 heures de soleil par an.

L'**été** est, sur la côte, la saison touristique par excellence. Les citadins profitent à plein de l'atmosphère vivifiante de l'océan s'alliant avec la senteur balsamique des pins pour tonifier l'organisme. La brise marine atténue l'ardeur du soleil, et les plages de sable blond s'animent de la rumeur des estivants.

Si l'**automne** est quelque peu pluvieux, des éclaircies permettent de découvrir la palette de couleurs du Marais poitevin et, dans les Charentes, les belles journées voient se dérouler sous la fine lumière d'arrière-saison le spectacle des vendanges. Sur la côte, les tempêtes de noroît (Nord-Ouest) et de suroît (Sud-Ouest) comblent l'amateur de mer démontée qui peut alors admirer les lames déferlant sur les rochers.

L'**hiver,** bénin sur la côte où croissent chênes verts et mimosas, est plus rude à l'intérieur où siffle la bise froide venue du Massif central.

Le **printemps,** précoce sur le littoral et dans les îles, est favorable aux fleurs et aux primeurs. Par contre, pluies et tempêtes d'équinoxe risquent de faire déborder les rivières.

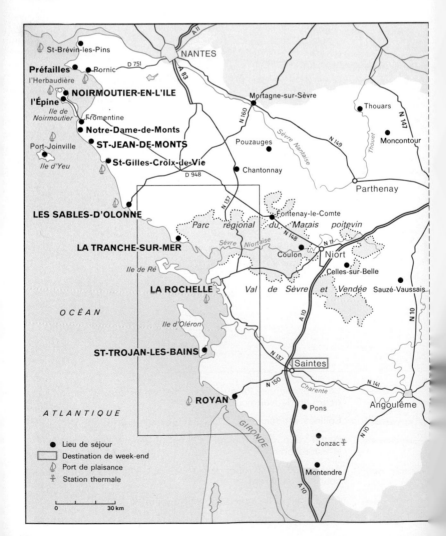

LOISIRS

Voir également le chapitre Renseignements pratiques, en fin de guide.

Navigation de plaisance

Les **côtes de l'Atlantique** en général basses, rectilignes et sableuses sont favorables à la navigation de plaisance à voile ou à moteur. Les îles : Noirmoutier, Yeu, Ré, Oléron, sont autant de points d'escale. Les principaux ports de plaisance figurent sur la carte des lieux de séjour *(ci-dessous)*, ils ont été sélectionnés pour leur nombre de places important et les services dispensés : carburant, eau douce et électricité à quai, sanitaires et douches, manutention par grue ou élévateur, réparation, gardiennage. Avant de partir en mer, il importe de consulter le bulletin météorologique diffusé par la radio et affiché dans certains ports et clubs de voile.

Il est également possible de naviguer sur la **Charente,** d'Angoulême à la mer, soit sur une distance de 171 km, et sur la **Sèvre Niortaise** (72 km de Niort à la mer). Les Éditions Grafocartes (64, rue des Meuniers, 92220 Bagneux, ☎ 45 36 04 06) publient un guide concernant la navigation sur la Charente (cartes, adresses, conseils pratiques, tourisme sur les rives du fleuve).

Si l'on souhaite louer un bateau habitable pour circuler sur la Charente, s'adresser à la Maison Poitou-Charentes qui propose une brochure consacrée au « Tourisme fluvial ». Une liste des sociétés de location de bateaux habitables est aussi disponible à la Fédération des industries nautiques, port de la Bourdonnais, 75007 Paris, ☎ 45 55 10 49. Aucun permis n'est exigé, mais le pilote doit être âgé d'au moins 17 ans 1/2.

Croisières maritimes et fluviales

Des croisières permettent de découvrir l'archipel charentais : Aix, Oléron, Ré. Au départ de Royan, des croisières sont organisées dans l'estuaire de la Gironde. De nombreuses excursions en mer sont également proposées au départ des principales stations balnéaires ou des ports.

Sur la Charente, entre Angoulême et St-Savinien, des croisières constituent une agréable promenade au milieu d'un paysage verdoyant.

Enfin, des promenades en barque aident à la découverte du Marais poitevin, la Venise verte, le long des canaux et des conches, tandis que les bateaux de croisière sillonnent la Sèvre Niortaise.

Se reporter aux différentes rubriques du chapitre Conditions de visite.

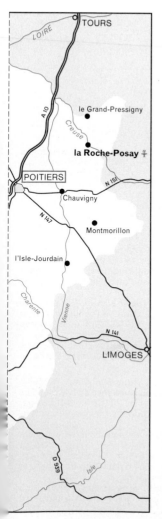

LE PARC NATUREL RÉGIONAL DU MARAIS POITEVIN, VAL DE SÈVRE ET VENDÉE

Le parc naturel régional est géré par un organisme (syndicat mixte, association...) comprenant des élus locaux, des propriétaires, des représentants d'associations... Une charte établie avec l'accord des habitants définit ses limites et son programme.

Créé en 1979, le parc s'étend sur environ 200 000 ha, dans les départements de Charente-Maritime, des Deux-Sèvres et surtout de Vendée.

Il comprend : le **Marais poitevin,** pays mi-terrien, mi-aquatique, entre océan et campagne, qui se divise lui-même en Marais desséché et en Marais mouillé ; la **forêt de Chizé** (Deux-Sèvres), plantée de hêtres et de chênes, dans laquelle le **Zoorama européen** permet d'observer de nombreuses espèces animales ; la **forêt de l'Hermitain** (Deux-Sèvres), traversée par de petits ruisseaux et bordée de pittoresques villages ; la **forêt d'Aulnay** (Charente-Maritime) ; la **forêt de Mervent-Vouvant** (Vendée) avec ses arbres aux essences variées, ses rochers, ses plans d'eau et attractions ; l'**anse de l'Aiguillon,** estuaire hébergeant de nombreuses espèces d'oiseaux migrateurs.

Si à la Maison du Parc à La Ronde on peut se procurer des informations sur le parc, c'est surtout grâce à la visite des autres « maisons » ou musées que l'on fera connaissance avec la nature et les coutumes de cette zone privilégiée.

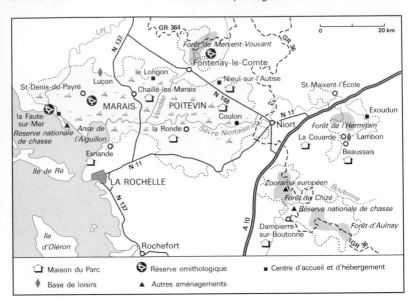

⌂ Maison du Parc	🌀 Réserve ornithologique	■ Centre d'accueil et d'hébergement
◆ Base de loisirs	▲ Autres aménagements	

LA FAUNE

L'avifaune. — Outre les plans d'eau comme le lac de Grand-Lieu, les vastes zones amphibies que sont, sur le littoral, les **vasières** *(illustration p. 14),* comme celles qui émergent, à marée basse, de la baie de l'Aiguillon ou de celle de Bourgneuf, ou, à l'intérieur des terres, les **marais** (Marais poitevin, Marais breton-vendéen), attirent une multitude d'oiseaux, sédentaires ou migrateurs, en quête de nourriture ou à la recherche d'un lieu de repos ou de nidification. Une situation privilégiée des rivages vendéens et charentais sur le passage des migrateurs venus du Nord de l'Europe, de Sibérie ou du Canada et se rendant sur les côtes ibériques ou africaines, n'est pas étrangère à cet afflux.

Au gré des saisons ou des migrations, on observera notamment de nombreux laridés (mouettes, goélands, sternes) et anatidés (canards sauvages, tadornes, bernaches, oies sauvages), de grands échassiers (hérons, aigrettes, spatules, cigognes), et surtout des **limicoles** (petits échassiers de rivage et de marais) : pluviers, chevaliers, bécasseaux, huîtriers pies, échasses, avocettes, vanneaux huppés, etc.

Il faut signaler en particulier la présence du héron cendré *(illustration p. 109)* dans les arbres ou les roseaux de l'arrière-pays, ainsi que la prédilection de l'avocette pour le marais d'Olonne (observatoire à l'Ile-d'Olonne). La Charente-Maritime et la Vendée hébergent quelques cigognes blanches.

En bordure des réserves naturelles sont parfois installés des centres d'accueil et des observatoires : c'est le cas à la réserve Michel-Brosselin à St-Denis-du-Payré, à celle du Marais d'Yves et à l'observatoire de l'Ile-d'Olonne.

L'anguille. — Familière du Marais poitevin et du Marais breton-vendéen, l'anguille européenne (Anguilla anguilla) reste une dizaine d'années en eau douce où elle prend sa couleur argentée avant de descendre les estuaires pour gagner, à 6 000 km de l'Europe, la mer des Sargasses (près des Bermudes) où elle se reproduit, à très grande profondeur.

Les larves d'anguilles entreprennent alors une migration en sens inverse à travers l'Atlantique. A leur arrivée près des côtes, de sept à neuf mois après, elles se transforment en civelles (on dit **« pibales »** de la Gironde aux Pyrénées) au corps translucide *(voir p. 16)* et remontent les estuaires et les cours d'eau entre novembre et mars. Lors de leur croissance, on les appelle anguilles jaunes.

On attrape les anguilles avec des nasses en osier ou à l'aide de la **« vermée »,** corde où l'on fixe, en « pelote », des vers et qu'on suspend à une gaule. L'anguille fuyant la lumière, il est d'usage de pratiquer cette pêche la nuit.

Marais poitevin.

Introduction au voyage

PHYSIONOMIE DU PAYS

LA FORMATION DU SOL

L'intérieur

La région décrite dans ce guide est une région de transition qui se compose de pays très différents. Il y a environ 600 millions d'années (ère primaire), les eaux recouvrent la France, puis se produit un bouleversement formidable de l'écorce terrestre, le plissement hercynien, dont la forme en V apparaît en tireté sur la carte, qui fait surgir un certain nombre de hautes montagnes parmi lesquelles le Massif armoricain et le Massif central. A l'ère secondaire il se produit un léger affaiblissement du relief hercynien et, séparant les deux massifs, se forme le **seuil du Poitou**, également appelé détroit, dont la dénivellation avec les massifs va en s'accentuant pendant l'ère quaternaire.
Les massifs anciens, coupés de vallées fortement encaissées comme celles de la Sèvre Nantaise et de la Vienne, atteignent 285 m au mont Mercure (Vendée), point culminant des principaux « sommets ».

A ces hautes terres cristallines que sépare le seuil du Poitou s'opposent les plateaux et les collines découpés dans la roche calcaire et dont l'altitude est bien moindre (60 m à Châtellerault, 72 m à Angoulême), arrosés par des cours d'eau aux vallées fort diverses : le Clain se dirige vers la Loire en gorges profondes; la Charente et la Sèvre Niortaise s'écoulent en méandres vers l'Atlantique.

La côte

La ligne du rivage n'est pas immuable. Aux périodes géologiques, elle a été modifiée par les variations de niveau de l'océan et par l'affaissement ou le soulèvement des continents. De nos jours, elle continue à se transformer sous l'action des marées, des vagues et des courants littoraux.
La baie de l'Aiguillon *(carte ci-dessous)* en est un bon exemple.

☐	Zones plissées à l'ère tertiaire.
▤	Régions immergées à l'ère secondaire.
▨	Massifs primaires (plissement hercynien).

Érosion littorale. – Elle exagère les sinuosités du rivage. S'attaquant à la base d'une côte élevée, elle provoque l'effondrement de celle-ci qui recule en prenant l'aspect d'une paroi à pic ou falaise. En présence de roches dures, elle dégage le contour des caps (pointe de La Pallice); elle isole les îles, phénomène qui peut être favorisé par la disposition du relief (l'île d'Yeu correspond à un ancien bombement de granit hercynien). Elle a créé ainsi ces promontoires pittoresques d'où le spectacle de la mer déchaînée est si impressionnant.
Si la roche est moins résistante, l'érosion creuse des baies (anse de La Rochelle) offrant aux touristes la beauté de leur courbe harmonieuse. Dans les baies ainsi dégagées se sont installés des ports abrités par les promontoires de roches dures.

Accumulation littorale. – Si la vitesse du courant qui les transporte se ralentit, les débris des roches arrachés au rivage ou apportés par les fleuves se déposent, de plus en plus fins. L'accumulation tend à régulariser le tracé du rivage; elle donne naissance aux paysages marins où s'installent les paysans créateurs de polders, les éleveurs d'huîtres et de moules, les exploitants des marais salants.
Des **courants côtiers** ① dont l'action est amplifiée par les marées font glisser, le long du rivage, les sables qui se déposent dans les baies pour former les plages, comme celle de La Tranche; une **flèche littorale** ② est un type particulier de plage : sa formation est due à l'action du vent et surtout à la rencontre, en bordure du rivage, de deux courants de direction opposée et chargés de débris.

Une flèche littorale peut barrer en partie l'entrée d'une baie et contribuer ainsi à la formation d'un marais. Le Marais poitevin correspond à un fossé d'effondrement où l'érosion marine et fluviale a déblayé les terrains tendres et respecté les terrains durs qui subsistent sous forme d'anciennes «îles» ③ (Champagné) : depuis le début des temps historiques, il est en voie de comblement.
Le sable en s'accumulant sur les obstacles du rivage forme une dune (La Tranche).

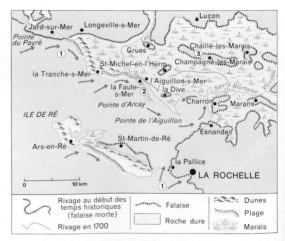

Un exemple d'évolution du rivage. – La baie de l'Aiguillon.

LES PAYSAGES

Mer et littoral

C'est à haute mer que la côte atlantique prend toute sa beauté. Les lames montent à l'assaut des falaises, se brisent sur les bords rocheux, se précipitent sur les dunes en crêtes parallèles; les estuaires s'emplissent et leur nappe liquide est magnifique.

A mer basse, les grèves sont découvertes, tachées de goémons et d'herbes marines; aux embouchures des fleuves côtiers, on n'aperçoit alors qu'un pauvre filet d'eau, serpentant au milieu des vases.

L'espace de grève découvert entre les hautes et basses mers est d'autant plus grand que la marée est plus forte et la pente du fond plus faible : dans la mer des Pertuis *(p. 14)*, cet espace s'étend sur 2 à 5 kilomètres.

Les vagues. — Les vagues ou, comme disent les marins, les lames, sont un mouvement ondulatoire produit par le vent. Même lorsque la brise ne souffle plus, l'ébranlement se propage à de grandes distances : c'est la houle. Par une illusion d'optique, l'eau semble se déplacer; mais il suffit de regarder flotter un bouchon pour constater que la houle ne provoque pas de déplacement. Près du rivage, le mouvement ondulatoire des vagues, qui se manifeste jusqu'à environ 30 m de profondeur, est freiné par le fond; un déséquilibre se produit et la crête de la lame s'écroule en faisant entendre un bruit sourd et rythmé : c'est le ressac.

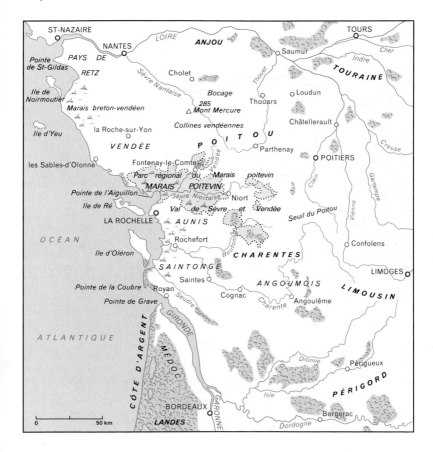

Poitou

A cette ancienne province correspondent les trois départements suivants : Vienne, Deux-Sèvres et Vendée.

La plaine. — Délimitée par les massifs anciens de Vendée (extrémité méridionale du Massif armoricain) et du Limousin, la plaine calcaire qu'entaillent de profondes vallées dessine un croissant allant de Loudun à Luçon. A peu près dépourvue d'arbres, elle étend à l'infini ses champs, ses landes et ses prés, à peine interrompue par de gros villages. Pourtant des nuances sont perceptibles. Au Nord, la plaine s'apparente à la Touraine; de Thouars à Châtellerault, la craie tourangelle affleure, tapissée de maigres cultures et de landes que tondent les moutons. Par endroits, les sables se sont déposés et les bois de pins voisinent avec les champs d'asperges. Sur les coteaux bien exposés du Thouet ou de la Vienne, s'éparpillent les maisons de tuffeau des vignerons.

Autour de Chauvigny et de Montmorillon, les confins du Poitou, composés de sables argileux, étaient jadis le domaine des landes ou **« brandes »**. Ces brandes subsistent par lambeaux : on y rencontre les moutons de race charmoise ou les chèvres dont le lait est utilisé pour la confection du chabichou. Ailleurs, les brandes défrichées ont permis l'élevage de bovins, limousins ou charolais. Près des fermes s'ébattent les « pirons », oies élevées pour leur peau et leur duvet dont on fait des « houppes de cygne ».

A l'Ouest du Clain jusqu'à Melle et St-Maixent, le calcaire jurassique, crevassé de vallons, se décompose à la surface en **« terre de groie »** dont la fertilité est proverbiale, notamment pour les céréales et les plantes fourragères (trèfle, luzerne).

Le bocage. – Au Sud et à l'Ouest du Thouet, la **Gâtine de Parthenay** et la **Vendée** présentent de nombreuses analogies. Installées sur les terrains anciens où dominent schistes et granits, elles constituent l'empire du bocage. De grasses prairies coupées de haies d'aubépines ou de genêts sont sillonnées de chemins creux conduisant aux borderies, fermes basses cachées dans la verdure. L'élevage prévaut dans ces prés d'embouche où s'engraissent les bœufs de race parthenaise à la robe tachetée de brun. De-ci de-là apparaissent vergers de pommiers et champs de plantes fourragères nécessaires à l'alimentation du bétail. Une chaîne de sommets arrondis forme l'arête de la Gâtine et de la Vendée : ce sont les Collines vendéennes.

Les marais et la côte. – Les marais s'étendent des schistes du **pays de Retz** jusqu'aux falaises calcaires de l'Aunis. Marais salants transformés en bassins à huîtres et scintillant sous le soleil, polders où paissent bovins ou moutons de pré-salé, alluvions portant prairies et primeurs, haies vives et canaux où barbotent les canards se succèdent sous de larges horizons. Formés de débris accumulés par les courants marins ou les fleuves, ces marais s'abritent derrière des dunes; d'anciennes îles rocheuses pointent çà et là et les premières hauteurs vers l'intérieur marquent le dessin de l'ancienne côte.
Du Nord au Sud on rencontre successivement le Marais breton-vendéen comprenant le marais de Monts, puis les marais d'Olonne, de Talmont, enfin le célèbre **Marais poitevin**. Au pied des dunes et des cordons littoraux s'alignent de nombreuses plages de sable fin. Enfin les îles de Noirmoutier et d'Yeu contrastent par leur aspect, l'une basse et riante, l'autre rocheuse et sauvage sur sa face occidentale. Entre Noirmoutier et le continent, de chaque côté du passage du Gois, d'immenses étendues de vases peuvent se voir à marée basse.

Port du Bec.

Charentes

Les Charentes rassemblent les départements de Charente et Charente-Maritime qui couvrent les anciennes provinces d'**Angoumois** (région d'Angoulême), d'**Aunis** (région de La Rochelle) et de **Saintonge** (région de Saintes).
La Charente vient s'adosser contre les premiers contreforts du Massif central. On y distingue quatre régions naturelles : à l'Ouest le Cognaçais, pays de vignobles; au Centre l'Angoumois, pays de céréales; au Nord-Est le Confolentais, pays de plateaux d'aspect limousin *(décrit dans le guide Vert Berry Limousin);* au Sud le Montmorélien, pays de collines vouées à la polyculture. Tournée vers l'Atlantique, la Charente-Maritime offre un cordon de dunes, de plages et de rochers, à l'intérieur c'est un pays rural avec ses bois, ses forêts et ses plaines.
Comme en Poitou, le calcaire règne sur la plus grande partie de la région dont la verte et paisible **vallée de la Charente** assure le trait d'union.

Le vignoble. – Le cœur des Charentes bat à Cognac, capitale de cette «**champagne**» crayeuse qui s'étend sur la rive gauche de la Charente et dont les ondulations portent, face à d'immenses horizons, le vignoble de la célèbre eau-de-vie *(voir p. 32).*

La plaine. – D'Angoulême à La Rochelle s'allongent les étendues quelque peu monotones d'une opulente plaine calcaire, seulement coupée de rares vallées comme celle de la Boutonne, et jalonnée de bourgs blanchâtres ou de petites villes.
De même qu'en Poitou, le calcaire jurassique est recouvert de rouge terre de groie ou d'un limon fécond où les champs de blé paraissent secondaires en face des prairies artificielles (trèfle, luzerne), qui alternent avec les betteraves fourragères.

La côte. – La côte charentaise revêt une originalité marquée surtout dans sa partie centrale où les courants marins alliés aux alluvions de la Charente et de la Seudre ont créé, comme en Poitou, une zone de marais. Ces marais ont été transformés en polders et, surtout du côté de Marennes, en bassins pour l'ostréiculture *(voir p. 17).*
Toutes proches de la côte, les îles de Ré et d'Oléron, basses et sablonneuses, couvertes de maisons blanches, ont déterminé une mer intérieure appelée **mer des Pertuis** parce qu'elle ne débouche sur le large que par d'étroites ouvertures.

Chabichous du Poitou, Ventrachoux de Vendée, Cagouillards charentais et Gilets rouges de Saintonge ont en commun le parler lent qu'accentue le roulement de l'r et le sens de la mesure. Ce sont des terriens attachés au sol, courageux et tenaces.

Poitevins. — Ils ont une personnalité différente suivant le « pays » qu'ils habitent. Le **plainaud,** large d'épaules, passe pour « chicanier, noiseux et expert à faire trouver 4 pour 5 »; c'est généralement un petit propriétaire de la Plaine, féru de progrès.

Une bourrine (bourrine du Bois Juquaud, à St-Hilaire-de-Riez).

Dans le Marais poitevin, le maraîchin grand et fin, volontiers frondeur, se montre jaloux de son indépendance.

De nos jours, la religion réformée – qui pénétra à La Rochelle dès 1558, où elle occupe encore de fortes positions au sein des vieilles familles – est très répandue dans les régions de Loudun, Châtellerault et Niort où chaque village a son temple tandis que, isolées dans la campagne, les tombes protestantes s'entourent d'un enclos que signalent deux ou trois cyprès. Elle compte même des adeptes du côté de Chantonnay et de Pouzauges, dans la très catholique Vendée.

Au Sud de Bressuire, près de Courlay, se maintiennent quelques sectateurs de la **Petite Église** dont les ancêtres vendéens, en 1801, refusèrent le Concordat.

Vendéens. — En Vendée et dans la Gâtine de Parthenay, le **bocain** vit retiré aux détours des chemins de son bocage. Cette race, forte et généreuse, se méfie des innovations hasardeuses. Pour lui, les vertus ancestrales d'honneur, de courage et de fidélité à la parole donnée ne sont pas de vains mots. Comme dans les Mauges voisines, il reste attaché à sa terre.

Le maraîchin du Marais breton-vendéen reste traditionaliste; il loge encore parfois dans des **« bourrines »,** petites maisons basses, en « bourre » (terre malaxée avec de la paille ou des roseaux hachés), blanchies à la chaux et couvertes de « rouches » ou roseaux. C'est dans le Marais breton-vendéen que se déroulait autrefois la curieuse coutume du **maraîchinage.** Maraîchiner consistait à s'asseoir à deux, sous un grand parapluie, et à s'embrasser à l'abri des regards indiscrets. Le rite exigeait que la maraîchine repousse d'abord les avances du galant en bredouillant : « Y dirai au tchiuré (curé). » Puis elle finissait par consentir en spécifiant prudemment : « Fais tôt ce que tu veux mais vaque à ma coëffe. »

Charentais. — Même sous les nuages lourds, les « vaches noires » de la mauvaise saison, il garde son sens de l'ironie et se définit lui-même « gueux, glorieux, gourmand ».

Gueux, il le fut peut-être jadis en raison de son indolence qui le fit surnommer **cagouillard,** la cagouille étant un petit escargot de vigne. Le Charentais ne se hâte pas excessivement, il réfléchit avant d'agir. En réalité le cagouillard allie un sens subtil des affaires à beaucoup de finesse; n'est-ce pas lui qui, dit-on, se débarrasse des intrus en leur offrant une piquette, surnommée « chasse-cousins ». Glorieux, le Charentais l'est avec mesure.

La gourmandise des Charentais et leur penchant pour le bon vin s'expriment dans le proverbe : « Les Charentais boiront du lait quand les vaches mangeront les raisins », ce qui ne les empêche pas de se délecter d'une sorte de lait caillé, la caillebotte.

Dans le Marais et les îles, les femmes portaient autrefois la coiffe longue et étroite, destinée, selon la légende, à décourager les entreprises galantes de l'envahisseur anglais, d'où son nom de **quichenotte** (kiss not : n'embrassez pas).

En Charente, le paysan voisine avec le marin qui se montre tolérant, tenace, volontaire.

Quichenotte (île de Ré, Loix).

PÊCHE ET PRODUITS DE LA MER

La pêche hauturière. — Le chalutier est par excellence l'outil de la pêche hauturière (pêche en haute mer) qui fournit la plus grande partie de la « pêche fraîche » et dont le champ d'action se trouve à la limite du plateau continental, sur des fonds atteignant 500 m.

La pêche au chalut de certains poissons (merlu, dorade, sole) est très importante pour l'économie de La Rochelle, des Sables-d'Olonne, de l'île d'Yeu, de St-Gilles, etc.

Pêche au thon. — Cette pêche se pratique de juin à octobre par des bateaux pêchant à la traîne, à l'appât vivant (sardines, anchois, etc.) ou au filet maillant dérivant (île d'Yeu). On pêche le thon blanc ou germon en début de campagne entre le Portugal et les Açores, et l'on suit sa migration au large du golfe de Gascogne jusqu'au Sud-Ouest de l'Irlande.

La pêche côtière. — Plus limitée dans son champ d'action que la pêche hauturière, elle rapporte des espèces particulièrement prisées dans leur toute première fraîcheur.

Pêche à la sardine. — Cette pêche est pratiquée avec des filets tournants, sennes de 200 à 300 m de long. Les embarcations regagnent chaque jour le port où le poisson est vendu aussitôt à la criée. Mais la raréfaction des bancs sardiniers sur le littoral vendéen oblige de plus en plus à pêcher au large des côtes du Maroc avec des sardiniers-congélateurs.

Pêche au poisson plat ou rond. — De nombreux petits chalutiers et des canots à moteur pêchent selon les parages soles, raies, merlans, rougets, merluchons, maquereaux.

Pêche aux crustacés. — Homards et langoustes se capturent surtout dans les eaux froides des côtes rocheuses de Vendée et de l'île d'Yeu, à l'aide de « casiers » ou nasses. Les langoustines, par contre, sont cherchées plus au large par les chalutiers.

Sur les bancs de Soulac et de Cordouan en Gironde, les marins de Royan et de la Cotinière vont traquer la crevette.

La petite pêche. — Active sur la côte même ou non loin du rivage, elle s'effectue au moyen de lignes, cordes, sennes de plage, filets fixes ou encore **carrelets,** filets suspendus manœuvrés par des poulies à partir d'estacades, dont les alignements pittoresques, en particulier dans l'estuaire de la Gironde, témoignent de leur faveur persistante auprès des usagers, en dépit d'une rentabilité incertaine.

Carrelets.

Pêche en estuaire. — C'est au printemps, lors de la remontée des cours d'eau pour le frai, que dans l'estuaire de la Gironde se multiplient les prises d'aloses et de lamproies. A la même époque, reviennent les anguilles : les minuscules **« pibales »** sont capturées du rivage, par milliers à la fois, à l'aide de haveneaux, épuisettes à mailles très fines.

Les marais salants. — Du 11e au 18e s., les marais salants, qui bordaient presque toute la côte, constituaient une des richesses du Poitou, et surtout de l'Aunis et de la Saintonge. Le sel faisait l'objet d'un important trafic fluvial et maritime, notamment vers l'Europe du Nord, jusqu'aux villes hanséatiques, où il était employé à la conservation des poissons. Puis la mer recula, les marais s'envasèrent et passèrent à l'état de marais « gâts » (gâtés) où rôdait la fièvre. De nos jours, seuls sont encore en exploitation ceux des îles de Ré, de Noirmoutier et quelques-uns dans le Marais breton-vendéen. Les autres sont devenus pâturages, jardins maraîchers ou réserves (claires) pour les huîtres.

Une exploitation délicate. — Les marais salants dessinent un quadrillage délimité par de petits talus ou « bossis » de terre argileuse. L'eau de mer, amenée lors des marées par des canaux ou « étiers », se décante et se concentre dans une suite de réservoirs de moins en moins profonds. Dans les « œillets », où elle parvient finalement, la couche n'a plus que 5 cm d'épaisseur. C'est là que, l'eau s'évaporant, le sel se cristallise.

De mai à septembre le paludier « tire », à l'aide d'un grand râteau ou « las » (ou « rabale »), le sel gris déposé au fond; la paludière, avec une pelle plate, écume le sel blanc à la surface. La récolte est ensuite assemblée en tas ou « mulons » sur les bords du salin. Ces mulons sont souvent protégés des intempéries par des bâches en matière plastique, puis stockés dans des « salorges », magasins généralement construits en bois.

Les huîtres

Le bassin de Marennes-Oléron, qui va de la Charente à l'embouchure de la Gironde, compte parmi les principales régions productrices de ce mollusque en France. La Charente-Maritime alimente ainsi près de la moitié du marché français.

Nature et histoire. – Les deux espèces principales, l'huître plate et l'huître creuse, vivent à l'état naturel en gisements fixés aux rochers marins (creuse) ou sur des bancs de sable (plate). La **plate**, hermaphrodite et vivipare, est connue localement depuis l'époque gallo-romaine et, dès lors, fut récoltée par cueillette ou par dragage. Elle figura sur la table de Louis XIV. Presque anéantie vers 1920 à la suite d'une maladie, cette espèce subsiste en petite quantité dans la région de Marennes.

Plus charnues et souvent plus grasses, mais de goût moins fin et très différent, les **huîtres creuses** sont unisexuées et ovipares, moins sensibles aux intempéries. Celles-ci ont été introduites accidentellement en 1868; à la suite d'une tempête, un navire revenant du Portugal fit une escale trop prolongée en Gironde : sa cargaison d'huîtres destinée à l'Angleterre dut être jetée à la mer (à la hauteur de Talais). Les survivantes, ayant essaimé, s'imposèrent ensuite dans la plupart des élevages.

La maladie ayant ravagé à nouveau les parcs en 1971, on a remplacé l'huître portugaise par la «japonaise» (Crassostrea Gigas), huître originaire du Pacifique et importée du Japon ou du Canada (Colombie britannique).

Marennes. – Claires à huîtres.

Exploitation. – Elle est artisanale ou familiale, et aléatoire : outre la maladie, la dégénérescence, la pollution, l'envasement, la salinité excessive, une tempête ou un froid vif peuvent détruire un parc, qu'attaquent par ailleurs crabes, étoiles de mer et bigorneaux.

Les petites huîtres ou **naissain,** voguant au gré des courants, se fixent en été sur des **collecteurs,** tuiles chaulées, ardoises, piquets de bois ou pierres suivant les endroits. Ceux-ci sont transportés ensuite dans un 1er parc. Au bout de 1 à 2 ans, les huîtres sont décollées (c'est le **détroquage**), puis mises dans un 2e parc (généralement dans des «pochons» placés sur des tables), pendant 1 à 2 ans. Dans le bassin de Marennes-Oléron, elles subissent enfin l'affinage en bassins appelés **«claires»** (p. 90).

Les huîtres dites **«spéciales»** séjournent plus longtemps dans les claires et y sont réparties en plus faible densité que les **«fines de claires»**.

Les moules

Mollusque à coquille sombre, presque noire, la moule sauvage vit en colonies sur les rochers battus par la mer. Domestiquée dès le 13e s. (p. 69), elle fait l'objet d'un élevage rationnel sur les côtes de l'Aunis, distinct de celui des huîtres (sauf dans la baie de l'Aiguillon), car ces deux coquillages présentent des incompatibilités biologiques.

Aujourd'hui, les centres de production de moules sont au Sud l'anse de Fouras, la côte près de Brouage et l'île d'Oléron (baie de Boyardville), et au Nord la baie de l'Aiguillon.

La mytiliculture. – Tel est le nom que l'on donne à l'art de faire croître et embellir les moules. Cette culture est d'ailleurs susceptible de développement, malgré la concurrence de la Hollande, la France ne produisant qu'une partie de sa consommation. Les moules se fixent et engraissent sur des pieux plantés dans la vase : ce sont les **bouchots** *(illustration p. 73)* que les «boucholeurs» disposent en files ou réunissent en clayonnages. Selon les secteurs, l'organisation des bouchots est différente et soumise à une réglementation stricte. Dans le Pertuis breton on trouve le bouchot à naissain, situé vers le large; le bouchot à cordes; le bouchot d'élevage, situé près de la côte, où les moules atteignent leur taille de commercialisation.

Il faut voir les boucholeurs allant aux moules sur de petits bateaux plats ou, à marée basse, sur leurs «accons», simples caisses qu'ils font glisser sur la vase à grands coups de botte.

Notons enfin que les moules servent de base à la préparation d'une spécialité gastronomique régionale, la mouclade *(voir p. 32).*

*Avec ce guide, voici les **cartes Michelin** qu'il vous faut :* 🆖 🆖 🆖 🆖 🆖.

QUELQUES FAITS HISTORIQUES

La préhistoire

Dès la préhistoire *(voir le guide Vert Michelin Périgord)*, durant la période **paléolithique** (de 18 000 à 100 siècles avant J.-C.), l'industrie humaine s'est exercée dans la région d'Angoulême (sites de Fontéchevade, de la Quina) et de Poitiers (Angles-sur-l'Anglin, Le Grand-Pressigny); elle se manifeste, à la fin de cette période, par la gravure et le bâton de commandement trouvés dans la grotte de Montgaudier (près de Montbron), par les gisements côtiers entre Pornic et la pointe de St-Gildas, témoins de la civilisation des grands chasseurs, et par les représentations humaines sur galets gravés de Lussac-les-Châteaux.

La période **néolithique** (75 à 25 siècles avant J.-C.) est marquée par la généralisation du polissage et de la céramique, le développement de l'agriculture (blé, orge) puis de l'élevage (moutons, chèvres), la sédentarisation des populations, l'usage des métaux (bronze, cuivre) et les constructions mégalithiques : menhirs, dolmens, tumulus comme ceux de Bougon et celui de Montiou à Ste-Soline *(15 km à l'Est de Melle)*.

Occupation romaine et christianisation

Agrippa, dans un dessein politique, lance au départ de Lyon tout un réseau de voies romaines (1er s. avant J.-C.). A Saintes aboutissent celles de Narbonne, d'Orléans et de Lyon; dans la ville sont édifiés l'arc de Germanicus et les arènes. Durant toute la période gallo-romaine, le sanctuaire païen, les thermes et le théâtre de Sanxay, celui de St-Cybardeaux, le sanctuaire de Masamas proche de Montmorillon, la ville gallo-romaine du Vieux-Poitiers témoignent de l'essor de la région.

Le christianisme, introduit en Gaule dès le 2e s. par des commerçants grecs et des légionnaires romains, pénètre en Poitou vers le 4e s. 27 ans après l'édit de Constantin, saint Hilaire est élu évêque de Poitiers. Le baptistère St-Jean à Poitiers et la nécropole de Civaux illustrent son évangélisation.

Le Moyen Age

476	Chute de l'Empire romain d'Occident; les Barbares occupent la Gaule.
498	Baptême, à Reims, de Clovis, roi des Francs.
507	Bataille dite « de Poitiers » : à Vouillé *(17 km à l'Ouest de Poitiers),* Clovis bat Alaric II. Cette victoire met un terme à la mainmise wisigothique en Aquitaine.
732	Autre bataille de Poitiers : à Moussais-la-Bataille *(p. 58),* Charles Martel arrête la progression arabe en Europe.
800	Charlemagne est couronné Empereur d'Occident à Rome.
820	Début des incursions normandes. Vers 850, destruction de Saintes et d'Angoulême.
851	Erispoë, roi de Bretagne, conquiert sur les Francs le pays de Rais (actuel pays de Retz) au Sud de la Loire.
987	Hugues Capet se fait élire roi. Il fonde sa dynastie.
10e s.	Début du pèlerinage à St-Jacques-de-Compostelle *(p. 30).*
10-11e s.	Le Sud-Ouest est sous la domination des comtes (comtes de Poitiers et d'Angoulême).
1095	Prêche de la 1re croisade à Clermont.
11e s.	Réalisation des peintures murales de St-Savin-sur-Gartempe : l'ensemble de peintures romanes le plus important de France.
1137	Le prince Louis, fils du roi de France, épouse Aliénor (ou Éléonore) d'Aquitaine *(p. 20),* qui lui apporte en dot le Sud-Ouest de la France. Le prince Louis deviendra Louis VII. 15 ans plus tard, leur divorce et surtout le remariage d'Aliénor avec Henri II Plantagenêt sont pour le Capétien une catastrophe politique.
12e s.	Les pèlerins qui fréquentent les chemins de St-Jacques-de-Compostelle animent les villes de Parthenay, Saintes, Pons, Poitiers...
1199	Aliénor d'Aquitaine promulgue un code maritime : les *Rôles d'Oléron* *(p. 105).*
1204	Philippe Auguste s'empare de Poitiers. Cependant ce n'est qu'en 1224 que le Poitou sera annexé au domaine royal.
1214	Victoire de Philippe Auguste à Bouvines.
1224	Rattachement de l'Aunis et de la Saintonge au domaine royal.
1242	Bataille de Taillebourg *(p. 169)* livrée au cours d'une campagne de Saint Louis réprimant une révolte féodale en Saintonge.
1308	L'Angoumois est confisqué au profit du domaine royal. 20 ans plus tard, il est donné à Jeanne de Navarre.
1309-1377	La papauté d'Avignon.

1356	A Nouaillé *(p. 102)*, le roi Jean le Bon perd la « bataille de Poitiers »; il est fait prisonnier par le Prince Noir.
1360	Traité de Brétigny : l'Aquitaine, l'Aunis, la Saintonge et l'Angoumois deviennent possessions du roi d'Angleterre.
1369	Jean de Berry devient gouverneur du Poitou *(p. 110)*.
1372	Le connétable Du Guesclin qui a débarrassé la France des Grandes Compagnies délivre Thouars.
1422	Charles VII proclamé roi à Poitiers.
1453	Dernière bataille de la guerre de Cent Ans, gagnée à Castillon-la-Bataille *(voir le guide Vert Michelin Pyrénées Aquitaine)* par les frères Bureau. Les Anglais abandonnent progressivement le pays.

Les Temps modernes

1494	Naissance de François Ier à Cognac. En succédant à Louis XII sur le trône de France en 1515, il fait passer la couronne de la branche des Valois-Orléans à celle des Valois-Angoulême.
1534-1535	Jean Calvin prêche la Réforme en Saintonge, en Angoumois et à Poitiers.
1539	L'Ordonnance de Villers-Cotterêts réforme l'exercice de la justice et substitue le français au latin dans les actes publics et notariés.
1562	Début des guerres de Religion. En 1569, batailles de Jarnac et de Moncontour remportées par le duc d'Anjou sur les réformés.
1569	Siège de Poitiers par les protestants de Coligny.
1570	Samuel de Champlain naît à Brouage *(p. 49)*.
1571	Le Synode national des Églises réformées de France se tient à La Rochelle *(p. 135)*.
1572	La St-Barthélemy.
1576	Formation de la Sainte-Ligue fondée par les Guises contre les protestants.
1579	Grands Jours de Poitiers *(p. 110)*.
1589	Règne de Henri IV qui sait restaurer l'image de la France après les troubles religieux.
1598	Fin des guerres de Religion. L'édit de Nantes rendu par Henri IV accorde aux protestants une centaine de places de sûreté, dont La Rochelle.
1603-1604	Voyages de Champlain au Canada *(p. 21)*.
1608	Le futur cardinal de Richelieu est nommé évêque de Luçon *(p. 81)*.
1610	Après l'assassinat de Henri IV, règne de Louis XIII; Richelieu, devenu Premier ministre en 1624, réduit l'importance politique du protestantisme.
17e s.	En Aunis, les vignerons commencent à distiller leurs vins pour en faciliter l'écoulement et le stockage.
1627-1628	Siège et prise de La Rochelle *(p. 135)*.
1630	Construction des remparts de Brouage, témoins de l'architecture militaire antérieure à Vauban.
1631	A Richelieu, le cardinal fait édifier par Le Mercier un château (détruit), un parc et une ville selon une rigoureuse ordonnance classique.
1635	Niort voit naître Françoise d'Aubigné, future marquise de Maintenon *(p. 98)*.
1643	Début du règne de Louis XIV.
1660	Louis XIV, renonçant à Marie Mancini *(p. 49)*, épouse l'infante Marie-Thérèse d'Autriche.
1664	Colbert prend conscience de la vulnérabilité du littoral atlantique aux incursions anglaises. Il entreprend l'aménagement de Rochefort.
1685	Révocation de l'édit de Nantes par Louis XIV. De nombreux protestants s'expatrient.
1699	Vauban fortifie l'île d'Aix.
18e s.	Ère des Intendants qui donnent une impulsion décisive au pays : Blossac à Poitiers, Reverseaux à Saintes.
1771	La construction des digues du Limousin, du Maroc... accélère le colmatage naturel et l'assainissement de l'anse de l'Aiguillon.
1773	Les Acadiens en Poitou *(p. 21)*.
1789	Réunion des États généraux; Assemblée constituante; prise de la Bastille; abolition des privilèges.
1790	L'Assemblée constituante crée les départements de Charente (ancienne province d'Angoumois), Charente-Inférieure (Aunis et Saintonge), Vendée (Bas-Poitou), Deux-Sèvres et Vienne (Haut-Poitou).
1792	Bataille de Valmy (20 septembre) : la France est sauvée de l'invasion. Proclamation de la République.
1793	Le 21 janvier, exécution de Louis XVI.
1793-1796	Guerre de Vendée *(p. 21)*.

1804 Fondation de « Napoléon », aujourd'hui La Roche-sur-Yon *(p. 142)*. Le 2 décembre, Napoléon Ier est sacré empereur des Français à Notre-Dame de Paris, par le pape Pie VII.

1806 Le blocus continental, destiné à ruiner l'Angleterre en la privant de ses débouchés commerciaux sur le continent, réduit l'activité des ports du littoral atlantique.

1815 Napoléon, déchu, s'embarque à l'île d'Aix *(p. 37)*.

1822 Complot des Quatre Sergents de La Rochelle *(p. 135)*.

1832 La duchesse de Berry tente de soulever la Vendée contre Louis-Philippe *(voir Blaye, guide Vert Michelin Pyrénées Aquitaine)*.

1848 Louis Napoléon élu le 10 décembre président de la République au suffrage universel.

1852 Le Second Empire plébiscité, le 10 décembre : Napoléon III.

1856 Ouverture de la ligne de chemin de fer Poitiers-La Rochelle.

1870 La capitulation de Sedan (2 septembre) marque la chute du Second Empire. Le 4 au matin, la République est proclamée à Paris.

La République

1876 Crise du phylloxéra. La production de vin connaît une baisse considérable. En Saintonge la polyculture, avec la prédominance du blé et de l'élevage, vient remplacer la monoculture de la vigne. La crise du phylloxéra provoque un important exode rural.

1888 Eugène Biraud fonde la première laiterie coopérative à Chaillé *(4 km au Nord-Est de Surgères)*. Les coopératives se répandent bientôt dans les plaines calcaires du Poitou et de l'Aunis où la vigne avait été anéantie.

1890 Le président de la République Sadi Carnot inaugure le port de La Pallice.

1905 Émile Combes (1835-1921), maire de Pons, et Georges Clemenceau, alors député à l'Assemblée nationale *(p. 96 et 160)*, font voter la loi de séparation de l'Église et de l'État.

1929 Mort de Clemenceau à St-Vincent-sur-Jard *(p. 160)*.

1945 Soldats et résistants français assiègent les Allemands encore retranchés dans les « poches de l'Atlantique », dont celle de Royan *(p. 144)*.
Le 8 mai, le général de Lattre de Tassigny, originaire de Mouilleron-en-Pareds, signe au rang des Alliés l'acte de capitulation de l'Allemagne.

1951 Mort du maréchal Pétain, le « vainqueur de Verdun », à l'île d'Yeu *(p. 174)* où il était détenu depuis sa condamnation par la Haute Cour, le 1er août 1945.

Buste de Clemenceau.

1960 Création de la région administrative Poitou-Charentes, la Vendée étant rattachée aux Pays de la Loire.

1966 Oléron, première île française reliée au continent par un pont *(p. 104)*.

1979 Création du parc naturel régional du Marais poitevin, Val de Sèvre et Vendée.

1988 Achèvement du pont de l'île de Ré *(p. 123)*.

1990 Desserte de Châtellerault, Poitiers et Angoulême par le TGV Atlantique.

ALIÉNOR D'AQUITAINE (vers 1122-1204) ET L'ÉTAT PLANTAGENÊT

Une dot exceptionnelle. – En 1137, Louis, fils du roi de France Louis VI, épouse, à Bordeaux, Aliénor (ou Éléonore), fille unique du duc Guillaume X d'Aquitaine, qui lui apporte en dot la Guyenne, la Gascogne, le Périgord, le Limousin, la Marche, le Poitou, l'Angoumois, la Saintonge, la suzeraineté sur l'Auvergne et le comté de Toulouse. Le mariage est mal assorti. Louis, devenu la même année le roi **Louis VII**, est une sorte de moine couronné, la reine est un peu frivole. En 1147, tous deux participent à la deuxième croisade. Une fois arrivés à Antioche, leurs rapports se détériorent. Après quinze années de vie conjugale, le roi, à son retour, fait prononcer son divorce par le concile de Beaugency (1152). Outre sa liberté, Aliénor recouvre sa dot.
Son remariage, deux mois plus tard, avec Henri Plantagenêt, duc de Normandie, comte d'Anjou et suzerain du Maine et de la Touraine, est pour les Capétiens une catastrophe politique : les domaines réunis d'Henri et d'Aliénor, qui s'étendent de la Manche aux Pyrénées, sont aussi vastes que ceux du roi de France.
Deux ans plus tard, Henri Plantagenêt devient, par héritage, roi d'Angleterre sous le nom de **Henri II**. Cette fois, l'équilibre est rompu et la lutte franco-anglaise qui s'engage durera trois siècles.

Une vie mouvementée.

– Aliénor finit par avoir des démêlés avec son deuxième époux : elle se sépare de lui, quittant Londres pour s'installer à Poitiers. Elle y tient une cour brillante où elle accueille notamment le troubadour Bernard de Ventadour, qui lui adresse quelques-uns de ses plus beaux poèmes.

Ses intrigues, à partir de 1173 (elle soutient son fils Richard Cœur de Lion contre Henri II, père de ce dernier), lui valent d'être emprisonnée par le roi en Angleterre, quinze ans durant. Libérée à la mort de son époux (1189), elle reprend la lutte mais cette fois contre son fils cadet Jean sans Terre et contre Philippe Auguste.

Aliénor aura cependant une fin paisible. Elle se retire en 1199 dans son château d'Oléron *(p. 105)* et finit ses

L'ÉTAT PLANTAGENÊT À SON APOGÉE (Milieu du 12ᵉᵐᵉ s.)

jours à l'abbaye de Fontevraud où elle est enterrée ainsi que Henri II Plantagenêt, Richard Cœur de Lion et Isabelle d'Angoulême, veuve de Jean sans Terre.

Quelques mois après la mort d'Aliénor, Philippe Auguste s'empare, sans coup férir, de Poitiers, ville à laquelle la reine avait accordé une charte communale en 1199.

LES ACADIENS EN POITOU

Poitevins en Acadie, Acadiens en Poitou : des liens se sont tissés au cours des siècles entre le Poitou et le Canada.

En 1603, le roi Henri IV concède à Pierre du Gua de Monts, un protestant sainton-geais, le territoire américain compris entre le 40ᵉ et le 46ᵉ degré de latitude Nord ; du Gua de Monts, accompagné par le navigateur géographe Samuel de Champlain, de Brouage, aborde l'Acadie (actuelles provinces de Nouvelle-Écosse et du Nouveau-Brunswick, au Canada) en 1604. C'est le début d'une période de colonisation à laquelle participeront bon nombre de Bretons, Normands et Poitevins. Malheureusement, par le traité d'Utrecht en 1713, l'Acadie est cédée à l'Angleterre et commence, pour les Acadiens, une période difficile. En 1755, le gouverneur britannique leur présente un ultimatum : partir ou jurer. Devant leur refus, il signe l'ordre de déportation, c'est le **Grand Dérangement.** Certains se cachent, d'autres fuient, se fixent en Louisiane; ceux qui sont exilés en France sont recueillis dans les grands ports, quelques-uns d'entre eux trouvant bientôt refuge à Belle-Ile en Bretagne, puis dans la région d'Archigny près de Châtellerault.

La ferme acadienne d'Archigny, le musée municipal de Châtellerault *(voir à ces localités),* la Maison de l'Acadie à La Chaussée au Sud de Loudun (**67** pli 9), la chapelle de Falaise aux Ormes *(localité citée p. 58)* sont autant d'étapes du souvenir acadien en Poitou.

LA GUERRE DE VENDÉE (1793-1796)

On appelle **Vendée militaire** les territoires qui se soulevèrent en 1793 contre la Convention : en Anjou, les Mauges, autour de Cholet; en Poitou, la Gâtine, le Bocage et le Marais vendéens, régions de pénétration difficile, coupées de haies et favorables aux embuscades; le pays de Retz, autour du lac de Grand-Lieu. On distingue la Vendée militaire, contrôlée par l'Armée catholique et royale, des pays de chouannerie (Maine, Normandie, Bretagne), où les royalistes opérèrent en ordre dispersé.

Vive Dieu! Vive le Roi! – L'exécution de Louis XVI, la conscription et la persécution des prêtres sont à l'origine de l'insurrection qui éclate en mars 1793 à St-Florent-sur-Loire puis qui s'étend rapidement à toutes les Mauges angevines et au Bas-Poitou.

Dirigés au début par des chefs de souche populaire, tels **Cathelineau,** colporteur au Pin-en-Mauges, ou **Stofflet,** garde-chasse à Maulévrier, les paysans font ensuite appel à leurs « messieurs ». Dans les Mauges, les gars de Beaupréau vont chercher **d'Elbée** et ceux de St-Florent le marquis de **Bonchamps.** Au cœur du Bocage et du Marais, Sapinaud et le chevalier de **Charette** conduisent leurs fermiers, comme en Gâtine le châtelain de la Durbelière *(p. 48),* **La Rochejaquelein,** et celui de Clisson (Sud de Bressuire), **Lescure.**

Ces « Brigands », armés de faux et de fourches, puis de fusils pris aux Républicains, sont groupés en paroisses, tous portant le scapulaire au cœur enflammé que surmonte une croix. Le drapeau des Vendéens est blanc, semé de fleurs de lys, et porte souvent la devise « Vive Louis XVII ». La base de leur tactique est la surprise : les bons tireurs enveloppent la force adverse et, dissimulés dans les haies, déciment l'ennemi. Puis tout le monde se jette à l'assaut au cri de : « Rembarre! Vive la Religion! Vive le Roi! » Si la résistance est trop vive, la troupe se disperse dans les profondeurs du bocage, que Kléber appelait le « labyrinthe ».

Prends ton fusil, Grégoire! – En avril 1793, les Bleus (républicains) ont réagi et, malgré un grave échec à Chemillé, ont repoussé sur la Sèvre l'Armée catholique et royale. Puis celle-ci reprend l'avantage et s'empare de l'Anjou en juin. Mais son chef, Cathelineau, le « Saint de l'Anjou », trouve la mort, devant Nantes. D'Elbée prend alors le commandement.

Inquiète, la Convention fait donner l'armée de Mayence conduite par **Kléber**, Westermann et Marceau. Vaincue d'abord à Torfou, cette armée remporte la sanglante bataille de Cholet où Lescure, « le Saint du Poitou », et Bonchamps sont atteints mortellement. Les Vendéens se retirent sur St-Florent où Bonchamps mourant fait grâce aux prisonniers. Puis l'Armée catholique et royale passe la Loire pour se réfugier dans le Maine et en Bretagne où, après les désastres du Mans et de Savenay, elle se désagrège. « Châtiment » de la révolte et des atrocités vendéennes, la répression commence alors; elle est effroyable durant l'hiver 1794. Des milliers de Blancs (royalistes) sont fusillés ou guillotinés tandis que les **colonnes infernales** dévastent la Vendée. Ces troupes, placées sous le commandement du général en chef Turreau, se composent de deux armées divisées chacune en six colonnes; leur mission est de passer au fil de l'épée les soldats de l'armée vendéenne et même les habitants leur faisant obstacle.

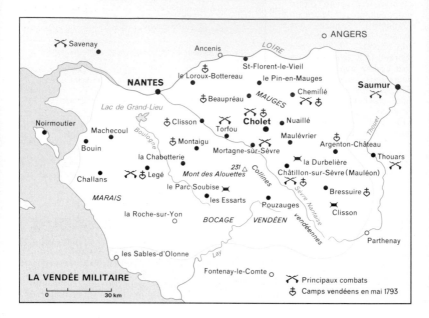

La guérilla. – Cependant, au cours de cette année 1794, la Vendée résiste encore et mène une guerre d'usure contre l'occupant. Dans les Mauges, La Rochejacquelein et Stofflet ont repris les armes : si le premier a été tué à Nuaillé près de Cholet, Stofflet tient la campagne et défait les Bleus à Beaupréau, Bressuire, Argenton-Château. Charette, dans le Marais et le Bocage, harcèle les Républicains par de petits raids inopinés.

Ces actions de détail se révèlent payantes et, au début de 1795, la Convention traite : la paix est signée avec Charette à la Jaunaye, près de Nantes, avec Stofflet à St-Florent. Quelques mois plus tard toutefois, à l'instigation du comte d'Artois, Charette et Stofflet reprennent la lutte. Mais la Vendée est à bout de souffle et le frère du roi ne secourant pas ses fidèles, **Hoche**, habile et généreux, réussit à pacifier la région; en obligeant d'Hervilly à se réfugier dans la presqu'île de Quiberon, il assure la victoire de la République (juillet 1795). En 1796, Stofflet, pris à côté de Jallais, est fusillé à Angers; Charette, capturé à la Chabotterie (p. 143), subit le même sort à Nantes et meurt, le 29 mars, au cri de « Vive le Roi! ».

QUELQUES FIGURES ILLUSTRES

Champlain (entre 1565 et 1570-1635). – Fondateur de Québec, né à Brouage.

Charles de Coulomb (1736-1806). – Ce physicien d'Angoulême énonça les lois de la torsion avant de s'intéresser à celles du magnétisme et de l'électrostatisme.

Clemenceau (1841-1929). – Le célèbre homme politique est né à Mouilleron-en-Pareds (voir à ce nom et à St-Vincent-sur-Jard).

Léon Edoux (1827-1910). – Né à St-Savin, cet ingénieur inventa l'élévateur hydraulique, ancêtre de l'ascenseur.

François Fresneau (1703-1770). – Ingénieur né à Marennes, il fut surnommé le « père du caoutchouc » car, après avoir découvert l'hévéa en Guyane, il mit au point une technique d'exploitation du latex.

Guillotin (1738-1814). – A ce médecin de Saintes, on doit la guillotine.

De Lattre de Tassigny (1889-1952). – Né, comme Clemenceau, à Mouilleron-en-Pareds, il s'illustra notamment, en tant que général, pendant la Seconde Guerre mondiale. La dignité de maréchal de France lui fut conférée à titre posthume.

Madame de Maintenon (1635-1719). – Niort vit naître Françoise d'Aubigné, future marquise de Maintenon.

Réaumur (1683-1757). – Ce savant naquit à La Rochelle.

LES LETTRES

Moyen Age. – **Guillaume IX** (1071-1127), duc d'Aquitaine, 7ᵉ comte de Poitiers, est le « premier des troubadours » : en terre poitevine, de langue d'oïl, il adopte curieusement l'occitan pour versifier.
Surtout connu pour ses amours avec Héloïse, **Abélard** (1079-1142), né au Pallet, se fait cependant un nom dans l'enseignement de la philosophie et de la théologie.

L'âge d'or de la Renaissance. – L'humanisme remet en honneur l'Antiquité.
Un foyer humaniste, que fréquente, dans sa jeunesse, Rabelais, se crée à Fontenay-le-Comte au début du 16ᵉ s. Autour de l'université de Poitiers se rassemblent des érudits dont Rabelais et plusieurs poètes de la Pléiade, tels Du Bellay et Baïf. **Scévole de Ste-Marthe** (1536-1623), auteur de nombreux poèmes en latin, tient salon à Loudun.
L'Angoumois et la Saintonge sont plus assujettis à l'art de cour tel qu'il est pratiqué dans les châteaux d'Angoulême ou de Cognac par **Marguerite d'Angoulême** (1492-1549) et **Mellin de Saint-Gelais** (1491-1558) dont les poèmes furent prisés de François Iᵉʳ comme de Henri II.
En Saintonge se trouve le génie littéraire le plus original de l'époque, **Agrippa d'Aubigné** (1552-1630), né près de Pons, polémiste dans *les Tragiques,* chanson de geste hugue-note, mais qui sait se faire élégiaque dans des *Sonnets* qui comptent parmi les plus purs de la langue française.

Un grand siècle classique : le 17ᵉ s. – En fait de moraliste, l'Angoumois revendique **Guez de Balzac** (1597-1654) et **La Rochefoucauld.** Le premier rédige des *Lettres* dans lesquelles il expose ses idées de morale politique et de critique littéraire, l'autre, La Rochefoucauld (1613-1680), montre son pessimisme dans les fameuses *Maximes.*
Né à La Rochelle, **Tallemant des Réaux** (1619-1690) se montre dans ses *Historiettes* un remarquable observateur de son époque.
En tant que « fondateur de la presse française », **Théophraste Renaudot** (1586-1653), à qui on doit l'ancêtre du journal, *la Gazette,* a sa place parmi les hommes de lettres.

Romantisme et époque contemporaine. – Au 19ᵉ s., les écrivains du Centre-Ouest ne cultivent guère le vague à l'âme, à l'exception d'**Alfred de Vigny** qui se retire, après sa rupture avec Marie Dorval, au Maine-Giraud ; là, dans sa « tour d'ivoire », il compose *la Mort du loup.*
Tout autre est la vie de **René Caillié** (1799-1838), audacieux explorateur originaire de Mauzé-sur-le-Mignon, dans les Deux-Sèvres, qui relate son périlleux voyage à Tombouctou dans un excellent journal de voyage.
A la fin du 19ᵉ s., deux romanciers font preuve d'une très riche sensibilité : ce sont

Le Maine-Giraud.

le Rochelais **Eugène Fromentin** (1820-1876) et le Rochefortais **Pierre Loti** (1850-1923) qui décrivent respectivement leur pays natal dans *Dominique* et *le Roman d'un Enfant.* Mais l'essentiel de l'œuvre de Loti exprime la tendance à l'exotisme de cet écrivain que fascine la magie de l'Orient.
Considéré comme le père du roman policier français, **Émile Gaboriau** (1832-1873), né à Saujon, fut un auteur estimé *(le Crime d'Orcival).*
Grande figure politique, le Vendéen **Georges Clemenceau** (1841-1929) a fait le point sur sa vie dans *Grandeurs et misères d'une victoire.*
Jean Yole (1878-1956), né à Soullans, est le chantre de la Vendée.
Jacques Chardonne, né à Barbezieux (1864-1968), est le romancier de *l'Épithalame,* du *Bonheur de Barbezieux,* œuvres ayant pour cadre les Charentes, ainsi que du mélancolique *Vivre à Madère.*
Originaire de St-Fort-sur-Gironde, **Pierre-Henri Simon** (1903-1972) fut un éminent critique littéraire.
Maurice Fombeure (1906-1981), né à Jardres, dans la Vienne, qui publie des recueils d'une grande fraîcheur d'inspiration, tel *A dos d'oiseau,* tient une place de choix dans la poésie contemporaine.
De nos jours, **Michel Ragon** (né en 1924), écrivain aux facettes multiples, s'est attaché à décrire son enfance dans sa Vendée natale *(l'Accent de ma mère ; Enfances ven-déennes),* à faire revivre les guerres de Vendée *(les Mouchoirs rouges de Cholet ; la Louve de Mervent),* quant il ne s'est pas consacré à l'histoire de l'art ou de l'architecture.
Il faut retenir également les œuvres d'**Hortense Dufour** se situant en Charente-Maritime, département dont cette romancière (née en 1946) est originaire : *Le Bouchot, La Fille du Saulnier (Brouage).*
On ne saurait omettre de citer les écrivains qui, à diverses époques, ont séjourné dans la région, tels **Choderlos de Laclos** *(voir à La Rochelle),* **Honoré de Balzac** *(Angoulême),* **René Bazin** *(Sallertaine),* ou encore le Belge **Georges Simenon** (1903-1991). Replié dans les Charentes puis en Vendée pendant la Deuxième Guerre mondiale, celui-ci fit des villes de ces départements le cadre de plusieurs romans policiers *(Le Voyageur de la Toussaint : La Rochelle ; Maigret a peur : Fontenay-le-Comte,* etc.).

L'ART

ABC D'ARCHITECTURE

A l'intention des lecteurs peu familiarisés avec la terminologie employée en architecture, nous donnons ci-après quelques indications générales sur l'architecture religieuse et militaire, suivies d'une liste alphabétique des termes d'art employés pour la description des monuments dans ce guide.

Architecture religieuse

illustration I ▶

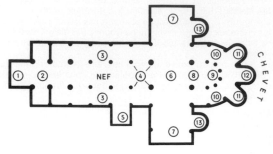

Plan-type d'une église : il est en forme de croix latine, les deux bras de la croix formant le transept.
① Porche – ② Narthex ③ Collatéraux ou bas-côtés (parfois doubles) – ④ Travée (division transversale de la nef comprise entre deux piliers) ⑤ Chapelle latérale (souvent postérieure à l'ensemble de l'édifice) – ⑥ Croisée du transept – ⑦ Croisillons ou bras du transept, saillants ou non, comportant souvent un portail latéral – ⑧ Chœur, presque toujours « orienté » c'est-à-dire tourné vers l'Est ; très vaste et réservé aux moines dans les églises abbatiales – ⑨ Rond-point du chœur ⑩ Déambulatoire : prolongement des bas-côtés autour du chœur permettant de défiler devant les reliques dans les églises de pèlerinage – ⑪ Chapelles rayonnantes ou absidioles – ⑫ Chapelle absidale ou axiale. Dans les églises non dédiées à la Vierge, cette chapelle, dans l'axe du monument, lui est souvent consacrée ⑬ Chapelle orientée.

romane   gothique

◀ illustration II

Coupe d'une église : ① Nef – ② Bas-côté – ③ Tribune – ④ Triforium – ⑤ Voûte en berceau – ⑥ Voûte en demi-berceau – ⑦ Voûte d'ogive – ⑧ Contrefort étayant la base du mur – ⑨ Arc-boutant – ⑩ Culée d'arc-boutant – ⑪ Pinacle équilibrant la culée – ⑫ Fenêtre haute.

illustration III ▶

Cathédrale gothique : ① Portail – ② Galerie – ③ Grande rose – ④ Tour-clocher quelquefois terminée par une flèche – ⑤ Gargouille servant à l'écoulement des eaux de pluie – ⑥ Contrefort – ⑦ Culée d'arc-boutant ⑧ Volée d'arc-boutant – ⑨ Arc-boutant à double volée – ⑩ Pinacle – ⑪ Chapelle latérale – ⑫ Chapelle rayonnante – ⑬ Fenêtre haute – ⑭ Portail latéral – ⑮ Gâble – ⑯ Clocheton – ⑰ Flèche (ici, placée sur la croisée du transept).

◀ illustration IV

Voûte d'arêtes :
① Grande arcade
② Arête – ③ Doubleau.

illustration V ▶

Voûte en cul de four : elle termine les absides des nefs voûtées en berceau.

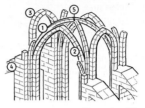

illustration VI

Voûte à clef pendante :
① Ogive – ② Lierne
③ Tierceron – ④ Clef pendante
⑤ Cul-de-lampe.

illustration VII

Voûte sur croisée d'ogives
① Arc diagonal – ② Doubleau
③ Formeret – ④ Arc-boutant
⑤ Clef de voûte.

▼ illustration VIII

Portail : ① Archivolte ; elle peut être en plein cintre, en arc brisé, en anse de panier, en accolade, quelquefois ornée d'un gâble –

② Voussures (en cordons, moulurées, sculptées ou ornées de statues) formant l'archivolte ③ Tympan – ④ Linteau – ⑤ Piédroit ou jambage – ⑥ Ébrasements, quelquefois ornés de statues – ⑦ Trumeau (auquel est généralement adossée une statue) – ⑧ Pentures.

illustration IX ▶

Arcs et piliers : ① Nervures ② Tailloir ou abaque – ③ Chapiteau – ④ Fût ou colonne – ⑤ Base – ⑥ Colonne engagée – ⑦ Dosseret – ⑧ Linteau – ⑨ Arc de décharge – ⑩ Frise.

Architecture militaire

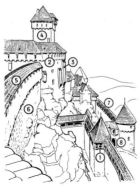

illustration X

Enceinte fortifiée : ① Hourd (galerie en bois) – ② Mâchicoulis (créneaux en encorbellement) – ③ Bretèche ④ Donjon – ⑤ Chemin de ronde couvert – ⑥ Courtine – ⑦ Enceinte extérieure – ⑧ Poterne.

illustration XI

Tours et courtines : ① Hourd ② Créneau – ③ Merlon ④ Meurtrière ou archère ⑤ Courtine – ⑥ Pont dit « dormant » (fixe) par opposition au pont-levis (mobile).

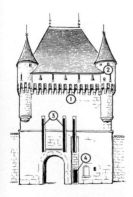

◀ illustration XII

Porte fortifiée : ① Mâchicoulis ② Échauguette (pour le guet) – ③ Logement des bras du pont-levis – ④ Poterne : petite porte dérobée, facile à défendre en cas de siège.

illustration XIII ▶

Fortifications classiques :
1 Entrée – 2 Pont-levis
3 Glacis – 4 Demi-lune
5 Fossé – 6 Bastion – 7 Tourelle de guet – 8 Ville – 9 Place d'Armes.

TERMES D'ART EMPLOYÉS DANS CE GUIDE

Absidiole : illustration I.

Acanthe : plante dont le feuillage est employé comme motif décoratif, notamment dans les chapiteaux d'ordre corinthien.

Anse de panier : arc aplati, très utilisé à la fin du Moyen Age et à la Renaissance.

Arcature : suite de petits arcs accolés.

Arcature lombarde : décoration en faible saillie, faite de petites arcades aveugles reliant des bandes verticales, caractéristiques de l'art roman en Italie.

Archivolte : illustration VIII.

Arc triomphal : dans une église, arcade se trouvant à l'entrée du chœur.

Atlante : statue masculine servant de support.

Baldaquin : ouvrage couronnant un autel et soutenu par des colonnes; voir Ciborium.

Balustre : colonnette renflée supportant un appui.

Bas-côté : illustration I.

Bas-relief : sculpture en faible saillie sur un fond.

En bâtière : à deux versants inclinés et posés sur deux pignons.

Berceau (voûte en) : illustration II.

Billette : moulure faite de petits boudins.

Bossage : saillie sur le parement d'une pierre.

Bretèche : illustration X.

Caisson : compartiment creux ménagé comme motif de décoration (plafond ou voûte).

Chapelle absidale ou axiale : dans l'axe de l'église, illustration I.

Chapiteau : illustration IX.

Châsse : coffre contenant les reliques d'un saint.

Chemin de ronde : illustration X.

Chevet : illustration I.

Ciborium : ouvrage couronnant un autel; voir Baldaquin.

Clef de voûte : illustration VII.

Clocheton : illustration III.

Clôture : dans une église, enceinte formant le chœur.

Collatéral : illustration I.

Colombage : charpente de mur apparente.

Contrefort : illustration II.

Coupole : illustrations XIV et XV.

◀ illustration XIV

Coupole sur trompes :
①Coupole octogonale – ②Trompe – ③Arcade du carré du transept.

illustration XV ▶

Coupole sur pendentifs :
①Coupole circulaire – ②Pendentif – ③Arcade du carré du transept.

Coursière : galerie de circulation étroite au-dessus des arcades de la nef d'une église.

Courtine : illustration XI.

Croisée d'ogives : illustration VII.

Croisée du transept : illustration I.

Croisillon : illustration I.

Crypte : église souterraine.

Cul-de-four : illustration V.

Déambulatoire : illustration I.

Demi-lune : illustration XIII.

Donjon : illustration X.

Douve : fossé, généralement rempli d'eau, protégeant un château fort.

Échauguette : illustration XII.

Encorbellement : construction en porte-à-faux.

Enfeu : niche pratiquée dans le mur d'une église pour recevoir une tombe.

Ex-voto : objet exposé dans une église pour l'accomplissement d'un vœu ou en reconnaissance d'une grâce obtenue.

Fabrique : petite construction de fantaisie élevée dans un parc.

Feston : guirlande de feuilles, fruits ou fleurs; découpure d'un arc.

Flamboyant : style décoratif de la fin de l'époque gothique (15e s.) ainsi nommé pour ses découpures en forme de flammèches aux remplages des baies.

Flèche : illustration II.

Fresque : peinture murale appliquée sur l'enduit frais.

Gâble : illustration III.

Gargouille : illustration III.

Géminé : groupé par deux (arcs géminés, colonnes géminées).

Gloire : auréole entourant un personnage; en amande elle est aussi appelée mandorle.

Historié (chapiteau) : décoré de scènes à personnages.

Imposte : tablette saillante couronnant le piédroit d'une arcade et recevant la retombée d'un arc.

Intrados : partie inférieure d'un arc ou d'une voussure.

Lavabo : fontaine d'ablutions.

Lierne : illustration VI.

Litre : bande peinte en noir portant les armoiries du seigneur et faisant le tour d'une chapelle ou d'une église.

Mâchicoulis : illustration X.

Meneaux : croisillons de pierre divisant une baie.

Merlon : illustration XI.

Meurtrière : illustration XI.

Modillon : petite console soutenant une corniche.

Narthex : illustration I.

Nef : illustrations I et II.

Orgues : illustration ci-contre.

Piédroit : illustration VIII.

Pietà : mot italien désignant le groupe de la Vierge tenant sur ses genoux le Christ mort; on dit aussi Vierge de pitié.

Pilastre : pilier plat engagé dans un mur.

Pinacle : illustrations II et III.

Plein cintre : en demi-circonférence, en demi-cercle.

En poivrière : à toiture conique.

Porche : lieu couvert en avant de la porte d'entrée d'un édifice.

Poterne : illustrations X et XII.

Remplage : réseau léger de pierre découpée garnissant tout ou partie d'une baie, une rose ou la partie haute d'une fenêtre.

Retable : illustration XVII.

illustration XVI

Orgues : ① Grand buffet — ② Petit buffet — ③ Cariatide — ④ Tribune.

illustration XVII

Stalles : ① Dossier haut — ② Pare-close — ③ Jouée — ④ Miséricorde.

illustration XVIII

Autel avec retable : ① Retable — ② Prédelle — ③ Couronne — ④ Table d'autel — ⑤ Devant d'autel. Certains retables baroques englobaient plusieurs autels; la liturgie contemporaine tend à les faire disparaître.

Rinceaux : illustration XVIII.

Rose : illustration III.

Stalle : illustration ci-dessus.

Transept : illustration I.

Travée : illustration I.

Tribune : illustration II.

Trumeau : illustration VIII.

Tympan : illustration VIII.

Vantail : panneau mobile.

Voussures : illustration VIII.

Voûte d'arêtes : illustration IV.

illustration XIX ▸

Ornementation Renaissance :
① Coquille — ② Vase — ③ Rinceaux
④ Dragon — ⑤ Enfant nu
⑥ Amour — ⑦ Corne d'abondance
⑧ Satyre.

27

L'ART EN POITOU, EN VENDÉE ET DANS LES CHARENTES

Époque gallo-romaine

De l'Aquitaine romaine, dont les capitales étaient Bordeaux, Poitiers, Saintes, nous sont parvenus, malgré le vandalisme du 19e s., d'assez nombreux témoignages. Et les ruines d'amphithéâtres (Saintes), de théâtres (Les Bouchauds, Vieux-Poitiers), de temples et de thermes (Sanxay), d'arcs votifs (Saintes) permettent de connaître les grands traits de la civilisation gallo-romaine.

Amphithéâtres. — Désignés couramment sous le nom d'arènes, ils comportent extérieurement deux étages d'arcades surmontés d'un étage bas appelé « attique ». En haut de l'attique sont encastrés les poteaux servant à l'amarrage d'un immense voile (vélum) qui abrite les spectateurs. A l'intérieur, clôturant l'arène, un mur protège le public contre les bêtes sauvages lâchées sur la piste où se déroulent aussi les combats de gladiateurs, voire, sous certains empereurs, des persécutions de chrétiens.

Théâtres. — Ils comprennent : des gradins, l'orchestre réservé aux personnalités, la scène surélevée par rapport à l'orchestre. Les acteurs, le visage masqué, chaussés de cothurnes (chaussures montantes) pour la tragédie, jouent devant un mur percé de trois portes par où se font les entrées. Recouvrant la scène, un toit incliné rabat les sons et porte au loin la voix des comédiens.

Art roman (11e-12e s.)

Après les périodes troublées du haut Moyen Age marquées par les conflits entre grands féodaux, l'an mille marque un renouveau. Un élan de foi se développe, que concrétisent croisades et grands pèlerinages. Dans le Sud-Ouest les principaux sanctuaires s'élèvent au long des chemins de St-Jacques-de-Compostelle (voir carte p. 30).

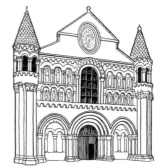

Le plan. — En Poitou, les églises romanes comportent généralement une haute nef centrale, à voûte en berceau, contrebutée par des bas-côtés ou collatéraux à peine moins élevés qu'elle, la lumière pénétrant par les baies des bas-côtés.

Dans l'Angoumois et en Saintonge, la nef unique, très large, est tantôt voûtée en berceau, tantôt couverte d'une **file de coupoles :** il s'agirait dans ce cas d'une influence périgourdine qui aurait été transmise par Girard, évêque d'Angoulême.

Poitiers : N.-D.-la-Grande.

Les façades. — Elles se caractérisent par leurs arcades ou superpositions d'arcatures. Toutefois, la série d'arcatures à l'étage est plutôt un fait angoumois ou saintongeais, tandis qu'une division verticale tripartite, avec de grandes arcades séparées par des contreforts-colonnes, se retrouve souvent dans le Poitou, N.-D.-la-Grande à Poitiers faisant un peu figure d'exception.

Poitevine ou saintongeaise, la façade est généralement surmontée d'un pignon triangulaire et encadrée de colonnes ou de faisceaux de colonnes que surmontent parfois des lanternons à toit conique, couvertes d'imbrications, de même que certains clochers. La façade est souvent peuplée de statues et bas-reliefs : le frontispice de N.-D.-la-Grande est un des exemples le plus achevé de ces « façades-écrans » s'ordonnant en une « page sculptée » où la Bible se lit à livre ouvert.

Les façades sont généralement plus sobres en Angoumois; cependant, celle de St-Pierre d'Angoulême est célèbre pour illustrer, en 70 personnages, le Jugement dernier.

Portails. — En Poitou, Angoumois et Saintonge, les portails sont très profonds et ornés de voussures et de chapiteaux richement sculptés, par contre il sont généralement privés de tympan. Ils sont souvent flanqués, comme à N.-D.-la-Grande, d'arcatures latérales aveugles, elles aussi ornementées, où certains ont voulu voir la réminiscence des arcs de triomphe romains.

Dans maints portails se manifestent des influences hispano-mauresques, en raison de la position de beaucoup de sanctuaires sur la route de St-Jacques-de-Compostelle ou à proximité de celle-ci : arcs outrepassés, **arcs polylobés** ou

Église paroissiale St-Nicolas à Maillezais.
Détail du portail.

découpés en festons (Châtre), arcs en alvéoles (Celles-sur-Belle, illustration p. 51).

Les clochers. — La plupart des clochers romans sont cantonnés de hauts contreforts ou de tourelles d'angle, et percés d'arcatures qui s'ajoutent dans les étages supérieurs.

Quelques-uns forment porche, comme celui de St-Porchaire à Poitiers; la plupart, centraux, marquent la croisée du transept, tel celui de l'église de l'abbaye aux Dames, à Saintes. La flèche conique à imbrications qui couvre ce dernier est en fait répandue aussi dans le Poitou; elle dériverait de modèles romains.

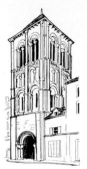

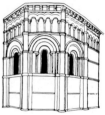

Clocher-porche.
(Poitiers)

Clocher central.
(Saintes)

Melle.

Rioux.

Chevets : poitevin (à gauche) et saintongeais (à droite).

Les chevets. — Les sanctuaires à déambulatoire et absidioles rayonnantes à contre-forts-colonnes sont fréquents dans le Poitou : l'église St-Hilaire à Melle en offre un bon témoignage.

Par contre, certains chevets saintongeais, comme celui de l'église de Rioux, offrent l'originalité d'une simple abside à cinq pans et contreforts-colonnes, ornée de baies avec archivoltes décorées à l'étage médian, d'arcatures aveugles à colonnettes à l'étage supérieur, lequel se couronne d'une élégante frise sous une corniche à modillons sculptés.

Sculpture. — La pierre calcaire, facile à travailler, a permis de sculpter, sur les façades, sur les chevets, aux voussures et aux arcatures, sur les modillons et les chapiteaux, un décor de qualité, remarquable à la fois par sa finesse, son abondance et sa variété : rinceaux et feuilles d'acanthe antiques, entrelacs préromans, monstres orientaux y sont prodigués au même titre que les scènes de la Bible ou de la Légende dorée des saints, voire de la vie quotidienne.

Si la façade de N.-D.-la-Grande à Poitiers est remarquable par la somptuosité de son décor, la richesse de la sculpture est surtout une caractéristique saintongeaise. L'opulence du décor ne doit pas faire oublier sa minutie et il ne faut pas craindre de chercher à le déchiffrer, le détail étant presque toujours d'une rare saveur.

Les thèmes. — Certains sont classiques, tel le Jugement dernier, illustration parfaitement adaptée aux grandes pages que sont les façades de St-Jouin-de-Marnes ou d'Angoulême. D'autres sont plus particuliers au Poitou et à la Saintonge : les Vertus et les Vices, les Vierges sages et les Vierges folles, le Cavalier.

Sur de multiples voussures de portails on reconnaît les Vices sous la forme de monstres, terrassés par des femmes armées symbolisant les Vertus.

Dans d'autres voussures se font face les figures des Vierges sages et des Vierges folles, symboles des Élus et des Réprouvés au Jugement dernier : les unes à la mise simple tiennent des lampes allumées, les autres à la toilette plus luxueuse tiennent des lampes renversées.

A la façade des églises chevauche le **Cavalier** *(illustration p. 91)*, abrité sous une arcade, son cheval foulant aux pieds un petit personnage. Il pourrait s'agir de la réminiscence d'une statue romaine de Marc-Aurèle que les pèlerins prenaient pour Constantin, le personnage terrassé symbolisant ainsi le paganisme vaincu par le premier empereur chrétien.

Fresque et peinture murale. — La fresque (de l'italien fresco : frais) est une peinture murale exécutée à l'eau sur une couche de mortier frais, à laquelle elle s'incorpore. Le nombre des couleurs est limité puisque l'on n'utilise que des terres ou des oxydes de fer allant du jaune au rouge, ainsi le vert, le violet et le bleu de cobalt.

St-Savin réunit l'ensemble le plus extraordinaire de peintures murales de l'école poitevine. Les compositions sont remarquables tant par la beauté des coloris, l'unité d'ensemble et la perfection de la technique, que par l'intensité de vie qui s'en dégage. A la même école sont attribuées les délicates peintures de la crypte de Montmorillon.

Les cimetières. — Ils abritaient deux sortes de monuments, très répandus dans la région : les lanternes des morts et les croix hosannières. Toutes deux se dressaient, à l'origine, au cœur du cimetière qui, souvent, a été déplacé.

Lanterne des morts. — C'est un pilier creux, en pierre, au sommet duquel était placé un fanal allumé, symbole de la vie éternelle des âmes. La lanterne comprend un soubassement recouvrant un ossuaire, des degrés accédant à un

Fenioux
Lanterne des Morts.

autel où le prêtre disait la prière des morts, la colonne à l'intérieur de laquelle se trouve parfois un escalier, le logement du fanal et un toit couronné d'une croix.

La lanterne de Fenioux en est un bel exemple, de même que celle de St-Pierre-d'Oléron.

Croix hosannières. — Elles étaient ainsi nommées parce que, le dimanche des Rameaux, on commémorait l'entrée du Christ à Jérusalem. Au pied de la croix le célébrant psalmodiait l'Évangile des Rameaux, puis l'assistance défilait en chantant l'Hosanna et en déposant les rameaux, les « hosannas ».

Les croix les plus connues sont celles d'Aulnay et surtout de Moëze.

Du roman au gothique : le style Plantagenêt

Le style Plantagenêt, dit aussi **angevin**, tient son nom d'Henri Plantagenêt. Ce style marque, à ses débuts, la transition du roman gothique; il atteint son apogée au début du 13ᵉ s. et s'éteint avant la fin du siècle.

La voûte angevine. — Alors que, dans les voûtes gothiques normales, toutes les clés sont situées sensiblement à la même hauteur, l'architecture Plantagenêt se caractérise par la voûte bombée sur croisée d'ogives, probablement issue de la coupole *(voir p. 23)*; la clé d'ogive domine d'environ 3 m les clés des formerets et des doubleaux.
A la fin du 12ᵉ s. les voûtes angevines s'allègent, les nervures plus nombreuses, plus légères, plus gracieuses retombent sur de sveltes colonnes rondes.
Le début du 13ᵉ s. voit le style Plantagenêt à son apogée. C'est alors que s'élèvent ces vaisseaux dont les hautes et fines colonnes portent de légères voûtes à liernes. La voûte angevine est employée en Vendée, Poitou (cathédrale de Poitiers, Saint-Jouin-de-Marnes, Airvault), en Saintonge et jusque dans les pays de la Garonne.

Voûtes angevines.

Milieu du 12ᵉ s.   Fin du 12ᵉ s.   Début du 13ᵉ s.

Les Chemins de St-Jacques

La légende et l'histoire. — L'apôtre saint Jacques le Majeur, évangélisateur de l'Espagne, est enterré sur la côte de Galice. Sur son tombeau, miraculeusement retrouvé au début du 9ᵉ s., on édifie une église. Lors de la reconquête de l'Espagne sur les Maures, saint Jacques devient le patron des chrétiens : en 844 en effet, à Clavijo, il apparaît dans un combat sur un cheval blanc et terrassant les Maures, d'où son surnom de Matamore.

Le pèlerinage. — Durant tout le Moyen Âge, le tombeau de saint Jacques va attirer en Espagne une foule considérable de pèlerins. La dévotion envers «Monsieur saint Jacques» est si vivante dans toute l'Europe que Santiago (Compostelle) devient un centre de rassemblement exceptionnel, aussi réputé que Rome ou Jérusalem.
Depuis le premier pèlerinage français accompli par l'évêque du Puy dès 951, des millions de **Jacquets,** Jacquots ou Jacobits se sont mis en chemin pour aller vénérer les reliques de l'apôtre, à partir des principaux centres de regroupement que constituaient pour l'Europe entière Paris (et Tours), Vézelay, Le Puy et Arles. Le costume du pèlerin ressemblait à celui des voyageurs de l'époque, mis à part le gros bâton à crosse, ou bourdon, et les insignes du pèlerinage : médaille et **coquille** (coquille Saint-Jacques qu'on trouve en bancs sur les côtes de Galice). De nombreux tableaux et des statuettes montrent le chapeau de feutre à larges bords et la vaste cape (pèlerine) ou le mantelet court (esclavine) couvrant les épaules, que portait le pèlerin. Une panetière (musette), une gourde, un couvert, une écuelle, un coffret en tôle abritant les papiers et sauf-conduits complétaient son attirail.

Un réseau important d'hospices est créé par les bénédictins de Cluny, secondés par d'autres grands ordres religieux : Cîteaux, Prémontrés, et aidés par les chevaliers du Temple et les Hospitaliers de Saint-Jean dans leurs commanderies; ces derniers assurent la sécurité des chemins où des bornes sculptées, les «Montjoie», servent de repères. Il facilite le voyage et pourvoit, le long des principaux itinéraires, à l'hébergement des pèlerins et au maintien de leur bonne santé spirituelle. Tout est prévu pour leur réconfort et leur sécurité : ainsi vers 1140 un *Guide du pèlerin* — œuvre probable du Poitevin Aymeri Picaud, moine à Parthenay-le-Vieux — assaisonné de remarques parfois dépourvues d'aménité sur les mœurs des habitants et la mentalité indigène,

LES CHEMINS DE ST-JACQUES

—— Itinéraire principal   ✦ Sanctuaire
- - - Itinéraire secondaire   ⌂ Hospice

0   100 km

ANGERS   TOURS
Loire   Saumur
NANTES
Argenton-Château   Thouars
Bressuire   St-Jouin-de-Marnes
Airvault
Parthenay
St-Maixent-l'École   Poitiers
Niort   Charroux
La Rochelle   Melle
St-Jean-d'Angély   Aulnay   Ruffec
Saintes   Angoulême
Pons
Montmoreau
SOULAC
Blaye   Aubeterre
Guîtres
Libourne   Ste-Foy-la-Grde
Bordeaux   la Sauve
la Teste   la Réole
Bazas
garonne
Mont-de-Marsan

ST-JACQUES-DE-COMPOSTELLE

enseigne les coutumes, les climats et signale les curiosités. En route, le «jacquet» visite les grands sanctuaires dont il vénère les reliques; des maladreries, hôpitaux, hostelleries, aux mains des religieux de Cluny, le reçoivent s'il est malade ou fatigué.
Mais, au cours des siècles, la foi s'émousse. Des perspectives de lucre et de brigandage rassemblent des bandes de «Coquillards», faux pèlerins, dont fit partie le poète Villon. Avec les guerres de Religion, le protestantisme et le jansénisme, les mentalités changent et la méfiance populaire voit volontiers sous la pèlerine un aventurier ou un escroc.

Art gothique (12ᵉ-15ᵉ s.)

Excepté le style Plantagenêt, qui conserve de nombreux éléments romans, l'art gothique n'a guère eu d'écho dans l'Ouest et le Sud-Ouest. On y rencontre aussi des exemples de gothique méridional, caractérisé par la nef unique, très large et sans transept.
Aux 14ᵉ-15ᵉ s., des influences anglaises sont perceptibles dans les tours carrées, flamboyantes, de certaines églises de Saintonge (St-Eutrope à Saintes, Marennes).

Châteaux, donjons, places fortes. — Le touriste rencontre à Niort, Parthenay, Coudray-Salbart, etc., des forteresses féodales.

Opérations de sièges. — Le premier soin de l'assiégeant est d'investir la place. Les fortifications dont il l'entoure (fossés, palissades, tours, ouvrages appelés bastilles) sont conçues pour empêcher la sortie des assiégés et l'attaque d'une armée de secours. Pour faire brèche, l'assiégeant utilise la sape, galerie souterraine sous les fondations du rempart, la baliste, machine de jet qui utilise un ressort pour lancer des projectiles, le bélier, poutre sur chariot destinée à enfoncer les portes et pont-levis.
Les soldats se ruent dans les brèches, on dresse des échelles sous les projectiles des assiégés qui s'acharnent à les renverser et, par les mâchicoulis, jettent de la poix ou de l'huile bouillantes sur les troupes d'assaut.
Si l'assiégeant pénètre dans la place, il doit encore réduire les ouvrages autonomes, donjon, grosses tours.

Art Renaissance

La Renaissance n'a pas surgi d'un coup de baguette magique à la suite des expéditions d'Italie, et les traditions gothiques ont longtemps survécu. Mais l'arrivée d'une vingtaine d'artistes italiens amenés de Naples par Charles VIII, fin 1495, apporte un souffle nouveau à l'architecture française.

Architecture civile. — L'architecture Renaissance locale procède de celle du Val de Loire et se développe sous l'impulsion de l'entourage saintongeais ou angoumois de François Iᵉʳ. L'aile François Iᵉʳ du château d'Oiron présente une enfilade d'arcs en anse de panier, tandis que le château de La Rochefoucauld rappelle, avec sa célèbre cour à trois étages de galeries, les palais italiens.
La décoration abondante en arabesques, grotesques..., et nourrie de réminiscences antiques s'impose dans les châteaux d'Oiron, Usson, Dampierre-sur-Boutonne. Les toits sont hauts et à pente unique pour chaque versant. La saillie du bâtiment central s'explique par la présence de l'escalier d'honneur.
On retrouve ces éléments dans d'autres châteaux de la région, comme l'ancien château royal de Cognac (salle des gardes et galerie) ou dans des hôtels Renaissance : hôtel Fumé de Poitiers, hôtel Saint-Simon d'Angoulême.

Architecture religieuse. — L'architecture religieuse Renaissance en Angoumois et en Saintonge n'offre guère que les exemples d'Oiron, St-Marc-la-Lande et Lonzac. C'est surtout après 1520 que le style Renaissance pénètre dans l'art religieux. Cette évolution se manifeste dans les ornements, mais on conserve, dans l'ensemble, l'ordonnance gothique.

Art classique

La fin de la Renaissance avait été une époque de stagnation pour l'art français. Avec Henri IV commence une ère de prospérité matérielle qui permet à l'art de s'engager dans une voie nouvelle. L'avènement de la dynastie des Bourbons amène un changement radical.
L'art dit classique s'étend de 1589 à 1789.

Fortifications classiques. — Nées au 16ᵉ s. elles protègent surtout les cités frontalières, courtines et bastions étant couronnés d'une plate-forme où sont placés les canons; des tourelles suspendues permettent de surveiller fossés et alentours. Brouage, édifiée au début du 17ᵉ s., est l'exemple type de ces fortifications qui annoncent celles de **Vauban** (1633-1707).
Ce dernier s'attache à donner à ses ouvrages une valeur esthétique en les agrémentant d'entrées monumentales en pierre; il atteint à une beauté empreinte de majesté : les entrées de St-Martin-de-Ré en sont de beaux exemples.

Architecture Henri IV-Louis XIII. — Tantôt sobre, tantôt surchargée, s'inspirant de l'art baroque ou de l'art antique, l'architecture Henri IV-Louis XIII présente une grande variété.
La symétrie oriente l'établissement des plans de construction (St-Loup-Lamairé). Suivant la tradition, une tour abritant l'escalier d'honneur peut remplacer l'avant-corps (St-Loup-Lamairé).
Les portes sont coiffées d'un fronton : l'architecte de St-Loup-Lamairé relie les chaînages des fenêtres par un fronton semi-circulaire qui termine le mouvement. Les lucarnes sont rectangulaires ou en œil-de-bœuf.
De petits campaniles se dressent sur des hôtels de ville, des églises, des châteaux. L'influence italienne se fait encore sentir dans l'hôtel de ville de La Rochelle qui présente une abondante ornementation de végétaux, de trophées, d'effigies grotesques, de statues placées dans des niches. La pompe du style Louis XIV et l'élégance raffinée de l'architecture Louis XV n'ont guère laissé de traces dans la région de la côte atlantique.

Architecture Louis XVI. — De majestueux bâtiments évoquent le style Louis XVI, inspiré de l'art antique, dont l'architecte parisien Louis fut un insigne représentant : sa manière, noble et sobre, s'exprime dans maints châteaux de Saintonge parmi lesquels celui de Plassac.
Au 19ᵉ s., le **gothique troubadour,** caractérisé par une imitation superficielle des formes gothiques, eut son heure de gloire, surtout dans les nombreux châteaux reconstruits après la Révolution : Bressuire et Les Essarts en témoignent.

GASTRONOMIE

La table

En Poitou-Charentes, la cuisine « simple, honnête et directe, voire campagnarde » (Curnonsky) utilise les produits sains et savoureux d'une terre et d'une mer généreuses.

Les viandes. – Région d'élevage, le Poitou et les Charentes proposent bœuf, porc, mouton, volaille (oies du Poitou, poulardes de Bressuire et de Barbezieux, canards blancs de Challans) et notamment gibier d'eau : canard sauvage, sarcelle, bécassine, sans oublier le lapin de garenne dont on fait un pâté vendéen. Le mouton de pré salé, ainsi nommé car il se nourrit dans les herbages baignés par le vent marin chargé de sel et d'iode, possède une chair savoureuse. On pourra déguster le **farci poitevin** : poitrine de porc, ail, oseille, laitue, le tout haché et enveloppé dans des feuilles de chou. En Vendée le jambon de pays est généralement servi chaud et accompagné de ces haricots blancs secs appelés « mojettes », qu'on cultive dans le Marais poitevin.

Les poissons et coquillages. – Le littoral offre un choix varié de produits de la mer. La **mouclade** charentaise est un plat succulent composé de moules préparées à la marinière et nappées d'une sauce. Les crustacés du littoral charentais ne sont pas en reste : homards, langoustines, crabes, crevettes. Les huîtres de Marennes-Oléron, engraissées dans les claires, peuvent se manger au naturel ou accompagnées parfois de petites saucisses chaudes ou d'une tranche de pâté. Les cours d'eau fournissent truites, brochets, carpes, gardons; dans le Marais poitevin, une spécialité : la **bouilliture** ou **matelote d'anguilles.** Dans le Poitou, les escargots (petits-gris appelés « lumas ») peuvent se consommer à la vigneronne, c'est-à-dire avec une sauce au vin, oignons ou échalotes, et ail. Dans les Charentes la potée de cagouilles (terme local pour escargots) comblera les amateurs.

Les soupes. – En Vendée on déguste des soupes épaisses souvent faites à base de choux verts, de jambon fumé, de pommes de terre et d'ail. L'Océan donne la **chaudrée,** soupe de poissons au vin blanc où entrent congre, merlan, sole, plie.

Les fromages. – Fabriqués à partir de lait de chèvre, ce sont des fromages frais et fermentés dont l'ambassadeur est le **chabichou** (appellation contrôlée : Chabichou du Poitou).

Le beurre. – Très apprécié des gourmets pour sa finesse, il constitue encore une part notable de l'activité de l'industrie laitière régionale et bénéficie d'une appellation d'origine contrôlée (beurre Charentes-Poitou).

Les desserts. – Le **tourteau fromagé,** spécialité du Poitou, est fait de fromage blanc mis en pâte, mélangé à la farine et cuit au four. Il est assez répandu, de même que la légère et délicieuse **brioche vendéenne,** qu'on ne préparait jadis qu'à l'occasion des fêtes de Pâques, des noces et des battages. Citons aussi les macarons du Poitou, l'angélique de Niort, les marguerites et les duchesses d'Angoulême (bonbons au chocolat), les nougatines de Poitiers et les fruits au cognac.

Le cognac

Eau-de-vie connue du monde entier, le cognac provient de la distillation des vins blancs produits dans la région délimitée d'appellation « Cognac » (essentiellement la Charente et la Charente-Maritime). Plus de 80 % des ventes se font à l'exportation, la Grande-Bretagne et les États-Unis achetant, à eux seuls, 40 % du cognac exporté.

Une longue histoire. – Pratiquée dans la région dès le 16e s., la distillation du vin se généralise au début du 17e s. : les

LE VIGNOBLE DE COGNAC

0   40 km

La Rochelle
Ile de Ré
Beauvoir-sur-Niort
Ruffec
Tonnay-Charente
Aulnay
Rochefort
St-Jean-d'Angély
Aigre
Ile d'Oléron
Marennes
Matha
Macqueville
La Rochefoucauld
St-Porchaire
Saintes
COGNAC
Royan
Jarnac
Gémozac
Pons
Segonzac
Angoulême
Barbezieux
Blanzac
Jonzac

Appellations
Grande Champagne
Petite Champagne
Borderies
Fins Bois
Bons Bois
Bois Ordinaires

Chalais
Montlieu-la-Garde
GIRONDE

Charentais brûlent leurs vins — jusqu'alors expédiés, concurremment avec le sel, vers les pays du Nord — pour en faire une eau-de-vie dont le commerce est à l'origine entre les mains des Anglais et surtout des Hollandais. Ces derniers lui donnent le nom de « brandewijn » (vin brûlé), dont les Anglais tirent le terme « brandy » employé dans les pays de civilisation anglo-saxonne. Sur place, l'eau-de-vie prend bientôt le nom de la ville où elle est commercialisée, Cognac.

L'avantage du brandevin est sa bonne conservation pendant le transport et son moindre encombrement (une barrique d'eau-de-vie pour 7 de vin). Par la Charente, les gabarres chargées de barriques gagnent Tonnay-Charente et La Rochelle où se fait le transbordement sur les voiliers en partance soit pour l'Europe du Nord, soit pour les Colonies où « l'eau de feu » accompagne la pacotille proposée aux indigènes.

Ruiné par le phylloxéra au 19e s., le vignoble est replanté par la bourgeoisie cognaçaise qui a échappé à la faillite grâce à ses stocks d'eau-de-vie en cours de vieillissement. Les Britanniques ont une grande part dans la diffusion du « brandy ». Plusieurs grandes maisons de cognac ont encore des noms à consonance anglo-saxonne.

Les crus. — Le vignoble couvre près de 90 000 ha. Planté surtout en cépage Ugni blanc, improprement appelé « St-Émilion des Charentes » dans la région, il doit son unité au sol calcaire et au climat tempéré, humide en hiver, ensoleillé en été.

Mais les eaux-de-vie des Charentes n'atteignent pas partout la même qualité, et l'on distingue 6 crus officiels dont 5 formant une couronne autour de la Grande Champagne où le cognac atteint le sommet de sa perfection.

L'élaboration du cognac. — Dans l'alambic traditionnel dit « charentais », en cuivre martelé, la distillation des vins se fait en deux temps, par brûlage « à feu nu et doux » : une première chauffe (durée : 8 h environ) donne un alcool titrant de 25 à 35°, le **brouillis**, que l'on réintroduit dans la chaudière (ou cucurbite), après évacuation des vinasses, pour ce qu'on appelle la « repasse » ou « bonne chauffe » (12 h) ; les vapeurs comprimées dans le chapiteau passent dans le col de cygne qui, traversant le chauffe-vin où elles se refroidissent (et dont s'échauffe le contenu, destiné au remplissage de la chaudière), les envoie se condenser dans le serpentin d'une cuve réfrigérante. Au sortir de l'alambic, l'eau-de-vie, qui ne doit pas dépasser 72°, est ardente mais incolore et faiblement parfumée.

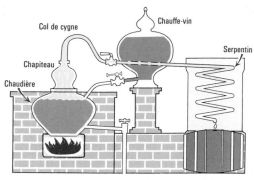

Schéma d'un alambic charentais.

Dans l'obscurité des chais, le vieillissement va lui donner tout son caractère. La maturation se fait dans des fûts fabriqués avec des chênes du Limousin dont les fibres favorisent l'oxydation du cognac et lui donnent sa robe ambrée. Mais une évaporation intense fait perdre l'équivalent d'environ 12 millions de bouteilles par an.

Enfin, dans les grandes maisons de négoce, les coupages d'eaux-de-vie de crus et d'âges différents, dosés et surveillés suivant une tradition séculaire, procurent au cognac une qualité constante et les caractères spécifiques de chaque marque.

Les cognacs. — Selon leur durée de vieillissement en fûts de chêne, on distingue plusieurs types de cognac.

Le trois étoiles est un cognac de qualité courante de cinq à neuf ans d'âge.

Les sigles V.O. (Very Old) et V.S.O.P. (Very Superior Old Pale) s'appliquent à des cognacs d'âge moyen de douze à vingt ans.

Les termes Vieille Réserve, Grande Réserve, Royal, Vieux, X.O., Napoléon, Extra s'appliquent à des cognacs de vingt à quarante ans ou plus.

La Fine Champagne désigne une eau-de-vie de Grande et de Petite Champagne.

Le pineau des Charentes

Vin de liqueur d'appellation d'origine contrôlée, le pineau, blanc ou rosé, se consomme très frais en apéritif. Ses limites de production correspondent à celles de la production des eaux-de-vie de cognac. Son origine remonte au 16e s. où un vigneron laisse, sans le vouloir, du moût de raisin dans une barrique contenant un fond de cognac. Quelle agréable surprise, quand il découvre quelques années plus tard un vin doux et capiteux, délicieusement fruité!

Le pineau provient de cépages utilisés pour la production de cognac. Les moûts utilisés avant le mutage (addition de cognac) doivent titrer 10° d'alcool. Après addition de cognac, le pineau doit avoir un degré alcoolique supérieur à 16°5. Des fûts de chêne entreposés pendant plusieurs mois dans des chais obscurs lui assurent le vieillissement, avant qu'une commission de dégustation ne lui délivre l'appellation : Pineau des Charentes.

Le pineau occupe une place importante sur le marché national et compte parmi ses clients étrangers la Belgique, le Canada, l'Allemagne fédérale, les États-Unis et le Luxembourg.

Le muscadet

Vin bénéficiant de l'appellation d'origine contrôlée (A.O.C.) depuis 1936, le muscadet appartient, avec le gros plant et les Coteaux d'Ancenis, au groupe des **Vins de Nantes** dont le vignoble s'étend principalement au Sud de la Loire, couvrant tout le Sud du département de la Loire-Atlantique et une petite partie de la Vendée et du Maine-et-Loire.

Le muscadet est issu d'un cépage originaire de Bourgogne, le « melon », qui fut implanté en pays nantais après l'hiver terrible de 1709 du fait de sa résistance au gel.

On distingue trois appellations correspondant à trois régions : le Muscadet de Sèvre et Maine (deux rivières aux alentours de Vallet), qui représente la majeure partie de la production, le Muscadet des Coteaux de la Loire (autour d'Ancenis — *voir le guide Vert Michelin Châteaux de la Loire*) et le Muscadet (autour de St-Philbert-de-Grand-Lieu).

Vin blanc sec, léger, dont la teneur en alcool est limitée à 12 %, le muscadet, servi frais, accompagne à merveille poissons et fruits de mer.

Le **gros plant du pays Nantais** est un vin délimité de qualité supérieure (V.D.Q.S.) depuis 1954. Son cépage est la Folle blanche d'origine charentaise, cultivé dans tout le pays nantais depuis le 16e s. Vin léger (11 % maximum), servi frais, il convient aux fruits de mer en général et aux coquillages en particulier.

Villes
et curiosités

Angoulême. – Façade de la cathédrale St-Pierre.

AIRVAULT

3 230 h. (les Airvaudais)

Carte Michelin n° **67** pli 18 ou **232** pli 45.

Petite cité nichée au creux d'un vallon, Airvault s'est développée sous la protection de son abbaye et du château des vicomtes de Thouars. Située à la jonction de la Gâtine granitique et du Mirebalais calcaire, c'est une ville-marché dont le centre est formé par la rue des Halles, la place St-Pierre et la place du Minage (**minage** : droit du seigneur sur le mesurage des grains vendus sur son fief, l'unité de mesure étant la mine).

CURIOSITÉS

Église St-Pierre. — Elle dépendait d'une abbaye d'augustins dont le célèbre cardinal Dubois fut, au 18ᵉ s., abbé commendataire.

Bâtie en pierre calcaire, l'abbatiale est remarquable par la juxtaposition des styles poitevin (12ᵉ s.) et angevin (13ᵉ s.). Si la façade indique le roman poitevin avec ses contreforts-colonnes et son cavalier (mutilé), le clocher du 13ᵉ s. ressort plutôt de l'école angevine par sa flèche de pierre sans nervures, flanquée de clochetons presque aussi effilés qu'elle.

Formant narthex, le **porche★**, à demi enterré, est couvert de voûtes d'arêtes, que renforce un curieux arc doubleau à décor de billettes. Ses ouvertures sont pourvues de grilles très décoratives.

Dès l'entrée, il faut admirer la perspective de la nef et du chœur que termine un superbe hémicycle. Les piliers supportent de beaux chapiteaux sculptés. A hauteur de ceux qui reçoivent la retombée des voûtes, on remarque des statues (12ᵉ s.) posées sur des consoles figurant des monstres ; cette disposition est peu fréquente. Les hautes voûtes gothiques, bombées et compartimentées à la manière angevine *(voir p. 30),* sont analogues à celles de St-Jouin-de-Marnes et présentent de belles clés sculptées (scènes de l'Ancien Testament, Christ entouré des symboles des évangélistes...).

Remarquer, au revers de la façade, un devant d'autel roman du 12ᵉ s. (le Christ entre les évangélistes) et surtout, dans la chapelle du croisillon gauche, le tombeau, lui aussi roman, du premier abbé d'Airvault, Pierre de Saine-Fontaine, que veillent le Christ et les apôtres, alignés sous des arcades.

Ancien cloître. — A droite de l'abbatiale subsistent quelques arcades du cloître (15ᵉ s.) et la salle capitulaire (12ᵉ s.), restaurée.

Musée des Arts et Traditions populaires ⊙. — Installé dans les bâtiments abbatiaux (11ᵉ au 17ᵉ s.), il occupe essentiellement le **logis abbatial** (14ᵉ et 17ᵉ s.) où les collections, groupées par thèmes (agriculture, artisanat, commerce, enseignement, cuisine, costumes), évoquent la vie quotidienne et les activités des Poitevins au début du 20ᵉ s. On peut voir aussi la prison, la chapelle abbatiale, située au-dessus de deux salles souterraines du 11ᵉ s. voûtées d'arêtes, et la belle salle du cuvier (voûtes du 12ᵉ s.) où s'élaborait le vin.

Château. — Couronnant la colline, au Nord de l'église, il commandait à la fois le vallon d'Airvault et la vallée du Thouet. On y accède par des ruelles pittoresques. L'enceinte, assez dégradée, présente trois tours carrées dont l'une servait de donjon.

Fontaine souterraine. — Située sous la place du Minage, cette ancienne fontaine publique fut recouverte à la fin du siècle dernier par mesure de salubrité. Un étroit escalier conduit à une salle voûtée, où coule le ruisseau St-Pierre qui traverse encore la ville basse, et au puits qui alimentait autrefois la cité.

Pont de Vernay. — *1 km au Sud.* La route descend à flanc de coteau en offrant de jolies vues sur le Thouet.

Le pont, du 12ᵉ s., assez fortement restauré, a été édifié par les augustins d'Airvault. Il comporte 11 arches cintrées que séparent des piles à bec.

Gagner le centre du pont pour apprécier le tableau formé par le Thouet qui coule paisiblement entre les saules et les peupliers.

★ Ile d'AIX

199 h. (les Aixois)

Carte Michelin n° **171** pli 13 ou **233** pli 4.

La petite île d'Aix (133 ha) séduit par la douceur de son climat et la pureté de son ciel. Elle intéresse par son urbanisme et ses fortifications.

Accès ⊙. — Au départ de la pointe de la Fumée et, en saison, de La Rochelle, d'Oléron ou de l'île de Ré. Le trajet direct (25 mn) procure des vues intéressantes, au Nord, sur la côte jusqu'à La Pallice et sur l'île de Ré, à l'Ouest sur les forts Enet et Boyard *(p. 107),* puis sur l'île d'Oléron. On aborde au môle de la pointe Ste-Catherine, sous le fort de la Rade.

La circulation dans l'île est réservée aux véhicules utilitaires.

UN PEU D'HISTOIRE ET DE GÉOGRAPHIE

Le souvenir de Napoléon déchu accompagne la visite d'Aix (prononcer Ai), terre solitaire et livrée au passé. Basse sur l'horizon, l'île, croissant bordé de plages et de falaises, jouit d'un climat doux et ses bois de chênes verts, de pins, de tamaris donnent au paysage un ton presque méditerranéen.

Les insulaires s'adonnent à la pêche des crevettes et des coquillages ; un artisanat de la nacre s'y est développé (un atelier existe en face de l'église). Des « claires » pour le verdissement des huîtres *(p. 90)* ont remplacé les marais salants.

Quelques vignes produisent un vin blanc sec et léger, à l'accent de terroir. Tourisme, pêche, cultures maraîchères et fruitières, qui ont trouvé leur place sur un sol sablonneux, constituent les principales ressources de l'île.

Clé de l'embouchure de la Charente et du pertuis (passage étroit) d'Antioche, commandant les approches de La Rochelle, Rochefort et Brouage, l'île d'Aix fut fortifiée par Vauban. Les Anglais ayant débarqué lors de la guerre de Sept Ans firent sauter les remparts, mais ceux-ci furent réparés ensuite par une équipe d'ingénieurs parmi lesquels figurait Choderlos de Laclos, le futur auteur des *Liaisons dangereuses*. En 1794, dans d'effroyables conditions, 1 154 religieux et prêtres, même assermentés, furent déportés sur deux anciens navires négriers (300 furent ensevelis dans l'île) : c'est l'affaire des pontons de Rochefort.

C'est dans la rade des Basques, au cours de la fameuse « Journée des brûlots » (11 avril 1809), que la flotte anglaise détruisit l'escadre française de Brest, qui relâchait avant de faire voile vers les Antilles, au moyen de barils de goudron enflammés et d'une trentaine de brûlots, petits bateaux bourrés d'explosifs qu'une mèche allumée mettait en action.

L'appel du Destin. – Napoléon vécut ses dernières heures en terre française sur cette île d'Aix, inspectée par lui en 1808 alors qu'il était au faîte de sa gloire.

8 juillet 1815 (au soir). – Venant de Rochefort, par Fouras, Napoléon est sur la frégate la Saale, mouillée près du fort Enet, qui doit l'emmener en Amérique. Une force navale anglaise croise dans le pertuis d'Antioche.

9 juillet. – Après avoir visité les fortifications d'Aix, sous les acclamations de la population et de la garnison (1 500 marins), Napoléon revient à bord de la Saale où il apprend les décisions de Fouché à son égard : soit partir sur la frégate si le combat peut être évité avec la flotte anglaise, soit entrer en pourparlers avec les Anglais.

10 juillet. – Le capitaine Maitland reçoit sur le Bellérophon Bertrand et Las Cases; il insinue perfidement que Napoléon pourrait trouver asile en Angleterre.

11 juillet. – Délibération sur les moyens d'échapper. Le capitaine de la Saale, qui a des ordres de Paris, refuse d'appareiller et l'Empereur répugne à abandonner ses fidèles.

12 juillet. – Napoléon accoste à l'île d'Aix et loge chez le commandant de la place.

13 juillet. – Le roi Joseph vient dire adieu à son frère. Une goélette danoise et des chaloupes sont équipées pour faire évader l'Empereur la nuit. Mais, au cours d'une scène dramatique, Gourgaud, Savary, la maréchale Bertrand, d'origine britannique, l'adjurent de se confier à la magnanimité anglaise. A minuit, il se rend à leurs raisons.

14 juillet. – Napoléon écrit au prince-régent une lettre restée célèbre *(p. 38)*.

15 juillet. – L'Empereur endosse l'uniforme vert de colonel des Chasseurs de la Garde qu'il portait à Austerlitz et, à l'aube, embarque sur le brick l'Épervier, ancré à quelques encablures du fort Boyard. Le brick cingle vers le Bellérophon qui envoie une chaloupe prendre l'Empereur. Celui-ci y descend, les larmes aux yeux, et, par trois fois, jette un peu d'eau sur la coque de l'Épervier. Puis l'embarcation s'éloigne, emportant Bonaparte vers son destin, une autre petite île...

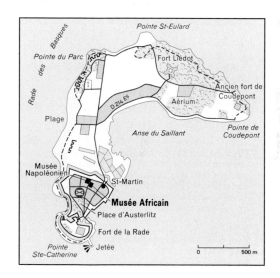

Une prison. – L'île d'Aix allait devenir un lieu d'incarcération et le fort Liédot connut bon nombre de locataires : prisonniers russes de la guerre de Crimée, prisonniers prussiens de la guerre de 1870, insurgés de la Commune, bagnards en partance pour Cayenne dont le bateau s'était échoué sur les rochers, prisonniers russes de la guerre 1914-18. Pendant la Seconde Guerre mondiale, l'île d'Aix a servi de lieu de tractations entre Français et Allemands, pour amener, en vain, la reddition des poches océanes : La Rochelle, Royan, îles d'Oléron et de Ré.

Ben Bella, un des leaders du FLN algérien, y fut détenu pendant sept ans avec des compagnons.

LE BOURG *visite : 2 h*

Protégées par une enceinte à la Vauban doublée de fossés profonds, ses artères se coupant à angle droit lui donnent l'air d'une ville. Mais ses maisons basses blanchies à la chaux, bordées de roses trémières, et son église sont celles d'un village où les automobiles sont rares. De là, on peut entreprendre le tour de l'île à pied (2 h 30) ou faire une **promenade en calèche** ⊙.

Place d'Austerlitz. – Au-delà du môle, une porte à pont-levis donne accès à la place d'Austerlitz, ancienne place d'Armes, aux belles allées de cyprès. Le 9 juillet 1815, Napoléon y fit manœuvrer une compagnie du 14ᵉ régiment de marine. A droite, sitôt franchie la porte, on découvre le bâtiment à arcades de l'ancienne gare maritime.

Fort de la Rade. — Son origine remonte au 17ᵉ s. : en 1699 Vauban dessine ses fortifications et entreprend la construction d'une citadelle à cinq bastions. Les travaux sont terminés dès 1702, mais en 1757 le fort est en grande partie détruit par les Anglais. Les fortifications présentent, côté mer, un contrevallement protégé par une digue et une large douve en eau; le fort lui-même étant construit comme une île dans l'île. En 1773 le Comité de salut public reconnut l'importance stratégique de l'île, mais il fallut attendre 1810 pour voir la réédification du fort sur l'ordre de Napoléon et son achèvement en 1837.

Le fort porte deux phares. De la jetée on aperçoit, à environ 3 km, la masse allongée du fort Boyard.

Musée Napoléonien (Fondation Gourgaud) ⊙. — Il est installé dans la maison construite en 1808 sur l'ordre de Napoléon et qui l'abrita du 12 au 15 juillet 1815. L'une des seules maisons à étages de l'île, elle est surmontée de l'aigle impériale et présente une porte d'entrée encadrée de deux colonnes classiques. Le baron Gourgaud, arrière-petit-fils de l'officier d'ordonnance de l'Empereur, l'acheta en 1925 et la légua aux Musées nationaux.

Une profusion de souvenirs relatifs à l'Empereur, à sa famille, à son entourage remplit les 10 salles : œuvres d'art, meubles, armes, vêtements, autographes, portraits par Isabey, Gros, Appiani, etc. Dans le jardin, frêne greffé sur ormeau par Napoléon, en 1808, et buste à l'antique du souverain, ancienne figure de proue de navire.

La chambre de l'Empereur, au premier étage, est particulièrement évocatrice, car sa disposition n'a pas changé depuis ces jours tragiques où Napoléon suivait du balcon, à la lorgnette, les évolutions de la flotte anglaise. Ici fut rédigée la lettre au prince-régent :

« En butte aux factions qui divisent mon pays et à l'inimitié des plus grandes puissances de l'Europe, j'ai terminé ma carrière politique et je viens, comme Thémistocle, m'asseoir sur le foyer du peuple britannique. Je me mets sous la protection de ses lois que je réclame de Votre Altesse Royale, comme au plus puissant, au plus constant et au plus généreux de mes ennemis. »

Un fac-similé du brouillon de cette lettre est exposé. Le général Gourgaud fut chargé de porter la lettre à Londres mais il ne fut pas autorisé à débarquer à Plymouth. Napoléon lui fit don du document.

Musée Africain (Fondation Gourgaud) ⊙. — Aménagé dans une suite d'anciens logements militaires, il expose une collection ethnographique et zoologique constituée de 1913 à 1931 par le baron Gourgaud.

D'intéressants spécimens de la faune africaine sont présentés dans des dioramas. Le dromadaire blanc que montait Bonaparte durant la campagne d'Égypte fut ramené au Jardin des Plantes à Paris et naturalisé après sa mort. Le Muséum le déposa au musée d'Aix en 1933.

Église St-Martin. — C'est l'ancienne église d'un prieuré occupé par des moines bénédictins de Cluny ; il n'en reste que le transept, l'abside et l'absidiole. La crypte du 11ᵉ s. conserve de belles colonnes coiffées de chapiteaux à feuillages.

★ ANGLES-SUR-L'ANGLIN   424 h. (les Anglais)

Carte Michelin n° 🔢 Nord-Est du pli 15 ou 🔢 pli 25.

Bâtie au-dessus de l'Anglin, Angles s'étage au pied des ruines de son château. Comme l'Angleterre, le village doit son nom, semble-t-il, à une turbulente tribu germanique, les Angles, qui avait participé, au milieu du 5ᵉ s., à l'invasion de la grande île. Au 9ᵉ s. Charlemagne dut diriger une partie des descendants de ceux qui étaient restés en Germanie vers les bords d'une rivière, affluent de la Gartempe, qui fut l'Angla avant de devenir l'Anglin.

Les « jours d'Angles », encore exécutés sur place, sont des broderies réputées, à fils tirés.

Près de la localité, des fouilles effectuées dans des abris-sous-roche ont permis de mettre au jour d'importantes pièces sculptées datant de l'époque magdalénienne.

Victime de ses fillettes. — C'est ce que dut penser le cardinal **Balue** lorsque Louis XI le fit enfermer dans l'une des « fillettes », inconfortables cages de fer dont le cardinal était lui-même, croit-on, l'inventeur. Né à Angles en 1421 d'une famille très modeste, Balue avait rapidement gravi les degrés de la fortune et de la gloire, étant successivement aumônier du roi, intendant des finances, secrétaire d'État, évêque d'Évreux, puis d'Angers, avant de recevoir le chapeau de cardinal. Mais, abusant de la confiance de Louis XI, il vendit au duc de Bourgogne des secrets d'État. Démasqué, il expia durant onze ans cette trahison ; libéré à la demande du pape, il se retira à Rome et vécut onze années encore, comblé d'honneurs.

CURIOSITÉS

★ **Le site.** — C'est d'une terrasse, proche d'un calvaire et d'une petite chapelle romane élevés à l'extrémité Sud-Est du promontoire rocheux supportant le château, que l'on découvre la meilleure **vue**★ d'ensemble sur le site de la ville : au-delà d'une coupure de la falaise dite « tranchée des Anglais » se dressent les murailles et les tours du château; au Nord, sur une autre butte, se détache le clocher roman de l'église haute. Au pied de l'escarpement, l'Anglin, rivière calme avec ses roseaux et ses nénuphars, serpente entre deux haies de peupliers. Un pont de pierre, près duquel tourne un ancien moulin, donne accès au faubourg de Sainte-Croix où s'élève l'ancienne église abbatiale précédée d'un beau portail du 13ᵉ s.

★ **Ruines du château** ⊙. — Le château d'Angles, qui était au Moyen Age une position de premier ordre par sa situation et l'importance de ses défenses, fut laissé à l'abandon au 18ᵉ s. La Révolution de 1789 ajouta à ses malheurs en permettant qu'on l'utilise comme carrière de pierres.

Carte Michelin n° 🔳 plis 13, 14 ou 🔳🔳🔳 plis 29, 30 — Schéma p. 53.
Plan d'agglomération dans le guide Rouge Michelin France.

De la N 141, au Nord-Ouest, s'offre une vue sur le site★ d'Angoulême dominant la Charente.

Une ville acropole. – Angoulême se divise en deux parties. La **ville haute**, appelée « le plateau », cernée de remparts, est bâtie sur le promontoire qui sépare la Charente de l'Anguienne. On y distingue au Nord le Vieil Angoulême, dont le lacis de rues étroites a fait l'objet d'une restauration soignée, au Sud le quartier de la Préfecture (18e-19e s.), dont les voies spacieuses sont bordées de façades aristocratiques, à l'Est le quartier commerçant piétonnier.

La **ville basse**, commerçante et industrielle, comprend la plupart des faubourgs. Là s'exerçait l'activité traditionnelle d'Angoulême, la papeterie, née de la pureté des eaux des rivières. Au 17e s., près de 100 moulins fournissaient à la Hollande du papier filigrané dont les rames s'entassaient dans les entrepôts de l'Houmeau. C'est d'ailleurs en Hollande qu'émigrèrent beaucoup de fabricants de papier après la révocation de l'édit de Nantes.

De nos jours, seuls le moulin du Verger de Puymoyen et celui de Fleurac (p. 42) à Nersac fabriquent encore du papier à la forme ; des usines spécialisées dans le papier mince et le papier à lettres fonctionnent à Ruelle, à St-Michel et à la Couronne.

En janvier de chaque année, un festival international consacre Angoulême comme capitale de la bande dessinée (B.D.), art auquel un musée à l'architecture insolite est également dédié. La ville s'est dotée en outre d'un lycée de l'Image et du Son (av. Marguerite-de-Navarre, par la D 674 au Sud) dont l'architecture (1989) due à Jean-Jacques Morisseau n'est pas sans références à l'antique ; les élèves peuvent s'y spécialiser dans le domaine de l'audiovisuel.

UN PEU D'HISTOIRE

Située dans la province d'Aquitaine sous l'Empire romain, Angoulême fut évangélisée par saint Ausone et par saint Cybard qui a donné son nom à une vingtaine d'églises du diocèse. La ville appartint à des comtes avant d'être érigée en apanage de princes du sang. La branche cadette des Valois dont est issu François Ier en fut titulaire.

La Marguerite des Marguerites. – C'est le surnom donné par François Ier à sa sœur, Marguerite de Valois (1492-1549), connue sous le nom de **Marguerite d'Angoulême**. Née dans la ville, où elle passa une partie de son enfance, elle joua un rôle considérable à la cour et se rendit à Madrid pour adoucir la captivité de son frère. Très cultivée, elle correspondait avec Érasme en hébreu, en grec, en latin ; elle parlait également italien et espagnol : son Heptaméron, recueil de contes imités de Boccace, lui donne une bonne place dans la littérature française. Marguerite d'Angoulême a donné son nom à deux spécialités : les « marguerites » (chocolats) et les « duchesses » (nougatines fourrées au praliné).

Un de ses contemporains, le poète angoumois Mellin de Saint-Gelais (1491-1558), parent d'Octavien de Saint-Gelais (voir à Cognac) et ami de Marot, fut très en vue à la cour. On a prétendu qu'il corrigeait les vers de François Ier.

Les deux Balzac. – L'un, **Guez de Balzac** (1597-1654) né à Angoulême, revint y ensevelir son humeur sombre et son naturel vaniteux ; styliste rigoureux, il fut surnommé « restaurateur de la langue française ». L'autre, **Honoré de Balzac**, adopté par la ville, la décrivit dans les Illusions perdues.

★★ LA VILLE HAUTE visite : 2 h

★★ **Promenade des Remparts** (YZ). – Partir de la place des Halles et faire le tour de l'escarpement dans le sens contraire à celui des aiguilles d'une montre. Des tours rondes et des bastions rectangulaires formant balcon au-dessus de la Charente, on domine un immense horizon.

Front Nord. – Perspectives plongeantes sur le pont et le faubourg St-Cybard, sur la vallée de la Charente et les établissements industriels qui la jalonnent. De la tour Ladent, le général Resnier, né à Angoulême (1728-1811), s'élança dans le vide muni d'un appareil de son invention, effectuant ainsi, en 1806, le premier vol sans moteur. Une plaque commémore cet événement. S'étant brisé la jambe à l'atterrissage, le général renonça à exploiter son appareil, conçu, paraît-il, en vue d'une éventuelle descente de l'armée impériale en Angleterre.

Place Beaulieu. – Cette esplanade est située à l'extrémité du promontoire, où le lycée Guez-de-Balzac a remplacé une abbaye de bénédictines. Apparaissent au premier plan le faubourg et l'église St-Ausone, bâtie par Abadie au 19e s. ; au second, le confluent de l'Anguienne et de la Charente. En contrebas, le jardin Vert est un lieu de promenade fréquenté.

Front Sud. – Vues sur la vallée de l'Anguienne et ses coteaux verdoyants.

★ **Cathédrale St-Pierre** (Y F). – Elle date du 12e s. ; en partie détruite en 1562 par les calvinistes, elle a été restaurée en 1634 et, surtout, à partir de 1866, par Abadie.

★★ **Façade.** – Illustration p. 35. De style poitevin, la façade représente un grand tableau sculpté où plus de 70 personnages, statues et bas-relief, illustrent le thème du Jugement dernier auquel préside un admirable Christ en majesté, entouré des symboles des évangélistes, d'anges et de saints dans des médaillons. On peut détailler aussi les archivoltes et les frises des portails latéraux sculptés de feuillages, d'animaux et de figures d'une grande finesse. Au linteau du premier portail latéral aveugle, à droite, on remarque de curieuses scènes de combat, tirées d'épisodes de la Chanson de Roland.

La haute tour à six étages en retrait, qui s'élève à l'extrémité du croisillon gauche, a été en partie reconstituée par Abadie.

Intérieur. – Il en impose par son ampleur. Son envolée de coupoles sur pendentifs est d'une grande hardiesse.

A l'extrémité du croisillon gauche, on pénètre dans une vaste chapelle, qui supporte la tour; on y admire quelques remarquables chapiteaux.

Jeter un coup d'œil à gauche, dans la nef, sur un bas-relief roman représentant une Vierge à l'Enfant, et sur les orgues du 18e s. Le chœur se distingue par des chapiteaux à décor végétal provenant de la cathédrale élevée au 9e s. par Grimoald de Mussidan.

Hôtel de ville (YZ H) ⊘. – Abadie le construisit dans le style gothico-Renaissance à l'emplacement du château des comtes d'Angoulême dont il ne subsiste que la « tour polygonale », ancien donjon des 13e et 14e s. **(panorama)**, et une tour ronde du 15e s. dans laquelle serait née Marguerite d'Angoulême.

Partant des jardins fleuris de l'hôtel de ville (au Sud), la place de New-York, promenade plantée d'arbres, aboutit aux remparts où elle se termine par une statue monumentale de Carnot.

Ancienne chapelle des Cordeliers (Y B) ⊘. – Aujourd'hui chapelle de l'hôpital, c'était l'église du couvent où fut moine André Thevet qui rapporta du Brésil en 1556, avant Nicot, le tabac auquel il donna le nom d'« herbe angoumoisine ».

Elle possède un élégant clocher gothique dont le côté saillant repose sur deux petites trompes. Remarquer dans la nef, à gauche, le tombeau de Guez de Balzac, inhumé en 1654.

Vieux hôtels (Y). – Aux alentours de la cathédrale St-Pierre et du palais de justice se situent quelques hôtels anciens : 79, rue de Beaulieu : majestueuse façade, à trois tourelles carrées et colonnade ionique (1783); 17, rue du Soleil : sur cour, façade Louis XVI; 15, rue Turenne : porte Louis XIII, en face porte de l'ancien couvent des Carmélites (1739); 15, rue de la Cloche-Verte (hôtel St-Simon) : jolie cour Renaissance.

Espace St-Martial (YZ 45). – Cette place moderne aménagée en zone piétonne près de l'église St-Martial (19e s., clocher-porche) constitue un lieu de promenade attrayant. Un petit square avec des bancs, un plan d'eau et des sculptures modernes (main tenant un crayon, main ouverte portant un oiseau) agrémentent l'ensemble.

★ LE C.N.B.D.I. (Y M¹) ⊘ visite : environ 1 h 1/2

Entrée : rue de Bordeaux. Accès possible par un escalier, au départ de l'avenue de Cognac.

Aménagé dans des bâtiments industriels du début du siècle, le **Centre national de la Bande dessinée et de l'Image** présente une architecture originale, œuvre de Roland Castro, où des éléments résolument modernes habillent l'ancien édifice, lui conférant l'allure d'une construction de fiction.

Sa médiathèque, où depuis 1982 un exemplaire de tout ce qui est édité en matière de B.D. (magazines et albums) parvient en dépôt légal, rassemble la quasi-totalité de la production française puis 1946. Quant à son musée, il possède une riche collection de planches et dessins originaux, exposés par roulement. Le Centre comprend aussi un Département d'Imagerie numérique où l'on forme des étudiants à cette technique.

Au rez-de-chaussée, le **musée** rend hommage aux grands auteurs de la B.D. qu'évoquent une notice, une ou plusieurs planches ou dessins originaux, voire un écran lumineux assorti de commentaires enregistrés, tandis que des films vidéo retracent les grands moments de la B.D. Parmi les précurseurs figurent le Suisse Töpffer au milieu du 19ᵉ s., Christophe (*la Famille Fenouillard,* 1889), Pinchon (*Bécassine,* 1905), Forton (*les Pieds Nickelés,* 1908), Alain St-Ogan (*Zig et Puce,* 1925). Après eux, citons, parmi une myriade de talents, les Belges Hergé (*Tintin,* 1929) et Franquin (*Gaston Lagaffe,* 1957), les Américains Raymond (*Flash Gordon,* 1934) et Schulz (*Peanuts,* 1950) et, en France, Goscinny et Uderzo (*Astérix,* 1959), Gotlib, Claire Bretécher, Reiser, Wolinski, Loustal, Bilal, Baudoin, Tardi, Teulé.

Au 1ᵉʳ étage, la **médiathèque** offre en consultation libre un important fonds d'albums et de revues ainsi que des cassettes vidéo.

© 1991 LES ÉDITIONS ALBERT RENÉ / GOSCINNY - UDERZO

Astérix, Obélix, Idéfix.

AUTRES CURIOSITÉS

Musée municipal des Beaux-Arts (Y M²) ⊘. – Il occupe l'ancien évêché du 12ᵉ s., qui a été remanié aux 15ᵉ et 16ᵉ s.

Le rez-de-chaussée abrite le **casque d'Agris,** chef-d'œuvre de l'orfèvrerie celtique du 4ᵉ s. avant J.-C., une collection d'objets médiévaux (chapiteaux, crosses, sculptures), des céramiques pour la plupart régionales et des peintures françaises des 18ᵉ et 19ᵉ s.

L'étage présente un ensemble éclectique de toiles italiennes et flamandes du 17ᵉ s. et des peintures françaises (école de Barbizon, orientalistes, peintres charentais). Le musée doit surtout sa réputation à la qualité et à la richesse de ses collections d'art africain et océanien (statuettes rituelles du Congo, masques, reliquaire kota, dénéraux akan).

Atelier-musée du papier (Y M³) ⊘. – Sise sur la Charente, l'ancienne papeterie Bardou-Le Nil, spécialisée dans la fabrication du papier à cigarettes, fonctionna jusqu'en 1970. Elle a été convertie en musée de l'industrie papetière, à la mémoire de cette activité qui a fait la prospérité du département.

On y voit encore une des six roues à aubes en métal qui, placées dans les canaux ou coursiers, fournissaient l'énergie à la fabrique, jusqu'à la fin du 19ᵉ s., date à laquelle on utilise l'électricité.

Sous le titre « Suivez la fibre ! », une exposition révèle, par des panneaux explicatifs, les différentes phases de la fabrication industrielle du papier et du carton. La matière première – d'abord les chiffons, ensuite le bois et les déchets de papier – est transformée en pâte puis en feuille, celle-ci étant produite en ruban continu depuis l'invention en 1797, par Louis-Nicolas Robert, de la machine à papier. Une fois séchée, la feuille subit encore de nombreux traitements avant d'obtenir sa consistance définitive.

L'exposition « État des lieux » est consacrée à l'industrie papetière, dans le département, des origines à nos jours.

A l'étage, on peut voir une exposition sur l'histoire de l'industrie papetière, renouvelée chaque année, ainsi que des expositions temporaires d'art contemporain.

Musée de la Société archéologique (Z M⁴) ⊘. – Il rassemble dans ses salles et dans un jardin des collections de préhistoire départementale, des mosaïques gallo-romaines, des collections lapidaires de l'époque romaine au 18ᵉ s., ainsi que diverses sortes d'antiquités régionales : faïences, armes, émaux limousins, bibelots.

EXCURSIONS

St-Cybardeaux. – 724 h. *21 km au Nord-Ouest par la D 939.* Ce vieux village est agréablement placé sur les bords de la Nouère, affluent de la Charente. A 5 km au Nord-Est, au-dessus du hameau des Bouchauds, le **théâtre gallo-romain des Bouchauds** fait face à un paysage campagnard et tranquille. De cet édifice de 105 m de diamètre, seuls subsistent les soubassements de la scène et les gradins dont la partie inférieure a été dégagée.

Circuit à l'Ouest. – *27 km* – *environ 3 h. Quitter Angoulême à l'Ouest par la N 10.*

Château de l'Oisellerie. – Construit au 16ᵉ s., c'est aujourd'hui un lycée agricole. Le dressage des oiseaux de proie pour la chasse lui valut son nom. François Iᵉʳ y aurait séjourné et participé à des chasses. Un châtelet d'entrée donne accès à une cour au fond de laquelle s'élève un édifice à galerie, flanqué d'une tour crénelée. Dans l'aile à droite de la cour est installé le **planétarium de la Charente** ⊘.

Ancienne abbaye de la Couronne. – Consacrée en 1201, l'**abbatiale,** d'une ampleur exceptionnelle, avait été édifiée dans un style de transition romano-gothique ; la façade et les deux premières travées de la nef furent reconstruites au 15ᵉ s. Sous l'Empire, l'édifice servit de carrière de pierres. Le plan offre un tracé cistercien avec son chevet plat et son transept, presque aussi long que la nef, sur lequel s'ouvrent quatre chapelles carrées dont l'une est encore intacte ; l'élévation est plutôt du style angevin : chapiteaux encore romans et voûtes gothiques bombées. On admire plus spécialement la majesté du chœur et du transept dont les hautes arcades se détachent sur le ciel.

Il reste peu de chose du cloître du 13ᵉ s. situé à droite de l'abbatiale et englobé dans des logements, par contre le **palais abbatial** attenant, bâti au 18ᵉ s., a survécu. Seule la cour d'honneur dans laquelle on pénètre par un beau portail Louis XV, à volutes, orné de ferronneries, est accessible.

Moulin de Fleurac ⊘. – Cet ancien moulin à blé, converti en moulin à papier, perpétue une tradition multiséculaire en Angoumois et témoigne de ce qui fut autrefois une industrie florissante sur les bords de la Charente. La production de papier de luxe repose sur des techniques héritées du 18ᵉ s. : la pâte, obtenue à partir du broyage de fibres végétales (lin, coton ou chanvre), est pétrie par de lourds maillets de bois ou par la pile hollandaise, actionnés par la roue du moulin. Une fois prête, elle est mise en feuilles qui seront pressées, séchées puis encollées suivant une méthode exclusive : le collage au trempé.

Dans la cour, un bâtiment rénové abrite l'étendoir et un **musée** qui retrace l'histoire des supports de l'écriture : tablettes d'argile et de bois de l'Antiquité ; contribution des Chinois, des Arabes puis des Italiens ; invention de la machine à papier par Louis-Nicolas Robert à la fin du 18ᵉ s...

Des passerelles donnent accès aux îles de la Charente et à l'écluse.

St-Michel. – 3 125 h. Localité industrielle (papeteries) située entre trois rivières, St-Michel possède une **église** du 12ᵉ s., au plan exceptionnel. Cet édifice octogonal, qui présente une coupole unique, restaurée par Abadie, et huit absidioles, servit de chapelle-refuge aux pèlerins de Compostelle *(voir p. 30)*. Les sculptures auraient été exécutées par des artistes de passage; remarquer le Saint Michel du portail, les modillons, pleins de verve, qui soutiennent les corniches, et la décoration des voussures du portail et des arcatures latérales : palmettes et acanthes, auxquelles s'ajoutent entrelacs et vanneries, sont à rapprocher de celles de la mosquée de Cordoue en Espagne.

Fléac. – *Page 53.*

Vallée de la Touvre. – *53 km – environ 3 h 1/2. Quitter Angoulême à l'Est par la N 141.*

Ruelle-sur-Touvre. – 7 203 h. Cette petite ville a vu naître en 1750 la Fonderie nationale établie par le marquis de Montalembert sur une île de la Touvre, dont elle utilisait les eaux, tandis que le charbon de bois provenant de la forêt de la Braconne et le fer de la vallée du Bandiat.

L'usine a été longtemps spécialisée dans la fonte des tubes de fort calibre évacués sur l'arsenal de Rochefort par la Charente; les 400 de marine utilisés pendant la guerre 1914-18 et la grosse artillerie des cuirassés Richelieu, Jean-Bart, sortaient de Ruelle. Aujourd'hui l'entreprise (Direction des constructions navales) se consacre surtout à la fabrication de missiles.

Magnac-sur-Touvre. – 2 843 h. (les Magnacois). En se plaçant sur le pont de la Touvre, en aval des papeteries, on jouit du plaisant tableau de l'église et des jardins bordant la rivière. L'église St-Cybard, romane, porte une tour carrée reposant sur une coupole à pendentifs. L'édifice est en forme de croix grecque.

★ **Touvre.** – *Page 172.*

★ **Grottes du Quéroy** ⊘. – Explorées par Norbert Casteret, ces deux grottes s'étendent sur plus de 1 km et composent un labyrinthe de salles riches en concrétions très variées, certaines d'une blancheur immaculée, d'autres rendues brunes par la présence de manganèse. Des stalactites et stalagmites, dont plusieurs excentriques, des draperies, des nids d'abeilles et des marmites de géants présentent des formes originales.

La route passe en vue des tours crénelées du château de la Tranchade (14ᵉ-17ᵉ s.).

Dirac. – 1 260 h. Église à l'élégante façade romane au décor finement sculpté.

La route qui descend jusqu'au moulin du Verger traverse un joli paysage de bois et de pitons rocheux (école d'escalade).

Moulin du Verger ⊘. – Dans cette papeterie dont l'origine remonte à 1539, le papier est toujours fabriqué à l'ancienne à base de cellulose, coton, lin et chanvre. On visite l'atelier et une salle où est exposée la production.

★ **Vallée de la Charente.** – *Description p. 53.*

APREMONT

1 152 h. (les Apremontais)

Carte Michelin nº **67** plis 12, 13 ou **232** pli 39.

Dans la riante vallée de la Vie, Apremont, avec son rocher escarpé, présente un site paisible. Le village est couronné par les restes de son château.

CURIOSITÉS

Château ⊘. – Du 12ᵉ s., il a été remanié au début du 16ᵉ s. par Philippe Chabot, amiral de France sous François Iᵉʳ. Il en subsiste, accessibles par une poterne médiévale et un frais jardin, les tours Nord et Sud, Renaissance, le chevet de l'ancienne chapelle, la «voûte cavalière», galerie demi-souterraine en pente raide aboutissant au pied du rocher, la tour de l'Échauguette (12ᵉ s.) et deux grandes salles de communs.

De la plate-forme de la tour Sud, vue intéressante sur la vallée et le plan d'eau de la Vie, et par temps clair sur la pointe Nord-Ouest de Noirmoutier.

Château d'eau ⊘. – L'ascenseur de cette tour de 80 m fait accéder à une rotonde vitrée. De cet observatoire, on peut découvrir, allant jusqu'à l'océan à l'Ouest, un immense **panorama** sur la campagne vendéenne.

ARCHIGNY

992 h. (les Archignois)

Carte Michelin n° 68 plis 14, 15 ou 232 pli 47.

Le nom de ce village est lié à l'histoire des Acadiens.

La ligne acadienne. – En 1773 et 1774, des colons français chassés d'Acadie (actuelles provinces canadiennes de Nouvelle-Écosse et du Nouveau-Brunswick), lors du Grand Dérangement (1755, *p. 21*), s'installent au Sud-Est de Châtellerault sur des terres en friche mises à leur disposition par le marquis de Pérusse des Cars. 58 fermes toutes semblables, en pisé et brande (bruyère), sur assise de moellons, sont alors construites entre Archigny et La Puye, constituant la « ligne acadienne ». Déçus par le fait que la charte de propriété qu'ils espéraient ne leur est toujours pas remise, certains colons se résignent à quitter les lieux pour Nantes, d'où ils rallieront plus tard la Louisiane. Ce n'est qu'en 1793 que les Acadiens de la Ligne obtiendront leur acte de propriété.

Il reste encore 38 maisons sur la Ligne ; elles sont signalées par un panneau, de même que l'emplacement de celles qui ont disparu.

De nos jours, les Acadiens du Poitou organisent une fête annuelle (le 15 août) aux Huit-Maisons pour commémorer cette période de leur histoire.

FERME ACADIENNE ⊙ *visite : 1/2 h*

Au lieu-dit **les Huit-Maisons** *(6 km à l'Est, accès signalé)*, une ancienne ferme acadienne a été transformée en musée. Sous un même toit, on trouve la pièce d'habitation qui renferme du mobilier d'époque, l'étable contenant du matériel agricole et la grange où sont présentés des documents sur l'histoire des Acadiens et leur retour en Poitou.

A l'extérieur une plaque a été apposée par le Nouveau-Brunswick en l'honneur des habitants du Poitou, ancêtres des Acadiens.

ARGENTON-CHÂTEAU

1 078 h. (les Argentonnais)

Carte Michelin n° 67 pli 7 ou 232 pli 44.

Paisible, à l'abri de ce qui reste de ses murailles, Argenton coiffe un éperon rocheux au confluent des vallées encaissées de l'Argenton et de l'Ouère. Le chroniqueur Philippe de Commynes, sénéchal du Poitou sous Louis XI, fut seigneur de l'endroit et possesseur du château qui subsiste partiellement, avec sa chapelle des 11e-13e s.

CURIOSITÉS

Chemin de la Salette. – S'embranchant à environ 100 m au Sud du carrefour des routes de Thouars et d'Angers, cet agréable sentier conduit à l'oratoire de la Salette *(1/4 h à pied AR)* dans un cadre de beaux arbres. La promenade, à partir de la place Léopold-Bergion, offre d'intéressantes vues sur le site d'Argenton et sur le lac d'Hautibus *(ci-dessous).*

Église St-Gilles. – Son remarquable **portail** roman, dont les voussures abritent des personnages au corps étiré, illustre les thèmes habituels à l'iconographie poitevine : Anges, Vertus exterminant les Vices, Vierges sages et Vierges folles, apôtres, signes du zodiaque et Travaux des mois. A gauche de l'archivolte, une scène évoque la parabole du festin du mauvais riche, tandis qu'à droite deux autres scènes montrent les Damnés jetés dans la gueule d'un monstre (Enfer) et les Élus groupés dans le sein d'Abraham (Paradis). Remarquer les chapiteaux où des animaux fantastiques symbolisent la luxure.

A l'intérieur, voûtes en brique et pierre des 13e et 15e s., et deux baies du 11e s.

Lac d'Hautibus. – A l'emplacement d'un lac qui se trouvait là au temps de Commynes, ce plan d'eau occupe un site verdoyant, au fond de la vallée de l'Ouère (affluent de l'Argenton), et offre les aménagements d'une base de loisirs.

Moulin des Plaines ⊙. – *Route de Mauléon.* Ce moulin à vent, remontant probablement au 18e s., resta en activité jusqu'en 1913. Restauré, il mout de nouveau le grain. Couvert de bardeaux, il est équipé d'ailes à lamelles de bois (système Berton), qu'on met au vent en orientant la toiture à l'aide d'une grande poutre extérieure.

ENVIRONS

Pont de Grifferus. – *7 km à l'Est.*

Château d'Ebaupinaye. – Édifié en granit d'un rose délicat, entouré de douves, Ebaupinaye date du 15e s. Son plan dessine un quadrilatère à quatre tours d'angle dont l'une servait de chapelle; sur l'un des côtés, une tour supplémentaire enferme l'escalier. Les toits ont disparu, mais les hautes lucarnes ont résisté.

> *Revenir à la route de Thouars, la prendre à gauche puis tourner à droite dans la D 181 qui descend dans la vallée de l'Argenton.*

Pont de Grifferus. – Site sauvage. L'Argenton, torrentueux, coule entre des gorges de schiste où, au printemps, fleurissent l'ajonc, le genêt, l'aubépine et la digitale.

Le **Pineau** *est un jus de raisin frais additionné de Cognac.*
La **Fine Champagne** *désigne une eau-de-vie de Grande et Petite Champagne.*
Le sigle **V.S.O.P.** *signifie Very Superior Old Pale.*

★ AUBETERRE-SUR-DRONNE

388 h. (les Aubeterriens)

Carte Michelin n° **75** pli 3 ou **233** plis 40, 41.

Dominant la vallée de la Dronne et ses verts pâturages, Aubeterre est une petite cité ancienne aux rues étroites et escarpées, bâtie en amphithéâtre, au pied de son château, sur les pentes d'un cirque interrompant la falaise de craie blanchâtre qui est à l'origine de son nom (alba terra : blanche terre).

Paisible, la place Trarieux, dominée par le buste de Ludovic Trarieux, enfant d'Aubeterre, fondateur de la Ligue pour la Défense des droits de l'homme et du citoyen, marque le centre de la localité. De là, on accède en montée à l'église St-Jacques, en descente à l'église monolithe.

ÉGLISES *visite : 1 h*

★ **Église monolithe** ⊙. – Dédiée à saint Jean, cette église, taillée dans le roc, appartient à un type rare que les archéologues nomment « monolithe » (d'un seul bloc de pierre), dont un autre exemple se trouve à St-Émilion *(voir le guide Vert Michelin Pyrénées Aquitaine).*

Il est probable qu'elle fut entreprise au 12ᵉ s. pour abriter les reliques du Saint-Sépulcre de Jérusalem, rapportées de la croisade par Pierre II de Castillon, alors possesseur du château.

Elle se vit plus tard utilisée comme atelier à salpêtre sous la Révolution pour devenir ensuite cimetière d'Aubeterre jusqu'en 1865.

Parallèle à la falaise, la nef principale, du 12ᵉ s., donne une impression de hauteur prodigieuse alors que la voûte s'élève seulement à 21 m au-dessus du sol. Elle est flanquée d'un bas-côté unique, au sommet duquel s'ouvrent des tribunes communiquant avec le château situé au-dessus, sur le bord de la falaise. A une extrémité de la nef, une abside abrite un monument monolithe roman, laissé en réserve lors du creusement de l'église. Formant lanterne à sa partie supérieure, il présentait à la vénération des pèlerins la châsse contenant les reliques du Saint-Sépulcre.

A l'autre extrémité de la nef on découvre la chapelle primitive du 6ᵉ s., transformée en nécropole au 12ᵉ s., après l'aménagement de l'église : des fouilles ont en effet mis au jour une série de sépulcres creusés dans le roc et une cuve baptismale.

Église St-Jacques. – Ancienne abbatiale bénédictine St-Sauveur, puis collégiale de chanoines, l'église présente une façade romane, rythmée d'arcades et d'arcatures au décor finement sculpté de motifs géométriques d'inspiration arabe. A gauche du portail central, remarquer la frise sculptée évoquant les Travaux des mois.

En contrebas de l'église, une tour à mâchicoulis protège le logis du chapitre (16ᵉ s.).

★★ AULNAY

1 462 h. (les Aulnaisiens)

Carte Michelin n° **72** pli 2 ou **233** pli 17.

Sur le grand chemin de St-Jacques-de-Compostelle, aux confins du Poitou et de la Saintonge, l'église St-Pierre-de-la-Tour apparaît solitaire dans le cadre mélancolique des cyprès de son vieux cimetière.

★★ ÉGLISE ST-PIERRE ⊙ *visite : 3/4 h*

Une rare unité, des lignes harmonieuses, un décor somptueux mais ordonné, la chaude patine de la pierre font de cet édifice du 12ᵉ s. une réussite de l'art roman poitevin. Pour en avoir la meilleure vue générale, il faut se placer au fond du cimetière en se décalant légèrement sur la gauche par rapport à la façade.

Façade. – Cantonnée de lanternons, elle comprend, au centre, un portail en arc légèrement brisé, entre deux arcades brisées aveugles formant enfeus : au tympan de l'arcade de gauche est sculptée la Crucifixion de saint Pierre, au tympan de l'arcade de droite, on voit le Christ en majesté entouré de deux personnages qui seraient saint Pierre et saint Paul.

Aulnay. – Église St-Pierre : portail du croisillon droit.

Les voussures du portail sont ornées de sculptures, souples et gracieuses, illustrant les thèmes favoris des « imagiers » poitevins : 1re voussure (en bas), anges adorant l'Agneau ; 2e voussure, Vertus exterminant les Vices ; 3e voussure, Vierges sages (à gauche) et Vierges folles ; 4e voussure, signes du zodiaque et Travaux des mois. A l'étage, la baie centrale aveugle encadrait jadis une statue de l'empereur Constantin à cheval *(voir p. 91)*.

Transept. — Il est très développé. Le clocher carré, qui servait de repère aux pèlerins et aux voyageurs, en surmonte la croisée.

Le **portail du croisillon droit** mérite d'être admiré, car ses voussures sont couvertes d'un décor sculpté fouillé et plein de verve. On reconnaît les sujets suivants :

1re voussure, animaux (griffons, centaures) et rinceaux en léger relief d'inspiration orientale ;

2e voussure, apôtres et disciples du Christ ; cette voussure est soutenue, à l'intrados, par des atlantes assis ;

3e voussure, les vieillards de l'Apocalypse (ils sont ici 31 au lieu des 24 habituels) tenant chacun une fiole à parfum et un instrument de musique ; à l'intrados de la voussure, autres atlantes, cette fois agenouillés ;

4e voussure, personnages et animaux de fantaisie : on reconnaît au passage l'âne musicien, un bouc, un cerf, une chouette, une sirène, etc.

Au-dessus de ce portail s'ouvre une grande baie dont la voussure médiane est décorée de quatre belles effigies de Vertus terrassant les Vices.

Abside. — De chaque côté de la fenêtre centrale de l'abside, de curieux rinceaux de style oriental encerclent des figures énigmatiques.

Intérieur. — La nef, voûtée en berceau brisé, est contrebutée par des collatéraux élevés : remarquer la profondeur des ouvertures, plus étroites au Nord qu'au Midi, les piliers massifs coupés de deux étages de chapiteaux.

La croisée du transept est couverte d'une belle coupole sur pendentifs, dont les nervures rayonnent autour d'une ouverture circulaire par où l'on hissait les cloches. Les **chapiteaux** constituent un ensemble très remarquable. On examinera surtout ceux du transept : éléphants aux oreilles minuscules (croisillon droit, à l'entrée du bas-côté) ; Samson endormi est lié par Dalila, tandis qu'un Philistin lui coupe la chevelure avec d'énormes ciseaux (pilier Nord-Ouest de la croisée) ; diablotins tirant la barbe d'un pauvre homme (croisillon gauche, à l'entrée du bas-côté), etc.

Cimetière. — Jonché de pierres tombales en forme de sarcophages, il possède encore sa **croix hosannière** du 15e s. *(p. 29)*, avec son pupitre, où le prêtre lisait l'Évangile des Rameaux, et ses statues sous dais des saints Pierre, Paul, Jacques et Jean.

ENVIRONS

Dampierre-sur-Boutonne. — *8,5 km au Nord-Ouest. Description p. 68.*

Églises romanes. — Il existe dans le voisinage d'Aulnay quelques églises notables.

Salles-lès-Aulnay. — *1 km au Nord-Est.* Joli portail.

Nuaillé-sur-Boutonne. — 196 h. *7 km à l'Ouest.* L'église St-Pierre présente un beau portail orné de deux voussures sculptées.

St-Étienne-la-Cigogne. — 119 h. *17 km au Nord-Ouest.* Carte Michelin n° 🎟️ pli 1. L'église fut incendiée pendant les guerres de Religion. Clocher-mur et charnier.

BARBEZIEUX
4 774 h. (les Barbeziliens)

Carte Michelin n° 🎟️ pli 12 ou 🎟️🎟️ pli 28.

La capitale de la Petite Champagne *(carte p. 32)* couronne une butte dont le sommet, arasé en esplanade (place de Verdun), supporte les deux belles tours rondes d'une porte fortifiée, restes d'un château du 12e s. restauré au 15e s. par Marguerite de La Rochefoucauld. Ses rues étroites ont gardé leur nom d'antan : rue du Minage, rue du Puits du Prêche, rue Coudée, rue Froide, Grand'Rue du Limousin...

Les habitants de Barbezieux s'adonnent, entre autres activités, au commerce des eaux-de-vie, de la volaille, des fruits confits et marrons glacés.

Jacques Chardonne (pseudonyme de Jacques Boutelleau : 1884-1968), enfant de la ville, intitula *le Bonheur de Barbezieux* une délicate évocation de ses souvenirs de jeunesse : « Il y a quarante ans, dans une petite ville de Charente, tout le monde était heureux autant qu'il est possible sur terre. »

EXCURSIONS

Circuit de 52 km. — *Environ 2 h.* Quitter Barbezieux au Nord-Est, route d'Angoulême ; à 16 km, prendre à droite la D 22.

Plassac-Rouffiac. — 297 h. Consacrée à saint Cybard d'Angoulême, l'**église** de Plassac se détache sur la crête dure d'une colline d'où la vue porte jusqu'à la vallée de la Charente. L'architecture, d'un style pur, relève de l'école locale. La partie la plus caractéristique en est le clocher octogonal coiffé d'une flèche conique à imbrications, de type archaïque. L'abside en cul-de-four, percée d'un oculus, est bâtie sur une crypte.

Le Maine-Giraud. — *Page 85.*

Blanzac. — 819 h. Ancienne place forte des La Rochefoucauld, Blanzac s'étire le long de la vallée du Né. Son **église St-Arthémy** comprend un long chœur roman qui précède une courte nef gothique.

Imposante et élancée, la façade présente certains éléments hérités du style roman local, tels les faisceaux de colonnes surmontés de clochetons et les festons décorant le portail; par contre le gâble du portail, la rosace et les trois arcades aveugles trilobées sont typiquement gothiques. A l'intérieur, la disposition de la croisée du transept surprend. Cette croisée est en effet presque entièrement occupée par la base d'un clocher appartenant à l'église qui précéda l'édifice actuel : quatre piliers aux beaux chapiteaux sculptés de motifs végétaux y soutiennent une coupole octogonale sur trompes, supportant le clocher.

Chapelle des Templiers de Cressac ⊙. – *A 2 km au Sud-Ouest de Blanzac.* Ancien siège d'une commanderie de Templiers, cette chapelle de l'Église Réformée de France renferme de remarquables **fresques** illustrant un épisode de la deuxième Croisade. Ces fresques, probablement exécutées entre 1170 et 1180, très endommagées sous la Révolution, relatent la bataille qui opposa en 1163 Guillaume IV Taillefer, comte d'Angoulême, Geoffroy Martel, Hugues VIII de Lusignan et les Templiers de Gilbert de Larcy aux troupes de l'émir Nur el-Din, maître d'Alep et de Damas.

Les importants fragments qui couvrent le mur Nord de la chapelle témoignent de la vie militaire des croisés et des Sarrasins en Palestine. Le registre inférieur laisse apparaître sur un fond ocre un camp de croisés, théâtre d'un échange de prisonnier contre rançon. Le registre supérieur, sur fond blanc, évoque le départ au combat des chevaliers et une charge de cavalerie contre une armée musulmane en déroute.

Par la D 7 et la D 434 à droite, gagner Conzac.

Conzac. – Située à l'orée du hameau, la petite église romane présente une abside à chapiteaux et modillons sculptés que surmonte une tour carrée, formant lanterne à l'intérieur. Dans le chœur en hémicycle, les arcades reposent sur de fortes colonnes.

Abbaye de BASSAC

Carte Michelin n° 🟥🟥 plis 12, 13 ou 🟥🟥🟥 plis 28, 29 – 7 km au Sud-Est de Jarnac – Schéma p. 000.

Fondée peu après l'an mil, ravagée pendant la guerre de Cent Ans et les guerres de Religion, l'abbaye de Bassac était desservie par des bénédictins qui embrassèrent la réforme de St-Maur en 1666. Plusieurs reliques insignes y étaient conservées parmi lesquelles les Saints Liens qui auraient servi à attacher le Christ lors de la Flagellation.

Désaffectée à la Révolution, domaine privé à partir de 1820, l'abbaye fut rendue à la vie religieuse, en 1947, par les frères missionnaires de Ste-Thérèse-de-l'Enfant-Jésus.

VISITE *1 h*

Pénétrer dans la cour abbatiale : en face se trouve l'église, à droite le couvent.

★ **Église.** – L'intéressante façade de style roman saintongeais fut pourvue au 15ᵉ s. de défenses consistant en un pignon percé de meurtrières et flanqué d'échauguettes. Durant la Révolution une main patriote y traça la parole de Robespierre : « Le peuple français reconnaît l'Être suprême et l'immortalité de l'âme.» La tour carrée comporte quatre étages disposés en retrait, de plus en plus ajourés et terminés par une flèche à écailles.

A l'intérieur de l'édifice, la nef unique à chevet plat, couverte de voûtes bombées, témoigne de l'expansion du style gothique angevin *(voir p. 28).* On remarque à droite un panneau peint du 17ᵉ s. représentant la Mise au tombeau, et une statue de saint Nicolas probablement du 13ᵉ s., dont les pieds ont été rognés par des jeunes filles désireuses de trouver un mari.

Le vaste chœur des moines a été réaménagé au début du 18ᵉ s. : la clôture à laquelle s'adossent deux petits retables, les 40 stalles finement sculptées, le monumental aigle-lutrin, le retable du maître-autel sont l'œuvre des pères bénédictins aidés par des artisans locaux. Ce décor sobre et élégant s'adapte parfaitement à l'architecture médiévale du sanctuaire.

Bâtiments conventuels ⊙. – Ils ont été reconstruits aux 17ᵉ et 18ᵉ s. Une majestueuse porte encadrée de pilastres ioniques, suivie d'un long passage voûté d'ogives, conduit à l'ancien cloître.

Les galeries du cloître ont été démolies en 1020 (les amorces sont visibles le long des murs), mais les bâtiments monacaux subsistent, surmontés de charmantes lucarnes à frontons. On voit, au rez-de-chaussée, la salle capitulaire aujourd'hui chapelle (belle voûte du 17ᵉ s.; vitraux de facture moderne, 1954), le chauffoir, la cuisine, l'escalier à balustres dans l'aile Sud. Devant la façade sur la Charente s'étend un jardinet en terrasse.

★ Tumulus de BOUGON

Carte Michelin n° 🟥🟥 pli 12 ou 🟥🟥🟥 pli 6 – Nord-Est de La Mothe-St-Héray.

Dissimulé dans un bois, près du village de Bougon, connu pour ses fromages de chèvre, cet important ensemble mégalithique comprend cinq tumulus de forme allongée ou circulaire. Ces constructions, dont la plus ancienne remonte aux environs de 4500 avant J.-C., sont l'œuvre de peuplades néolithiques qui vivaient dans des villages environnants dont les habitations n'ont laissé que fort peu de traces.

Une nécropole mégalithique. – Amoncellement de pierrailles retenues par plusieurs murs concentriques, les tumulus de Bougon recèlent des **dolmens,** composés d'un couloir et d'une **chambre funéraire** circulaire ou quadrangulaire, formée de grandes dalles.

Tumulus F.

Les squelettes (environ 300 au total) qui ont été retrouvés dans chacune des chambres, groupés mais généralement en nombre relativement limité, attestent que les tumulus étaient utilisés pour des sépultures collectives, toutefois réservées à des personnages importants.
A partir de cette fonction de nécropole se développa un sanctuaire qui serait un des plus anciens du monde.
Le site a été abandonné vers l'an 2000 avant J.-C.

VISITE ⏱ *environ 1 h*

Un musée est en cours d'aménagement sur le site du hameau voisin.

Tumulus A. — Le premier à avoir été découvert (1840), ce tumulus circulaire a été édifié vers 3300 avant J.-C. Sa chambre funéraire, l'une des plus grandes qu'on connaisse (7,80 m de long), est couverte d'une dalle unique, pesant 90 t, et séparée en deux parties par une dalle verticale. Outre quelque 220 squelettes, on y a découvert un riche mobilier funéraire.

Tumulus B. — De forme allongée, il englobait à l'Est deux coffres funéraires, à l'Ouest deux dolmens à couloirs. Les tessons de poterie qu'il contenait ont été datés du milieu du 5e millénaire avant notre ère, ce qui en fait le monument le plus ancien de la nécropole.

Tumulus C. — Il est composé d'une butte circulaire de 5 m de haut (3500 avant J.-C.), recouvrant un petit dolmen à couloir, et d'une plate-forme rectangulaire qui servait peut-être de lieu cultuel.

Mur D. — Entre les tumulus C et E s'étend un mur de 35 m de long, qui semble séparer le sanctuaire en deux zones.

Tumulus E. — Il comprend deux dolmens qui, précédés d'un couloir orienté vers l'Est, contenaient des ossements et un mobilier funéraire (entre 4000 et 3500 avant J.-C.). Ce sont les plus anciens dolmens connus du Centre-Ouest de la France.

Tumulus F. — Le plus long, il mesure 80 m et englobe en fait deux monuments principaux : au Nord, un tumulus (F2) avec dolmen à couloir de type dit angoumoisin (chambre rectangulaire), datant de 3500 avant J.-C. ; au Sud, un autre tumulus (F0) avec une chambre (vers 4000 avant J.-C.) à voûte en encorbellement et un couloir orienté à l'Est : dans cette chambre ont été reconstituées des sépultures.

A l'Ouest du tumulus F se succèdent des **fosses** dont on extrayait de petites pierres pour l'édification des tumulus, à l'aide de pics en bois de cerf qu'on a exhumés des déblais.

BRESSUIRE

17 827 h. (les Bressuirais)

Carte Michelin n° 𝟨𝟽 pli 17 ou 𝟤𝟥𝟤 plis 43, 44
Plan dans le guide Rouge Michelin France.

Au sein du bocage vendéen dont elle est la capitale, Bressuire est aussi un gros marché agricole, comme en témoignent les vastes dimensions de sa place Notre-Dame, de ses halles et de son foirail où se tiennent tous les mardis d'importants marchés à bestiaux. On y fabrique des conserves de viande et du mobilier scolaire.
Basses et coiffées de tuiles bombées, ses maisons grimpent à l'assaut d'une colline bordant le Dolo qui, plus loin, prend le nom de Ton avant de se jeter dans l'Argenton.

Les misères de la guerre. — Durant les guerres de Vendée, Bressuire obéit au marquis de Lescure, le « Saint du Poitou », châtelain de Clisson *(8 km au Sud-Est)*; la ville servait alors parfois de quartier général aux chefs de l'Armée catholique et royale. Aussi est-elle mise à feu et à sang, le 14 mars 1794, par les « colonnes infernales » du général Grignon *(p. 22)*; cet ancien marchand de bœufs se fait fort de tenir une comptabilité rigoureuse des Vendéens abattus par lui et se vante d'en avoir occis 200 en une seule journée, aux abords de Bressuire.

CURIOSITÉS

Église Notre-Dame. — Son architecture s'apparente aux monuments du Val de Loire. C'est ainsi que la nef unique, très large et couverte de voûtes gothiques bombées, avec des portails et des chapiteaux encore romans, est caractéristique du style Plantagenêt *(voir p. 30)* au 13ᵉ s. De même le vaste chœur quadrangulaire, de style gothique flamboyant, semble avoir subi les influences angevines, bien qu'il soit seulement de la fin du 15ᵉ s.
La tour, conçue d'un seul jet au 16ᵉ s., unit harmonieusement les styles gothique et Renaissance, ce dernier s'affirmant dans la partie supérieure; elle évoque les clochers de la cathédrale de Tours. Couronnée d'un dôme à lanternon, elle surgit à 56 m de hauteur au-dessus de la cité et du bocage.

Musée municipal ⊘. — Sur la jolie place où s'élève l'hôtel de ville, construit au début du 19ᵉ s. à l'emplacement du couvent des Cordeliers, l'ancienne halle aux grains abrite un petit musée consacré à l'art et à l'histoire locaux. Un intérieur régional, des faïences (St-Porchaire, Parthenay, La Rochelle), des souvenirs des guerres de Vendée, etc., y sont présentés.

Château ⊘. — Jadis fief de la puissante baronnie des Beaumont-Bressuire, il comprend deux enceintes en partie ruinées, que jalonnent 48 tours semi-circulaires. L'enceinte extérieure date du 13ᵉ s. et se développe sur 700 m. On la suivra à gauche sur 100 m, pour découvrir la vision romantique des murailles aux tours croulantes. L'enceinte intérieure remonte au 11ᵉ s. Une poterne donne accès à la cour seigneuriale.
Incendié pendant la Révolution, le logis seigneurial du 15ᵉ s., en ruine, a été remplacé par un bâtiment de style « troubadour » *(voir p. 31).*
Du pont sur le Dolo *(route de Cholet),* on a une bonne vue sur le château et ses murailles.

EXCURSIONS

Château de la Durbelière ; Mauléon. — *31 km au Nord-Ouest.*

Château de la Durbelière. — Ce château en ruine (15ᵉ-17ᵉ s.) fait partie d'une vaste exploitation rurale. Le logis seigneurial, entouré de douves en eau, est flanqué de massifs pavillons carrés dont l'un vit naître en 1772 **Henri de La Rochejaquelein** *(p. 21).* Dans la cour, « monsieur Henri » harangua deux mille paysans, prononçant les paroles célèbres :

« Si j'avance, suivez-moi!
Si je recule, tuez-moi!
Si je meurs, vengez-moi! »

En octobre 1793, le beau La Rochejaquelein devint le très jeune généralissime de l'Armée catholique et royale; après le passage de celle-ci en Bretagne, il se fit tuer par un Bleu à Nuaillé, près de Cholet, en 1794.

St-Aubin-de-Baubigné. — Une statue, œuvre de Falguière (1895), a été élevée en hommage à Henri de La Rochejaquelein qui fut inhumé dans la chapelle funéraire de l'église, auprès de la dépouille de son cousin, le chef vendéen Lescure.

Mauléon. — 8 779 h. Mauléon, qui s'appelait alors **Châtillon-sur-Sèvre,** fut de mai à octobre 1793 la capitale de la Vendée militaire. On y imprimait même des « bons royaux », correspondant aux assignats.
Un **musée** ⊘ est installé, à côté de la mairie, dans l'ancienne abbaye de la Trinité, bel édifice de granit, remanié au 19ᵉ s. dans le style Louis XIV. On s'y intéressera surtout aux roches gravées des Vaux, dont une salle rassemble huit exemplaires : au 19ᵉ s. furent découverts dans les

La Rochejaquelein.

environs plus de 200 de ces blocs que les hommes de la préhistoire ont couverts de motifs (croix, étoiles, cercles, personnages stylisés) dont la date exacte d'exécution et la signification restent une énigme. A l'étage, section ethnographique.
Du **château** féodal de Mauléon *(à l'extrémité Ouest de la ville),* il ne subsiste que l'entrée (12ᵉ s.), flanquée de deux tours.

Les pages consacrées à l'art en Poitou Vendée Charentes offrent une vision générale des créations artistiques de la région, et permettent de replacer dans son contexte un monument ou une œuvre au moment de sa découverte.

Ce chapitre peut en outre donner des idées d'itinéraires de visite.

Un conseil : parcourez-le avant de partir !

Carte Michelin n° 🔢 pli 14 ou 🔢 pli 14.

Battus par le vent salé de l'océan, les remparts de Brouage, encore assez bien conservés, jaillissent avec leurs échauguettes au-dessus du marais monotone. Souvenirs de guerre et d'amour planent sur Brouage la Morte, livrée au silence, mais qui semble appelée à devenir la ville-mémorial de l'amitié franco-québécoise comme en témoignent les nombreux drapeaux qui flottent au vent.

UN PEU D'HISTOIRE

Grandeur et décadence. – Dès le Moyen Age, Brouage joue un rôle commercial important. Bien abrité au fond du « plus beau havre de France », le bourg est la capitale du sel, recueilli dans les marais salants voisins (8 000 ha) et expédié surtout en Flandre et en Allemagne.

Entre 1567 et 1570 naît à Brouage, d'une famille protestante, **Samuel de Champlain.** Navigateur avisé, aux ordres du roi Henri IV, il colonisa une partie du Canada et, parti de Honfleur (Normandie) en 1608, fonda Québec *(voir le guide Vert Michelin Canada).* Un monument, érigé en 1970, marque l'emplacement de sa maison (**B**).

Le siège de La Rochelle (1628) ayant fait de Brouage l'arsenal de l'armée royale, Richelieu charge l'ingénieur picard Pierre d'Argencourt d'en reconstruire les fortifications. Au terme de ces travaux, activement poussés durant 10 ans, la cité de Champlain, qui peut entretenir une garnison de 6 000 hommes, constitue la plus forte place de la côte atlantique...

Si lui-même, lors de la Fronde, Du Dognon, gouverneur de la ville, s'y enferme et s'en déclare souverain. Richelieu l'eût fait décapiter..., Mazarin traite : il offre au révolté 100 000 écus et le bâton de maréchal... puis s'attribue le gouvernement de Brouage. A la fin du 17e s., Brouage connaît une période de déclin. Le rétablissement de l'enceinte de La Rochelle et la fondation de Rochefort lui enlèvent une part de son rôle militaire. Vauban entreprend cependant de renforcer ses remparts, mais le havre s'envase et les marais salants passent à l'état de « marais gâts », générateurs de fièvres.

Brouage ne vit que d'une maigre garnison, lorsque sous la Révolution on y enferme des religieux réfractaires, vite décimés par la maladie.

Amour et raison d'État. – En 1659, Louis XIV aime **Marie Mancini,** nièce de Mazarin ; ils ont vingt ans et veulent se marier. Or la raison d'État s'oppose à leurs desseins, car le cardinal désire sceller la paix avec l'Espagne par un mariage du roi et de l'infante Marie-Thérèse. Et l'idylle s'achève « malgré lui, malgré elle »...

A La Rochelle où Mazarin l'a expédiée, la brune Marie apprend la conclusion du mariage espagnol. Du 4 septembre au 30 décembre, elle va cacher son chagrin à Brouage, dont son oncle est gouverneur :

« Comme la solitude était plus propice à entretenir mes rêveries, je choisis le château de Brouage... » Et Mazarin l'autorise à rentrer à Paris.

Six mois plus tard, à St-Jean-de-Luz, Louis épouse l'infante. Sur le chemin du retour, il fausse compagnie au cortège et gagne Brouage. Il y occupe l'ancienne chambre de Marie et arpente le rempart et les grèves, en soupirant après sa fiancée perdue. Racine s'est inspiré de cette triste histoire dans sa tragédie *Bérénice.*

★★LES REMPARTS

visite : 3/4 h

Les remparts de Brouage, bâtis de 1630 à 1640, constituent un exemple capital de l'art des fortifications avant Vauban *(voir p. 31).* Dessinant un carré de 400 m de côté, ils sont défendus par sept bastions, eux-mêmes munis d'échauguettes en encorbellement d'une grâce délicate. Les murs, hauts de 13 m, sont surmontés d'un parapet de briques percé de canonnières. Deux portes s'y ouvraient : la porte Royale et celle de Marennes.

Le côté Nord formait le front de mer, donnant sur le havre, aujourd'hui réduit à un chenal. La place d'armes se trouvait au Sud, près des casernes.

Le rempart Ouest était protégé par une demi-lune, détachée de la courtine.

Si la plupart des maisons de Brouage ont disparu, dont l'hôtel du Gouverneur, où descendirent Marie Mancini puis Louis XIV, les dépendances militaires ont mieux résisté.

Chemin de ronde. – On peut parcourir presque entièrement le sommet des remparts, tapissé d'herbe. La disposition de la place forte apparaît nettement, tandis qu'une vue étendue se développe sur le marais, les îles d'Aix et d'Oléron.

Porte royale. – Percée dans le bastion Nord, dit **bastion Royal,** elle donnait jadis accès aux quais. Dans le passage voûté, sur le mur de droite, en sortant, on distingue des graffiti anciens représentant divers types de bateaux. A l'extérieur, la porte est surmontée d'un fronton aux armes (à demi effacées) de France et de Navarre ; dans le pan de muraille à gauche de la porte, remarquer les vestiges des fers qui, placés entre les blocs, assuraient la solidité de l'appareil.

Forges royales. – Elles étaient adossées au bastion Royal. Au centre de celle qu'occupe le bureau du tourisme s'élève encore une imposante cheminée. A gauche de cette forge, l'« **escalier Mancini** » **(D)** est celui que Marie empruntait quand elle allait rêver sur le rempart. Parallèle à cet escalier, une rampe permettait de hisser les canons.

A gauche s'alignent les **hangars de la Porte royale,** anciens magasins ou ateliers, transformés en boutiques. Au Sud de ceux-ci s'élevait l'hôtel du Gouverneur.

AUTRES CURIOSITÉS

Église St-Pierre. – Sobre et austère, elle présente un portail à fronton classique aux armes royales encadrées par les écussons des d'Espinay-Saint-Luc et des Comminges qui gouvernaient la place lors de sa construction en 1608. Sa remise en état a été effectuée aux frais de la ville de Québec.

A l'intérieur, remarquer une Vierge en bois, ancienne figure de proue d'un navire suédois naufragé. Les bas-côtés abritent une exposition sur les origines et l'évolution de la « Nouvelle France » dite Canada, ainsi que sur les échanges franco-québécois. Deux vitraux ont été offerts par le gouvernement du Nouveau-Brunswick et la ville de Québec.

Autres installations militaires. – La **halle aux vivres,** restaurée, arbore de belles voûtes de brique et pierre reposant sur des piliers de pierre; à côté s'élève l'ancienne **tonnellerie (F).** Plus au Sud, dans le bastion de la Brèche, se dissimule l'entrée d'un **port souterrain,** l'un des deux abris dont disposait Brouage pour les barques. Aménagé dans les flancs du rempart, il est couvert d'une voûte de pierre; à l'extérieur, côté campagne, on remarque des armoiries. Près du bastion de la Brèche, la **poudrière de la Brèche,** édifice voûté de pierre et couvert de dalles, était l'une des deux poudrières de la ville forte. Datant de 1692, elle est due à Vauban. Les latrines publiques qui avaient été aménagées à l'intérieur des remparts, à l'Ouest, dans la **Courtine de la Mer (G)** surprennent par leur décoration : frontons et fenêtres à meneaux.

Bastion St-Luc. – Sous son échauguette d'angle font saillie les armes de Richelieu *(visibles de la D 3).*

CELLEFROUIN   563 h. (les Cellefrouanais)

Carte Michelin n° **72** Sud du pli 4 ou **233** pli 19.

Cellefrouin, dont le nom signifie « ermitage de Frouin », évoque surtout, pour l'amateur d'architecture romane, une église et une lanterne des morts.

CURIOSITÉS

Église. – Située dans un agreste vallon, c'est l'ancienne abbatiale d'un monastère d'augustins, florissant au Moyen Age, mais qui, au 18e s., ne comptait plus qu'un moine.

L'édifice, sobre et pur, a été restauré avec goût mais la façade, rythmée d'arcatures et de colonnes engagées, aurait plus d'élan si elle n'était restée quelque peu enterrée.

De même l'exhaussement du sol nuit aux proportions et à la perspective, à l'intérieur de l'église. Reposant sur des colonnes massives, la nef et les collatéraux sont voûtés en berceau; la base de la 3e colonne à droite, qui a été dégagée, montre le degré d'élévation du sol actuel.

Une imposante coupole sur trompes, supportant le clocher, couvre la croisée du transept. Au fond du croisillon gauche, sculptures encastrées dans le mur, dont une représente la main bénissante du Seigneur.

Lanterne des morts. – Élancée, la lanterne, haute de 12,50 m, est formée d'un faisceau de huit colonnes que surmonte un toit conique. Dans une des colonnes s'ouvre la niche où l'on plaçait la veilleuse symbolique.

CELLES-SUR-BELLE   3 425 h. (les Cellois)

Carte Michelin n° **72** Nord du pli 2 ou **233** pli 6 – Lieu de séjour.

Celles s'est développée à l'ombre du haut et puissant clocher de son ancienne abbaye d'augustins établie en terrasse sur le bord du vallon formé par la Belle. La **base de Lambon** *(3 km au Nord,* carte Michelin n° **68** plis 11 et 12) constitue un lieu de villégiature privilégié avec ses nombreuses installations de sports et de loisirs : club de voile, plage, pédalos, jeux pour enfants, petit train touristique autour du lac...

CURIOSITÉS

Église Notre-Dame. – Ancienne abbatiale, elle est le siège d'un pèlerinage à la Vierge, dit « la Septembresche », qui a lieu le 1er dimanche de septembre. Le roi Louis XI y venait régulièrement faire ses dévotions. Détruite par les huguenots en 1568, l'église fut relevée cent ans plus tard, dans le style du 15e s., par l'architecte **François Leduc.** Son goût pour l'architecture de l'ordre toscan *(voir le guide Vert Michelin Rome)* lui valut le surnom de Toscane.

Dans le narthex, on admire le très curieux **portail**★ roman qui appartenait à la première abbatiale. Ses voussures polylobées, aux masques grimaçants, indiquent une influence orientale, diffusée en France le long des chemins de St-Jacques.

La nef et ses collatéraux frappent par leur luminosité; admirer la pureté de ligne des piliers qui jaillissent vers les hautes voûtes bombées. Au fond du chœur apparaît la statue (17ᵉ s.) de N.-D.-de-Celles.

Abbaye ⊙. – *Accès par le grand portail en contrebas de l'église.*

Trois de ses abbés ont laissé un nom : Geoffroy d'Estissac *(détails p. 84)*, le cardinal de La Rochefoucauld qui fut Premier ministre de Louis XIII, et enfin le fameux Talleyrand.

Les bâtiments conventuels sont dus, comme l'église, à Leduc. La façade principale, longue de 85 m, ne manque pas d'allure avec ses pilastres ioniques s'appuyant sur

Celles. – Portail de l'église.

des contreforts à volutes. Malheureusement l'aile droite n'a pas été achevée. A l'intérieur on voit un bel escalier, l'ancien réfectoire, la cuisine, une galerie de cloître, le tout du 17ᵉ s.

Dans l'enclos, ruines de l'ancienne église paroissiale St-Hilaire et sa crypte du 12ᵉ s.

ENVIRONS

Maison du Protestantisme poitevin. – *11 km au Nord.* Carte Michelin n° 🗗🗗 pli 12. *Prendre la D 103 et la D 108.*

Transformés en lieux d'exposition, les temples protestants de Beaussais et de La Couarde forment la Maison du Protestantisme poitevin, gérée par le parc naturel régional.

Beaussais. – 362 h. Dans le **temple** ⊙, ancienne église catholique qui conserve un chœur roman voûté en cul-de-four, on a aménagé un petit musée du protestantisme. Les panneaux de l'entrée évoquent les activités des protestants au 20ᵉ s., tandis que ceux de la nef retracent l'histoire du protestantisme en France, notamment dans le Poitou. Un « sentier huguenot » de 4 km relie Beaussais à La Couarde *(descriptif disponible au musée).*

La Couarde. – 295 h. Une autre section de la **Maison du Protestantisme poitevin** est installée dans un temple édifié en 1904. Les panneaux et vitrines (voir les « méreaux », jetons qui permettaient d'identifier les fidèles) ont trait principalement au « Désert », période de clandestinité et de répression ayant suivi la révocation de l'édit de Nantes (1685). Une « Assemblée du Désert » (réunion secrète), avec sa chaire démontable, a été reconstituée. Films vidéo.

CHALAIS
2 172 h. (les Chalaisiens)

Carte Michelin n° 🗗🗗 pli 3 ou 🗗🗗🗗 pli 40.

Connue pour ses foires et marchés, Chalais comprend la ville basse moderne, établie près de la Tude, et un quartier ancien sur la colline qui sépare la Tude de la Viveronne.

CURIOSITÉS

Église St-Martial. – *Accès par un chemin se détachant de la D 674, au Nord de Chalais.* Intéressante **façade** romane. Les voussures du portail présentent un décor géométrique et des festons d'inspiration mauresque; aux arcades latérales on reconnaît, à droite, les Trois Marie portant des vases de parfum au tombeau du Christ, à gauche le Christ entre saint Pierre et saint Martial; ces personnages ont été décapités pendant la Révolution.

Château. – Il appartenait aux Talleyrand-Périgord, princes de Chalais. L'un d'eux, Henri, conspirateur notoire, fut décapité sur ordre de Richelieu : il ne fallut pas moins de 30 coups de hache pour que sa tête tombât.

Par le châtelet (fin 16ᵉ s.), flanqué d'échauguettes et précédé d'un pont-levis, on entre dans la cour. A droite s'élève un bâtiment du 17ᵉ s. Dans le fond, mail de tilleuls à l'extrémité duquel se découvre une jolie vue sur les toits de Chalais.

ENVIRONS

Berneuil. – 326 h. *20 km au Nord-Ouest.* Église romane dans un site agréable à flanc de coteau. La façade remaniée au 16ᵉ s. révèle une niche surmontée d'un Christ en croix entouré de la Vierge et de saint Jean.

CHAMPDENIERS

1 456 h. (les Campidénariens)

Carte Michelin n° 68 pli 11 ou 233 pli 6.

Champdeniers s'étire sur l'échine d'un promontoire. Les foires aux mules qui se déroulaient autrefois étaient renommées. L'ancienne Grande-Rue, parallèle à la voie de traversée actuelle, ne manque pas de cachet.
On a une bonne vue du site de Champdeniers lorsqu'on emprunte la route de Niort au Sud (D 748).

Église. — Situé sur le rebord du promontoire, au-dessus de la vallée de l'Egray, cet édifice relève de l'art roman poitevin, bien que la tour octogonale fasse penser aux écoles limousine ou auvergnate; le chevet date du 15ᵉ s.
On remarque la variété des chapiteaux, décorés de feuillages stylisés et de têtes grimaçantes. Dans le vaisseau latéral Nord du chœur, grande Vierge en bois du 17ᵉ s. Dans la crypte, les voûtes d'arêtes des trois nefs s'appuient sur des colonnes monolithes dont les chapiteaux, sculptés en faible relief, datent du 11ᵉ s.

ENVIRONS

St-Marc-la-Lande. — 328 h. *4 km au Nord-Est.* Dans ce minuscule village, le voyageur, surpris, découvre la remarquable **façade★** Louis XII d'une collégiale jadis desservie par les antonins, religieux hospitaliers de l'ordre de saint Antoine (fin 11ᵉ s.), qui soignaient le mal des ardents, fièvre violente appelée aussi « feu de saint Antoine ».
L'intérêt principal de cette façade, outre la qualité de la sculpture, réside dans la juxtaposition d'éléments flamboyants et Renaissance : c'est ainsi que les contreforts d'angle, d'un modèle très original, sont formés de colonnettes torsadées Renaissance, tandis qu'au centre un grand arc gothique abrite deux baies flamboyantes surmontant deux portes Renaissance en anse de panier. On admire le raffinement des niches, sculptées avec une suprême finesse.

Cherveux. — 1 195 h. *11 km au Sud.* Son château du 15ᵉ s. est un intéressant exemple de forteresse féodale avec son donjon et ses tours à mâchicoulis.

Fenioux. — 776 h. *13 km au Nord-Ouest.* Carte Michelin n° 67 pli 17. Sa petite église romane est charmante. A l'intérieur, la coupole sur pendentifs et les chapiteaux ornés de gros masques ou d'oiseaux révèlent une influence saintongeaise.

Vallée de l'Egray. — *12 km jusqu'à St-Maxire.* Carte Michelin n° 171 pli 1. Le cours encaissé et capricieux de l'Egray est souligné de trembles.
A 2 km de Champdeniers apparaissent, sur la droite, des abrupts rocheux couverts de pins et de châtaigniers. Un sentier signalé indique les rochers de la Chaize (point de vue et école d'escalade).
Au-delà, le vallon est tapissé de prés enclos de haies vives.

Ste-Ouenne. — 523 h. L'église romane du village se signale par son petit clocher carré et son élégant chevet décoré, à contreforts-colonnes. La nef unique, évasée, conserve des chapiteaux d'une facture intéressante, surtout dans le chœur (feuillages et oiseaux).

1 km après Ste-Ouenne, à une bifurcation, prendre à gauche.

Après Ste-Ouenne, la route offre des échappées lointaines en direction de Niort.

On aperçoit bientôt, à gauche en contrebas, le charmant **château de Gazeau** (15ᵉ s.) accompagné d'une chapelle de même époque; une jolie vue se dégage sur le coteau de la rive gauche.

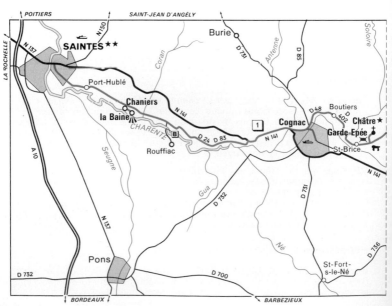

Cartes Michelin n° 🔢 plis 11 à 13 et 🔢 pli 4 ou 🔢 plis 27 à 29 et 15 et 16.

Formant une spacieuse vallée que baigne une lumière nacrée, la Charente, escortée de peupliers, déroule lentement ses méandres dans les grasses prairies qu'elle inonde en hiver. Voilées par beau temps d'un halo bleuté, des collines aux contours mesurés l'accompagnent. L'ensemble compose un tableau qui charme par sa douceur.

Un fleuve paisible. – Longue de 360 km, la Charente, née près de Rochechouart en Limousin, arrose l'Angoumois et la Saintonge, servant de trait d'union entre les pays qu'elle traverse, du Confolentais au Marais. Leurs principales villes, qui furent d'abord des escales pour la batellerie, faisait d'elle, au dire d'Henri IV, « le plus beau fossé du royaume ».

Fleuve de faible pente et de débit régulier, la Charente a établi sa vallée, tantôt rétrécie, tantôt évasée, dans les plateaux calcaires de l'Angoumois (champagnes) puis dans la craie saintongeaise. Son tracé tourmenté provient soit d'accidents de structure, failles dues à des dislocations, soit de phénomènes de capture qui ont détourné son cours.

Dans les fonds s'étale largement « la prée », prairies communales où paissent les troupeaux qui ont valu aux Charentes leur réputation laitière. Les pentes portent des cultures et ces vignes qui, d'Angoulême à Saintes, donnent des eaux-de-vie de Cognac.

En aval d'Angoulême, dans le vignoble, on remarque le plan caractéristique des maisons de maître, blanches sous le ciel : le colombier, le logis et les dépendances délimitent une cour dans laquelle on pénètre par une porte cochère cintrée, de noble allure.

Un « chemin qui marche ». – La Charente est navigable à partir d'Angoulême et la marée se fait sentir jusqu'à Saintes. Mais son trafic est devenu insignifiant. Dès l'époque romaine, les bateliers transportaient vers l'intérieur sel et poissons. A partir du 17ᵉ s. le papier et la pierre de taille d'Angoulême, les canons de Ruelle, les eaux-de-vie de Cognac descendent le fleuve sur les gabares, grandes embarcations à fond plat, qui chargent à la remontée le sel du marais, les bois et, par la suite, les charbons du Nord. Sous Louis-Philippe, des bateaux à vapeur, avec restaurant à bord, assurent le transport des passagers, de Saintes à Rochefort. Chaque bourg a son quai. De nos jours, de nombreuses **croisières** ⓥ sont organisées sur le fleuve, au départ d'Angoulême, de Cognac, Saintes ou St-Savinien.

① D'ANGOULÊME A SAINTES

93 km – compter 1/2 journée sans la visite d'Angoulême et de Saintes

★★**Angoulême.** – *Visite : 1 journée. Description p. 39.*

Fléac. – 2 704 h. L'église romane du 12ᵉ s. est dépourvue de transept, la nef et le chœur sont coiffés de trois coupoles successives. Joli portail décoré d'animaux chimériques.

Par la D 103 qui descend au milieu des vignes et des arbres fruitiers (nombreux noyers), on atteint le fond de la vallée, tapissé de prairies.

Trois-Palis. – 555 h. **Église** romane avec un clocher à deux étages dont la flèche conique est couverte d'écailles. Elle présente une façade dont le pignon est orné d'un Christ, qu'entourent les symboles des évangélistes, et un intérieur sans transept dont la nef et le chœur sont séparés par une coupole sur pendentifs (chapiteaux historiés : à droite le Sacrifice d'Isaac).

On peut visiter la **chocolaterie Letuffe** ⓥ , entreprise artisanale où sont fabriquées notamment les spécialités d'Angoulême : marguerites et duchesses. Film vidéo.

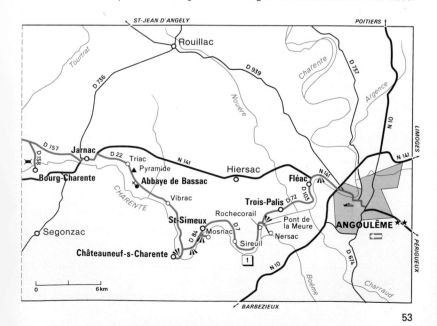

La route vers Nersac mène au pont de la Meure d'où se découvre une jolie perspective sur le fleuve.

Au lieu-dit Rochecorail, une des grottes aurait servi de refuge à **Calvin;** celui-ci y aurait achevé l'*Institution de la religion chrétienne,* ouvrage capital où est exposée toute sa doctrine.

D'abord encadrée de sapins, la route serpente ensuite agréablement entre bois et vignobles. Passé Sireuil, la route court à flanc de coteau et ne redescend au niveau du fleuve qu'à l'approche de St-Simeux.

St-Simeux. – 456 h. Village fleuri, étagé au bord de la Charente.

Du pont de la D 422 vers Mosnac, charmante **vue★** sur une anse du fleuve qui borde un moulin à eau et sur St-Simeux dominé par son église.

Après St-Simeux la route se relève et franchit un bois; du sommet de la côte, jolie vue, à gauche, sur la vallée.

Du pont de Châteauneuf, coup d'œil sur le fleuve – que l'on perdra ensuite de vue jusqu'à Jarnac – divisé en deux bras par un îlot boisé.

Châteauneuf-sur-Charente. – *Page 56.*

Abbaye de Bassac. – *Page 46.*

Un peu avant **Triac,** sur la droite, une pyramide érigée à quelques mètres de la route marque l'endroit où Condé, blessé, fut achevé par Montesquiou *(voir p. 77).*

Jarnac. – *Page 77.*

De Jarnac à Cognac, l'itinéraire traverse une campagne verdoyante et paisible où se succèdent vignobles, boqueteaux, pâturages.

Bourg-Charente. – 722 h. Sur la rive gauche de la Charente, Bourg-Charente regarde la rivière qui se divise en plusieurs bras, enserrant des îles basses, tapissées de prairies.

L'**église** ⊙, de style roman saintongeais, présente une façade à trois étages surmontée d'un fronton triangulaire; remarquer son plan en forme de croix latine et l'alignement des trois coupoles sur pendentifs. Sur le mur de gauche de la nef, une fresque du 13e s. représente l'Adoration des Mages.

Quant au **château,** élevé sur une butte, de l'autre côté de la Charente, il date d'Henri IV. Le pavillon qui le flanque, imposante bâtisse à baies surmontées de frontons et de hauts toits à la française, est caractéristique de l'époque.

Dolmen de Garde-Épée. – Gris foncé, le dolmen *(accès signalé)* se détache sur les champs plus clairs; de formes régulières et imposantes, il présente une belle dalle tabulaire.

★**Église de Châtre** ⊙. – Émouvante dans sa solitude et son abandon, l'église Notre-Dame apparaît au creux d'un vallon humide aux pentes boisées. C'était l'abbatiale d'un couvent d'ermites augustins, dévasté lors des guerres de Religion et transformé par la suite en manufacture de faïences. De puissants contreforts-colonnes encadrent sa façade romane saintongeaise, sobrement décorée mais gracieuse et très élégante.

Dans le détail, admirer la découpe des festons du portail central et la finesse des motifs sculptés ornant frises, arcs et arcatures. Une file de quatre majestueuses coupoles sur pendentifs couvre la nef que prolonge un chœur gothique à chevet plat, remplaçant l'abside primitive.

Château de Garde-Épée. – Le château du 17e s., accompagné d'un colombier, comprend une enceinte fortifiée avec entrée monumentale : porte cochère et porte pour piétons, défendues par des mâchicoulis.

A la Branderaie de Garde-Épée vécut Jacques Delamain (1874-1953), le grand ami des oiseaux dont il décrivit les mœurs dans un livre admirable : *Pourquoi les oiseaux chantent.*

La route longe le fleuve avant d'atteindre Cognac.

Cognac. – *Page 62.*

Les sinuosités de la route longeant la rive Nord de la Charente épousent constamment le pied du coteau : à gauche s'étendent de vastes prairies parfois divisées en bandes longitudinales résultant de partages d'héritage; à droite alternent cultures, vignobles et quelques carrières.

Chaniers. – 3 086 h. (les Chagnolais). L'église romane présente une originale abside fortifiée de plan tréflé et un beau clocher au-dessus d'une coupole sur trompes; hors œuvre, chapelle du 15e s.

La Baine. – Joli site au bord de la Charente qui se divise ici pour former deux îles reliées par des passerelles. Peupleraie et barques.

Près de Port-Hublé, route et voie ferrée courent, parallèles, entre le fleuve et la falaise crayeuse, avant de pénétrer dans Saintes.

★★**Saintes.** – *Visite : 1 journée. Description p. 161.*

② **DE SAINTES A BORDS** *43 km – environ 3 h sans la visite de Saintes*

La route suit d'assez près la Charente dont on a çà et là quelques aperçus sur le cours sinueux. Cette section du fleuve est parcourue par la marée qui remonte jusqu'à Saintes.

Quitter Saintes à l'Est puis prendre à gauche la D 114 – schéma p. 55.

Taillebourg. – *Page 169.*

Annepont. – 208 h. Petite église romane ; à droite du portail, niche du 15e s.

Au Sud de Taillebourg, après le pont sur la Charente, en surplomb de la route, court une **chaussée romaine** refaite en 1220, dont les traces se perdent un peu avant St-James : à la sortie de ce village, prendre à droite la D 128.

Port-d'Envaux. — *Page 120.*

St-Savinien. — 2 340 h. (les Savinois). Ce gros bourg, étagé en bordure d'un coude de la Charente, conserve quelques vestiges moyenâgeux et, surtout, une **église** (13e-14e s.) dont le massif clocher à arcatures et la façade romane à pignon sont remarquables.

Bords. — 1 109 h. L'église présente une belle abside romane à contreforts-colonnes.

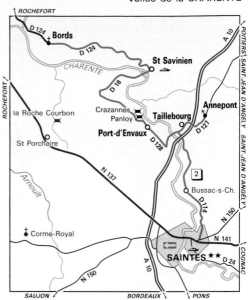

★ **CHARROUX** 1 428 h. (les Charlois)

Carte Michelin n° 72 pli 4 ou 233 pli 19.

Dans un vallon de la rive droite de la Charente, Charroux est né d'une abbaye bénédictine. La place a conservé une halle en bois, du 15e s.

UN PEU D'HISTOIRE

Les reliques, sources de richesses. — La personnalité du protecteur des premiers moines, Charlemagne lui-même, assura la renommée de l'établissement. Des conciles s'y tinrent à plusieurs reprises et l'un d'eux, en 989, posa les bases de la « Trêve de Dieu ». En 1096 le pape Urbain II consacrait la nouvelle église.
Propriétaire de reliques insignes (parcelles de la Vraie Croix, chair et sang du Christ), le monastère devint l'objet d'un pèlerinage qui, en juin, rassemblait environ 25 000 personnes. Les visiteurs de marque enrichissaient le trésor de dons en argent et de magnifiques objets d'art. Et les possessions de l'abbaye de St-Sauveur s'étendaient jusqu'en Angleterre.

Le déclin. — Cette prospérité s'effondra avec les guerres de Religion au cours desquelles l'abbaye subit les derniers outrages. Supprimée en 1762, elle a été plus qu'à moitié démolie au début du 19e s. C'est à Mérimée, inspecteur général des Monuments historiques sous le Second Empire, que revient le mérite d'avoir préservé ce qui en restait.
Les fouilles et les restaurations entreprises de 1946 à 1953 ont permis de restituer le plan de l'église et de dégager la crypte. Le cloître a été mis en valeur, tandis que les sondages pratiqués dans la salle capitulaire amenaient la découverte de sarcophages contenant un beau mobilier funéraire.

★**ABBAYE ST-SAUVEUR** ⊘ *visite : 1 h*

Abbatiale. — Le plan de l'abbatiale alliait le plan traditionnel en croix latine et le plan circulaire de l'église du St-Sépulcre de Jérusalem. Précédé d'un narthex, l'édifice comprenait une nef, un transept à chapelles orientées et une abside à absidioles rayonnantes. A la croisée du transept, le « sanctuaire » circulaire, entouré de trois collatéraux concentriques, reposait sur une crypte; il était surmonté par une haute tour encore debout. L'ensemble, qui mesurait 126 m de long, présentait des analogies avec certaines églises primitives d'Orient.
L'abbatiale appartenait, dans son ensemble, au style roman poitevin, à l'exception de la façade Ouest, gothique, dont quelques éléments sont enclavés dans une maison.
La **tour**★★ polygonale date du 11e s.; elle marquait le centre de l'église. Elle se dresse comme un gigantesque ciborium au-dessus du sanctuaire en rotonde abritant le maître-autel qui surmonte lui-même la crypte où étaient exposées les reliques. Les deux premiers étages de cette tour, évidés, se trouvaient à l'intérieur de l'église; la partie supérieure se terminait vraisemblablement par une flèche.

Cloître. — Aujourd'hui à ciel ouvert et bien dépouillé, il a été reconstruit au 15e s. sous la direction de l'abbé Chaperon dont les armes, trois chaperons, sont reproduites aux chapiteaux des piliers de la salle capitulaire.

Vous prendrez plus intérêt à la visite des monuments si vous avez lu les p. 28 à 31 :
L'art en Poitou, en Vendée et dans les Charentes.

Salle capitulaire. – De dimensions imposantes, elle abrite d'admirables **sculptures★★** du 13ᵉ s. provenant du portail central de la façade de l'abbatiale. Ce sont le Christ du Jugement (1) jadis au tympan, et plusieurs figures logées autrefois dans les voussures : abbés de Charroux, rois, prophètes et ces délicieuses statues de Vierges sages et de Vierges folles (2), fréquentes dans le Poitou. Cet ensemble est attribué au même sculpteur que celui des portails de la cathédrale de Poitiers.

★ **Trésor** (3). – Il contient une précieuse collection de bâtons pastoraux romans et de pièces d'orfèvrerie gothique. Les bâtons pastoraux en ivoire, en forme de « T » ou de crosse, proviennent des sépultures d'abbés découvertes sous la salle du chapitre. Les objets d'orfèvrerie comprennent surtout deux reliquaires en vermeil, magnifiquement ouvragés; l'un, du 13ᵉ s., est sans doute une ancienne pyxide (coffret à hosties); l'autre, du 14ᵉ s., travail vénitien, présente un cylindre à parois de corne transparente soutenu par les quatre évangélistes et surmonté d'un couvercle que bordent sept petits pignons.

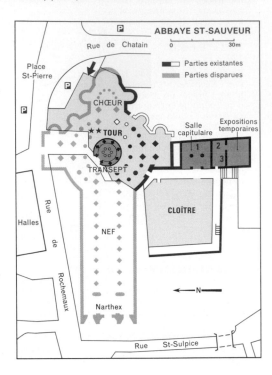

ABBAYE ST-SAUVEUR

CHÂTEAUNEUF-SUR-CHARENTE 3 522 h. (les Castelnoviens)

Carte Michelin n° 72 pli 13 ou 233 pli 29 – Schéma p. 53.

Cette petite ville, qui s'étage sur les coteaux de la rive gauche de la Charente, fut l'objet de nombreuses convoitises au cours des siècles. Sa position stratégique lui donna une place importante pendant la guerre de Cent Ans, les guerres de Religion, la Fronde. Les Anglais l'occupèrent après le traité de Brétigny (1360) pour l'abandonner en 1376.
Châteauneuf, dans la partie haute, conserve une intéressante église romane.

Église St-Pierre. – Belle façade saintongeaise : portail à voussures richement sculptées de feuillages, d'animaux, de personnages, flanqué de deux arcatures aveugles. Le premier étage, séparé du rez-de-chaussée par une corniche soutenue par des modillons sculptés (amusants personnages), est percé d'une baie encadrée de deux statues d'apôtres. A gauche, statue équestre de l'empereur Constantin (décapité).

ENVIRONS

Château de Bouteville. – *7 km à l'Ouest.* La route offre, à l'arrivée, une belle **vue★** plongeante sur le château.
Portant un nom que les Montmorency illustrèrent, Bouteville se campe sur un socle calcaire d'où l'on découvre à perte de vue une campagne ondulée qui va, couverte de vignes, suivant les contours de la Charente, d'Angoulême à Cognac.
Le château est très délabré; on remarque le corps de logis du début du 17ᵉ s., encadré de tours rondes, et des murs surmontés de merlons sculptés d'une facture originale.
Non loin du château, en contrebas, l'église St-Paul est le seul vestige, très remanié, d'un prieuré bénédictin fondé vers 1028-1029.

MATELOTE D'ANGUILLE

La spécialité du Marais poitevin.

Dépouiller une anguille, l'ébarber, la vider, la couper en tronçons.
Fariner ceux-ci et les faire revenir dans une poêle, puis les flamber à l'eau-de-vie.
Enlever l'anguille de la poêle et y faire revenir quelques oignons.
Verser le contenu d'une demi-bouteille de Bordeaux rouge.
Faire réduire la sauce.
Remettre l'anguille et laisser mijoter 1/4 h.

CHÂTELLERAULT

34 678 h. (les Châtelleraudais)

Carte Michelin n° 🄱🄱 pli 4 ou 🄱🄱🄱 pli 47.

Un château bâti au 10ᵉ s. par Ayraud, vicomte de Poitou, est à l'origine de la cité qui lui doit son nom et qui s'est développée sur les deux rives de la Vienne au terminus de son cours navigable.

La petite métallurgie poitevine concentrée au bord du Clain dès le 13ᵉ s. y donna naissance à la coutellerie au 18ᵉ s., puis, en 1820, à une manufacture d'armes éloignée de la frontière. Cette dernière, qui fonctionna jusqu'en 1968, a contribué à l'essor de la ville, qui depuis a vu l'installation de nombreuses industries (zones industrielles Nord, du Sanital et Sud-Nonnes).

CURIOSITÉS

Pont Henri-IV (AYZ). — Construit de 1575 à 1611 par Charles Androuet du Cerceau, membre d'une célèbre famille d'architectes, il est long de 144 m et large de 21; côté rive gauche, deux puissantes tours coiffées d'ardoises, autrefois reliées par un corps de logis, en protégeaient l'entrée, sage précaution au lendemain des guerres de Religion. En amont, au milieu du pont, une croix à laquelle pendent deux ancres évoque le temps où la batellerie était en pleine activité : ce trafic fluvial a disparu au milieu du siècle dernier.

Musée municipal (AZ M²) ⊘. — Il est installé dans l'hôtel Sully, édifié au 17ᵉ s. par Charles Androuet du Cerceau, et qui est précédé d'une belle cour monumentale. Le musée expose des collections d'armes, de couteaux, de faïences et de porcelaines du 17ᵉ s. au 19ᵉ s., ainsi que des dossiers de chaises en bois sculptés, sculptures, peintures et objets d'art. Une salle est réservée à Rodolphe Salis (1851-1897), né à Châtellerault, fondateur du cabaret parisien Le Chat Noir; on peut y voir des affiches, menus, cartes des vins de l'ancien cabaret ainsi que des ombres chinoises en tôle représentant le défilé d'une armée. L'histoire locale est évoquée des origines à nos jours (gravures sur Châtellerault, anciennes notes d'auberge y compris la part du cheval).

Au moyen de tableaux explicatifs, documents, photographies, une section retrace l'histoire des Acadiens (leur départ de France, la Nouvelle-France, leur retour en Poitou) et donne un aperçu du rôle économique et culturel de l'Acadie (région orientale du Canada comprenant la Nouvelle-Écosse et le Nouveau-Brunswick) d'aujourd'hui. Le musée présente également des coiffes, bonnets, châles, robes de baptême portés dans la région du 18ᵉ au début du 20ᵉ s. La dextérité de la lingère se reconnaît à la variété des formes et à la richesse des broderies.

Église St-Jacques (BZ). — Ancienne priorale des 12ᵉ et 13ᵉ s., elle doit au 19ᵉ s. ses deux tours et sa façade néo-romanes, mais le chevet à contreforts-colonnes et le transept sont d'origine.

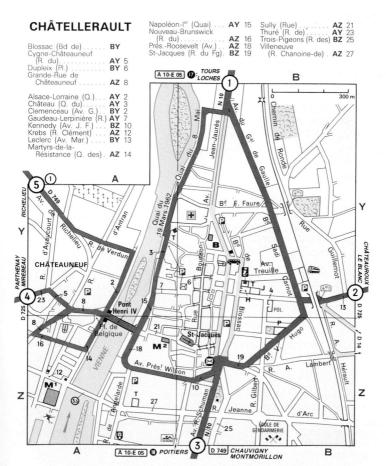

CHÂTELLERAULT

Napoléon-Iᵉʳ (Quai) . . . **AY** 15	Sully (Rue) . . . . **AZ** 21
Nouveau-Brunswick	Thuré (R. de) . . . . . **AY** 23
(R. du) . . . . **AZ** 16	Trois-Pigeons (R. des) **BZ** 25
Prés.-Roosevelt (Av.) . **AZ** 18	Villeneuve
St-Jacques (R. du Fg). **BZ** 19	(R. Chanoine-de) . **AZ** 27

Blossac (Bd de) . . . . . . **BY**
Cygne-Châteauneuf
(R. du) . . . . **AY** 5
Dupleix (Pl.) . . . . **BY** 6
Grande-Rue de
Châteauneuf . . . . **AZ** 8

Alsace-Lorraine (Q.). . . **AY** 2
Château (Q. du) . . . . . **AY** 3
Clemenceau (Av. G.) . . **BY** 2
Gaudeau-Lerpinière (R.) **AY** 7
Kennedy (Av. J. F.) . . . **BZ** 10
Krebs (R. Clément) . . . **AZ** 12
Leclerc (Av. Mar.) . . . . **BY** 13
Martyrs-de-la-
Résistance (Q. des) . **AZ** 14

La voûte de la nef est à croisées d'ogives de style gothique angevin, celle de la chapelle latérale Sud est à liernes, tiercerons et clefs historiées. Dans le croisillon Nord, statue de saint Jacques vêtu en pèlerin de Compostelle, en bois polychrome du 17e s., rappelant ainsi le rôle d'étape joué par l'église sur les chemins de St-Jacques.

La tour Nord abrite un **carillon** de 52 cloches.

Maison Descartes (BY B) ⊘. – Dans cette maison familiale du 16e s., le philosophe passa plusieurs années de sa jeunesse.

Musée de la Moto, de l'Automobile et du Cycle (AZ M¹) ⊘. – Ce musée, qui occupe une partie des locaux de l'ancienne manufacture d'armes, est consacré aux trois principaux moyens de déplacement individuel du 20e s. : la moto, l'automobile, le cycle.

EXCURSIONS

Réserve naturelle du Pinail. – *14 km au Sud par ③ du plan et par Vouneuil-sur-Vienne.*

Cette réserve *(signalée)* s'étend sur 135 ha en bordure de la forêt domaniale de Moulière. C'est une lande où croissent la bruyère à balais ou brande, l'ajonc nain et la molinie (herbe à longue tige), et où se dissimulent plus d'un millier de mares, résultat de l'exploitation traditionnelle de la pierre meulière, qui servait à faire les meules des moulins. Deux circuits fléchés permettent de parcourir la réserve *(bottes recommandées)*.

Circuit de 115 km. – *Environ 4 h. Quitter Châtellerault par ③, N 10.*

Le Vieux-Poitiers ⊘. – Entre le Clain et les hauteurs voisines s'étendait une ville gallo-romaine dont subsiste un élément de l'enceinte du théâtre aménagé sur la pente regardant le Clain; on y examinera la manière de bâtir à l'époque : un blocage de moellons noyés dans le mortier est revêtu d'un bel appareil régulier de pierres qu'interrompt, par intervalles, une assise de briques plates. A 400 m du théâtre, fours de potiers gallo-romains. En contrebas dans la plaine, un menhir porte une inscription celtique.

Entre le Vieux-Poitiers et Moussais-la-Bataille se serait déroulée en 732 la fameuse **bataille de Poitiers** au cours de laquelle Charles Martel mit en déroute l'envahisseur sarrasin *(voir p. 110).*

Beaumont. – 1 612 h. Ce village vigneron est installé sur le rebord d'une butte-témoin détachée du front de côtes qui forme talus entre Châtellerault et Vendeuvre. De la Grand-Place part un chemin qui conduit à un donjon démantelé sous Louis XIV : vue étendue sur les vallées du Clain et de la Vienne.

Pittoresque route de crête sur la côte de tuffeau, la D21 sépare le Clain et l'Envigne; vignes et vergers alternent avec champs et taillis. On produit ici des vins du Haut-Poitou, classés Vins délimités de qualité supérieure (V.D.Q.S.) depuis 1970.

Colombiers. – 1 286 h. Gracieuse église de style roman poitevin.

Marigny-Brizay. – 1 626 h. Ses vins blancs et rouges sont très appréciés.

Vendeuvre-du-Poitou. – 2 319 h. Le château des Roches, de 1519, comprend une enceinte et un logis seigneurial aux toits aigus que protège une belle entrée flanquée de tours à mâchicoulis.

Lencloître. – *Page 69.*

Scorbé-Clairvaux. – *Page 167.*

Par Sossais, au Nord, gagner St-Gervais-les-Trois-Clochers.

St-Gervais-les-Trois-Clochers. – 1 187 h. Dans l'église, à gauche, Crucifixion de l'école de Breughel.

Les Ormes. – Bordant la nationale à la sortie Nord du village, s'ouvrent les grilles du **château.** Une belle allée de platanes et de marronniers conduit à la cour d'honneur aux vastes pelouses, au fond de laquelle s'étendent symétriquement de majestueux bâtiments : le corps principal (reconstruit au début du 20e s.) est relié par des galeries basses à terrasses à deux pavillons du 18e s. que prolongent des ailes en retour. De l'autre côté de la nationale s'allongent les anciennes écuries, appelées **« la bergerie »**, au noble fronton classique.

Revenir à Châtellerault par la D1 qui longe la Vienne.

★ CHAUVIGNY
6 665 h. (les Chauvinois)

Carte Michelin n° 68 plis 14, 15 ou 233 pli 9 – Lieu de séjour.

Chauvigny s'est développée dans la vallée de la Vienne comme un centre commercial et industriel où la fabrication de porcelaines constitue l'activité essentielle. L'exploitation traditionnelle de la pierre de taille, d'un calcaire à grain fin et régulier, a gardé une certaine importance.

★ VILLE HAUTE ⊘ visite : 3/4 h

Elle se dresse sur un éperon, au pied des ruines déchiquetées de plusieurs châteaux forts que domine l'élégant clocher de l'église St-Pierre.

Château baronnial (B). – Construit au 11e s. alors que les évêques de Poitiers étaient seigneurs de Chauvigny, il comprend encore une partie haute, formée par un énorme donjon, et une partie basse, environnée de remparts sur lesquels subsistent les vestiges du Château Neuf.

Château d'Harcourt (D). – Édifié du 13e au 15e s. au sommet de la butte, il appartint à l'origine aux vicomtes de Châtellerault. Il possède encore de puissants remparts avec châtelet d'entrée.

★**Église St-Pierre.** – Cette ancienne collégiale de style roman, fondée par les seigneurs de Chauvigny, fut commencée au 11e s. par l'abside et terminée au siècle suivant par la nef.

Bâtie en belle pierre grise, elle est surmontée d'un clocher carré à deux étages de baies. Le chevet est remarquable par l'harmonieux équilibre de l'abside et des absidioles; il frappe par la richesse de ses sculptures.

L'intérieur, défiguré par des bariolages du 19e s., montre une nef voûtée en berceau brisé dont les colonnes portent des chapiteaux à palmettes.

Le chœur présente un intérêt tout particulier avec ses remarquables **chapiteaux**★★ historiés. Des scènes évangéliques et bibliques, parmi lesquelles on reconnaît le Pèsement des âmes, l'Annonce aux bergers, Babylone, l'Annonciation, l'Adoration des Mages, la Tentation, alternent avec un extraordinaire déploiement de monstres

CHAUVIGNY

Moulin St-Just...	3
Moulin St-Léger. .	4
Pouzillard (R.). . . .	5
St-Pierre (R.)	6

ailés, sphinx, sirènes, démons faisant subir à des humains résignés les pires tourments. Ces représentations d'une facture très stylisée mais cependant expressive témoignent d'un imaginaire encore hanté par les terreurs de l'an mille.

Donjon de Gouzon (E). – Vestiges du château de Gouzon. Celui-ci fut acquis à la fin du 13e s. par la famille de Gouzon puis acheté en 1335 par l'évêque Fort d'Aux. A l'origine, le donjon carré était soutenu par des contreforts rectangulaires qui ont été par la suite surmontés de contreforts arrondis. Restauré, le donjon va abriter un musée national d'Archéologie industrielle.

AUTRES CURIOSITÉS

Église Notre-Dame . – A la croisée du transept, intéressants chapiteaux et, dans le croisillon Sud, fresque du 14e s. représentant le Portement de croix. Le Christ, plié sous le poids d'une très longue croix, est aidé par une multitude de religieux et de civils.

St-Pierre-les-Églises ⊙ – *2 km au Sud par la D 749*. Isolée sur la rive droite de la Vienne, la petite église préromane présente une abside en hémicycle, ornée de fresques très altérées, figurant la Crucifixion. Datant probablement du 9e ou du 10e s., ce sont les plus anciennes connues en Poitou.

Du charmant cimetière qui entoure l'église, ombragé de tilleuls et de cyprès séculaires, et parsemé de vestiges gallo-romains et carolingiens, on découvre une belle vue sur la Vienne.

ENVIRONS

★**Château de Touffou.** – *6,5 km au Nord-Ouest par la D 749. Description p. 152.*

Morthemer. – *12 km au Sud par la D 8.* Le château et l'église, bel ensemble des 14e et 15e s., témoignent de la puissance passée de ce qui fut l'une des plus importantes baronnies du Poitou au Moyen Age. Ils dominent toujours les maisons aux toits ocre et l'étroit vallon arrosé par la Dive, dont l'un des bras alimente un modeste lac.

Du **château,** subsiste un imposant donjon pentagonal à tourelles d'angle, très restauré au 19e s. C'est là que mourut en 1370, le connétable John Chandos, lieutenant du Prince Noir, blessé lors de la bataille de Lussac.

Accolée au château, l'**église,** d'aspect massif, présente dans sa nef unique un curieux mélange de style roman et gothique français. Elle repose sur une crypte romane qui renferme les tombeaux mutilés du 14e et du 15e s., ainsi que des fresques de la même époque, représentant un Christ en majesté et une Vierge à l'Enfant.

Au fond de l'église le beau gisant de Renée Sanglier, épouse d'un seigneur de Morthemer, date du début du 16e s.

LA MOUCLADE

Cette recette charentaise tient son nom des moules appelées « moucles ». Il en existe de nombreuses variantes. En voici une :

Pour 4 personnes. Gratter et laver 2 litres de moules. Les cuire à la marinière, c'est-à-dire dans un récipient avec un bouquet garni et un verre de vin blanc. Lorsqu'elles sont ouvertes, enlever une coquille à chaque moule et les ranger toutes dans un plat allant au four.

Faire revenir 4 oignons, puis verser dessus la moitié de l'eau des moules et faire réduire 1/2 h. Ajouter du poivre et une pincée de safran.

Hors du feu, mélanger 100 g de crème fraîche et 2 jaunes d'œufs. Verser ce mélange dans le bouillon et le tout sur les moules. Passer quelques minutes au four chaud et servir aussitôt.

CIVAUX

682 h. (les Civaliens ou Civausiens)

Carte Michelin n° 68 plis 14, 15 ou 233 pli 9.

Ce modeste village recèle de rares richesses archéologiques, qui attestent l'importance du rôle de Civaux dans la pénétration du christianisme en Poitou.

CURIOSITÉS

★ **Nécropole mérovingienne.** — L'enceinte actuelle du cimetière, en couvercles de sarcophages dressés, date du 17e s., et ne correspond pas aux limites de l'ancienne nécropole, qui s'étendait sur près de 3 ha, où furent dénombrées plus de 15 000 tombes. Aujourd'hui, les sarcophages n'occupent plus qu'un quadrilatère restreint, mais s'étagent sur plusieurs niveaux. L'origine de cette nécropole reste mystérieuse, mais il pourrait s'agir des tombes des guerriers francs tombés lors d'une bataille opposant Clovis à Alaric, le roi des Wisigoths, ou des sépultures de repentis qui se seraient fait enterrer à l'endroit même de leur conversion.
La chapelle ruinée, sous le vocable de Ste-Catherine, fut remaniée à plusieurs reprises depuis l'époque romane.

Musée archéologique ⊙. — A proximité du cimetière, ce petit musée abrite des objets gallo-romains et mérovingiens (stèles, céramique, mobilier funéraire) et surtout d'intéressantes reconstitutions des divers types de sépultures découvertes dans la nécropole : en cercueil ou en pleine terre, en caisson de pierres sèches ou à simple entourage dressé, en sarcophage enfin.

Église St-Gervais et St-Protais. — Cette église fut érigée sur l'emplacement d'un temple romain dont subsistent d'importants vestiges, parmi lesquels une cella carrée où fut aménagé un baptistère.
L'abside, du 4e s., porte un clocher de pierre à deux étages d'arcatures. Dans la nef du 10e s., voûtée en berceau, les piliers cylindriques sont surmontés de **chapiteaux historiés** dont les sculptures ont pour thème la peur de l'enfer et de la damnation. L'abside conserve, scellée dans son mur droit, une stèle funéraire du 4e s., gravée d'un chrisme flanqué de l'alpha et de l'oméga.

CIVRAY

2 814 h. (les Civraisiens)

Carte Michelin n° 72 pli 4 ou 233 pli 19.

Civray offre un plan original : deux rues parallèles descendent vers deux ponts qui franchissent la Charente; entre elles, la place Gambetta et la place du Maréchal-Leclerc forment le centre urbain.
On fabrique à Civray des macarons. Les chabichous (fromages de chèvre), en vente au marché, sont fabriqués principalement à St-Saviol, petit village à l'Ouest de Civray.

CURIOSITÉS

Église St-Nicolas. — De style roman, elle présente une façade historiée d'inspiration poitevine alors que son clocher octogonal dénote plutôt une influence limousine. L'édifice a été restauré par deux fois non sans quelques dommages : c'est ainsi qu'en 1858 un tympan a été ajouté au portail central. On peut aller admirer le chevet renforcé de colonnes aux chapiteaux à palmettes ou ornés d'animaux dans le jardin du presbytère.

★ **Façade.** — Rectangulaire, solidement renforcée sur les côtés par des contreforts-colonnes, la façade compte, en élévation, deux registres horizontaux dont les dispositions se répètent : deux arcades aveugles y encadrent un portail au rez-de-chaussée, une baie à l'étage. Le décor sculpté s'affirme par sa profusion. Les thèmes traités sont conformes aux traditions poitevines. Toutes ces sculptures étaient jadis peintes et des cabochons de couleur brillaient dans les prunelles des personnages.
Dans les voussures du portail central sont représentés, de bas en haut, le Christ honoré par les anges, les Vierges sages (à gauche) et les Vierges folles (à droite), l'Assomption, les Travaux des mois accompagnés des signes du zodiaque (les lire de gauche à droite). Les arcades latérales abritent des arcatures géminées.
A l'étage, l'archivolte de l'arcade centrale évoque le combat des Vertus et des Vices, les Vertus portant une tunique serrée à la taille, les Vices étant personnifiés par des démons squelettiques; de chaque côté de la baie figurent saint Pierre et saint Paul. Dans l'arcade de gauche se trouve la statue mutilée d'un cavalier figurant, pense-t-on, l'empereur Constantin, qu'entourent des anges musiciens. L'arcade de droite est divisée en deux registres : en bas la scène représenterait saint Nicolas sauvant trois jeunes filles que leur père indigne allait livrer à la débauche; en haut sont placés les quatre évangélistes; la voussure porte 12 vieillards de l'Apocalypse, l'un tenant un instrument de musique, les autres des livres ou des rouleaux de papyrus.

Intérieur. — De proportions trapues, et se rétrécissant d'Ouest en Est, il s'orne d'une tour-lanterne octogonale édifiée sur la croisée du transept. La décoration peinte, surabondante, est moderne, sauf dans le croisillon Sud où une fresque du 14e s. illustre trois épisodes de la légende de saint Gilles : il protège une biche pourchassée par un archer; il célèbre la messe, un ange lui apporte le parchemin sur lequel est inscrit le péché que Charles Martel n'osait avouer; Charles Martel reçoit l'absolution.

Hôtel de la Prévôté. — Maison Renaissance, au n° 10 de la rue Louis-XIII qui débouche sur la place du Maréchal-Leclerc, en face de l'église.

Carte Michelin n° **67** pli 4 ou **232** pli 29.

Clisson occupe un **site★** pittoresque au confluent de la Sèvre Nantaise et de la Moine. En 1794, la ville fut mise à feu et à sang par les « colonnes infernales » *(voir p. 22)*, si bien qu'à la fin de la Révolution elle avait été désertée par presque tous ses habitants. Au début du 19e s., Clisson se relève de ses ruines. Sous l'impulsion de deux Nantais, les frères Cacault, et du sculpteur Frédéric Lemot, qui ont séjourné en Italie, la ville va s'italianiser : ainsi, nombre de demeures de Clisson et divers moulins à eau ou manufactures des environs, reconnaissables notamment à leurs baies en plein cintre appareillées en brique, sont autant de témoignages de cet engouement dont on trouve les prémices dans le parc de la Garenne-Lemot.

CLISSON

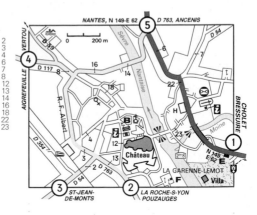

LA VIEILLE VILLE *visite : 1 h 1/2*

Les ponts. — Atteindre par la N 149 le viaduc qui franchit la Moine : agréable vue sur le château, la rivière elle-même, ses berges verdoyantes et son pont St-Antoine du 15e s. Au passage de l'autre pont du 15e s. sur la Sèvre, on découvre également une vue pittoresque sur la rivière dominée par la masse du château.

Halles (B). — Créées au 15e s., elles montrent une belle charpente de chêne (17e-18e s.).

Château ☉. — Il dresse ses ruines imposantes au-dessus de la Sèvre Nantaise. Aux confins du duché de Bretagne, il protégeait celui-ci face à l'Anjou et au Poitou. Ses premiers seigneurs furent les sires de Clisson parmi lesquels figure le célèbre connétable Olivier de Clisson (1336-1407) *(voir le guide Vert Michelin Bretagne).* En 1420 la château est confisqué par le duc de Bretagne.
Un premier château remonterait aux 11e et 12e s. Au 13e s., on éleva une construction polygonale flanquée de tours, à laquelle fut accolé au 14e s. un donjon également polygonal, dont il subsiste un pan de mur encore couronné de mâchicoulis. La cuisine, le logis seigneurial et la chapelle datent aussi du 14e s. Au 15e s., pour moderniser les fortifications, le duc de Bretagne François II fait édifier une deuxième enceinte comprenant des prisons et une nouvelle porte monumentale munie d'un pont-levis en remplacement de l'ancienne barbacane. Enfin, par crainte de la Ligue, trois bastions sont construits au 16e s. afin de renforcer le château.
Au centre de la cour d'honneur, on peut voir le puits où en 1794 furent précipités 18 habitants de Clisson qui s'étaient réfugiés dans le château.

LA GARENNE-LEMOT ☉ *visite : 1 h 1/2 – Accès par la N 149.*

En 1805, Frédéric Lemot acquiert le bois de la Garenne et charge l'architecte Mathurin Crucy d'y réaliser différents aménagements dans le goût italien.
Au centre, la **Villa Lemot,** de style néo-classique, est précédée d'une colonnade en hémicycle rappelant celle de Bernin à St-Pierre de Rome. C'est le siège du Fonds régional d'art contemporain des Pays de la Loire, qui y organise des expositions. De la terrasse à l'arrière de la villa, jolie **vue** sur la ville et son château, sur la Sèvre et sur le temple de l'Amitié (**F**), construction à péristyle où repose Frédéric Lemot. Flanquée d'une tour-pigeonnier, la **maison du Jardinier (E)** ☉ *(à droite de l'entrée du parc),* siège du CEPIA (Centre d'étude sur le patrimoine et l'Italianité en architecture) est l'imitation d'une maison rustique italienne, et servit de modèle à maintes constructions de la région. A l'intérieur, on peut voir une maquette du parc *(avec commentaire enregistré)* et une exposition permanente sur l'architecture italianisante à Clisson : Clisson ou le Retour d'Italie.
Dans le **parc** se disséminent diverses statues et « fabriques » se référant à l'Antiquité (temple de Vesta imitant celui de Tivoli en Italie, borne milliaire, oratoire, tombeau, la grotte d'Héloïse, deux rochers gravés de poèmes. Ne pas manquer, au bord de la Sèvre, le joli site rocheux baptisé « Bains de Diane ».

EXCURSIONS

Le pays du muscadet. — *Circuit de 40 km au Nord-Ouest – environ 2 h.*
Clisson est une des portes d'entrée du vignoble du muscadet de Sèvre et Maine *(p. 33)* ainsi que de celui du gros plant. De part et d'autre de la verdoyante vallée de la Sèvre Nantaise, au cours sinueux, se succèdent, sur les coteaux, les domaines des viticulteurs.

Quitter Clisson par la D 59, au Nord-Ouest du plan.

Monnières. — 1 379 h. L'église des 12ᵉ et 15ᵉ s. possède d'intéressants vitraux modernes, dont la vigne et le vin constituent les thèmes décoratifs essentiels.

La Haie-Fouassière. — 2 911 h. Une spécialité, la fouace, sorte de galette, aurait donné son nom au village. Près du château d'eau, la **maison des Vins de Nantes** ⊘, siège du Comité interprofessionnel des Vins de Nantes, fournit des informations sur ces vins et en propose la dégustation. A proximité, jolie vue sur les coteaux ponctués de villages qui dominent la vallée de la Sèvre Nantaise.

Le Pallet. — 2 070 h. Aménagé dans une ancienne chapelle, le **musée du Vignoble de Nantes** ⊘ comprend quatre sections : les arts et les traditions populaires du vignoble nantais, techniques d'exploitation, de production, transport; l'histoire du Pallet et de ses environs de l'époque gallo-romaine au 19ᵉ s.; la vie de Barrin de La Galissonnière, qui fut gouverneur du Canada sous le règne de Louis XIV et connu pour ses talents de botaniste; enfin la personnalité et l'œuvre de **Pierre Abélard** (1079-1142), philosophe scolastique, dialecticien et théologien, dont le génie marqua profondément son époque et célèbre également pour sa passion à l'égard d'Héloïse, la nièce du cruel Fulbert *(voir le guide Vert Michelin Champagne Ardennes).*

Mouzillon. — 1 679 h. Au Sud de l'église, **pont gallo-romain** sur la Sanguèse.

Vallet. — 6 116 h. Vallet est considérée comme la capitale du muscadet.

Prendre la D 756 vers la Chapelle-Heulin et, à 2 km, tourner à droite.

Château de la Noë de Bel-Air ⊘. — Au cœur du vignoble, s'élève cet élégant château. Détruit à la Révolution, il a été reconstruit en 1836 et présente, face au parc, une vaste loggia à colonnes toscanes. L'agencement de la brique dans la construction des communs et de l'orangerie est à rapprocher des modèles clissonnais.

Château de Goulaine. — *20 km au Nord-Ouest par ⑤ du plan. Description dans le guide Vert Michelin Bretagne.*

COGNAC

19 534 h. (les Cognaçais)

Carte Michelin n° 🔢 pli 12 ou 🔢 pli 28 — Schéma p. 52.

Berceau de François Iᵉʳ, métropole des eaux-de-vie qui portent son nom *(voir p. 32)*, Cognac est une cité paisible et grave, aux maisons noircies, à proximité des chais, par les champignons microscopiques qu'engendrent les vapeurs d'alcool.
Centre animé de la ville, la **place François-Iᵉʳ**, ornée d'une fontaine, fait charnière entre le vieux Cognac, serré sur le coteau de la Charente, et les vastes quartiers modernes. Non loin de là, au n° 10 place Jean-Monnet, a été aménagée une **cognathèque** (**Z B**). Parmi les activités industrielles, citons l'**usine de verrerie** ⊘ St-Gobain.

Un « séjour d'honneur ». — C'est ainsi que le poète cognaçais Octavien de Saint-Gelais (1468-1502), futur évêque d'Angoulême, surnommait Cognac lorsque la cour lettrée et artiste des Valois-Angoulême y tenait ses assises, de la fin du 14ᵉ s. à l'avènement de **François Iᵉʳ**. Celui-ci, fils de Charles d'Angoulême et de Louise de Savoie, naquit à Cognac « environ dix heures après midi, 1494, le douzième jour de septembre ». Il passa une partie de sa jeunesse au château des Valois, près de la Charente, menant libre vie en compagnie de sa sœur Marguerite *(voir p. 39)* et des filles bâtardes de Charles d'Angoulême, Madeleine et Souveraine, qu'on élevait avec les enfants légitimes, suivant la coutume du temps.

LES CHAIS

Répartis sur les quais, près du port et dans les faubourgs, ces magasins abritent les futailles dans lesquelles s'accomplit la lente alchimie entre l'eau-de-vie et le chêne, donnant au cognac toute sa subtilité.

Otard ⊘. — *Voir p. 63.*

Hennessy (**Y D**) ⊘. — Après 12 ans de service dans la brigade irlandaise des régiments de Louis XV, le capitaine Richard Hennessy, lassé de la vie des camps, découvre la Charente en 1760, et s'installe à Cognac. Séduit et conquis par le délicieux élixir, il en expédie quelques fûts à ses proches restés en Irlande et, en 1765, fonde une société de négoce qui connaîtra une grande prospérité. Ses descendants, aujourd'hui encore, dirigent la maison.
Le **musée de la Tonnellerie** est consacré à la fabrication artisanale des fûts (outillage utilisé, différentes étapes de la construction). Les troncs de chênes du Limousin, bois au tanin exceptionnel, sont d'abord choisis par le maître de chai, puis débités en pièces calibrées (douelles) qui reposent 5 à 6 ans à l'air. Le tonnelier assemble ensuite les douelles, qu'il maintient par des cercles de fer, pour former le fût.
La visite s'achève par les chais, situés sur l'autre rive de la Charente.

Camus ⊘. — *29, rue Marguerite-de-Navarre.* La visite de cette maison de négoce du cognac, fondée en 1863, permet de se familiariser avec l'histoire du cognac, sa distillation, son vieillissement et son assemblage. On pénètre ensuite dans la tonnellerie et dans les chais avant d'assister à l'embouteillage.

Rémy Martin ⊘. — *4 km par ④ du plan et à gauche vers Merpins.*
Cette entreprise fondée en 1724 élabore exclusivement ses cognacs à partir des crus de Grande et Petite Champagne. La visite s'effectue en **petit train.** On traverse la tonnellerie (la plus grande d'Europe) où l'on peut voir les artisans à l'ouvrage, puis une parcelle de vigne et différents chais de réception ou de vieillissement. On assiste en outre à deux projections de diapositives.

Martell (Z E) ⊙. – La plus ancienne des grandes maisons de Cognac, elle doit son nom à Jean Martell venu s'installer dans le pays en 1715. Visite des chais, des unités d'embouteillage et d'emballage; une projection audiovisuelle retrace l'histoire du cognac.

Prince Hubert de Polignac ⊙. – *4 km par* ①. Société coopérative regroupant divers viticulteurs charentais, fondée en 1949. Visite des installations au pavillon du Laubaret.

LA VILLE *visite : 1 h*

Quartier ancien (Y). – Il était jadis ceint de remparts. Deux axes principaux y délimitent un réseau de ruelles et de placettes : la sinueuse et montante Grande-Rue, et la commerçante rue Aristide-Briand.

La partie basse du vieux Cognac paraît presque abandonnée et les anneaux du port, où se pressaient les gabares de sel et d'eau-de-vie, ne voient plus s'amarrer que quelques bachots ou vedettes d'excursion.

Ancien château. – Cet édifice des 15ᵉ-16ᵉ s. évoque le souvenir des Valois et de François Iᵉʳ qui y naquit. Devenu, sous Louis XVI, propriété du comte d'Artois (le futur Charles X), le château fut mis sous séquestre à la Révolution. Depuis 1795 il est occupé par les chais de la maison **Otard** créée par un descendant d'une vieille famille écossaise. La façade sur la Charente présente un balcon, dit « balcon du roi », soutenu par un cul-de-lampe sculpté de salamandres, emblème du roi-chevalier. A l'intérieur, on visite la salle au Casque où Richard Cœur de Lion maria son fils Philippe avec Amélie de Cognac. Cette salle conserve une magnifique cheminée surmontée d'un casque, construite par Jean le Bon; dans un angle, vestiges du château féodal des Lusignan, du 13ᵉ s. De grandes pièces voûtées d'ogives, parmi lesquelles la salle des Gardes, sont d'une élégance remarquable. La visite se termine par les chais.

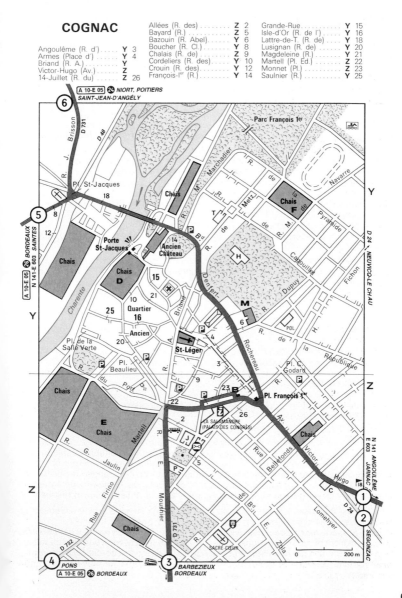

Porte St-Jacques et Grande-Rue (15). — Restaurée, la porte St-Jacques (15ᵉ s.), flanquée de deux tours rondes à mâchicoulis, qui commandait un pont disparu, donne accès à la Grande-Rue, à l'entrée de laquelle on remarque, à gauche, une fontaine Renaissance. Voie principale du Cognac d'autrefois, cette Grande-Rue est typiquement médiévale par son tracé irrégulier et ses maisons du 15ᵉ s. à pans de bois et en encorbellement.

Rue de l'Isle-d'Or (16). — Hôtels du 17ᵉ s. avec de belles façades restaurées.

Rue Saulnier (25). — Par sa distinction aristocratique, la rue Saulnier, qui date de la Renaissance, contraste avec la Grande-Rue; son nom rappelle une des activités traditionnelles de Cognac, le commerce du sel. Très large pour l'époque, elle a gardé ses vieux pavés disjoints et ses beaux hôtels des 16ᵉ et 17ᵉ s. A son extrémité, maison Renaissance avec boutique.

Musée municipal (Y M) ⊙. — Le musée est installé dans l'hôtel Dupuy d'Angeac, situé dans le parc de l'hôtel de ville, jardin accidenté qu'agrémentent pelouses et rocailles.

Rez-de-chaussée. — Histoire et civilisation du pays de Cognac des origines à nos jours : estampes, cartes, plans, photographies; reconstitution d'une maison rurale évoquant la vie d'un viticulteur charentais vers 1875; costume traditionnel : coiffes, bonnets; verrerie à bouteilles; céramiques : faïences de Cognac, d'Angoulême, de La Rochelle, fossiles (coquillages) trouvés dans les terrains calcaires de la région à l'ère secondaire; archéologie : préhistoire (pierre, bronze, os et céramique), époque gallo-romaine (poterie, statuettes, bracelets).

Sous-sol (Musée du Cognac). — Le cognac fait l'objet d'une rétrospective historique, illustrée par des documents. A leur suite, six salles font revivre, à l'aide d'outils et de machines : la culture de la vigne et les travaux du vin, la distillation, le négoce des eaux-de-vie et du pineau charentais, l'artisanat, la tonnellerie, la bourrellerie. Une salle est consacrée à l'agriculture traditionnelle.

Premier étage. — Peintures, sculptures, meubles et objets d'art français et étrangers du 15ᵉ au 19ᵉ s.
Sur le palier, intéressantes pièces en pâte de verre d'Émile Gallé (1846-1904), un des principaux initiateurs de l'Art nouveau.
Les collections de peintures anciennes proviennent de pays clients du célèbre cognac; remarquer deux très bonnes œuvres de l'école anversoise du 16ᵉ s. : *Loth et ses filles* par Jan Massys, *Adam et Ève* par Frans Floris. Une salle rassemble quelques tableaux d'art contemporain.

Église St-Léger (Y). — Monument du 12ᵉ s. profondément remanié. La partie la plus intéressante en est la façade romane percée au 15ᵉ s. d'une grande rosace flamboyante; remarquer le portail dont l'archivolte est ornée de sculptures représentant les Travaux des mois et les signes du zodiaque. L'intérieur révèle une vaste nef dont les murs sont du 12ᵉ s. Dans le bras droit du transept, beau tableau du 17ᵉ s. : l'*Assomption de la Vierge*.

Parc François-Iᵉʳ (Y). — Bordé à l'Ouest par la Charente, c'est l'ancien parc du château que prolonge une futaie. Louise de Savoie l'appelait son « dedalus » (labyrinthe) tant il était profond et touffu. Planté principalement en chênes et chênes verts, il se développe dans l'axe du château.

ENVIRONS

Richemont ; Château-Chesnel ; Migron. — *24 km au Nord. Sortir par ⑥ du plan.*

Richemont. — Les vestiges du château et l'église sont enfouis dans la verdure sur un promontoire au-dessus de l'Antenne. L'**église** présente une charmante crypte préromane de la fin du 10ᵉ s., bâtie sur une ancienne forteresse comme en témoignent les meurtrières; la sacristie abrite un petit musée archéologique contenant une maquette de la forteresse.

Gagner Cherves puis Château-Chesnel.

Château-Chesnel. — Cette curieuse demeure du 17ᵉ s. fut bâtie entre 1610 et 1625 par Charles-Roch Chesnel.
Le château, encore imprégné de l'influence de l'architecture militaire médiévale, comme l'attestent ses profondes douves sèches, semble hésiter entre le style Renaissance et le classicisme du 17ᵉ s. commençant. Le corps principal et les tours qui se dressent à chaque angle sont couronnés d'un parapet aux allures de mâchicoulis.
L'ensemble de l'édifice s'inscrit dans un vaste quadrilatère, délimité par d'imposants bâtiments agricoles.

Par la D 731 et la 131, atteindre Migron.

Migron. — 740 h. L'« écomusée du Cognac » ⊙ *(2 km au Nord, signalé)*, petit musée consacré au cognac, a été aménagé dans une exploitation située au milieu des vignes. On y voit la reconstitution d'une salle de distillation avec un vieil alambic et le lit du bouilleur de cru qui restait à proximité durant toute l'opération, des pressoirs dont un à pieds, un atelier de tonnelier, des outils de vigneron, un intérieur saintongeais et les grands alambics en cuivre encore utilisés pour la distillation.

Gensac-la-Pallue. — 1 701 h. *9 km au Sud-Est par ①.* Avant d'arriver à Gensac, la D 49 côtoie la « Pallue » (marais) qui a donné son nom à la localité.
Gensac possède une intéressante **église** du 12ᵉ s. dont la façade romane est décorée de hauts-reliefs montrant à gauche la Vierge, à droite saint Martin, patron de l'église, tous deux dans une gloire en amande (mandorle) et emportés au ciel par des anges; la nef romane, couverte de quatre coupoles sur pendentifs, se termine par un chœur gothique.

Neuvicq-le-Château. — *19 km au Nord-Est.*

Macqueville. — 276 h. Au cœur du vignoble des Fins Bois *(voir p. 32)*, ce paisible village voue au cognac ses distilleries modernes et ses blanches maisons à toit de tuiles, cour fermée et porche de style Empire.

Située sur une place ombragée, l'**église St-Étienne** est un charmant exemple de l'art roman saintongeais au 12ᵉ s. avec son clocher à absidiole, remplaçant le bras Nord absent du transept, son chevet plat, ses murs à arcatures en plein cintre, son portail Nord sculpté à voussures, les amusants modillons de ses corniches.

A l'intérieur, des voûtes gothiques et une magnifique croisée de transept à nervures recouvrent le vaisseau évasé dont les piliers encastrés s'ornent d'élégants chapiteaux.

De l'ancien château de Bouchereau, bâti au 11ᵉ s., subsiste une façade à pignon décoré et poivrière.

Neuvicq-le-Château. — 385 h. Ce village conserve de pittoresques maisons basses à toits de tuiles. Dominant un vallon, le château, qui abrite la poste, comprend un corps principal du 15ᵉ s. avec une jolie tourelle d'escalier, et un pavillon du 17ᵉ s. coiffé d'un haut toit à la française.

★ Les COLLINES VENDÉENNES

Carte Michelin n° 67 pli 16 ou 232 pli 42.

Silencieuses et sévères, les Collines vendéennes ou « Haut Bocage vendéen » constituent l'arête dorsale de la Vendée. Dressés entre Sèvre Nantaise et bocage, leurs monts et leurs puys s'alignent des Herbiers à St-Pierre-du-Chemin *(au Sud-Est de Pouzauges)*, se prolongeant par les hauteurs de la Gâtine jusqu'au Sud de Parthenay.

Couverts de landes désertiques que genêts et ajoncs relèvent d'or pâle dès la fin de l'hiver, ces sommets granitiques, derniers contreforts de la chaîne hercynienne bretonne, se suivent en ligne de file du Nord-Ouest au Sud-Est, suivant la direction de la branche « armoricaine » du plissement hercynien à l'époque primaire.

Arrosée par les nuées atlantiques qui viennent se déchirer sur ses pentes, la chaîne se relève au Nord-Ouest où elle domine le bocage vers la mer. Là sont les principaux « monts » : mont des Alouettes (231 m), puy du Fou, **mont Mercure** qui, avec ses 285 m, revendique le titre de point culminant du massif, bois de la Folie (278 m) et puy Crapaud (270 m).

Ces hauteurs eurent longtemps une importance militaire. Les Romains avaient établi une chaussée épousant la ligne des crêtes et un temple couronnait le mont Mercure.

Durant la Révolution, les Vendéens s'en servirent pour échanger des signaux, soit par feux, soit en modifiant la position des ailes de leurs moulins.

Au pays des moulins. — Pendant des siècles les Collines vendéennes ont été parsemées d'innombrables moulins à vent où l'on venait moudre, parfois même à la nuit tombée, lorsque le vent arrivait de la mer, blé et seigle des riches plaines voisines. Mais l'utilisation de ces moulins, pendant la Révolution, comme télégraphe optique (grâce à la position des ailes de ceux-ci, les Vendéens pouvaient indiquer les mouvements de l'ennemi) leur valut souvent d'être incendiés par les troupes républicaines. La mécanisation au 19ᵉ s. mit un terme à l'activité de ceux qui avaient été relevés.

On s'attache de nos jours à les restaurer et à les faire fonctionner.

Le moulin vendéen, en pierre, a la forme d'une tour cylindrique. Il est coiffé d'une toiture mobile, souvent revêtue de bardeaux, et à laquelle sont fixées les ailes. Pour amener celles-ci au vent, on manœuvre la toiture à l'aide du **guivre**, longue poutre descendant jusqu'au sol. Les ailes sont en bois tantôt couvertes de toiles (jadis du chanvre), tantôt constituées de lamelles de bois articulées selon le système Berton, inventé en 1848.

DE POUZAUGES AUX HERBIERS

41 km — environ 1 h 3/4 non comprise la visite de Pouzauges — schéma p. 66.

Pouzauges et environs. — *Page 121.*

★★ **Puy Crapaud.** — *Page 121.*

En quittant Pouzauges en direction des Herbiers, on aperçoit à droite les deux moulins du Terrier-Marteau.

Bois de la Folie. — *Page 121.*

Par une courbe suivie d'une contre-courbe harmonieuse, la D 752 descend dans un vallon dessinant une sorte d'ensellement qui sépare Pouzauges de St-Michel-Mont-Mercure.

Mont des Alouettes. — Moulin et chapelle.

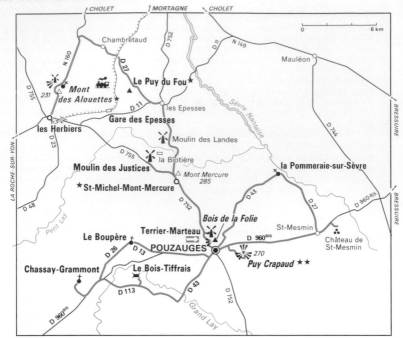

★ **St-Michel-Mont-Mercure.** – 1 798 h. Au sommet des Collines vendéennes, cette localité essaime ses maisons de granit autour de l'église dédiée à saint Michel *(voir p. 156)* dont le culte a succédé à celui de Mercure, protecteur des voyageurs.
L'église, moderne (1898), haute de 47 m, est visible à plusieurs lieues à la ronde. Une gigantesque statue de cuivre (9 m de haut) de saint Michel la surmonte. Par 194 marches on peut monter au sommet du **clocher** ⊙ d'où l'on découvre un **panorama**★★ immense, jusqu'à la mer, sur le bocage qui, vu de haut, semble une forêt touffue ; on distingue fort bien la ligne de crête des Collines vendéennes, limitée au Sud par le bois de la Folie, près de Pouzauges, au Nord par le mont des Alouettes, près des Herbiers.

Moulin des Justices ⊙. – On y accède *(3 km)* par la route des Herbiers qui offre à gauche de belles **vues** panoramiques sur le bocage. Construction de la fin du 19ᵉ s., le moulin est perché à 275 m sur une butte où l'on rendait la justice, d'où son nom. Ce moulin, où l'on produit de la farine biologique, est coiffé d'un toit orientable par un treuil intérieur et couvert de bardeaux. Ses ailes ont une largeur variable, grâce à leurs lamelles de bois articulées se déployant selon le système Berton.
Du jardin de l'auberge voisine, vue au Nord sur les Épesses, le moulin des Landes et le château de la Blotière.

Retourner à St-Michel pour prendre la route des Épesses.

Passé St-Michel, la D 752, en lacet, franchit un vallon. Puis on arrive à proximité d'une butte couronnée d'un moulin sans ailes (moulin des Landes) avant d'atteindre les Épesses dont les deux églises apparaissent côte à côte.

★ **Le Puy du Fou.** – *Page 122.*

★ **Mont des Alouettes.** – Domaine de la lande, il marque, avec ses 231 m, l'extrémité des Collines vendéennes. Il tient son nom des alouettes de bronze qui décoraient les casques de légionnaires gaulois de l'armée romaine ayant campé en ces lieux. En 1793, on y comptait sept moulins. Durant les guerres de Vendée, les Blancs se servaient des ailes de ceux-ci pour émettre des signaux. Tous les moulins furent alors incendiés, mais trois d'entre eux ont pu être restaurés.
Ces moulins sont typiques de la région, avec leur poutre (le guivre), faite d'un chêne à peine équarri, qui s'engage sous le toit en éteignoir, couvert de bardeaux. L'un est dédié à l'écrivain vendéen Jean Yole *(p. 87)*. Le **moulin** ⊙ voisin, encore en activité, mout le blé, grâce à ses ailes garnies de voiles. La petite chapelle en granit, de style gothique troubadour *(voir p. 31)*, a été édifiée à partir de 1823 en l'honneur de l'Armée catholique et royale. L'édifice n'a été clôturé et vitré qu'en 1968.
La **vue**★★ se dévoile, immense, vers Nantes, la mer et, en direction de Pouzauges, vers la chaîne des collines où pointe l'église de St-Michel-Mont-Mercure. C'est là qu'on saisit la nature mystérieuse et redoutable de ce bocage coupé de haies et de boqueteaux.
Dans la descente la route offre une belle vue plongeante sur la ville des Herbiers.

Les Herbiers. – *Page 76.*

Promeneurs, campeurs, fumeurs...

soyez prudents !

Le feu est le plus terrible ennemi de la forêt.

★ Phare de CORDOUAN

Carte Michelin n° **171** pli 15 ou **233** pli 25.

Accès ⊙. – Au départ de Royan ou de la pointe de Grave *(voir le guide Vert Michelin Pyrénées Aquitaine)* où se trouve un musée du Phare de Cordouan.

Histoire. – Aussi attachant par son architecture que par son isolement, le fanal de Cordouan commande les passes, souvent agitées, de la Gironde, que bouleversent de dangereux courants. Le banc rocheux qui le porte rejoignait jadis la pointe de Grave; réduit à un îlot aux 16e-17e s., il ne se découvre plus, de nos jours, qu'à marée basse.

Dès le 14e s., le Prince Noir *(voir p. 90)* ordonna d'élever une tour octogonale au sommet de laquelle un ermite allumait de grands feux; une chapelle et quelques maisons l'accompagnaient. A la fin du 16e s., cette tour menaçant de s'écrouler, le maréchal de Matignon, gouverneur de Guyenne, fit appel à **Louis de Foix,** ingénieur et architecte, qui venait de déplacer l'embouchure de l'Adour, entreprise gigantesque pour l'époque *(voir le guide Vert Michelin Pyrénées Aquitaine).*

Louis de Foix bâtit donc, avec plus de 200 ouvriers, une sorte de belvédère surmonté de dômes et de lanternons, qu'on entoura d'une plate-forme protectrice. En 1788, l'ingénieur Teulère reconstruisit la partie supérieure de l'édifice dans le style Louis XVI, dont la sobriété contraste avec la richesse des étages inférieurs.

Le phare de Cordouan au début du 17e s.

Visite ⊙. – Avec ses étages Renaissance, qu'une balustrade sépare du couronnement classique, le phare, haut de 66 m, donne une impression de majesté et de hardiesse. Une poterne conduit au bastion circulaire qui protège l'édifice des fureurs de l'océan; là habitent les gardiens du phare. Au rez-de-chaussée de la tour, un portail monumental donne accès au vestibule où commence l'escalier de 301 marches montant à la lanterne (qui abrite un feu à occultation). Au 1er étage, dont la base s'entoure d'une galerie extérieure, se situe l'appartement du Roi; au 2e étage, couronné d'une autre galerie circulaire, la **chapelle** (au-dessus de la porte, buste de Louis de Foix) est coiffée d'une belle coupole.

CORME-ROYAL   1 204 h. (les Cormillons)

Carte Michelin n° **171** Sud du pli 4 ou **233** pli 26 – 14 km à l'Ouest de Saintes – Schéma p. 165.

L'église, qui dépendait de l'abbaye aux Dames de Saintes, a été restaurée en 1970 et rendue à son état primitif. Elle est surtout connue pour sa **façade** romane à deux étages qui présente d'intéressantes sculptures, particulièrement à l'étage supérieur : on admire les petits personnages qui ornent la frise, les Vierges sages et les Vierges folles, vêtues de robes à larges manches, du grand arc de décharge au-dessus de la baie centrale, les Vertus et les Vices de l'arc de droite, les effigies de l'arc de gauche (sainte Catherine d'Alexandrie, saint Georges et, d'après la tradition locale, Geoffroy Martel en chevalier et son épouse Agnès de Bourgogne).

Le portail, encadré de deux arcatures en arc brisé, montre le Christ donnant la règle bénédictine aux moines ainsi qu'un groupe d'acrobates se tenant par les pieds.

L'intérieur, qui a retrouvé sa voûte d'origine, s'éclaire de vitraux modernes. On y remarque un bel alignement de colonnes gothiques (15e s.) et un bénitier creusé dans un chapiteau gallo-romain, en marbre à feuilles d'acanthe.

A droite de l'église, dans la cour de l'ancien prieuré donné par Geoffroy Martel à l'abbaye aux Dames, subsiste le mur Sud de cet édifice, fortifié au 15e s.

★ Château du COUDRAY-SALBART

Carte Michelin n° **171** pli 1 ou **233** plis 5, 6 – 10 km au Nord de Niort.

Dressée sur un escarpement dominant la Sèvre Niortaise, la **forteresse** ⊙ du Coudray-Salbart représente une curieuse réalisation de l'architecture militaire du 13e s. *Près du pont sur la Sèvre s'embranche le chemin qui monte aux ruines.*

La construction du château (1202-1225) est liée à la phase finale de la lutte opposant les Capétiens (Philippe Auguste, Louis VIII) aux Plantagenêts (Jean sans Terre, Henri III) pour la possession de la Guyenne.

C'est dans ce contexte que les Larchevêque, seigneurs de Parthenay et vassaux des Plantagenêts, entreprennent l'édification d'une forteresse, afin de contrôler les voies de communication entre Niort et la Gâtine.

Entourée de douves sèches, l'enceinte dessine un trapèze flanqué de quatre tours d'angle et de deux tours intermédiaires au milieu des courtines. L'originalité du Coudray-Salbart apparaît dans la présence d'éperons destinés à contrer les effets destructeurs des boulets, l'épaisseur considérable des murs (5 à 6 m pour la tour Double), et surtout par l'existence dans les remparts d'un tunnel voûté d'environ 1 m de large, permettant le déplacement rapide des troupes, ainsi que les tirs dirigés aussi bien vers l'intérieur que vers l'extérieur de l'enceinte, grâce à des archères. L'ennemi pouvait ainsi être combattu, même après avoir pris pied dans la place. La **galerie** permet de suivre une partie des remparts : à l'Ouest, la tour du Portal, défendue par un pont-levis, s'ouvre par un passage à voûte gothique sur la cour intérieure; à droite, la tour du Moulin, protégée par un assommoir, renferme deux salles superposées; à l'angle Sud-Est se dresse la Grosse Tour aux allures de donjon qui abrite une belle salle voûtée à huit croisées d'ogives; la galerie traverse ensuite la tour St-Michel pour pénétrer dans la tour Double, d'où l'on découvre l'ample paysage de la vallée de la Sèvre; enfin, on rejoint la tour de Bois-Berthier et sa cheminée monumentale.

Le Coudray-Salbart n'eut jamais à démontrer l'ingéniosité et l'efficacité de son système défensif. En 1224, Louis VIII annexe le Poitou, privant la forteresse de sa raison d'être. Ignorée par la guerre de Cent Ans, elle a déjà largement amorcé son déclin lorsque Dunois, ancien compagnon de Jeanne d'Arc, en hérite au 15e s. Abandonnée au 16e s., elle est acquise en 1776 par le comte d'Artois qui la revend à la famille qui en est toujours propriétaire.

Ce château a fait l'objet d'une importante restauration.

★ COULON   1 870 h (les Coulonnais)

Carte Michelin n° **171** Nord du pli 2 ou **233** pli 5 — Lieu de séjour — Schéma p. 89.

Capitale du Marais poitevin, Coulon, en bordure du Marais mouillé, est le principal point de départ pour les **promenades en barque** ⊘ à travers la « Venise Verte ». A partir de Coulon, on peut aussi arpenter les chemins du Marais en **petit train** (le Pibalou) ⊘ et en **minibus** (le Grenouillon) ⊘. Du pont sur la Sèvre Niortaise, agréable perspective sur la rivière canalisée coulant lentement entre des quais qui bordent les maisons des bateliers.

CURIOSITÉS

Église. – Romane à l'origine, remaniée dans le style gothique (portails Ouest et Sud), c'est une des rares églises de France à posséder une chaire à prêcher extérieure, qui affecte ici la forme d'une tour à auvent.

Aquarium ⊘. – Sur la place de l'Église, une maison abrite cet aquarium qui rassemble plus de 2 000 poissons de rivière (dont un grand silure – le plus gros poisson d'eau douce du monde – pesant plus de 20 kg) et exotiques. Un diaporama donne une bonne présentation du Marais poitevin : le Marais et les quatre saisons, la flore, la faune.

Maison des Marais mouillés ⊘. – *Place de la Coutume*. Le nom de cette place rappelle que les bateliers s'arrêtaient là, jadis, pour acquitter le droit de coutume, redevance perçue sur les marchandises en transit. Dans le petit musée, on se documente sur la formation du Marais mouillé, sur son peuplement dès l'époque préhistorique (on a trouvé à Coulon des objets de l'âge du bronze, notamment une roue de char conservée au musée du donjon de Niort), sur les activités traditionnelles des maraîchins, en particulier la pêche à l'anguille. Quelques poissons évoluent dans un petit aquarium. Film vidéo sur le Marais.

DAMPIERRE-SUR-BOUTONNE   335 h. (les Dampierrois)

Carte Michelin n° **72** plis 1, 2 ou **233** plis 16, 17 — 8,5 km au Nord-Ouest d'Aulnay.

Bien située dans la fraîche vallée de la Boutonne, la localité est connue pour son château Renaissance, qui a pour cadre une île enserrée par les bras de la Boutonne. C'est aussi, depuis 1981, un centre d'élevage du fameux « baudet du Poitou ».

CURIOSITÉS

Château ⊘. – Des quatre côtés qui délimitaient la cour intérieure, il ne reste que le corps de logis principal, dont la défense était assurée, vers l'extérieur, par deux grosses tours. Le bâtiment présente sur la cour un aspect moins austère : deux harmonieuses **galeries★** Renaissance à arcs en anse de panier s'y superposent, séparées par une frise sculptée de rinceaux et de feuillages. La galerie supérieure est remarquable pour son plafond dont les 93 caissons sont ciselés d'emblèmes (cygne transpercé d'une flèche, emblème de Claude de France, épouse de François Ier), de chiffres (Catherine de Médicis et Henri II) et surtout de scènes allégoriques et de symboles, accompagnés de phylactères où s'inscrivent des devises, la plupart en latin (remarquer un Cupidon chevauchant une chimère, un labyrinthe, etc.). L'écrivain Fulcanelli a donné dans son ouvrage alchimique *les Demeures philosophales* (1931) une interprétation de ces figures.

Dans les appartements, on verra des tapisseries des Flandres et un superbe cabinet d'ébène (Italie, 16e s.) ; sur la cheminée de la salle des gardes court une sage devise : « Estre, se cognestre et non parestre ».

Dans le pavillon d'accueil, expositions : l'Art et l'alchimie (détails sur les caissons) et les Chevaux de Dali (œuvres du peintre inspirées par ces mêmes caissons).

Maison de l'Ane du Poitou 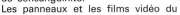. – A la Tillauderie, à 5 km par la D 127 vers Chizé.

Le **baudet du Poitou,** âne de grande taille, à robe bai brun, pourvu de longs poils laineux, fut élevé dans la région pendant des siècles : par le croisement du baudet avec la jument mulassière poitevine (principalement dans les « ateliers » de St-Martin-lès-Melle, près de Melle), on obtenait des mulets, animaux hybrides stériles, qu'on désignait par le nom de « mules poitevines ». Particulièrement aptes à porter de lourdes charges sur des parcours difficiles, celles-ci firent l'objet d'un grand commerce jusqu'au début du 20e s., avant la motorisation des campagnes. Depuis les années 50, l'âne du Poitou est menacé de disparition. La création, près de Dampierre, de l'Asinerie nationale expérimentale permettra peut-être d'en sauvegarder la race, atteinte de consanguinité.

Anesses du Poitou.

Les panneaux et les films vidéo du petit musée illustrent l'histoire et la sauvegarde des baudets du Poitou.
Baudets du Poitou et ânesses portugaises paissent dans les prés voisins. On peut aussi voir, dans l'écurie, le robuste étalon mulassier que possède l'Asinerie.

DISSAY

2 498 h. (les Dissayens)

Carte Michelin n° 68 plis 4, 14 ou 232 pli 47.

Dissay s'allonge près du Clain, au pied du plateau que couvre la forêt de Moulière.

Château 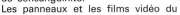. – Pierre d'Amboise, évêque de Poitiers et frère de Georges d'Amboise, le cardinal ministre de Louis XII, bâtit ce château au titre de résidence de campagne. Ses armes et une statue de saint Michel surmontent la porte du châtelet. Dans la cour intérieure, la tourelle d'angle polygonale abrite l'escalier qui se termine par une magnifique voûte en palmier dont les clés sont ornées de médaillons sculptés figurant les apôtres.
La chapelle a conservé son carrelage et ses vitraux d'origine. Ses murs sont couverts de **peintures murales★,** rehaussées d'or moulu, d'une grande finesse. Exécutées au début du 16e s., elles évoquent les thèmes du repentir et du pardon : vers une fontaine de miséricorde, se tournent les grands pécheurs que furent Adam et Ève, Nabuchodonosor, Manassé, David et Bethsabée (sur cette dernière composition, on reconnaît distinctement l'entrée du château).

ENVIRONS

Parc de loisirs de St-Cyr 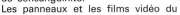. – 2 km au Nord. Autour d'un vaste lac artificiel (85 ha), ceinturé de collines et de futaies, ce parc propose une gamme très étendue d'activités : baignade, voile, planche à voile, golf, aires de jeux, tennis, pêche...

Château de Vayres 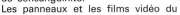. – 4,5 km au Sud. Ce charmant manoir date des 15e-16e s. De ses jardins à la française en terrasses descendant vers le Clain et précédés de cèdres, on découvre une jolie perspective sur la façade Ouest mise en valeur par un puissant mur de soutènement à contreforts.
Le remarquable pigeonnier contient 2 620 cases; offert par Anne d'Autriche, il a été construit en 1656.

ESNANDES

1 730 h. (les Esnandais)

Carte Michelin n° 171 pli 12 ou 233 pli 3.

Au contact du plateau de l'Aunis et du Marais poitevin, au creux de l'anse de l'Aiguillon s'alignent les humbles maisons basses, chaulées, d'Esnandes, qui abritent tout un peuple de gens de mer, voué à l'élevage des moules et des huîtres (p. 17).
Le rivage de l'ancien golfe du Poitou (p. 14) se reconnaît par sa falaise morte, façonnée par l'érosion marine et présentant des stratifications régulières. Elle s'achève par la **pointe St-Clément** au sommet de laquelle s'offre une large vue sur l'anse de l'Aiguillon et l'île de Ré.

Les premiers bouchots. – L'élevage de la moule sur bouchot remonterait au 13e s. Son bateau ayant fait naufrage dans la baie de l'Aiguillon, le capitaine, un Irlandais nommé Walton, s'installa à Esnandes. Pour survivre, il capturait les oiseaux, en fixant un filet sur des pieux plantés dans la vase. Il s'aperçut bientôt que ces derniers finissaient par se couvrir de petites moules qui grossissaient plus rapidement que sur les bancs naturels... Ainsi seraient nés les premiers bouchots.

CURIOSITÉS

★ **Église** ⊘. – Elle évoque plus une forteresse qu'un sanctuaire. De fait, si elle a conservé sa façade romane à la frise sculptée, son aspect général a changé aux 14ᵉ et 15ᵉ s., lorsqu'elle fut fortifiée. Mise sur un plan rectangulaire, pourvue sur tout son pourtour de murs de 3,85 m d'épaisseur que surmonte un chemin de ronde à merlons percés d'archères, renforcée de bretèches sur trois côtés, elle reçut sur sa façade une ligne de mâchicoulis encadrés de deux échauguettes d'angle; le clocher-porche fit office de donjon.
Le chemin de ronde offre de belles vues aux alentours.

Maison de la Mytiliculture ⊘. – Ce musée retrace l'histoire de l'anse de l'Aiguillon et l'évolution des techniques d'élevage des moules depuis le 15ᵉ s. Les activités du boucholeur et son matériel, bouchots (rangées de pieux longues d'une cinquantaine de mètres), accon (simple caisse que l'on fait glisser sur la vase à marée basse), y sont minutieusement décrits. Montage vidéo.

ENVIRONS

Marsilly ; Nieul-sur-Mer. – *7 km au Sud.*
Marsilly. – 1 926 h. L'**église St-Pierre** ⊘, érigée au 13ᵉ s., fortifiée au 14ᵉ s., fut ruinée pendant la guerre de Cent Ans et partiellement détruite durant les guerres de Religion.
Du 14ᵉ s. subsiste un imposant clocher-porche de style flamboyant. A l'étage, dans une belle salle voûtée d'ogives, dite salle des Pèlerins, conservant de nombreux graffiti (fers à cheval, blasons...) est présentée une originale exposition de moulages de graffiti, réalisés sur les murs des maisons et monuments de la région (Marsilly, La Rochelle, etc.).
Du haut du clocher (28 m) s'offre un vaste **panorama** sur cette région du Nord de l'Aunis.

Nieul-sur-Mer. – 4 957 h. Le **parc du manoir Capiplante** ⊘ *(face à l'avenue de La Rochelle)* s'étend à l'arrière d'une élégante demeure construite en 1806. Dévasté pendant la Seconde Guerre mondiale, il a été redessiné en 1950. Planté de beaux arbres et arbustes *(identifiés par des panneaux)* dont les feuillages composent un tableau coloré, il allie la rigueur géométrique de sa perspective centrale dont l'axe se termine au bassin de Neptune, à la fantaisie romantique de son étang, de ses bosquets et prairies où se disséminent des statues.

Les ESSARTS
3 907 h. (les Essartais)

Carte Michelin n° ⑥⑦ pli 14 ou ②③② pli 41.

Ce gros bourg-marché est installé dans un vallon frais et riant, au cœur du bocage.

Vieux château ⊘. – Une entrée, flanquée de deux tours rondes découronnées, donne accès aux **ruines** de la forteresse, siège au Moyen Age d'une puissante baronnie.
A droite de l'entrée, le donjon carré, du 11ᵉ s., renferme une belle salle voûtée. A gauche, on distingue, sous un manteau d'arbres, un tumulus gallo-romain, transformé par la suite en « motte », ceinte de douves et de palissades. Dans le fond se dresse le logis seigneurial, reconstruit au 15ᵉ s. et incendié en 1794. Pour découvrir une vue d'ensemble de l'enceinte, pénétrer dans le parc dessiné au 19ᵉ s. par Bühler.
Le château moderne a été bâti de 1854 à 1857 par un architecte spécialiste du style gothique troubadour *(voir p. 31)* : Phidias Vestier (1796-1874).

FAYE-LA-VINEUSE
343 h. (les Fagiens)

Carte Michelin n° ⑥⑦ Sud du pli 10 ou ②③② pli 46 – 7 km au Sud de Richelieu.

Sur une butte, jadis plantée de vignes, dominant la vallée formée par un affluent de la Veude, Faye était au Moyen Age une prospère cité de 11 000 h., comptant 5 paroisses et entourée de murailles. Les guerres de Religion ont ruiné la ville.

Église St-Georges ⊘. – Cette église romane était jadis une collégiale entourée de cloîtres et de bâtiments conventuels. Trop restaurée, elle présente pourtant quelques caractéristiques intéressantes : sa haute croisée du transept à coupole sur pendentifs; les deux passages latéraux qui font communiquer le transept avec la nef, comme dans les églises berrichonnes; le chœur très élevé à déambulatoire : ses chapiteaux sculptés méritent d'être détaillés; outre de nombreux feuillages et animaux fantastiques on y reconnaît des scènes de bataille.
La **crypte,** du 11ᵉ s., est inhabituelle par ses grandes dimensions, en particulier sa hauteur sous voûte. Remarquer deux chapiteaux sculptés montrant l'Adoration des Mages et un combat de cavaliers.

En fin de volume figurent d'indispensables renseignements pratiques :
  – Organismes habilités à fournir toutes informations ;
  – Manifestations touristiques ;
  – Conditions de visite des sites et des monuments...

★ FENIOUX

Carte Michelin n° ▯▮▯ pli 4 ou ▮▮▮ pli 16 — 8,5 km au Sud-Ouest de St-Jean-d'Angély.

Au flanc d'un vallon, quelques maisons entourent l'église et la lanterne des morts.

Église. — Sanctuaire de campagne à un seul vaisseau, l'église de Fenioux remonte à l'époque carolingienne (9ᵉ s.) pour les murs de la nef : on y remarque en effet le petit appareil caractéristique de l'époque et de très rares baies, minces dalles de pierre ajourées dessinant un réseau d'entrelacs qu'on nomme « fenestrelles ».
La façade appartient à l'art roman saintongeais. Des faisceaux de colonnes encadrent un immense portail, très ébrasé, qui compte dix piédroits, et dont les voussures évoquent de haut en bas les Travaux des mois et signes du zodiaque, les Vierges sages et les Vierges folles, les Anges adorant l'Agneau, les Vertus terrassant les Vices. Sur le côté gauche de la façade, un petit portail charme par la grâce de son décor végétal et floral. Le clocher à jours est célèbre dans l'histoire de l'art roman par sa légèreté et son audace; il a souvent inspiré les architectes pasticheurs de la fin du 19ᵉ s. Malheureusement une restauration trop radicale a encore accentué la sécheresse de ses lignes un peu grêles.

★ **Lanterne des morts.** — *Illustration p. 29.* Élégante et robuste, elle se dresse au milieu d'un ancien cimetière; un caveau voûté lui est accolé. Constituée par un faisceau de onze colonnes supportant un lanternon ceint lui-même de treize colonnettes, elle est terminée par une pyramide couverte d'imbrications et surmontée d'une croix. Un escalier à vis *(37 marches)* occupe l'intérieur du fût.

FONTENAY-LE-COMTE

14 456 h. (les Fontenaisiens)

Carte Michelin n° ▯▮▯ pli 1 ou ▮▮▮ pli 4 — Schémas p. 10, 89 et 92 — Lieu de séjour.

Fontenay s'abrite au creux d'un repli de terrain, sur les rives de la Vendée, au contact de la Plaine, du bocage et du Marais poitevin. Bâtie en pierre calcaire parfois couverte de crépi, la ville s'étire le long de deux axes perpendiculaires à la rivière : le Vieux Fontenay se serre de part et d'autre des rues Guillemet, des Orfèvres, des Loges, St-Jean, des Jacobins; la ville moderne s'étend au Sud-Ouest de la percée rectiligne que tracent la rue Clemenceau, le pont Neuf et la rue de la République. Centre de la ville, la place Viète occupe l'emplacement d'un bastion de l'ancienne enceinte. Fontenay joue surtout un rôle de marché tout en s'industrialisant de plus en plus : une importante zone industrielle existe à l'Est de la ville. On y remarquera, à 2 km du centre-ville (par ③), au bord de la N 148 à droite (direction de Niort), **« l'usine-étoile »**, d'une société de matériel informatique, édifiée en 1970 suivant les plans du peintre Georges Mathieu.

UN PEU D'HISTOIRE ET DE LITTÉRATURE

Au Moyen Age et pendant la Renaissance, la capitale du Bas-Poitou était une place forte qui subit de violents assauts. Une héroïne, la belle Jeanne de Clisson, la défendit en 1372 contre Du Guesclin. A la fin du 16ᵉ s., Fontenay fut disputée entre parpaillots (protestants) et papistes. Deux siècles plus tard, Vendéens et Républicains s'opposèrent à deux reprises sous les murs de la ville.

Une fontaine de beaux esprits. — Au 16ᵉ s., Fontenay, qui doit son nom à la fontaine des Quatre-Tias *(voir p. 72)*, est un foyer de la Renaissance.
En 1520, le jeune **Rabelais** frappe à la porte des cordeliers dont la maison se trouvait à l'emplacement actuel de l'hôtel de ville. Il a quitté les cordeliers d'Angers et vient s'initier aux lettres grecques sous la direction du frère Pierre Amy, un précurseur de la Réforme, qui le met en rapports épistolaires avec le savant helléniste Guillaume Budé. A Fontenay, Rabelais et ses amis se réunissent à l'ombre d'un bosquet de lauriers, dans le jardin d'**André Tiraqueau** (1480-1558), docte juriste, heureux père de 30 enfants et auteur d'un traité sur les lois matrimoniales pour lequel Rabelais compose une épigraphe en vers grecs. En 1523, Rabelais se réfugie chez les bénédictins de Maillezais *(voir p. 84)*, son supérieur ayant découvert chez lui des livres favorables à la Réforme.
Dans la seconde moitié du siècle, d'autres humanistes fontenaisiens apparaissent, parmi lesquels Barnabé Brisson, président au Parlement de Paris, pendu en 1591 pendant les troubles de la Ligue (association catholique fondée en 1576 par le duc de Guise pour combattre les calvinistes et visant à renverser le roi Henri III), et François Viète (1540-1603), mathématicien génial, créateur de l'algèbre.
Le poète **Nicolas Rapin** (vers 1540-1608) tient une place spéciale. Sévère magistrat, il participe, lors des Grands Jours de Poitiers *(voir p. 110)*, à un tournoi poétique dont le thème est une puce qui folâtre sur la blanche gorge de Mlle des Roches, célèbre bas-bleu poitevin : Rapin remporte la palme avec un morceau appelé *la Puce*, suivi de *l'Anti-puce*. Venu à Paris à la suite de ces exploits, il prend une grande part à la *Satire Ménippée* (pamphlet politique dirigé contre la Ligue en 1594), avant de se retirer en province dans son château de Terre-Neuve, « Doux Hermitage ».

CURIOSITÉS

Musée Vendéen ⊙ **(AY M)**. — Le rez-de-chaussée et le 1ᵉʳ étage sont réservés aux collections d'archéologie (verreries gallo-romaines provenant de sépultures locales), d'ornithologie (oiseaux naturalisés, photographies montrant leur milieu naturel) et d'ethnographie (mobilier du Sud de la Vendée).
Le 2ᵉ étage est consacré à l'histoire de la ville et aux artistes ayant des attaches en Vendée : peintures de Paul Baudry *(Diane surprise)*, Auguste Lepère *(Vues des dunes de St-Jean-de-Monts, le Grain* — arrivée d'un orage sur la mer), Ch. Milcendeau *(Vue du marais mouillé, les Brodeuses, le Rouet)*; esquisses de Lepère ayant servi à l'exécution de gravures.

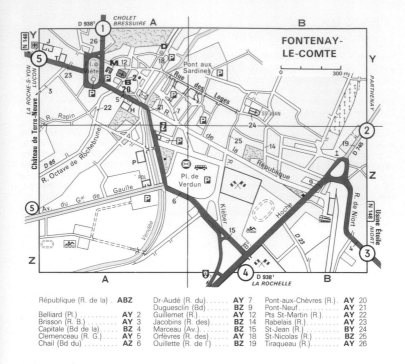

Une petite salle consacrée à l'art moderne rassemble des œuvres d'Émile Lahner (*la Cuisine, l'Égyptienne,* ainsi que des tableaux abstraits très colorés : 1959, 1960). Des frères Jan et Joël Martel, remarquer une sculpture monumentale représentant une *Olonnaise revêtue d'un châle.*

Église Notre-Dame ⊘ (AY B). — Un harmonieux **clocher★** du 15e s. la signale : fine et élégante, sa flèche terminale à crochets, haute de 82,50 m, refaite en 1700 par François Leduc dit Toscane *(p. 50),* est analogue à celle de la cathédrale de Luçon. Le portail principal est de style flamboyant, avec sa grande baie à remplage remplaçant le tympan. Ses voussures logent Vierges sages avec leurs lampes dressées et Vierges folles avec leurs lampes renversées ; une délicate madone du 19e s. occupe la niche du trumeau.
Rue du Pont-aux-Chèvres, la chapelle Brisson, Renaissance, fait saillie sur le chœur. A l'intérieur de l'église, jeter un coup d'œil sur la chaire d'époque Louis XVI, sur la chapelle Brisson et sur les chapelles absidiales d'époque François Ier, dissimulées par le grand retable du 18e s.
La **crypte** du 9e s., découverte accidentellement au 19e s., constitue un précieux témoignage de l'architecture primitive en Bas-Poitou. De dimensions modestes, elle est voûtée d'arêtes assemblées au ciment romain, soutenues par des piliers aux chapiteaux byzantins.

Rue du Pont-aux-Chèvres (AY 20). — Cette voie conserve plusieurs maisons anciennes : au n° 3 un logis du 15e s. à tourelle d'escalier, ancien prieuré bénédictin ; au n° 6, l'hôtel de Villeneuve-Esclapon avec un monumental portail Louis XIII que surmonte un *Laocoon* (groupe de sculpture antique représentant le prêtre d'Apollon, Laocoon, étouffé avec ses deux fils par des serpents — l'original se trouve au Vatican — *voir le guide Vert Michelin Rome*) entre les statues d'Hercule et de Diane ; au n° 14, bel exemple d'hôtel Renaissance, récemment amputé de son aile gauche, autrefois habité par André Rivaudeau, maire de Fontenay à la fin du 16e s., et auteur d'une tragédie, *Aman,* dont Racine s'inspira pour composer *Esther ;* au n° 9, la maison des évêques de Maillezais (16e-17e s.), avec un bel escalier à balustres.

Place Belliard (AY 2). — Sur cette calme place se trouvent la statue et la maison natale (n° 11) du général Belliard (1769-1832) qui sauva Bonaparte à Arcole, lui faisant un rempart de son corps.
Sur un des côtés s'alignent cinq intéressantes maisons bâties par l'architecte Morisson sous Henri IV ; trois d'entre elles ont des arcades. Celle du n° 16 fut habitée par Morisson qui s'est représenté au sommet du fronton, tenant un compas, symbole de son art, tandis qu'au-dessus de la baie du 1er étage est inscrite sa devise : « Peu et Paix ».

Fontaine des Quatre-Tias (AY D). — Tias signifie tuyaux en patois poitevin. Construite en 1542 par l'architecte Lienard de Réau, elle porte la devise donnée à Fontenay par François Ier : « Fontanacum felicium ingeniorum fons et scaturigo », c'est-à-dire « fontaine et source de beaux esprits ». On remarque la salamandre et le blason du roi au fronton du monument. Des inscriptions évoquent les noms des principaux magistrats de la cité parmi lesquels celui de Nicolas Rapin.

Rue des Loges (ABY). — Artère principale de la ville au 18e s., coupée de ruelles aux noms désuets (rue du Lamproie, rue de la Pie, rue de la Grue), la rue des Loges, devenue voie piétonne commerçante, conserve d'anciennes façades : au n° 26 (demeure présentant des balcons en ferronnerie et une façade ornée de mascarons humains) ; au n° 85 (beau portail fin 16e s. à pierres en bossages) ; au n° 94 (maison médiévale en encorbellement) ; au coin de la rue St-Nicolas (maison à pans de bois, début 16e s., habilement restaurée).

Château de Terre-Neuve ⊙ (AY). — Construit à la fin du 16ᵉ s. par l'architecte Jean Morisson pour son ami le poète Nicolas Rapin, auteur des *Plaisirs du gentil-homme champestre,* Terre-Neuve fut restauré et embelli vers 1850 par l'archéologue et aquafortiste Octave de Rochebrune qui y réunit de nombreuses œuvres, recréant ainsi un bel ensemble d'inspiration Renaissance, où se mêlent les influences classiques. L'édifice est constitué de deux corps de bâtiment disposés en équerre et flanqués aux angles d'échauguettes. La façade est ornée de muses en terre cuite de la Renaissance italienne et d'un porche originaire du château de Coulonges-sur-l'Autize.

L'intérieur★ présente quelques éléments remarquables : une très belle cheminée dessinée par Philibert Delorme dont le décor sculpté évoque la symbolique alchimique de la Renaissance, des boiseries Louis XIV provenant de Chambord ainsi que la porte du cabinet de travail de François Iᵉʳ, un beau mobilier des époques Louis XV et Louis XVI, des toiles du 17ᵉ et du 18ᵉ s., et des collections de mortiers, clefs, armes, ivoires et costumes. La salle à manger possède un beau décor Renaissance, avec son plafond aux caissons de pierre sculptée, l'encadrement de sa porte monumentale et son imposante cheminée que soutiennent deux griffons.

FOURAS

3 238 h. (les Fourasins)

Carte Michelin nᵒ **171** pli 13 ou **233** pli 14 — Lieu de séjour.

A proximité de l'embouchure de la Charente, Fouras (prononcer Foura) est une station balnéaire familiale, établie à la base de l'étroite pointe de la Fumée. Fouras connut bien des péripéties au cours des siècles. Suite aux invasions des Barbares puis des Normands, venus par la mer, la ville se fortifia pour mille ans.

Après 1666, Fouras occupa une position stratégique importante dans la défense avancée du port de guerre de Rochefort. Devenue une véritable place forte, Fouras fit face aux Hollandais au 17ᵉ s. puis aux Anglais au 18ᵉ s. En 1805, la flotte de Napoléon subit un échec notoire dans les eaux de la rade. Dix ans plus tard, l'Empereur y embarquait pour l'île d'Aix *(voir ci-dessous).* En 1945, la reddition de la poche de La Rochelle fut signée dans une villa située sur la route de la Fumée.

Bouchots à moules.

Dotée d'un agréable bord de mer et d'une ceinture verte de bois d'essences variées (chênes verts, tamaris, pins, etc.), Fouras dispose de quatre plages de sable fin, diversement orientées, si bien qu'il en est toujours une d'abritée, d'où que vienne le vent.

A marée basse, apparaissent d'immenses étendues de vase ; la retenue d'eau de mer de la plage du Sémaphore permet alors le bain.

Promenades en mer ⊙. — A destination de l'île d'Aix en particulier.

CURIOSITÉS

Fort Vauban ⊙. — Cette forteresse défendait l'accès de la Charente. Un **donjon** du 15ᵉ s. et une enceinte du 17ᵉ s., due à Vauban, lui dessinent une silhouette altière. Le fort est aménagé en **musée régional.** Dans le donjon, en sous-sol, la crypte, avec puits, du 12ᵉ s., renferme une collection lapidaire. Au 2ᵉ étage est présentée l'histoire de la cité ; on peut voir en outre des collections de fossiles, crustacés, poissons, oiseaux de mer, ainsi que des maquettes de fortifications et de navires. Sur la plate-forme du sommet, qui domine la mer de 40 m, deux tables d'orientation aident à découvrir un intéressant **panorama★** : au Nord-Ouest la pointe de la Fumée, les forts Enet et Boyard, l'île d'Aix, l'île de Ré, La Rochelle ; au Sud-Ouest, l'île Madame et l'île d'Oléron, dont le pont apparaît par temps clair ; au Sud-Est Rochefort et l'ancien pont transbordeur de Martrou ; enfin, à l'Est, au pied même du château, les toits de tuiles orangées de Fouras.

Anse de Port-Sud. — C'est de là que le 8 juillet 1815 Napoléon embarqua pour l'île d'Aix : en raison des lames déferlantes et des hauts-fonds, l'Empereur fut porté à dos d'homme jusqu'à la chaloupe qui devait le conduire à bord de la frégate la Saale. Un petit monument commémoratif a été élevé sur la plage, en contrebas de la promenade.

Promenade des Sapinettes. — Elle est disposée en terrasses au-dessus de la plage du Sémaphore, la principale de la station. Jolie **vue,** d'un côté sur les chênes verts du parc du Casino, appelé aussi Bois Vert, la pointe de la Fumée, l'île d'Aix et les forts, de l'autre, sur les îles Madame et d'Oléron.

ENVIRONS

Pointe de la Fumée. — *3 km au Nord-Ouest.* Au-delà, les parcs à huîtres s'alignent de chaque côté de la presqu'île. A la pointe de la Fumée se dégage une **vue** étendue : on identifie, de gauche à droite, Fouras, les îles Madame et d'Oléron, le fort Boyard, l'île d'Aix, l'île de Ré et la côte de l'Aunis jusqu'à La Rochelle.

A marée basse, entre la pointe, le fort Enet *(accessible alors à pied)* et l'île d'Aix, apparaissent un banc riche de coquillages et d'huîtres sauvages ainsi que les bouchots à moules *(illustration page précédente).* A marée montante on y pêche la crevette, abondante en cette région.

FOUSSAIS-PAYRÉ
1 230 h. (les Foussaisiens)

Carte Michelin n° 🖸🖸 pli 16 ou 🖸🖸🖸 pli 5 — Schéma p. 92.

Ce **bourg** ⊘, où se déroulent tous les ans des fêtes folkloriques animées, conserve quelques belles maisons Renaissance et des halles du 17ᵉ s. Remarquer, à droite de l'église, une maison d'angle datée de 1552.

Église. — Cette église de prieuré, en granit, possède une **façade** sculptée du 11ᵉ s. Au centre, le portail s'inscrit sous une archivolte aux savoureuses figures : de gauche à droite la Chasteté terrassant la Luxure, des baladins, des apôtres, le Christ entre les symboles des évangélistes (saint Matthieu un ange, saint Marc un lion ailé, saint Luc un bœuf, saint Jean un aigle), puis de nouveau des apôtres et des baladins, enfin des animaux fantastiques parmi lesquels une sirène, symbole de l'attrait du péché.

Encadrant le portail central, deux arcades aveugles présentent, à gauche, une scène de la Passion, assez rare en Poitou à l'époque romane : une Déposition de croix et, au-dessus, les ailes d'un ange entre la lune et le soleil voilés de ténèbres ; à droite, le repas de Simon et, dans la partie supérieure, l'apparition du Christ à Marie-Madeleine. Ces sculptures sont l'œuvre de Giraud Audebert, moine de l'abbaye de St-Jean-d'Angély.

Les églises ne se visitent pas pendant les offices.

★★ Le FUTUROSCOPE

Carte Michelin n° 🖸🖸 plis 13, 14 et 🖸🖸🖸 pli 46 (Sud-Est) — à Jaunay-Clan.

Ce vaste complexe (70 ha) qui s'est développé aux portes de Poitiers, a pour vocation d'initier le public aux nouvelles réalités technologiques et de le sensibiliser aux mutations d'une civilisation dominée par l'image.

Conçu par l'architecte français Denis Laming, le **Futuroscope** ou **Parc européen de l'image,** sur lequel règne une sphère, monument symbole (surmontant le Pavillon de la Communication), plonge le visiteur dans un univers architectural aux formes singulières où dominent le verre et l'acier. De multiples attractions y sont proposées.

En dehors du parc de loisirs, le Futuroscope comprend une aire de formation où se trouve le Lycée pilote innovant universitaire, le Centre national d'enseignement à distance, l'ENSMA (École nationale supérieure de mécanique et d'aérotechnique, en cours d'installation) et divers instituts supérieurs. Un complexe industriel équipé d'un Téléport, un palais des congrès, des hôtels et des restaurants sont également installés sur le site.

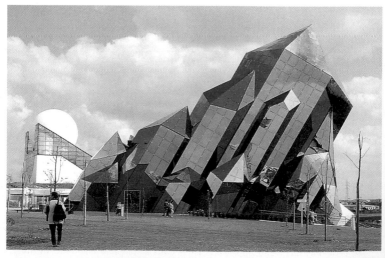

Le Kinémax.

VISITE ⊙ *compter 1 journée*

Le **Monde des enfants** invite les très jeunes générations à la découverte et au jeu, dans un décor magique.

A proximité, le **Lac enchanté** et son **théâtre alphanumérique** proposent un spectacle régi par les technologies du futur.

Différents pavillons présentent les innovations en matière de communication : cinéma en relief (le 3 D), showcan ou film tourné à 60 images par seconde (pavillon de la Communication), **Cinéma Dynamique** pour les amateurs d'émotions fortes, écran de 600 m^2 (**Kinémax**, sous un toit en forme de cristal de roche), cinéma circulaire (le 360°), cinéma hémisphérique (**Omnimax**), comparable à celui de la Géode, au parc de la Villette, à Paris, Cinéautomate où l'assistance intervient pour modifier le scénario, enfin le Tapis magique avec double écran dont un au sol.

Une ascension en spirale mène au sommet de la **Gyrotour** (45 m) d'où l'on découvre un surprenant ensemble architectural.

GENÇAY   1 580 h. (les Gencéens)

Carte Michelin n° 🔲🔲 pli 14 ou 🔲🔲🔲 pli 8.

Gençay est un marché de bestiaux, de volailles, de beurre et de fromages. Du pont sur la Clouère (route de Poitiers), on a de belles perspectives sur la rivière bordée de peupliers et les ruines imposantes du **château** du 13e s. où Jean le Bon aurait été enfermé après la bataille de Poitiers *(voir p. 102).*

St-Maurice-la-Clouère. – *825 h. 0,5 km; sur la rive droite de la rivière.*
L'église, dans son ensemble, appartient au style roman poitevin. Elle s'en distingue par quelques dispositions originales : plan tréflé, croisillons du transept se terminant par des murs à pans, clocher fortifié dont les angles sont renforcés de tourelles à échauguettes. Les parties les plus remarquables sont le portail du collatéral gauche avec ses voussures délicatement sculptées, l'abside et les absidioles à contreforts-colonnes.

A l'intérieur, on remarque que les extrémités des croisillons se terminent non par un mur à pans comme à l'extérieur mais par un mur circulaire. Des peintures murales montrent un Christ en majesté du 14e s. à la voûte en cul-de-four du chœur et une Visitation du 16e s. sur le côté droit.

Château de la Roche-Gençay ⊙. – *1,5 km au Sud-Ouest.* Entre deux parcs aménagés au 18e s., le château présente une façade mi-gothique flamboyant, mi-Renaissance, complétée par une chapelle fin 15e s.; l'autre façade et les communs sont d'époque Louis XIII.

Dans les communs est aménagé le **musée de l'Ordre de Malte.** A l'origine ordre des Hospitaliers de Saint-Jean de Jérusalem, il fut fondé en 1099 afin de secourir les pèlerins et les chrétiens malades. En 1113, pour assurer la protection des chrétiens contre les musulmans, les hospitaliers se militarisèrent. La chute de Jérusalem, en 1187, entraîna l'installation de l'ordre à St-Jean-d'Acre, puis à Chypre en 1291 et Rhodes en 1309. Les hospitaliers alors dénommés chevaliers de Rhodes restèrent dans la cité jusqu'en 1522 avant d'être chassés par les Turcs. En 1530 Charles Quint leur donna l'île de Malte, ils prirent alors le nom de chevaliers de Malte. Bonaparte, en 1798, envahit Malte, les chevaliers se dispersèrent et, en 1831, s'installèrent à Rome. De nos jours l'ordre, qui a perdu son côté militaire, se consacre entièrement à l'aide hospitalière internationale et possède de nombreux hôpitaux à travers le monde.

ENVIRONS

Château de Chambonneau ⊙. – *10 km au Nord.* Les premières constructions dateraient du 13e s., époque à laquelle la forteresse s'inscrivait dans un vaste système défensif comprenant sept châteaux (Château-Larcher, Gençay, Morthe-mer...) reliés par des souterrains. A la fin du 15e s., Guy Frotier, seigneur de la Messelière, modifie l'édifice qui prend alors sa configuration actuelle. De face, le château frappe par son aspect défensif : le châtelet d'entrée, flanqué de deux tours rondes percées d'archères et couronnées d'un chemin de ronde couvert sur mâchicoulis, commandait jadis un pont-levis. Les trois corps de bâtiment de l'aile Sud s'appuient sur les courtines. La cour s'ouvre sur une esplanade délimitée à l'origine par quatre tours d'angle.

Le GRAND-PRESSIGNY   1 120 h. (les Pressignois)

Carte Michelin n° 🔲🔲 pli 5 ou 🔲🔲🔲 pli 48 — Lieu de séjour.

Face au confluent de la Claise et de l'Aigronne, dans un site pittoresque, Le Grand-Pressigny était protégé par son château qui couronne le coteau.
Le site du Grand-Pressigny est connu dans le domaine de la préhistoire pour ses nombreux ateliers de silex où l'on fabriquait en série, à la fin du néolithique, des lames qu'on exportait dans des régions très éloignées (on en a retrouvé en Suisse).

★ **Musée départemental de Préhistoire** ⊙. – Le **château** qui prête son beau cadre au musée présente encore les restes d'une forteresse médiévale : enceinte du 13e s. jalonnée de tours rondes, porte fortifiée, et à l'écart les deux pans subsistant du donjon carré du 12e s. Au milieu des jardins soignés se dresse le logis seigneurial, du 16e s., orné du côté du donjon d'une élégante façade à arcades Renaissance.
Le **musée,** créé en 1910 par le docteur Édouard Chaumié, présente les grands traits de la préhistoire à travers les découvertes faites sur les grands sites de Touraine. Des dispositifs spéciaux sont prévus pour les non-voyants.

Dans l'espace 1 sont rappelées les grandes périodes de la préhistoire. L'espace 2 est consacré au paléolithique très ancien et au paléolithique ancien : on peut y examiner un film de sédiments prélevés dans une sablière d'Abilly. Espace 3 : deux sites tourangeaux, la Roche Cotard à Langeais et l'abri Reignoux à Abilly évoquent le paléolithique moyen, de même qu'une maquette recréant la vie des chasseurs moustériens. Le paléolithique supérieur (espace 4) avec notamment la vie des chasseurs du solutréen, le néolithique et particulièrement le néolithique final avec les exportations de silex taillés (espace 5) sont ensuite développés.

Enfin la cachette de bronze d'Azay-le-Rideau, la présentation de sites de la vallée de la Creuse, etc., illustrent l'âge des métaux (espace 6).

La consultation d'un logiciel sur la préhistoire complète la visite de cette section.

Une remise abrite la section de paléontologie : fossiles trouvés en Touraine et notamment dans les dépôts de la mer des Faluns, situés dans la région, au Nord et au Sud de la Loire.

ENVIRONS

La Celle-Guenand. — 412 h. *8,5 km au Nord-Est.* La Celle-Guenand possède une harmonieuse église dont la sobre façade romane comporte un portail central aux voussures finement sculptées de masques et de figures fantastiques. A la croisée du transept, couverte d'une coupole sur trompes, remarquer le décor d'entrelacs sculpté au tailloir des chapiteaux massifs et frustes. A droite de l'entrée, un énorme monolithe décoré de masques forme un bénitier (12ᵉ s.).

Les HERBIERS
13 413 h. (les Herbretais)

Carte Michelin n° **67** pli 15 ou **232** pli 42 — Schéma p. 66.

Cette petite ville, qui marque l'extrémité des Collines vendéennes *(p. 65)*, est agréablement située sur une butte dominant la Grande Maine, aux rives herbues. Son expansion est due à la vitalité d'industries variées : meuble, confection, chaussure, construction de bateaux de plaisance.

Le pittoresque train à vapeur du Puy du Fou *(ci-dessous)* relie Les Herbiers à Mortagne.

Église. — Elle est précédée par un puissant clocher-porche au portail flamboyant qu'encadrent les effigies des saints Pierre et Paul.

ENVIRONS

★**Mont des Alouettes.** — *2 km au Nord. Description p. 66.*

Forêt des Bois Verts. — *4 km à l'Ouest.* Ce petit bois et son étang constituent un but de promenade et un lieu de pique-nique fréquentés en saison.

Abbaye N.-D.-de-la-Grainetière ⊙ – *8 km au Sud-Ouest.* A la lisière de la forêt de Soubise, l'abbaye N.-D.-de-la-Grainetière fut fondée en 1130 par des bénédictins venus du monastère de Fontdouce, près de Saintes. Sous l'impulsion des seigneurs de la région, l'abbaye fut suffisamment puissante au 13ᵉ s. pour entreprendre les fortifications lui permettant de soutenir le siège des Anglais en 1372. Mais au 15ᵉ s. le règne des abbés commandataires engendra un déclin, qui s'aggrava durant les guerres de Religion; les troubles révolutionnaires et les guerres de Vendée achevèrent, à la fin du 18ᵉ s., de ruiner le monastère. Transformé ensuite en exploitation agricole et utilisé comme carrière il fit l'objet d'une restauration à partir de 1963. Depuis 1978, un prieuré bénédictin s'est établi dans l'abbaye.

Du cloître, ne subsiste que le côté Ouest, constitué d'une galerie aux fines colonnes jumelées. En face, la salle capitulaire du 12ᵉ s. conserve ses voûtes reposant sur des piliers de granit. Trois absidioles représentent les seuls vestiges de l'église abbatiale. Quant aux fortifications, elles se réduisent aujourd'hui à la tour Sud-Ouest, dite tour de l'Abbé, munie d'une meurtrière.

Gare des Épesses. — *4 km à l'Est.* La gare, dont l'architecture est caractéristique des gares de village du début du 20ᵉ s., abrite désormais le **musée de l'Histoire des chemins de fer en Vendée** ⊙ qui évoque à travers affiches, objets et documents un passé récent mais révolu du fait des mutations du réseau ferroviaire.

Le **train à vapeur du Puy du Fou** circule sur l'ancienne voie de Mortagne aux Herbiers (halte à la gare des Épesses) et permet de découvrir d'une façon originale le bocage vendéen sur 22 km.

On peut aussi se restaurer à bord d'une ancienne voiture de l'Orient-Express.

L'ISLE-JOURDAIN
1 269 h. (les Islois)

Carte Michelin n° **72** pli 5 ou **233** pli 20 — Lieu de séjour.

S'étageant au-dessus de la rive droite de la Vienne, L'Isle-Jourdain occupe un site pittoresque à un étranglement de la vallée. Trois barrages, celui de la Roche et de Jousseau en amont et celui de Chardes en aval, forment trois importants plans d'eau favorables aux sports nautiques.

De la D 8, à l'Ouest de la localité, se révèle une belle vue sur la ville, le pont St-Sylvain, le viaduc et la vallée.

La légende de saint Sylvain. — Au début du 4ᵉ s. saint Sylvain, avec son maître saint Martial, participa à l'évangélisation du Limousin. Sa statue décora de nombreuses églises de cette région. C'est ainsi qu'une petite paroisse l'adopta comme saint protecteur; en effet saint Sylvain avait la réputation de protéger les vignes de la gelée. Malheureusement certaines années la gelée détruisit les vignes; fous de rage les vignerons mirent la statue dans un sac et la jetèrent dans la Vienne. La rivière véhicula le sac jusqu'au pont de L'Isle-Jourdain où il séjourna quelque temps sans attirer le moindre regard. Le courant fit le reste et emporta le sac jusqu'à Mazerolles (petit village à l'Ouest de Lussac-les-Châteaux). Là, des paysans le découvrirent et en procession s'en allèrent déposer la statue du saint dans l'église. Quand les habitants de L'Isle-Jourdain apprirent la nouvelle, ils furent tout honteux de leur manque de curiosité et décidèrent d'élever une statue en l'honneur de saint Sylvain sur le pont qui porte aujourd'hui son nom. La renommée du saint alla grandissant; il avait, dit-on, le don de guérir les femmes stériles et les enfants atteints de convulsions.

ENVIRONS

Le Vigeant. — 828 h. *3 km au Sud-Ouest.* Ce petit village possède une église au porche roman dont le portail polylobé est orné de chapiteaux de style archaïque. A l'intérieur, gisant du 13e s.

JARNAC   4 786 h. (les Jarnacais)

Carte Michelin n° **72** pli 12 ou **233** pli 28 — Schéma p. 53.

Sur la rive droite de la Charente, nichée dans la verdure, Jarnac vit de la distillation et du commerce des eaux-de-vie.
C'est la ville natale du président François Mitterrand.

UN PEU D'HISTOIRE

Le coup de Jarnac. — Gui Chabot, baron de Jarnac, offensé par La Châtaigneraie, familier d'Henri II, le provoque en combat singulier. La rencontre organisée comme un « Jugement de Dieu » a lieu, le 10 juillet 1547, à St-Germain-en-Laye, en présence du roi, de la reine, de Diane de Poitiers et de la cour. Jarnac, sur le point d'être vaincu, porte à son adversaire une botte régulière mais imprévue qui lui coupe le jarret. Depuis, on donne le nom de « coup de Jarnac » aux attaques de ce genre, mais en y ajoutant un sens de perfidie fort injuste pour le brave Chabot.

La bataille de Jarnac. — Calvin ayant fait en 1534 et 1535 de nombreux séjours dans la région, Aunis, Saintonge et Angoumois devinrent très vite d'actifs foyers protestants. Le 13 mars 1569, pendant les guerres de Religion, se déroula, près du village de Triac *(p. 54)*, une bataille connue sous le nom de bataille de Jarnac. Les catholiques commandés par le duc d'Anjou (futur Henri III) défirent les compagnies protestantes du prince de Condé. Fait prisonnier lors d'un assaut et tombé de son cheval, Condé blessé fut achevé sur l'ordre du duc d'Anjou par Montesquiou, capitaine des gardes.

CURIOSITÉS

Maison Courvoisier. — *Place du Château.* Le petit **musée** ⓥ *(entrée : près du pont)* retrace l'histoire de la distillerie et les étapes de l'élaboration du cognac. La silhouette de Napoléon Ier sur les bouteilles de cette marque rappelle qu'Emmanuel Courvoisier, le fondateur, approvisionnait l'empereur et que l'entreprise fut décrétée en 1869 fournisseur de la cour de Napoléon III. On visite également un chai où l'on assiste à une projection de diapositives, sur une sphère.

Église. — Ancienne abbatiale, l'église du 11e s. présente un clocher carré revêtu d'arcatures aveugles. L'étage est ajouré de deux baies à colonnettes. La crypte du 13e s. renferme des vestiges de peintures murales.

JONZAC   3 998 h. (les Jonzacais)

Carte Michelin n° **171** pli 6 ou **233** pli 27 — Schéma p. 118 — Lieu de séjour.

Agréablement provinciale avec ses places plantées de tilleuls, Jonzac vit du beurre, des eaux-de-vie et du pineau des Charentes.
C'est aussi une station thermale.

CURIOSITÉS

Site. — Pour apprécier le site de Jonzac, il faut se placer sur le pont de pierre (le plus en amont) qui enjambe la Seugne coupée de cascatelles et encadrée de jardinets. Sur la rive droite, deux collines portent l'une le quartier de l'église, l'autre la « cité » jadis ceinte de remparts, englobant le château. Sur la rive gauche, dans le faubourg des Carmes, œuvraient les artisans, mégissiers, tanneurs, tonneliers...

Château. — Par une porte fortifiée du 15e s. on débouche sur une vaste esplanade. Le front Ouest est majestueux avec son puissant châtelet du 15e s. et ses tours de flanquement dont l'une sert de beffroi. Le château eut comme hôtes illustres Henri IV, en 1609, puis 50 ans plus tard Louis XIV, en route pour la signature du traité des Pyrénées et pour son mariage à St-Jean-de-Luz avec l'infante d'Espagne Marie-Thérèse.
De la terrasse avoisinante, vue sur la vallée.

Ancien couvent des Carmes ○. – Fondé en 1505 par Jean de Sainte-Maure, seigneur de Jonzac, ce couvent, ruiné par les guerres de Religion, fut reconstruit au 17ᵉ s., puis confisqué comme bien national durant la Révolution. Il a fait l'objet d'une importante restauration : le cloître a retrouvé une partie de sa galerie dessinée par des arcs en plein cintre ; les chapelles de l'église ainsi que les pièces de l'étage sont devenues musée archéologique.

Thermes. – Situés à proximité de l'hôpital, ils sont installés dans les anciennes carrières d'Heurtebise qui furent exploitées dès le Moyen Age et ont servi de refuge aux protestants au 16ᵉ s., avant d'être utilisées comme champignonnière. Des forages réalisés en 1980 ont révélé l'existence d'une profonde nappe aquifère (1 800 m), dont la température oscille entre 65 et 68 degrés. Les propriétés thérapeutiques des eaux ont permis l'ouverture d'une station thermale spécialisée dans le traitement de l'arthrose.

ENVIRONS

Meux. – 310 h. *7,5 km à l'Est.* Un petit **château** ○ se dissimule derrière l'église. Édifié en 1453 (à la fin de la guerre de Cent Ans) sur les vestiges d'une forteresse du 13ᵉ s., il appartint durant quatre siècles à la famille Chesnel dont deux membres furent chevaliers de l'ordre de Malte. C'est en fait un manoir-ferme, entouré de ses dépendances (voir les cuves ou « buroirs » qui servaient pour la lessive). Flanquée d'une tour tronquée, la façade, percée de fenêtres sobrement moulurées, est précédée d'une tourelle d'escalier polygonale. L'édifice a été renforcé de contreforts au 18ᵉ s. A l'intérieur, l'escalier à vis dessert les différents étages où l'on remarque des cheminées de pierre blanche sculptée.

LENCLOÎTRE
2 222 h. (les Lencloîtrais)

Carte Michelin n° 🔲 plis 3, 4 ou 🔲 pli 46.

Lencloître est connu pour ses foires dont la tradition remonte au Moyen Age et qui se tiennent le premier lundi du mois. C'est aussi un centre réputé de cultures maraîchères.

Église. – Le nom même du village rappelle une existence monastique. L'église fut jusqu'à la Révolution la chapelle d'un prieuré de femmes relevant de Fontevraud. C'est un édifice de style roman poitevin du 12ᵉ s. Le beffroi présente une grosse tour carrée, surmontée d'une flèche minuscule. Au Nord, s'ouvre un joli portail à arc en plein cintre. A l'Ouest, la façade a été fortifiée au 15ᵉ s. par l'adjonction de deux pittoresques échauguettes. L'intérieur comprend trois vaisseaux et un transept surmonté d'une coupole sur pendentifs ; remarquer les gros piliers à huit colonnes accolées. Intéressants chapiteaux à figures fantastiques symbolisant les Vices et les Vertus, d'influence saintongeaise.
Par le porche à l'Est de la place, on peut pénétrer dans l'ancien clos du prieuré pour avoir une bonne vue sur le chevet de l'église et les restes du couvent avec la chapelle St-Jean.

ENVIRONS

Château de Coussay ○. – *11 km à l'Ouest.* Petit, mais accompagné de toutes ses dépendances, ce château du 16ᵉ s. appartint au futur cardinal de Richelieu ; ce dernier, tout d'abord nommé évêque de Luçon, y effectua de fréquents séjours. Le châtelet d'entrée est flanqué du ravissant pavillon de la Fontaine qui abrite une source ; cantonné d'échauguettes en poivrière, surmonté de lucarnes très ouvragées, il s'ouvre sur la cour par une grande arcade ciselée de rinceaux et de motifs Renaissance. L'enceinte rectangulaire, protégée par des douves en eau, a gardé ses tourelles d'angle. Le château proprement dit comprend quatre tours rondes, dont la plus importante, à mâchicoulis, servait de donjon. Portes et baies, à décor Renaissance, sont d'une rare élégance.

Abbaye de LIGUGÉ

Carte Michelin n° 🔲 pli 13 ou 🔲 pli 8 – 8 km au Sud de Poitiers.

Sur la rive gauche du Clain, l'abbaye de Ligugé revendique le titre du « plus ancien monastère d'Occident ».
Après plus de trois siècles d'interruption, la vie monastique bénédictine y a été restaurée en 1853 par quatre moines venus de Solesmes.

Sous le signe de saint Martin. – C'est en 361 qu'un soldat, originaire de l'actuelle Hongrie, établit sa cellule dans les ruines d'une villa gallo-romaine de la vallée du Clain : c'est le futur saint Martin. Il a d'abord été officier dans l'armée romaine. Un jour qu'il se trouvait aux portes d'Amiens, le jeune soldat rencontre un mendiant transi de froid, coupe son manteau en deux et en donne la moitié au pauvre homme. Ayant vu en songe le Christ couvert de la moitié de son manteau, il se fait baptiser.
Devenu disciple d'Hilaire, évêque de Poitiers, Martin passe quelque dix ans à Ligugé. Sa foi, sa charité le font connaître et les habitants de Tours viennent le supplier de devenir leur évêque (370) ; il fonde près de Tours le monastère de Marmoutier. Saint Martin meurt à Candes, sur les bords de la Loire, en 397. Les moines de Ligugé et ceux de Marmoutier se disputent son corps, mais les Tourangeaux, profitant du sommeil des Poitevins, portent le cadavre dans une barque et regagnent leur ville à toutes rames. Un miracle s'opère alors : sur le passage du corps, et bien que l'on soit en novembre, les arbres verdissent, les plantes fleurissent, les oiseaux chantent ; c'est l'été de la Saint-Martin.

VISITE ⏱ *3/4 h*

Les fouilles. — Pratiquées à partir de 1953, devant et sous la nef de l'actuelle église St-Martin, elles ont permis de dégager une série exceptionnelle d'édifices préromans : villa gallo-romaine, basilique primitive antérieure à 370, découverte en 1956, « martyrium » (sanctuaire votif) du 4ᵉ s., église du 6ᵉ s. et basilique du 7ᵉ s.
On remarque principalement :
— A gauche, le mur d'une salle de la villa gallo-romaine dont le sol est fait de béton. Le « martyrium » avait succédé à cette salle ; à droite une arcade de ce « martyrium ».
— Le croisillon droit de la basilique du 7ᵉ s., croisillon formant le soubassement de l'actuel clocher ; voûte de l'an mil ; chapiteau ionique du 4ᵉ s. en réemploi ; maquette et plans documentaires.
— La crypte de la basilique du 7ᵉ s. sous la nef de l'église St-Martin. Derrière la crypte, abside de la basilique primitive construite par Martin au 4ᵉ s.
— L'absidiole gauche de cette même basilique du 7ᵉ s. Le pavement composé d'éléments émaillés à motifs géométriques serait le plus ancien de France, dans ce genre.

Église St-Martin. — Aujourd'hui église paroissiale, elle fut reconstruite au début du 16ᵉ s. par Geoffroy d'Estissac *(voir p. 84)*, alors prieur de Ligugé. La **façade** flamboyante, complétée par un clocher de même style, est fort élégante. Sur l'une des portes Renaissance à vantaux sculptés, on retrouve l'image de saint Martin, partageant son manteau.

Monastère. — Ses bâtiments englobent quelques éléments anciens. On remarque, incorporée dans l'enceinte extérieure, la tour ronde dite de Rabelais, que le célèbre conteur habita fréquemment de 1524 à 1527, alors qu'il était secrétaire de Geoffroy d'Estissac.
Une quarantaine de bénédictins occupent le monastère placé dans un joli site qui charma l'écrivain **Huysmans**, reçu oblat (personne qui se lie à une communauté religieuse pour bénéficier de son soutien spirituel) bénédictin à Ligugé en 1901 ; Paul Claudel y fut postulant ; les peintres Georges Rouault et Forain, le poète Louis Le Cardonnel y séjournèrent avec Huysmans.
Dans la **galerie d'émaux** ⏱ est exposée la production de l'atelier qui a porté dans le monde entier le nom du monastère poitevin.
Un petit **musée** d'histoire et de géographie monastiques termine la visite.

LONZAC
244 h. (les Lonzacais)

Carte Michelin n° 🔢 pli 5 ou 🔢 pli 27 — 15 km à l'Est de Pons — Schéma p. 118.

En Angoumois et en Saintonge, rares sont les églises Renaissance. Or il s'en trouve une à Lonzac, due à la magnificence de Galiot de Genouillac.

Un mécène. — Jacques de Genouillac, dit **Galiot de Genouillac**, seigneur d'Assier en Quercy, Grand Maître d'artillerie de France, contribua à la victoire de Marignan où ses canons organisés en corps autonome jouèrent un rôle décisif. Grand seigneur, homme de guerre certes, mais courtisan ambitieux, aimant le faste et la gloire, Genouillac fut un humaniste s'intéressant à l'art et à l'architecture autant qu'à l'extraction de l'or, l'exploitation des forêts, l'élevage des chevaux. Il avait épousé la fille du baron de Lonzac, Catherine d'Archiac, qu'il perdit en 1514. C'est pour perpétuer son souvenir et lui donner une sépulture digne de son état que fut élevée, de 1515 à 1530, l'église de Lonzac.

ÉGLISE *visite : 1/2 h*

Construite d'un seul jet, elle allie de façon harmonieuse une structure gothique et un décor Renaissance.
L'édifice est dominé par un clocher haut de 40 m, qu'on aperçoit de très loin. Ses angles sont amortis par de puissants contreforts. Une frise fait le tour des murs, portant les initiales K et I (Katherine et Iacques ou Jacques), alternées avec les emblèmes (boulets ou grenades) et la devise à double sens du Grand Maître : « J'aime fortune » ou « J'aime fort une ».
Le **portail★**, raffiné, se présente sous la forme de deux portes jumelées que surmontent trois niches et une grande accolade se terminant par la salamandre de François Iᵉʳ. Les portes sont surmontées de deux bas-reliefs évoquant les Travaux d'Hercule, discrète allusion aux activités débordantes du Grand Maître ; on distingue Hercule, enfant dans son berceau, étranglant les serpents, et Hercule abattant le lion de Némée.

Intérieur. — La nef porte des voûtes gothiques retombant sur des pilastres Renaissance. Aux clés de voûtes sont sculptés les blasons des Archiac et des Genouillac et aux chapiteaux les emblèmes (boulets et canons) de Galiot de Genouillac. A gauche du chœur, la chapelle seigneuriale, couverte d'une voûte à caissons, était destinée à recevoir le tombeau de dame Catherine. Au-dessus du maître-autel, un tableau peint en 1787 par P. Vincent représente l'Adoration des Mages.

ENVIRONS

Dolmen de St-Fort-sur-le-Né. — *9 km à l'Est.* Ce dolmen, entouré d'une mer de vignes, comporte une grande roche plate reposant à l'horizontale sur trois rocs équarris. Vue circulaire sur le vignoble cognaçais de la Grande Champagne *(voir p. 32)*.

LOUDUN

7 854 h. (les Loudunais)

Carte Michelin n° **37** pli 9 ou **232** plis 45, 46 – Lieu de séjour.

Située sur une butte et circonscrite de boulevards ombragés, qui ont remplacé les remparts, Loudun, cité abondamment fleurie, vit de quelques industries.
Très prospère au Moyen Age, Loudun comptait quelque 20 000 âmes au 17e s. C'était alors un foyer intellectuel où les idées de la Réforme trouvèrent un terrain propice. D'antiques demeures, d'élégants hôtels en pierre des 17e-18e s., des maisons basses rappellent que Loudun fut jadis un centre militaire et intellectuel avant que Richelieu ne la poursuive de sa vindicte, allant jusqu'à ordonner la démolition de sa forteresse. La révocation de l'édit de Nantes acheva la cité.

UN PEU D'HISTOIRE

Quelques fertiles intelligences. – Sous Louis XIII, le vénérable Scévole de Sainte-Marthe et ses fils (auteurs d'ouvrages monumentaux sur la Gaule chrétienne) recevaient tous les hommes illustres du Poitou. Parmi eux, on notait Urbain Grandier et un médecin, **Théophraste Renaudot** (1586-1653), qui fonda en 1631 le premier journal imprimé, « la Gazette », organisa le premier bureau de placement existant en France, et donna à Paris son premier Mont-de-Piété.

Une ténébreuse affaire (1634). – Cultivé et brillant, **Urbain Grandier** devint, à 27 ans, curé de St-Pierre-du-Marché. Ses succès de prédicateur, son arrogance, ses sarcasmes contre les ordres religieux, la liberté de ses mœurs lui attirèrent beaucoup d'ennemis. Or, il advint que les ursulines d'un couvent de Loudun se trouvèrent possédées du démon et la rumeur accusa Grandier de les avoir ensorcelées. Un procès s'ouvrit à l'instigation, dit-on, de Richelieu, mécontent des intrigues que Grandier menait contre lui. Le curé de St-Pierre fut déclaré coupable et condamné à être brûlé vif. La sentence fut exécutée le jour même, place Ste-Croix.

LOUDUN

Porte-de-Chinon (R.) . . .	**BY**	Collège (R. du)	**BZ** 6	Porte de Chinon (Pl.) . . **BY** 16
		Croix-Bruneau (R. de la)	**AY** 7	Porte Mirebeau (Pl.) . . . **BZ** 18
		Grand-Cour	**BY** 8	Porte Mirebeau (R.) . . . **BZ** 19
Anjou (Av. d')	**BY** 2	Leuze (Av. de)	**BY** 10	Porte St-Nicolas (R.) . . **AY** 20
Château (R. du)	**AY** 3	Meures (R. des)	**BY** 12	Renaudot (R.) . . . . **BY** 22
Chevreau (R. U.)	**BZ** 4	Palais (R. du)	**BY** 13	Touraine (Av. de) . . . . **BY** 23
		Portail-Chaussé (R. du).	**BY** 14	Vieille Charité (R.) . . . . **BZ** 25
		Poitou (R.)	**BZ** 15	Vieille Porte du Martray **AY** 26

CURIOSITÉS

Tour Carrée (AY) ☉. – Dominant Loudun, cette tour de guet, renforcée de contreforts, fut élevée en 1040 par Foulques Nerra, comte d'Anjou de 987 à 1040, et fougueux guerrier. Elle fut découronnée en 1631 sur ordre de Richelieu, en même temps que fut rasé le château adjacent. De son sommet *(143 marches)*, beau **panorama★** sur les environs.

Promenade Foulques-Nerra (AY). – A l'emplacement de l'ancienne forteresse, elle forme une esplanade dominant la campagne. Les tilleuls du mail, les allées sablées et le kiosque à musique composent un agréable tableau provincial.

Église St-Hilaire-du-Martray (AY). – Commencée au 14e s., elle s'ouvre sur le côté Sud, par un beau portail du 16e s. aux voussures garnies de niches à dais où s'abritent des anges thuriféraires (porteurs d'encensoirs).
A l'intérieur, la porte primitive est ornée de pampres. Au fond de la nef, derrière le maître-autel, une grande baie à remplage flamboyant est éclairée par une verrière du 19e s.

Église St-Pierre-du-Marché (BY). — Fondée en 1215 par Philippe Auguste, continuée par Saint Louis, coiffée au 15e s. d'une flèche de pierre effilée qui la signale à l'attention du touriste, elle présente un imposant portail Renaissance, avec tympan à jour coupé par un trumeau sculpté; anges et médaillons dans les voussures.

Église Ste-Croix (BZ). — Le chœur roman de cette église se présente comme un rond-point délimité par des colonnes trapues. A la croisée du transept, les chapiteaux sont sculptés d'anges tenant un blason et de moines portant un livre. Des peintures murales du 13e s. ont été découvertes : elles sont en cours de restauration.

Musée Charbonneau-Lassay (AY M¹) ⊙. — Installé dans un hôtel particulier du début du 18e s., il abrite les collections réunies par Louis Charbonneau-Lassay (1871-1946). Cet érudit, passionné d'histoire locale, collecta une masse imposante d'objets et de documents relatifs au passé de Loudun : outillage de l'âge de la pierre, céramiques médiévales, armes blanches, mobilier, peintures, art religieux, artisanat...

Musée Théophraste-Renaudot (BY M²) ⊙. — Belle demeure du 16e s., la maison natale du fondateur de la presse française a été aménagée en musée de cire retraçant en plusieurs tableaux la vie et l'œuvre de Théophraste Renaudot. Parmi les pièces, meublées en style Louis XIII, remarquer une imposante presse à bras du 17e s.

ENVIRONS

La Côte loudunaise. — *15 km à l'Ouest par ⑤. Prendre bientôt à droite la D 19.* La route suit en balcon les collines dominant les peupleraies de la vallée de la Dive à travers champs, vergers et vignes.

Glénouze. — 114 h. Petite église romane à clocher-pignon.

Ranton. — 195 h. Autour d'une petite place pittoresque se groupent l'entrée du château, porte fortifiée du 14e s. où sont encore visibles les traces du pont-levis et flanquée d'une tour à mâchicoulis, et l'église qui présente un portail roman. Dans une ancienne ferme du 19e s., un **musée Paysan** ⊙ (mobilier, costumes, outils) fait revivre l'activité des paysans du Loudunais partagée entre la polyculture et l'élevage. Une partie des bâtiments repose sur une profonde cave, creusée dans le calcaire, qui abritait le pressoir, le four à pain, ainsi que des écuries.

Curçay-sur-Dive. — 257 h. Ce village aux rues étroites occupe un emplacement agréable face à la vallée de la Dive; son donjon carré, élancé, du 14e s., a été pourvu au 19e s. de mâchicoulis et d'échauguettes.

Château de Ternay ⊙. — Au détour d'une allée bordée de vieux arbres, se dresse cet imposant château, ouvrage défensif érigé au 12e s. qui devait à l'origine contrôler la vallée de la Dive et la plaine s'étendant jusqu'à Thouars.
Vers 1440, Bertrand de Beauveau, sénéchal d'Anjou, et son épouse Françoise de Brézé entreprennent d'importants travaux d'aménagement (donjon, chapelle) du vieux castel féodal. Ruiné par les guerres de Religion, Ternay renonce à sa finalité militaire au 17e s. en se dotant d'une belle façade que surmonte un comble à la Mansart, et c'est au 19e s. que l'édifice prend sa configuration actuelle : une partie des douves est remblayée, le comble à la Mansart est rasé et les derniers vestiges des remparts, ainsi que les tours de l'ancienne enceinte sont détruits. Du Moyen Age, le château a cependant conservé le donjon octogonal, couronné de mâchicoulis et percé de meurtrières, et la chapelle, chef-d'œuvre de l'art gothique finissant (1444), où se mêlent les styles angevin et flamboyant.
Une longue salle voûtée d'ogives, dont les doubleaux reposent sur des corbeaux ornés d'écus et de curieuses têtes grimaçantes, précède la **chapelle.** On accède à celle-ci par une baie sculptée d'une élégante frise et fermée par une très belle menuiserie d'époque. L'oratoire compte deux travées que jouxtent deux petites pièces d'où les seigneurs assistaient à la messe. Des sculptures de personnages et d'animaux rehaussent les clefs de voûte, l'arc triomphal et les arcs.

LUÇON
9 099 h. (les Luçonnais)

Carte Michelin n° 🔟🔟🔟 pli 11 ou 🔢🔢🔢 pli 3 — Schéma p. 87.

Charmante cité épiscopale, Luçon, naguère port de mer, est devenue un centre commercial et agricole important, aux confins du Marais et de la Plaine.

Richelieu. — Le 21 décembre 1608, un jeune homme au visage pâle reçoit dans la cathédrale l'hommage d'une poignée de chanoines. Armand du Plessis de Richelieu, âgé de 23 ans, prend possession du « plus vilain évêché de France, le plus crotté et le plus désagréable », comme il l'écrit à une amie peu après son arrivée.
De fait, le séjour de Luçon manque pour lors d'agréments : la ville a été ruinée par les guerres de Religion et les fièvres des marais y règnent, fièvres qui obligeront le jeune évêque à se retirer de temps à autre au château de Coussay *(p. 78).* A l'évêché, déserté depuis 30 ans, il n'y a pas une cheminée en bon état.
Mais Richelieu ne se décourage pas et fait son métier avec constance, réformant son chapitre et son clergé, restaurant sa cathédrale et son palais, fondant un séminaire. Il fait également édifier la ville de Richelieu. Parallèlement, il se forme par l'étude de la théologie et de l'histoire, comme par les amitiés qu'il noue avec les Bouthillier, futurs diplomates, le père Joseph, future « Éminence grise » du cardinal en matière de politique étrangère, le cardinal de Bérulle, qui aida à la renaissance catholique au 17e s., et cet abbé de Saint-Cyran qu'il fera enfermer à Vincennes quelques lustres plus tard.

CURIOSITÉS

Cathédrale Notre-Dame. — Cette église abbatiale devint cathédrale en 1317. Outre Richelieu, le siège épiscopal compta un titulaire au nom célèbre : Nicolas Colbert, frère du ministre, évêque de 1661 à 1671.

Bâti en belle pierre calcaire aux tons chauds, l'édifice appartient en grande partie au style gothique. Cependant, le bras gauche du transept remonte à l'époque romane.

Quant à la façade principale du monument, elle a été entièrement refaite dans les dernières années du 17ᵉ s., sous la direction de François Leduc, dit Toscane *(p. 46)*. Par son équilibre et son ordonnance rigoureusement classique (ordres antiques superposés, volutes) cette façade, formant clocher-porche, contraste avec la fine flèche de style gothique rebâtie en 1828 et s'élevant à 85 m.

De lignes harmonieuses, la nef et le chœur sont gothiques. Des boiseries et un baldaquin du 18ᵉ s. ornent le chœur. Dans le bas-côté gauche est déposée une chaire dans laquelle Richelieu aurait prêché ; elle est peinte de fleurs et de fruits habilement traités. Dans le croisillon droit du transept, une Descente de croix (école florentine du 16ᵉ s.) a été restaurée par les Beaux-Arts. A la tribune, grand orgue de Cavaillé-Coll (19ᵉ s.).

Évêché. — A droite de la cathédrale, l'évêché présente une façade du 16ᵉ s. On accède au **cloître** par une porte surmontée d'un arc en accolade encadrant les armes de Louis, cardinal de Bourbon, évêque de Luçon de 1524 à 1527. Des galeries ont été élevées au 16ᵉ s. et juxtaposent des éléments gothiques et Renaissance. L'étage Ouest, ancienne bibliothèque du chapitre, est percé de baies Renaissance.

★ **Jardin Dumaine.** — Ce parc rappelle l'époque Napoléon III par ses massifs et allées d'arbres alternant avec pelouses et pièces d'eau. On découvrira tour à tour l'allée d'ifs, l'original kiosque de fer forgé voisinant avec un bassin encadré de cèdres, le mail d'acacias, la pièce d'eau et l'île avec ses roseaux et bambous, la grande pelouse avec ses plates-bandes de fleurs, son tulipier, ses palmiers, ses magnolias, ses orangers, ses citronniers en bacs et ses massifs floraux sur le thème des *Fables* de La Fontaine.

Chaque année, dans le jardin, se déroulent un concert et une « féerie lumineuse » *(voir le chapitre Principales manifestations en fin de volume).*

ENVIRONS

Mareuil-sur-Lay. — 2 207 h. (les Mareuillais). *10 km au Nord.* Carte n° 🞄🞄 pli 14. Mareuil, connue pour ses vins (« Fiefs vendéens »), est bâtie, dans un site pittoresque, au-dessus d'une boucle du Lay : du pont, vue agréable sur la localité.

Château de la Court d'Aron. — *13 km à l'Ouest.* Le **parc floral** ⊙ présente sur 10 ha des fleurs de toutes sortes dont une roseraie de 250 variétés et un lac de lotus.

Restauré au 19ᵉ s., sur les plans d'Octave de Rochebrune, érudit et graveur à l'eau-forte, le **château** ⊙ abrite de très intéressantes **collections artistiques★** . En parcourant les appartements, décorés avec goût, on admire quelques belles cheminées du 17ᵉ s., de superbes tapisseries des Flandres (*Triomphes des dieux* d'après Jules Romain, scènes de chasses et de banquets d'après Jost Amman...), le tombeau en marbre blanc de Suzanne Tiraqueau (17ᵉ s.) et plusieurs portraits. Il faut aussi signaler des vitrines d'objets préhistoriques et antiques (ceinturon de général romain), des émaux du Moyen Age et de la Renaissance, des médailles Renaissance par Laurana (Louis XI) et Spenradio (Francesco Sforza), des ivoires et os sculptés ou gravés, etc.

LUSIGNAN

2 749 h. (les Mélusins)

Carte Michelin n° 🞄🞄 pli 13 ou 🞄🞄🞄 pli 7 — Lieu de séjour.

Cette petite cité poitevine s'allonge sur la crête d'un promontoire dominant d'un côté la Vonne, qui décrit un méandre encaissé, et de l'autre un vallon au sein duquel s'est bâti le faubourg commerçant, en lisière de la route de Poitiers.

La fée Mélusine. — Ceci se passait dans des temps très anciens. Raimondin, comte du Poitou, vient de tuer accidentellement son oncle d'un coup d'épieu, alors que tous deux achevaient un sanglier furieux. Sombre, le jeune homme chemine dans la forêt de Coulombiers, près de Lusignan, lorsque tout à coup une source apparaît, la font de Sé, qui sourd au pied d'un promontoire au sommet duquel se détachent les frêles silhouettes blanches de trois dames. L'une d'elles est la fée Mélusine que Raimondin va épouser.

Bien que mariée, Mélusine conserve son pouvoir magique : le moindre coup de baguette fait surgir des palais de rêve. C'est ainsi qu'elle fonde le château de Lusignan à l'endroit où elle a rencontré Raimondin, mais aussi les forteresses de Pouzauges, Tiffauges, Mervent, Vouvant, Parthenay *(voir à ces localités)* et Château-mur. Hélas! Mélusine cache un secret. Ayant autrefois assassiné son père, elle a été condamnée à prendre, tous les samedis, l'apparence d'une femme-serpent. Nul ne devait la voir sous cette forme. Or, un beau samedi, Raimondin, poussé par la jalousie, fend d'un coup d'épée la porte de la chambre de l'enchanteresse. Stupéfait, il découvre Mélusine transformée en sirène, se baignant en peignant ses longs cheveux d'or... Alors s'envola par la fenêtre la belle Mélusine, qui se mua en serpent gigantesque et fit trois fois le tour de la ville et de la forteresse, avant de s'abattre sur la tour-poterne du château et de s'évanouir dans les airs.

CURIOSITÉS

Ruines du château. – A l'extrémité du promontoire dominant la Vonne, cette forteresse appartint d'abord aux Lusignan qui prétendaient descendre de Mélusine; des membres de cette famille régnèrent à Jérusalem et à Chypre.
Du château, il ne subsiste que les bâtiments occupés par un musée, des salles souterraines et les bases de plusieurs tours d'enceinte. A son emplacement fut plantée au 18ᵉ s. la promenade de Blossac, du nom de l'intendant qui la fit aménager. Une allée de tilleuls entourée de jardins conduit à une terrasse d'où se révèle une jolie **vue** sur la vallée de la Vonne, franchie par un viaduc long de 432 m. On admirera l'harmonie de la courbe tracée par la rivière et le contraste de tons entre des prés d'un vert clair et le manteau sombre des bois escaladant les coteaux.

Église. – Des proportions imposantes distinguent ce monument, bon spécimen d'art roman poitevin, bâti au 11ᵉ s. grâce aux Lusignan. Dans le collatéral droit, gisant gothique. Le maître-autel s'élève au-dessus d'une crypte à la triple voûte en berceau. A l'extérieur, sur le côté droit de l'édifice, un porche ajouté au 15ᵉ s. fait face à une intéressante maison de la même époque, à pans de bois et en encorbellement.

ENVIRONS

Jazeneuil. – 683 h. *6 km au Nord-Ouest.* L'église romane de ce paisible village dresse sur le bord même de la Vonne son magnifique chevet à contreforts-colonnes. Admirer aussi le grand portail sculpté en plein cintre et les modillons de la façade latérale Sud. L'intérieur, restauré, est curieux par son transept réduit au croisillon Sud, sa coupole sur trompes (comme pour l'église de Lusignan) et ses voûtes : en berceau dans la nef, en cul-de-four dans l'abside; quelques chapiteaux décorés de feuillages ou d'animaux méritent examen.

LUSSAC-LES-CHÂTEAUX
2 297 h. (les Lussacois)

Carte Michelin n° 🔲🔲 pli 15 ou 🔲🔲🔲 plis 9, 10.

A l'écart de la plaine alluviale et inondable de la Vienne, dans une région quelque peu accidentée où les sources vauclusiennes ne manquent pas, Lussac-les-Châteaux doit sa réputation non pas à son château, détruit durant les guerres de Religion, mais à son site préhistorique.

CURIOSITÉS

Musée de Préhistoire ⊙. – Installé dans une demeure du 15ᵉ s. qui passe pour être la maison natale de Mme de Montespan, il abrite un important ensemble de bifaces, racloirs, percuteurs, burins découverts dans les abris sous roche qui bordent l'étang.
Une série de vitrines est consacrée à la **grotte de la Marche,** l'un des sites majeurs du paléolithique supérieur, contemporain de ceux de la vallée de la Vézère (vers 12 500 ans). Des fouilles entreprises à partir de 1937, y livrèrent, outre plusieurs milliers d'outils en silex, en os et en bois de renne, 1 512 plaquettes et galets gravés, figurant des animaux (félins, cervidés, ours, mammouths) et des profils humains, datant du Magdalénien moyen.

Étang. – La falaise qui borde l'étang recèle les nombreuses grottes et abris sous roche occupés à l'époque préhistorique. A l'extrémité du plan d'eau, au lieu-dit l'Ermitage, se trouve un énigmatique monument appelé **Léproserie.** Il s'agit d'une construction de pierre, au toit pyramidal, comprenant trois salles voûtées communiquantes, dont les murs sont creusés de niches, à l'intérieur comme à l'extérieur. Cet étrange édifice ne semble pas antérieur au 17ᵉ s.

ENVIRONS

Civaux. – *7 km au Nord-Ouest. Description p. 60.*

Ile MADAME

Carte Michelin n° 🔲🔲🔲 pli 13 ou 🔲🔲🔲 pli 14 – Ouest de Rochefort.

Située entre le petit port de pêche de **Port-des-Barques** et l'île d'Aix, l'île Madame est reliée à la terre ferme par la Passe aux Bœufs découverte à marée basse.
Son nom serait lié à l'abbesse de l'abbaye aux Dames de Saintes qui portait le titre de « Madame de Saintes ». Sous la Révolution l'île se nomma l'île Citoyenne. A l'extrémité Sud-Est une grande **croix de galets,** à même le sol, marque l'endroit où furent ensevelis, en 1794, 275 prêtres réfractaires qui après avoir, en 1790, refusé de prêter serment à la constitution civile du clergé, moururent de maladie ou d'épuisement à bord des pontons de Rochefort *(p. 130).*

L'île aujourd'hui. – Longue de 1 km, large de 600 m, l'île n'est occupée que par une ferme et quelques maisons. De la côte Nord, défendue par un fort aujourd'hui désaffecté, on découvre de jolis points de vue sur Fouras, l'île d'Aix et ses forts, l'île d'Oléron; au Sud, s'étendent des marais salants délaissés et transformés en pâtures.
Des parcs à huîtres sont exploités tout autour de l'île et sur les bancs rocheux prolifèrent coquillages, huîtres sauvages, coques, palourdes.

Carte Michelin n° 🔲🔲🔲 pli 1 ou 🔲🔲🔲 plis 4, 5 – Schéma p. 82.

Un peu à l'écart du bourg, devant les vastes étendues mouillées du Marais poitevin, les ruines grandioses de l'abbaye de Maillezais se découpent sur le ciel.
Fondée à la fin du 10ᵉ s. par Guillaume Fier-à-Bras, comte de Poitou, sur une île calcaire battue par la mer, l'abbaye St-Pierre fut confiée aux bénédictins qui y honoraient le bras de saint Rigomer. Au 13ᵉ s., elle fut mise à sac par un Lusignan, soi-disant fils de Mélusine *(voir p. 82)*, Geoffroi la Grand-Dent, dont Rabelais fera l'ancêtre du vorace Pantagruel.
En 1317, le pape français Jean XXII fit de Maillezais un évêché, mais autorisa les moines à rester sur place. Pendant les guerres de Religion, les bâtiments furent dévastés et l'évêque de Luçon, Richelieu, fit transférer le siège épiscopal à La Rochelle.
Une **promenade en barque** ⊙ dans le Marais mouillé constitue un complément agréable à la visite de l'abbaye.

Deux humanistes. – D'origine périgourdine, **Geoffroy d'Estissac**, évêque de Maillezais entre 1518 et 1542, pratique le cumul des bénéfices : abbé de Celles-sur-Belle, de St-Liguaire près de Niort, de Cadouin en Périgord, il est aussi prieur de Ligugé, de l'Hermenault, près de Fontenay-le-Comte, et doyen de St-Hilaire de Poitiers.
Grand bâtisseur, Geoffroy remanie les établissements sous sa dépendance et entreprend la construction du château de Coulonges-sur-l'Autize dont les éléments décoratifs ont été transportés au château de Terre-Neuve à Fontenay-le-Comte.
Érudit et libéral, il accueille à Maillezais, en 1523, Rabelais expulsé de Fontenay et en fait son secrétaire. Le jeune moine passera avec lui trois ans, le suivant dans ses résidences poitevines, et, plus tard, de Rome, lui enverra les premières graines de la salade dite « romaine » qui aient poussé en France.

Agrippa d'Aubigné (1552-1630) est saintongeais. Protestant ardent, quatre fois condamné à mort pour ses opinions, ce reître, savant autant que poète, est l'auteur des *Tragiques.* Parmi les 9 264 vers que compte cette chanson de geste huguenote, il en est de célèbres, tel celui-ci :

« Une rose d'automne est plus qu'une autre exquise. »

De 1584 à 1619 d'Aubigné réside souvent, soit en son fort du Doignon, près de Maillé au Sud de Maillezais, soit à l'abbaye même où il entretient des troupes de « parpaillots » qui en fortifient les murs. C'est à Maillé que fut imprimée la première édition des *Tragiques.*

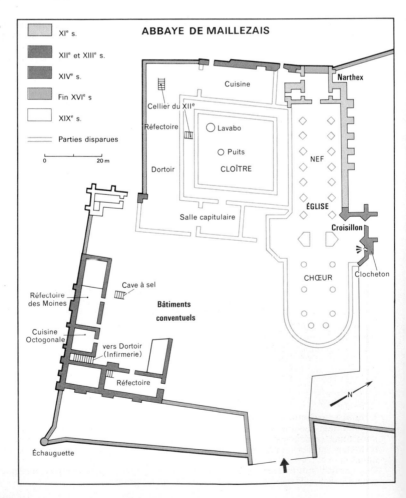

ABBAYE DE MAILLEZAIS

XIᵉ s.
XIIᵉ et XIIIᵉ s.
XIVᵉ s.
Fin XVIᵉ s
XIXᵉ s.
Parties disparues
0   20 m

Cuisine — Narthex — Cellier du XIIᵉ — Réfectoire — Lavabo — Puits — Dortoir — NEF — CLOÎTRE — ÉGLISE — Salle capitulaire — Croisillon — Cave à sel — CHŒUR — Clocheton — Réfectoire des Moines — Bâtiments conventuels — Cuisine Octogonale — vers Dortoir (Infirmerie) — Réfectoire — N — Échauguette

★ ABBAYE ⊘ *visite : 3/4 h*

Autour du monastère règne une enceinte fortifiée due à Agrippa d'Aubigné qui fit transformer l'évêché en maison forte. Face au marais, un bastion en forme de proue, surmonté d'une échauguette, flanque à gauche l'entrée de l'abbaye : dirigé vers le Sud, il servait de cadran solaire.

Église abbatiale. — Elle fut édifiée au début du 11ᵉ s. De cette époque, il subsiste le narthex et le mur du bas-côté gauche.

Le narthex était encadré de deux tours carrées suivant une disposition qui évoque la Normandie — en effet les abbatiales normandes se signalent par deux tours vigoureuses encadrant la façade; sa façade a été murée lors des travaux menés par d'Aubigné.

La nef avait été modifiée au 13ᵉ s. comme le montrent trois grandes baies en tiers-point percées dans le mur du bas-côté gauche. Les bas-côtés étaient surmontés de tribunes comme dans les abbatiales normandes.

Addition du 14ᵉ s., le transept, dont il reste une partie du croisillon gauche, appartenait au style gothique. On peut monter au sommet d'un des clochetons découronnés qui encadrent son pignon : vue sur les ruines, le bourg et le marais. Le chœur, très vaste et dont on voit encore l'emplacement, avait été rebâti au 16ᵉ s. par Geoffroy d'Estissac.

Monastère. — Il datait en majeure partie du 14ᵉ s. On a retrouvé les assises du cloître, son pavage, son puits et le lavabo des moines, un cellier du 12ᵉ s., des tombes d'abbés ou d'évêques.

Des bâtiments conventuels subsiste une aile. Il est possible de visiter : en sous-sol, la cave à sel; au rez-de-chaussée, les réfectoires et la cuisine octogonale dans laquelle sont exposés les objets trouvés au cours des fouilles (modillons, chapiteaux); à l'étage, le dortoir des hôtes (infirmerie) avec sa grande cheminée centrale.

AUTRE CURIOSITÉ

Église paroissiale St-Nicolas. — Imposant édifice roman poitevin, mais trop restauré. On remarque le portail principal *(illustration p. 28)* avec son décor de petits atlantes formant un des piédroits. A l'entrée du chœur, à gauche, Vierge du 14ᵉ s.

Le MAINE-GIRAUD

Carte Michelin n° 🎲🎲 pli 13 ou 🎲🎲🎲 pli 29 — 4 km au Nord de Blanzac.

Le modeste **manoir** ⊘ du Maine-Giraud date du 15ᵉ s. Enclavé dans les bâtiments d'une exploitation agricole, il n'a pas changé depuis le temps où le comte **Alfred de Vigny** (1797-1863) y méditait sur l'inconstance et la cruauté des hommes dans le silence de sa « tour d'ivoire », une tourelle que surmonte une girouette aux initiales AV découpées dans le métal.

Le mélancolique auteur de *Chatterton* appréciait la solitude de l'austère campagne entourant le Maine-Giraud, qu'il nommait « mon cher désert ». Après sa rupture avec Marie Dorval, il se retire à l'automne 1838, avec son épouse anglaise, Lydia, dans cette propriété dont il vient d'hériter. Là, il conçoit en une nuit *la Mort du loup*, exaltation du stoïcisme. En 1848, il se présente à la députation, en Charente, sans succès. De 1850 à 1853, il se confine de nouveau au Maine-Giraud ; il parraine une cloche de l'église de Champagne, qui porte son nom gravé sur les flancs.

En affaires, le « grand dadais », comme disait Chateaubriand, se montre moins romantique qu'en littérature. A partir de 1849, sa correspondance avec le régisseur du domaine le montre soucieux du temps, du stockage des récoltes, de la vente des eaux-de-vie. Sur place, Vigny tente d'améliorer la distillation de ses produits; il ne dédaigne pas de traiter en négociant à l'hôtel Monte-Cristo de Blanzac.

L'intérieur du manoir a été aménagé en musée.

Il est possible de visiter également les chais et la distillerie du domaine.

Le MARAIS BRETON-VENDÉEN

Carte Michelin n° 🎲🎲 plis 1, 2, 11, 12 ou 🎲🎲🎲 plis 26, 27, 38, 39.

Il s'étend de Bourgneuf à St-Gilles-Croix-de-Vie. Dans cette zone existait jadis un golfe marin dont il est possible de repérer le rivage grâce au chapelet d'îles qui le précédait. Celles-ci : Bouin, Beauvoir, Monts, Riez, formant barrage, ont été à l'origine du colmatage du golfe, Monts et Riez en se réunissant ont même constitué un cordon de dunes, appelé la Barre de Monts, qui s'allonge de Fromentine à la Vie. Au Nord des collines de Beauvoir on distingue le marais de Machecoul et l'ancienne île de Bouin séparés par l'étier du Dain. Au Sud, le marais de Monts et celui de Challans séparés par le canal du Perrier. L'ensemble couvre plus de 20 000 ha. A l'image du Marais poitevin *(voir p. 87)*, le Marais breton-vendéen a été lentement asséché au cours des siècles à l'aide de canaux et d'étiers (chenaux de marée), d'abord grâce au travail acharné des moines puis au 17ᵉ s. grâce aux techniciens hollandais.

De nos jours, ses vastes espaces dénudés dessinent un damier de prés très verts où paissent des chevaux de race vendéenne ou « postier breton », des vaches maraîchines petites et brunes et, près du littoral, des moutons de pré-salé. Les marais salants, nombreux jusqu'à ces derniers temps près de Bourgneuf et de Beauvoir, se transforment peu à peu en marais « gâts » (gâtés) et en pâtures fermées par de typiques barrières à contrepoids; certains sont aménagés pour l'élevage du poisson (mulets, anguilles...).

Sur les « mottes » se détachent, isolées, des maisons basses, les **« bourrines »**, *(illustration p. 15)*. Villages et moulins cylindriques se groupent sur des buttes plus importantes, en général d'anciennes îles. Sur les canaux, où barbotent d'innombrables canards, le maraîchin circulait en **yole**, à l'aide de sa ningle, perche dont il se servait aussi pour sauter les fossés.

Lors des grandes foires se déroulait dans le Marais la curieuse coutume du maraîchinage *(p. 15)*.

VILLES ET CURIOSITÉS

La Barre-de-Monts. – 1 727 h. *Dans La Barre-de-Monts, suivre le fléchage à partir de l'église, franchir le canal de la Taillée, puis tourner à droite.* Musée en plein air installé dans la métairie du Daviaud, datant de la fin du 19ᵉ s., le **Centre de découverte du Marais breton-vendéen** Ⓥ présente une synthèse de l'architecture locale et des activités maraîches traditionnelles. Il permet de pénétrer un monde marqué par l'isolement et des conditions d'existence difficiles.

Dans une bourrine, une maquette animée décrit les différents types de constructions, et l'organisation de l'espace d'une ferme maraîchine ; une salorge, ancien grenier à sel, située à proximité d'un marais salant, abrite une exposition consacrée à la récolte du sel ; dans une grange-étable, bâtiment bas en torchis chaulé au toit couvert de roseaux, est installé l'**écomusée** qui présente le milieu naturel (géomorphologie, faune, flore, diaporama sur les oiseaux migrateurs). Un peu plus loin, la reconstitution d'un intérieur maraîchin du début du siècle évoque la rigueur et la simplicité des vies d'autrefois.

Le centre propose également la pratique d'activités spécifiques au Marais : ningle (perche destinée à franchir les étiers) ou yole (barque à fond plat).

Bois-de-Céné. – 1 232 h. L'**abbaye de l'Ile-Chauvet** *(à 4 km au Sud-Ouest par la D 28)* fut fondée vers 1130 par des moines bénédictins que fit venir le seigneur de La Garnache. Le site n'était alors qu'une île. La guerre de Cent Ans endommagea l'abbaye que les moines finirent par abandonner en 1588, pendant les guerres de Religion. En 1680, l'abbaye reprit vie avec l'arrivée des Camaldules qui y restèrent jusqu'en 1778, mais la Révolution acheva sa ruine.

Dans les vestiges de l'abbatiale, on admire un beau portail à arc brisé orné de cinq voussures et d'entrelacs. Des bâtiments abbatiaux des Camaldules, il ne subsiste rien. Dans l'aile où résidaient les bénédictins, on visite le dortoir, couvert d'une remarquable charpente du 13ᵉ s. À côté, s'élevait l'hospice des pèlerins.

Challans. – 14 203 h. *Plan dans le guide Rouge Michelin France.* Important centre agricole où se tient un pittoresque marché aux canards hebdomadaire – le canard challandais est improprement appelé canard nantais.

Châteauneuf. – 520 h. Depuis 1703, date de sa construction à l'emplacement d'un moulin en bois, le **Petit Moulin** Ⓥ n'a pratiquement jamais cessé de moudre les céréales. Restauré, il possède une toiture tournante orientable de l'intérieur et des ailes équipées d'une voilure de planches, selon le système Berton, inventé au 19ᵉ s.

La Garnache. – 3 379 h. Érigé au 12ᵉ s., le **château** Ⓥ, longtemps dissimulé par un épais couvert végétal, comprenait à l'origine une enceinte fortifiée de tours et de courtines protégées par des douves. Remanié au 13ᵉ et au 15ᵉ s., il fut en partie rasé en 1622 sur ordre de Louis XIII, puis ruiné durant les guerres de Vendée. Il conserve d'importants vestiges de ses remparts dominés par deux tours éventrées, et la base d'un donjon carré. A l'intérieur de ce dernier, on peut voir des maquettes de la « motte » féodale et du château tel qu'il se présentait au 17ᵉ s. Dans le jardin, des panneaux relatent l'histoire du château.

Dans le **musée Passé et Traditions** Ⓥ *(route de St-Christophe-du-Ligneron)*, est recréé un intérieur paysan, avec sa pièce commune et sa « belle chambre », réservée aux visiteurs de marque. Collection de coiffes et de costumes, reconstitution d'une laiterie, instruments agricoles.

Notre-Dame-de-Monts. – 1 333 h. Lieu de séjour. Un ascenseur installé dans le **château d'eau** Ⓥ *(4 km à l'Est)* permet d'accéder à une **salle panoramique** et à une vaste terrasse d'où l'on découvre, à 70 m au-dessus du niveau de la mer, une vue très étendue : à l'Est le marais qui s'étend jusqu'aux confins du bocage à proximité de Challans, au Nord la baie de Bourgneuf et par temps clair le pont de Noirmoutier, au Sud le cordon forestier de la Côte de Monts.

Pont d'Yeu. – Au Sud de N.-D.-de-Monts, à la plage du Pont d'Yeu, la mer découvre, lors des grandes marées, à la grande satisfaction des pêcheurs de coquillages, une étrange chaussée rocailleuse, longue d'environ 3 km. On pense qu'il s'agit des vestiges d'un isthme qui reliait l'île d'Yeu au continent pendant le quaternaire. La légende, elle, en attribue la construction à saint Martin. Le diable aurait proposé au saint qui s'apprêtait à évangéliser l'île d'Yeu de lui construire une chaussée, à condition que l'âme du premier chrétien qui passerait lui appartienne. Le saint accepte, pourvu que les travaux soient terminés avant le chant du coq. Le diable a l'idée d'enivrer le coq, pour en retarder le chant, ce qui a l'effet contraire : le coq se met à chanter en pleine nuit. Le diable prend aussitôt la fuite, laissant la chaussée inachevée.

Port du Bec. – Dans la baie de Bourgneuf, peuplée de parcs à huîtres depuis les années 50 et au Sud des polders de Bouin où se développe l'aquaculture, ce petit port, situé sur l'étier (chenal) du Dain, accueille les bateaux des ostréiculteurs. C'est à marée basse, lorsque se dégage la forêt de pilotis qui soutiennent les passerelles d'accès aux quais, que le Port du Bec mérite le mieux son surnom de « port chinois ».

St-Hilaire-de-Riez et **St-Gilles-Croix-de-Vie.** – *Page 151.*

St-Jean-de-Monts. — *Page 153.*

Sallertaine. — 2 245 h. Au 11ᵉ s., c'était encore une île, lorsque des moines venus de Marmoutier près de Tours y fondèrent un prieuré et édifièrent une église romane à coupole. René Bazin a situé près de Sallertaine son émouvant roman *la Terre qui meurt*. Construit au 16ᵉ s., le **moulin de Rairé** ⊙ *(à 3 km)* n'a jamais cessé de tourner. Il est pourvu d'une toiture tournante manœuvrable de l'intérieur et d'ailes à voilure en bois (système Berton).

On visite aux environs *(à 3 km à l'Ouest du moulin, au-delà de la D 59)* la **« bourrine à Rosalie »** ⊙, maison à toit de roseaux typique du marais, composée d'une pièce commune au lit surélevé (pour parer aux inondations), d'une laiterie et d'une « belle chambre » où l'on recevait les hôtes de marque.

Soullans. — 3 045 h. *Prendre vers St-Hilaire-de-Riez, puis tourner à gauche après 3 km.* Le **musée Milcendeau-Jean-Yole** ⊙ évoque l'œuvre de deux personnalités enracinées dans le Marais breton-vendéen, le peintre Charles Milcendeau et l'écrivain Jean Yole. Dissimulé derrière un rideau d'arbres, le musée est installé dans la maison que Milcendeau acquit en 1905. Élève de Gustave Moreau, dessinateur, puis pastelliste, cet artiste influencé par l'Espagne, comme en témoigne la décoration mozarabe de son atelier, puisa l'essentiel de son inspiration dans la vie quotidienne des maraîchins, portraits et scènes d'intérieur conférant à son œuvre un caractère presque ethnologique. L'ensemble est complété par un montage audio-visuel.

Né lui aussi à Soullans, Léopold Robert (1878-1956), dit Jean Yole, médecin et sénateur de Vendée, fut l'auteur de romans et d'essais consacrés à la crise du monde paysan.

★ Le MARAIS POITEVIN

Carte Michelin n° **71** plis 1, 2, 11, 12 ou **233** plis 2 à 5.

Le Marais poitevin, partie du Parc naturel régional du Marais poitevin, Val de Sèvre et Vendée *(p. 10),* offre des ciels immenses et lumineux, des prés bordés de peupliers et de saules, d'innombrables bras d'eau sur lesquels glissent les barques noires des maraîchins.

Le golfe du Poitou et ses îles. — La baie de l'Aiguillon, anse vaseuse en voie de colmatage *(voir p. 12),* est le témoin des temps historiques de ce vaste golfe marin qui, au début, s'étendait entre la plaine calcaire au Nord et les collines de l'Aunis. S'allongeant jusqu'à Niort, le golfe était parsemé d'îles calcaires comme celles d'Elle, de Marans, Champagné, St-Michel-en-l'Herm, Maillezais... Son rivage, que les falaises mortes permettent encore de reconnaître, était jalonné par Moricq, Luçon, Velluire, Fontaines, Benet au Nord, et Mauzé, Nuaillé, Esnandes au Sud.

L'épopée du marais. — Petit à petit les rivières Lay, Vendée, Autise, Sèvre Niortaise accumulent les alluvions et les courants marins amassent une vase argileuse, nommée **« bri »**. Au golfe marin succède le marais.

Marais poitevin. — Passage des vaches.

Les moines interviennent dès le 11ᵉ s., aménageant écluses, pêcheries, moulins, créant cultures et pacages. Au 13ᵉ s., les titulaires des abbayes de Nieul, St-Michel-en-l'Herm, Maillezais, l'Absie, St-Maixent creusent le canal des Cinq-Abbés qui draine le marécage au Nord ; de son côté, Philippe le Hardi fait établir l'Achenal-le-Roi. Interrompus par les guerres, les travaux sont repris sous Henri IV : un ingénieur venu de Berg-op-Zoom crée la Ceinture des Hollandais. Par la suite, la Levée des Limousins, la Digue de 1771, le Village de l'An VII témoignent de la colonisation progressive du marais. En bordure de la baie de l'Aiguillon, des polders ont été conquis sur la mer à l'abri de digues, du 16ᵉ au 19ᵉ s.

Dans la baie qui s'envase lentement, on élève des moules, sur des « bouchots » : Esnandes et Charron sont les deux centres de cet élevage.

Le marais d'aujourd'hui. — Situé de part et d'autre de la Sèvre Niortaise, il s'étend sur environ 80 000 ha.

Sa structure est faite de digues ou **« bots »** dont la crête est empruntée par les routes. A leur pied, les fossés principaux, dits **« contrebots »**, refluent en période de crue dans les « achenaux » qui se déversent eux-mêmes dans les **« rigoles »** puis dans les **« conches »** (délimitées par des petits arbres). Entre ces canaux, s'étendent des pièces de terre très fertiles (pâturages et cultures).

Le marais se divise d'une part en Marais mouillé vers l'intérieur, limité au Nord par la plaine calcaire de Vendée et au Sud par les coteaux calcaires de l'Aunis, d'autre part en Marais desséché près de l'océan. Le **Marais mouillé**, d'environ 15 000 ha, qu'on a surnommé la **Venise verte**, est le plus pittoresque, particulièrement à l'Est de l'Autise, de part et d'autre de la Sèvre.

Le MARAIS POITEVIN

Une bonne partie du marais est encore inexplorée. Les peupliers de l'espèce « blanc du Poitou », les frênes élevés, les saules, les aulnes croissent à foison le long du labyrinthe des chemins d'eau enserrant de gras herbages où paissent les vaches de race maraîchine, frisonne ou normande. Les parcelles en culture portent d'abondantes récoltes d'artichauts, oignons, aulx, melons, courgettes, fèves et ces délicieux haricots (le plus souvent blancs) nommés «**mojettes**». En 1983 une terrible tempête a détruit quelque 90 000 arbres. Le **Marais desséché** se compose d'étendues découvertes que coupent digues et canaux. Noire, la terre de bri demande de l'engrais mais produit du blé, de l'orge, des fèves, des haricots, tandis que les pacages sont dévolus aux bovins et aux moutons de pré-salé. Les exploitations sont plus vastes que dans le Marais mouillé.

Les maraîchins. – Graves et réfléchis, les maraîchins habitent des maisons basses, blanchies à la chaux et groupées en villages sur des îlots ou des digues, à l'abri des inondations. Chacun dispose aussi d'une cabane isolée. La plupart des maisons possèdent, au bord de l'eau, leur « cale », crique miniature où viennent s'amarrer les barques. Celles-ci constituent le moyen de transport habituel. On les manœuvre avec une gaffe, la «**pigouille**», ou avec une rame courte nommée « pelle ». Légères et effilées, les « yoles » servaient à aller au marché, à la messe, ou à conduire les enfants à l'école; larges et massives, les «**plates**», utilisées pour le transport des récoltes ou du bétail, conviennent aussi au halage des billes de peupliers que, par flottage, on dirige vers les usines de contreplaqué de Niort et de St-Hilaire-la-Palud.

Le maraîchin livre son lait à des coopératives qui fabriquent un beurre renommé, restituant le petit-lait pour l'engraissement des porcs. Il traque le mulet, la perche, la carpe, le gardon, l'écrevisse ainsi que l'anguille *(p. 10)*. La chasse au gibier d'eau (canard, pluvier, bécassine) est pratiquée en hiver.

★★ PROMENADE EN BARQUE

Si un parcours en voiture permet de saisir le contraste entre le Marais mouillé, fouillis d'arbres donnant l'illusion d'une immense forêt, et le Marais desséché, immense étendue plate, la seule façon de découvrir le Marais mouillé, d'en apprécier son originalité, son silence et sa poésie est de faire une promenade en barque. La barque glisse lentement sur les miroirs d'eau que forment « conches » et « rigoles », couvertes en été d'une épaisse voûte de feuillage, tamisant la lumière et lui donnant des reflets verts ou glauques.

Outre Coulon, principal centre touristique du Marais, de nombreuses localités proposent des **promenades en barque** ⊘ *(voir carte ci-contre)*, avec ou sans guide. Il est également possible de participer à des **croisières** ⊘ sur la Sèvre Niortaise. Par ailleurs, une promenade en minibus ou en petit train *(voir à Coulon)*, à travers les chemins de terre du Marais, en facilite aussi la découverte.

VILLES ET CURIOSITÉS

Digue et pointe de l'Aiguillon. – Créée par des ingénieurs hollandais, la digue porte, sur 6 km, une route que protège un brise-lames; on distingue à gauche l'ancien îlot de la Dive, dont la falaise a été entaillée par les flots. Des plages bordées de dunes se succèdent.
Gagner l'extrémité de la pointe de l'Aiguillon, cordon littoral qui se prolonge jusqu'au cœur des eaux grises et des vases de l'anse de l'Aiguillon (réserve de chasse maritime). La **vue★**, très dégagée, porte, de droite à gauche, sur l'embouchure du Lay et la pointe d'Arçay, l'île de Ré et le port de La Pallice. Les alignements de bouchots à moules apparaissent seulement à marée basse.

L'Aiguillon-sur-Mer. – 2 175 h. (les Aiguillonnais). Sur l'estuaire du Lay qu'un cordon de dunes (réserves nationale de chasse de la pointe d'Arçay) sépare de l'océan, les maisons basses de l'Aiguillon s'alignent dans un paysage dépouillé, sous un ciel immense qui est déjà celui de l'Aunis.
Leurs habitants partagent leurs activités entre la culture florale, la pêche côtière, l'élevage des huîtres et des moules.

Angles. – 1 314 h. Ancienne abbatiale dont le pignon porte un gros ours qui, d'après la légende, aurait été changé en pierre par un ermite du nom de Martin. A l'intérieur, le chœur et le transept sont romans, tandis que la nef appartient au style Plantagenêt.

Benet. – 3 224 h. (les Bénétins). Un clocher carré du 15ᵉ s. signale l'église dont la façade romane a pâti de l'adjonction d'un porche gothique. On remarquera, aux arcades latérales, le cavalier habituel aux édifices poitevins et un personnage portant une balance, puis la voussure historiée de la baie centrale, enfin les deux saints, plus au-dessus des contreforts.

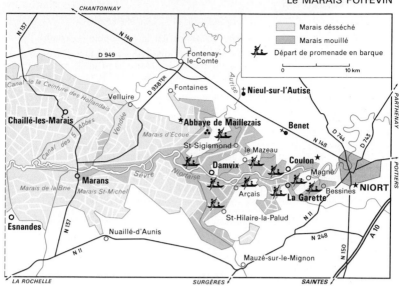

Chaillé-les-Marais. — 1 553 h. De la N 137 se découvre une vue originale sur cette ancienne île du golfe du Poitou. Fixé à une butte calcaire, Chaillé domine la plaine jadis immergée. C'est le centre du Marais desséché du Petit Poitou, le premier de cette province à avoir été asséché.

La **maison du Petit Poitou** ⊘ *(route de Luçon)* permet de se documenter sur l'assèchement du marais, sa faune et sa flore, les activités de ses habitants. Film vidéo. A l'extérieur, on peut voir les animaux traditionnels du marais : le baudet du Poitou, la chèvre poitevine et la vache maraîchine.

★ **Coulon.** — *Page 68.*

Damvix. — 673 h. Bien situé sur la Sèvre Niortaise, ce petit village de maraîchins présente un alignement de maisons basses caractéristiques et des petites passerelles franchissant les étroits canaux.

Esnandes. — *Page 69.*

La Faute-sur-Mer. — 885 h. Lieu de séjour. Sise sur la Côte de Lumière, c'est une station balnéaire familiale, pourvue d'une longue plage de sable fin et d'un casino.

Le **parc de Californie**★ ⊘ *(route de La Tranche),* qui a pris le nom d'un lieu-dit, rassemble sur 4 ha, dans un cadre verdoyant et fleuri, plus de 300 variétés d'oiseaux dont quelques rapaces qu'on peut voir évoluer en vol libre, en saison.

La Garette. — Cet ancien hameau de bateliers sur la Vieille Sèvre est typique par l'alignement de ses maisons offrant un double accès, d'une part sur une « conche », d'autre part sur la route. Du pont, vue sur la Vieille Sèvre et ses quais.

★ **Maillezais.** — *Page 84.*

Marans. — 4 170 h. Marché du Marais desséché, notamment pour les grains (silos), Marans, connue autrefois pour ses faïences, entretient quelques industries, laboratoires pharmaceutiques, chantier naval, produits congelés.
Jadis très important et vanté par Henri IV dans une lettre à la Belle Corisande (Diane d'Andoins), le port est relié à l'océan par un canal. Une écluse maintient le niveau d'eau du bassin à flot où stationnent quelques caboteurs et plaisanciers.

Moricq. — Aujourd'hui isolée au milieu d'un pré, une grosse tour carrée fortifiée, du 15e s., défendait un petit port sur le Lay.

Nieul-sur-l'Autise. — *Page 97.*

★ **Niort.** — *Page 97.*

St-Denis-du-Payré. — 387 h. La **réserve naturelle Michel Brosselin** ⊘ *(à 2 km à l'Est)* couvre 207 ha de marais que fréquentent de nombreux oiseaux, soit qu'ils viennent nicher, soit qu'ils fassent étape au cours de leur migration. Dans le **centre d'accueil** est présenté un diaporama sur les oiseaux qu'on peut voir évoluer depuis l'**observatoire** voisin, équipé de longues-vues.

St-Michel-en-l'Herm. — *Page 156.*

La Tranche-sur-Mer. — 2 065 h. (les Tranchais). Lieu de séjour. Cette station balnéaire est pourvue d'une spacieuse plage de sable fin *(13 km)* et d'une pinède de 600 ha.
Sur 5 ha, le plan d'eau du Maupas permet l'initiation à de nombreux sports nautiques (planche à voile, funboard, dériveur, etc.).
Depuis 1953 a été introduite, avec grand succès, la culture de la tulipe. Les **Floralies tranchaises** ⊘ sont organisées dans un parc ombragé de 7 ha.
Des **croisières** ⊘ ont lieu en saison au départ de La Tranche.

MARENNES

4 634 h. (les Marennais)

Carte Michelin n° **171** pli 14 ou **233** pli 14 — Lieu de séjour.

Jadis île du golfe de Saintonge, Marennes est la métropole de l'huître.

La « Marennes-Oléron ». — C'est le nom qu'on donne aux huîtres à chair verte, engraissées dans les « claires » du bassin de Marennes-Oléron, qui comprend l'embouchure de la Seudre *(p. 167)*, la côte au Nord de Marennes et la côte Est d'Oléron.

La croissance de l'huître *(p. 17)* s'effectue dans des parcs mais c'est seulement dans cette région que l'huître adulte, placée dans des bassins nommés **« claires »**, engraisse, s'affine et subit les effets d'une algue microscopique, la « navicule bleue », qui lui donne sa couleur verte et son parfum délicat.

Trois gloires de Marennes. — Sur la place Chasseloup-Laubat, centre de Marennes, s'élève la statue de **Justin de Chasseloup-Laubat** (1805-1873), ministre de la Marine sous Napoléon III.

François Fresneau (1703-1770), officier du Génie né et mort à Marennes, étudia le caoutchouc de l'hévéa en Guyane et posa les bases de son utilisation industrielle; une rue porte son nom et une inscription sur la façade de la sous-préfecture lui rend hommage.

Le sous-préfet La Terme organisa au 19e s. l'assainissement du Marais saintongeais; une rue lui est dédiée.

CURIOSITÉS

Vidéorama de l'huître ⊘ — *Dans les locaux du syndicat d'initiative.* Intéressante projection ayant trait au bassin de Marennes-Oléron : histoire de l'ostréiculture, activité des ostréiculteurs.

Église St-Pierre-de-Sales. — De type anglais, sa haute tour carrée du 15e s., soutenue par des contreforts d'angle et terminée par une flèche à crochets culminant à 85 m, se voit de très loin : elle servait d'amer pour la navigation.

L'intérieur présente une large nef bordée de chapelles surmontées de tribunes à balustres. Les travées sont voûtées en ogive à huit branches.

De la **terrasse de la tour** ⊘, à 55 m *(291 marches),* on découvre un **panorama★** très caractéristique sur le marais, les huîtrières, la presqu'île d'Arvert et les îles.

Château de la Gataudière ⊘. — *1,5 km au Nord.* François Fresneau le fit élever dans le style Louis XIV vers 1749, sur l'emplacement d'une demeure médiévale, au cœur d'anciens marais, les gataudières. Côté parc, la façade est bordée d'une longue terrasse à balustrade en fer forgé. Un fronton à l'antique orné d'un Triomphe de Flore domine le pavillon central décoré de trophées symbolisant les ressources agricoles de la région : viticulture, saliculture et ostréiculture.

A l'intérieur, l'étage noble présente un remarquable salon aux murs de pierre ouvragés de pilastres cannelés d'ordre corinthien représentant les Arts et les Sciences, ainsi que les Quatre saisons. Le salon bleu et la salle à manger renferment un mobilier Louis XV.

Dans la cour, un bâtiment abrite une exposition de véhicules hippomobiles.

ENVIRONS

★ **Brouage.** — *6,5 km au Nord-Est. Description p. 49.*

Bourcefranc-le-Chapus. — *2 851 h. 6 km au Nord-Ouest.*

Bourcefranc. — Agglomération de coquettes maisons, neuves ou rénovées, et centre ostréicole renommé. Au bord des chenaux, remplis d'embarcations, s'alignent les magasins et bassins d'expédition (« dégorgeoirs ») des ostréiculteurs.

Bourcefranc est doté d'un Lycée agricole et maritime.

Le Chapus. — A 500 m environ du rivage se découpe le fort du Chapus, également appelé **fort Louvois** ⊘, et qui date du 17e s. Chaque année, exposition ostréicole dans le fort. On y arrive à marée basse par une chaussée tracée entre les huîtrières et les viviers à poissons. A marée haute, la liaison est assurée par bateau. De l'ancien embarcadère du bac d'Oléron, s'offre une belle **vue★** en avant sur le pont et l'île d'Oléron, au Nord sur le phare de la tour de Juliard et l'île d'Aix, au Sud sur la côte de Ronce-les-Bains.

MELLE

4 003 h. (les Mellois)

Carte Michelin n° **72** Nord-Est du pli 2 ou **233** plis 17, 18.

C'est en arrivant par la route de St-Jean-d'Angély que l'on apprécie le mieux le site de Melle, établie à l'angle d'un vallon et de la barrière de verdure que forme l'étroite vallée de la Béronne.

Melle doit son existence au plomb argentifère, exploité dans les collines de St-Hilaire, sur la rive droite de la Béronne, qui alimentait au Moyen Age un atelier monétaire. Acquise à la Réforme, la ville connut une certaine prospérité avec son collège, datant de 1623.

Avant la motorisation des campagnes, Melle était un centre réputé d'élevage d'ânes, les fameux « baudets du Poitou » *(voir p. 69).*

Melle a la particularité de posséder trois églises romanes : deux d'entre elles, qui appartenaient à des monastères bénédictins, accueillaient les pèlerins sur la route de St-Jacques-de-Compostelle *(voir p. 30).*

CURIOSITÉS

★ **Église St-Hilaire.** — Bâtie dans le style roman poitevin le plus pur, elle dépendait de l'abbaye bénédictine de St-Jean-d'Angély. La sobriété de son chevet et de sa façade flanquée de clochetons coniques est très harmonieuse.

Au-dessus du portail latéral gauche, chevauche un **« cavalier »** célèbre dans l'histoire de l'art par les controverses qu'il a soulevées. Dans ce personnage couronné dont le cheval foule aux pieds une petite figure assise, vêtue d'une longue robe, on a cru reconnaître Charlemagne, ou le Christ écrasant l'Ancienne Loi, ou bien l'empereur Constantin triomphant du paganisme.

Au chevet *(illustration p. 29),* trois absidioles rayonnantes, à contreforts-colonnes et modillons sculptés, se greffent sur un déambulatoire

Le cavalier de Melle.

accolé au transept, ce dernier lui-même pourvu de deux chapelles orientées et supportant une tour de croisée (le clocher).

Intérieur. — L'envergure des trois nefs et du déambulatoire indique que l'édifice devait être un sanctuaire de pèlerinage. Des piliers de section quadrilobée soutiennent la voûte en berceau brisé. Admirer les chapiteaux sculptés : le 3e à droite en entrant par la façade principale montre une chasse au sanglier. Dans le bas-côté droit, on verra un portail décoré intérieurement, ce qui est très rare : à l'archivolte, le Christ et les saints qui l'accompagnent terrassent des animaux fantastiques symbolisant les forces du mal.

Au fond du bas-côté droit, un appareil diffuse de la musique rituelle ou sacrée du monde entier (plus de 500 morceaux).

Église St-Pierre. — Elle appartenait à un prieuré bénédictin dépendant de l'abbaye de St-Maixent. De style roman poitevin, elle s'élève sur le bord de la colline dominant la Béronne. Le portail latéral et le chevet sont remarquables par leur ornementation sculptée. Au-dessus du portail Sud court une corniche soutenue par des modillons historiés (symboles des évangélistes) entre lesquels sont sculptés les signes du zodiaque; une niche abritant le Christ en majesté surmonte cette corniche.

Au chevet, remarquer la décoration des baies, les savoureux modillons de l'absidiole centrale et, couronnant un contrefort-colonne, un chapiteau figurant deux paons, symboles d'immortalité.

Intérieur. — Les trois nefs sont voûtées en berceau brisé; le chapiteau du 3e pilier à gauche évoque la Mise au tombeau du Christ.

Ancienne église St-Savinien. — Du 12e s., cette église, désaffectée en 1801, a longtemps servi de prison. De nos

Abreuvoir (R. de l')	2	Guillotière (R.)	13
Bujault (Pl.)	3	Huileries (R. des)	15
Champs (r. des)	5	Jules-Ferry (R.)	16
Croix-Paillère (R.)	6	Pont-St-Hilaire (R. du)	17
Fossés (R. des)	8	St-Jean (R.)	18
Grand-Rue	9	Treille (R. de la)	19
Gour (R. de la)	12	3-Marchands (R. des)	20

jours, elle sert de cadre à des expositions et au **festival de musique** *(voir le chapitre des Principales manifestations).* Elle présente un portail au linteau en bâtière, fait rare en Poitou; on distingue sur ce linteau un Christ auréolé, debout entre deux lions.

Mines d'argent des Rois francs ⊙. — Le sol calcaire de Melle recèle des géodes, sortes de poches où s'est cristallée la galène argentifère qui contient du plomb et un faible pourcentage d'argent (environ 3 %). Dès le 5e s., on exploite ce minerai et, sous Charlemagne, un atelier monétaire destiné à frapper les monnaies royales en argent est installé à Melle. Au 10e s., l'atelier est transféré et la mine, désaffectée, tombe dans l'oubli jusqu'au 19e s.

On a dégagé 350 m de galeries de leurs gravats pour les rendre accessibles aux visiteurs. Au cours de la promenade souterraine, on peut voir les traces d'oxydation créées par les feux qui permettaient de faire éclater la roche, les cheminées d'aération, un petit lac et quelques concrétions. Un montage sonore restitue l'ambiance de la mine.

À l'extérieur, dans le **jardin carolingien,** sont cultivées des plantes consommées ou utilisées à l'époque de l'exploitation de la mine.

Chemin de la Découverte - Arboretum. — Empruntant des tronçons d'une voie ferrée désaffectée, ce chemin, réservé aux piétons, ceinture, sur 5 km, la presque totalité de la ville ancienne. Les zones de végétation naturelle y alternent avec les sections plantées d'arbres et d'arbustes d'espèces étrangères (au nombre de 650) qu'un étiquetage permet d'identifier (voir notamment le **Bosquet d'écorces,** au Nord de l'église St-Hilaire).

ENVIRONS

Chef-Boutonne. – 2 288 h. *16 km au Sud-Est par D 948 et la D 737.* Le nom de ce bourg, signifiant « Tête de la Boutonne », est dû au fait que la Boutonne prend sa source à proximité. Dans le faubourg de Javarzay, l'église, ancien prieuré bénédictin, date des 12ᵉ et 16ᵉ s. A côté se remarquent quelques vestiges de l'ancien **château** des Rochechouart, édifié vers 1515. De sa grande enceinte, jadis jalonnée de douze tours, il subsiste un gracieux châtelet d'entrée, flanqué de tourelles et percé de fenêtres à décor Renaissance, ainsi qu'une tour ronde à mâchicoulis. La chapelle, construite dans le style gothique, s'ouvre par une porte Renaissance.

Pers. – *20 km à l'Est.* 78 h. Dans le cimetière jouxtant l'église romane, une **lanterne des morts** d'une élégante sobriété (13ᵉ s.) dresse son fût de pierre flanqué de quatre colonnettes, dont les angles se terminent par des chapiteaux, supportant un lanternon surmonté d'une croix. Au-dessous du toit pyramidal, quatre fenêtres en plein cintre indiquent l'espace où brûlait une lampe à huile lors des cérémonies funéraires. A l'Est de la lanterne, se trouve un ensemble de cinq sarcophages, probablement des 11ᵉ et 12ᵉ s., certains ornés de rosaces sculptées.

★ Forêt de MERVENT-VOUVANT

Cartes Michelin n° **67** pli 16 et n° **171** pli 1 ou **233** plis 4, 5.

Située à la jonction du bocage et de la plaine vendéens, la forêt domaniale de Mervent-Vouvant couvre, sur 5 000 ha, un plateau granitique revêtu de sable et d'argiles et entrecoupé de vallées encaissées (la Vendée, son affluent la Mère et le ruisseau des Verreries) qu'occupe, depuis 1956, un lac de retenue de 130 ha créé par la construction de quatre barrages.
Des fouilles ont permis de mettre au jour des restes de fours à verre de l'époque gallo-romaine, montrant ainsi l'existence d'une habitation déjà ancienne.
Au 12ᵉ s., la forêt appartenait aux Lusignan, propriétaires à la fois du château de Mervent et de celui de Vouvant.
Rattachée au domaine royal en 1674, la forêt est donnée en apanage au comte d'Artois en 1778. La Révolution en fait une propriété d'État.
Sombres et profondes, les futaies de chênes et de résineux donnaient asile jadis à des loups. Elles abritent encore cerfs, chevreuils et sangliers.
Les promeneurs y trouveront de nombreux sentiers pédestres aménagés, ainsi que des circuits équestres.

DE FONTENAY-LE-COMTE A VOUVANT

35 km – environ 5 h – schéma ci-dessous

Fontenay-le-Comte. – *Page 71.*

★**Barrage de Mervent.** – *Accès par une route à sens unique.* Annoncé par une sculpture en pierre représentant une sirène, œuvre des frères Martel, ce barrage de 130 m de long sur la Vendée a déterminé une retenue de 8 500 000 m³, alimentant en eau les communes de la moitié Sud du département et quelques-unes des départements voisins. Ses ramifications se développent en amont entre les pentes boisées, faisant un effet très pittoresque.
En contrebas est installée l'usine de traitement des eaux et de production électrique.

Parc zoologique du Gros Roc ⊘. – Aménagé sur les coteaux dominant la Vendée, ce domaine de 5 ha, planté de nombreuses essences d'arbres, héberge une grande variété d'animaux des cinq continents.

Parc ornithologique de Pagnolle ⊘. – Ce parc rassemble, dans un grand espace abondamment fleuri, plus de 1 000 animaux dont quelque 260 variétés d'oiseaux, allant des petites espèces exotiques à l'autruche.

Foussais-Payré. – *Page 74.*

La Jamonière. – Le **musée des Amis de la Forêt** ⊘ permet de se documenter sur la forêt de Mervent-Vouvant, sur sa faune et sur les anciennes activités forestières (film vidéo).

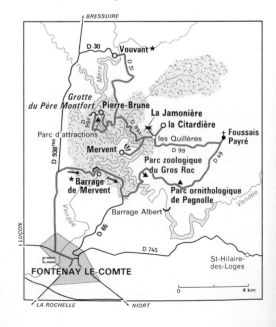

Château de la Citardière. – En partie masqué par de vieux arbres, la Citardière mire sa façade du 17ᵉ s. dans de larges douves. Dans le château est installé un restaurant.

Mervent. – 1 023 h. Lieu de séjour. Perché sur un éperon rocheux au fin fond de la forêt *(à l'emplacement de la mairie)*, le château fut au Moyen Age le repaire des Lusignan; il n'en reste rien. Du parc de la mairie *(près de la place de l'église)*, on découvre une belle **vue★** en contrebas sur la retenue du barrage de Mervent (plage aménagée à l'Est : baignade, pédalos).

Grotte du Père Montfort. – Louis-Marie Grignion de Montfort *(voir p. 154)* se réfugia vers 1715 dans la forêt pour y méditer au cours d'une mission de conversion de protestants : la caverne où il trouva asile est devenue l'objet d'un pèlerinage. Le D 99ᴬ mène à un calvaire où l'on quitte la voiture. Juste derrière la croix s'amorce le sentier qui dévale vers la grotte. Celle-ci s'ouvre à flanc de vallée au-dessus de la Mère. De là on descend à la Maison du curé, où s'était retiré un ecclésiastique. On peut alors revenir directement au calvaire ou gagner à pied *(1/4 h)* le site de Pierre-Brune, en prenant à droite le chemin qui suit la rive droite de la Mère.

Pierre-Brune. – Près d'un petit barrage, et face à un abrupt rocheux, ce site comprend un hôtel, des restaurants et un **parc d'attractions** ⊘ où circule un petit train appelé le Tortillard.

★**Vouvant.** – *Page 173.*

★ MESCHERS-SUR-GIRONDE   1 862 h. (les Michelais)

Carte Michelin nº ▨▨▨ pli 15 ou ▨▨▨ plis 25, 26 – Lieu de séjour.

Criblées de cavernes, les blanches falaises crayeuses de Meschers (prononcer Mèché), le long desquelles s'alignent une multitude de carrelets, sont baignées par les eaux de la Gironde.

PLAGES ET FALAISES *visite : 1 h*

Plage des Nonnes. – Plage principale de Meschers, c'est une belle anse ourlée de sable fin qui dessine une courbe harmonieuse entre deux falaises et en avant d'un bois de chênes verts.
En direction de la pointe de Suzac, au Nord, se succèdent trois autres vastes plages encadrées de rochers : la plage des Vergnes, celle de l'Arnèche et celle de Suzac.

Boulevard de la Corniche. – Il offre de belles vues sur l'estuaire.

Les grottes. – Creusées par l'érosion, incrustées de coquillages fossiles, elles ont été habitées dès la fin de la préhistoire. Progressivement agrandies, elles abritèrent ensuite pirates, contrebandiers, protestants traqués pendant les guerres de Religion et pêcheurs. Chacune d'elles possédait un foyer et une petite source filtrant au travers du calcaire. Elles étaient desservies par des escaliers taillés dans le roc. Transformées pour la plupart en résidences, donc inaccessibles, elles ne sont visibles que du fleuve, à l'exception de la grotte de Matata (bar, restaurant) et des grottes de Regulus, où des visites sont organisées.
Les **grottes de Regulus** ⊘ *(signalées au départ de l'église)* tiennent leur nom d'un bateau qui s'est sabordé au large en 1814 pour ne pas tomber aux mains des Anglais. On y a reconstitué l'habitat des pêcheurs miséreux qui les occupaient au 19ᵉ s. Au pied des falaises voisines se remarquent de nombreux carrelets.

MONTENDRE   1 647 h. (les Montendrais)

Carte Michelin nº ▨▨▨ pli 7 ou ▨▨▨ pli 27 – Lieu de séjour.

Aux confins de la Charente-Maritime et de la Gironde, Montendre s'est développée autour d'un ancien oppidum romain (Mons Andronis), au cœur des forêts de la Haute-Saintonge. A 2 km au Sud, un lac entouré de pins (baignade, pêche, activités nautiques) contribue à l'agrément de la localité.

Tour carrée. – A l'Ouest, dominant la ville et formant châtelet d'entrée, cette tour, élevée au 12ᵉ s., remaniée au 15ᵉ s. et très restaurée au début du 20ᵉ s., rappelle que Montendre fut une place stratégique que se disputèrent au Moyen Age Français et Plantagenêts. Du château subsistent également des vestiges de remparts et une tour ronde démantelée. La Tour carrée abrite un petit **musée** ⊘, consacré aux arts et traditions populaires locaux.

ENVIRONS

Sousmoulins. – 196 h. *8 km au Nord-Est.* L'**église** romane des 12ᵉ et 15ᵉ s. de ce modeste village renferme quatre beaux panneaux peints du 18ᵉ s. Acquises en 1818, ces peintures anonymes, de facture très classique, représentent l'Assomption, la Visitation et la Nativité (transept Est) et, au-dessus de la porte, Dieu le Père.

Montguyon. – 1 647 h. *20 km au Sud-Est.* Ce village saintongeais est dominé par les ruines d'un château médiéval, à l'imposant donjon. Ce château a appartenu à une illustre famille du Poitou, les La Rochefoucauld, qui eut comme membre l'auteur des célèbres *Maximes (p. 133)*.
A 2 km au Nord-Est, une allée d'ormeaux conduit à l'**allée couverte de la Pierre-Folle**, monument mégalithique dont la dalle-toit, à 3,90 m du sol dans sa partie la plus haute, est colossale. Agréable panorama sur la campagne et ses châteaux.

MONTMOREAU-ST-CYBARD 1 120 h. (les Montmoréliens)

Carte Michelin n° 🎟 Nord-Est du pli 3 ou 🎟 pli 29.

Du pont sur la Tude et de la route de Ribérac (D 709) se découvrent des vues pittoresques sur Montmoreau, petite ville occupant une butte isolée au centre d'un bassin qu'encadrent des collines crayeuses. Au sommet de la butte, un château aux lignes équilibrées domine les vieux toits de tuiles du quartier ancien, sillonné de ruelles en forte pente, et le quartier neuf en bordure de la D 674.

CURIOSITÉS

Château. – Le château des marquis de Rochechouart date du 15e s. A son côté subsiste une inhabituelle chapelle romane sur plan circulaire que précède un porche qui servait aussi d'entrée au château; admirer les chapiteaux sculptés d'animaux fantastiques, de palmettes et d'acanthes. Cette chapelle servait d'abri aux pèlerins de Compostelle.

Église St-Denis. – Cette église appartenait à un prieuré bénédictin situé sur la route de St-Jacques-de-Compostelle *(voir carte p. 30)*. Du 12e s., elle est d'un style roman assez homogène, à l'exception de la chapelle de la Vierge, reconstruite au 15e s. Lors de la restauration de l'édifice par Abadie, vers 1850, le clocher a été refait à l'imitation de celui de Courcôme.
La partie la plus intéressante de l'église est sa façade dont le portail est décoré de festons trilobés, de caractère mauresque.

MONTMORILLON 6 667 h. (les Montmorillonnais)

Carte Michelin n° 🎟 pli 15 ou 🎟 pli 10 – Lieu de séjour.

Montmorillon s'est développé autour d'un château fort érigé au 11e s. sur un coteau dominant la Gartempe.
Si le château n'existe plus, le site demeure agréable; nombre d'hôtels du 18e s. et plusieurs monuments intéressants rendent la ville attachante.
Montmorillon a une spécialité : les macarons.

CURIOSITÉS

Église Notre-Dame. – Accrochée au rocher dominant la rive gauche de la Gartempe, l'église a conservé, du 11e s., un beau chevet roman en hémicycle, tandis que la nef, voûtée vers la fin du 12e s. dans le style gothique angevin, a été remaniée par la suite, ainsi que la façade, en partie du 14e s. Sur le transept, surmonté d'une coupole sur pendentifs, s'ouvrent deux chapelles orientées qui ont retrouvé leur toiture primitive en pierres plates. Le clocher, quant à lui, est moderne.

Crypte Ste-Catherine. – L'église basse, située sous le chœur, se compose d'une abside en cul-de-four et d'un vaisseau voûté en berceau.
La sobriété de son architecture offre un contraste saisissant avec la grande richesse de ses **fresques★**. Les peintures murales, qui à l'origine couvraient entièrement la crypte, ne subsistent plus que dans l'abside et la partie Est du vaisseau. Exécutées dans le dernier quart du 12e s., elles s'inspirent des principaux épisodes de la vie de sainte Catherine d'Alexandrie. Sur la voûte en cul-de-four est représentée, dans une mandorle, une Vierge en majesté accompagnée de

MONTMORILLON

Grand-Rue
Leclerc (Pl. Maréchal) ... 3
République (Av. de la) ... 5
Strasbourg (Bd de) ... 6

Augustins (R. des) 2
8-Mai-1945 (R. du) ... 8

la sainte. A la base du mur la sainte répond aux rhéteurs convoqués par l'empereur Maxence. Ces peintures, où dominent les tons verts et ocre, témoignent d'un art évolué, par la grâce des attitudes, l'élégance des drapés, l'expression des visages. De la terrasse située entre l'église et l'hôpital, on domine le chevet de l'église Notre-Dame, le vieux pont et les quartiers de la rive droite de la Gartempe.

La Maison-Dieu. – De ce hôpital-monastère fondé à la fin du 11e s. par Robert le Pieux, de retour de Terre sainte, il subsiste, outre quelques vestiges de fortifications (musée de la Tour), la chapelle St-Laurent et un curieux édifice appelé l'Octogone. Les bâtiments monastiques (transformés en maison de retraite : *on ne visite pas*) et la grange dîmière abritant le musée de Préhistoire ont été édifiés par les augustins qui occupèrent les lieux de 1615 à la Révolution.

Chapelle St-Laurent. — Désaffectée. La façade du 12ᵉ s., très restaurée, est flanquée d'un élégant clocher octogonal surmonté d'une très belle flèche de pierre. La partie haute est décorée d'une délicate frise, taillée dans un calcaire très fin, représentant divers épisodes de l'enfance du Christ : Annonciation, Nativité, Annonce aux Bergers, Présentation au Temple, Adoration des Mages et Fuite en Égypte. Bien que partiellement mutilée, cette frise, de facture gothique, est remarquable par la finesse de son exécution et la délicatesse de sa composition.
L'intérieur, dont les parois ont été couvertes de peintures murales au 19ᵉ s., est utilisé pour des concerts et des expositions.

Chauffoir (D). — Près de la chapelle St-Laurent, ce petit édifice octogonal construit au 17ᵉ s. par les augustins, autour d'un foyer central, permettait aux moines et aux malades de trouver en hiver un peu de réconfort.

Musée de la Tour (A) ⊙. — Installé dans les vestiges des fortifications de l'ancienne Maison-Dieu, il renferme des collections d'histoire locale, notamment des objets provenant des fouilles du sanctuaire gallo-romain de Masamas.

Octogone (B) ⊙. — Dans la cour de l'ancienne Maison-Dieu, se dresse un curieux monument octogonal construit au centre du cimetière de la Maison-Dieu à la fin du 11ᵉ s. ou au début du 12ᵉ s. On suppose que cet édifice, dont la forme s'inspire du Saint-Sépulcre de Jérusalem, était à l'origine une chapelle funéraire.
A l'intérieur, au niveau supérieur, la chapelle présente une belle voûte angevine du 13ᵉ s. et un sol à gradins qui épouse la forme de la coupole voûtant l'ossuaire de la partie inférieure. On accède à celui-ci par un étroit escalier à vis logé dans le mur Nord. A l'extérieur, la porte est surmontée de quatre groupes de statues d'assez belle facture. A la base du toit, remarquer une intéressante série de modillons.

Musée de Préhistoire (M) ⊙. — Cet austère musée occupe la **grange dîmière** des augustins (17ᵉ s.), à l'imposante charpente apparente. Dans les vitrines, qui renferment d'importantes collections ayant trait à la préhistoire, remarquer le matériel archéologique provenant du gisement de la piscine de Montmorillon (paléolithique supérieur).

ENVIRONS

★ **Les Portes d'Enfer.** — *15 km, plus 3/4 h à pied AR. Au Sud-Est.* Avant le pont sur la Gartempe, laisser la voiture et emprunter, à droite, le sentier signalé, glissant et accidenté, longeant la rive droite. A mi-parcours, des rocs font office de belvédères au-dessus des rapides encaissés de la Gartempe *(balisée pour les compétitions de canoë-kayak).* Lorsque le sentier se divise, prendre à droite. On aboutit, 100 m au-delà d'un rocher fendu en trois, à un énorme bloc surplombant de façon vertigineuse le lit tumultueux du torrent : joli coup d'œil sur ce dernier et sur les roches, en aval, dites « Portes d'Enfer », dont les parois en vis-à-vis ne laissent qu'un étroit passage à l'eau écumante.

Pour choisir un lieu de séjour à votre convenance,
consultez la carte et les tableaux en introduction.

MORTAGNE-SUR-GIRONDE   972 h. (les Mortagnais)

Carte Michelin n° **171** Ouest du pli 6 ou **233** pli 26.

Agrippé au bord d'une falaise, le « Bourg » domine de 60 m son port appelé la « Rive » et de vertes prairies.

Le port. — *1 km par la D 6.* Du type port-canal, il comprend un bassin à flot, centre d'hivernage de yachts, près duquel se sont établis une minoterie et un chantier de construction de bateaux de plaisance. Ce fut jadis le 3ᵉ port de la Gironde, après Bordeaux et Blaye.
On y armait encore naguère pour la pêche à l'**esturgeon,** nommé ici « créa », énorme poisson allongé mesurant couramment de 1,50 m à 5 m de longueur, qui remonte la Gironde au printemps pour frayer, en même temps que le saumon. Si la chair de ce poisson est savoureuse, les œufs de la femelle étaient particulièrement appréciés, puisqu'ils étaient utilisés dans la préparation du caviar qui se faisait principalement à Mortagne, à St-Seurin-d'Uzet et à Talmont, après la Seconde Guerre mondiale. La Gironde est le seul estuaire d'Europe occidentale où l'esturgeon vient se reproduire, aussi, pour protéger ce poisson qui tendait à se raréfier depuis les années 70, en a-t-on interdit la capture en 1982, tout en mettant en œuvre un plan scientifique de sauvegarde de l'espèce.
Aujourd'hui la pêche (lamproie, bar, alose, civelle ou « pibale », etc.) n'occupe guère à Mortagne qu'une quinzaine de personnes.

Ermitage St-Martial ⊙. — *1,5 km à proximité de la D 245.* Fondé, croit-on, au 2ᵉ s. par saint Martial, cet ermitage monolithe fut peu à peu aménagé, entre le 4ᵉ et le 10ᵉ s., dans la falaise dont le pied baignait dans la Gironde. Au Moyen Age, des ermites, adonnés à la pêche, y assuraient le passage de l'estuaire aux pèlerins se rendant à St-Jacques-de-Compostelle par St-Christoly-Médoc.
Les excavations, formant quatre pièces ayant servi de vestibule, cuisine, réfectoire et dortoir, plus deux cellules dont une isolée, et enfin la chapelle ouvrent sur une agréable terrasse ombragée, côté Gironde.

★ **Chapelle.** — Sculptée dans le roc pour tous ses éléments, y compris la balustrade du chœur, elle comporte un déambulatoire et une tribune découpée de telle sorte que la lumière du jour se concentre en permanence sur l'autel.

ENVIRONS

St-Dizant-du-Gua. — 584 h. *10 km au Sud-Est.* A l'entrée du village, à droite, commence le parc de 13 ha où se dresse, avec un colombier et des chais du 18ᵉ s., le **château de Beaulon,** petit manoir gothique du 15ᵉ s., ancienne résidence d'été des évêques de Bordeaux. Descendre la pente de la vaste pelouse fleurie et plantée de beaux arbres, de bananiers même, jusqu'à la lisière du bois derrière laquelle se cachent les **Fontaines Bleues★** ⊘, étonnant chapelet de cavités profondes (plus de 18 m parfois), en entonnoir, remplies d'une eau bleue fraîche et limpide, et baptisées de noms élégiaques (Miroir des Fées, Grande Fontaine, Fontaines sereines, Sources vives, Fontaine de la Main rouge), qui sont les sources d'un des petits affluents de la Gironde, appelé l'Étier de Beaulon.

MOUCHAMPS
2 398 h. (les Mouchampais)

Carte Michelin n° 67 pli 15 ou 232 plis 41, 42 — 12 km au Sud des Herbiers.

Située au-dessus de la vallée du Petit-Lay, Mouchamps a vu naître le commandant Guilbaud, disparu en 1928 dans les glaces arctiques alors qu'il se portait avec son hydravion, le « Latham 47 », au secours du dirigeable « Italia ».
Depuis le 17ᵉ s., époque où les Rohan, seigneurs du Parc-Soubise, soutenaient le parti huguenot, le bourg est resté citadelle protestante en pays papiste; les maisons catholiques se distinguaient des autres, il y a encore peu de temps, par une croix blanche tracée au-dessus de la porte.

Château du Parc-Soubise. — *4 km au Nord-Ouest.* Longtemps domaine des Rohan-Soubise, le château, des 16ᵉ-17ᵉ s., a été brûlé en 1794 par les « colonnes infernales » *(p. 22)* qui y massacrèrent 200 femmes, vieillards et enfants; la toiture seule a été restaurée. Proche d'un étang (28 ha) entouré de vieux chênes, il rappelle le souvenir d'Henri IV qui s'y arrêta en 1589 et y entreprit le siège de sa cousine, la fière Anne de Rohan. Au Vert Galant qui lui demandait par où il fallait passer pour se rendre à sa chambre, la jeune fille aurait répondu : « Par la chapelle, Sire! »

Tombe de Clemenceau. — *4 km au Nord-Est.* La route suit le vallon du Petit-Lay et aboutit à la ferme-manoir (16ᵉ s.) du **Colombier,** qui appartenait à la famille Clemenceau. Au terme de la route, pousser le portail qui ouvre, à gauche, sur un mail où apparaît une stèle ornée d'une effigie de Minerve, que le Tigre fit ériger de son vivant. En contrebas, sur la pente descendant vers le Petit-Lay, se cachent la tombe de Clemenceau et celle de son père, veillées par un cèdre.

MOUILLERON-EN-PAREDS
1 184 h. (les Mouilleronnais)

Carte Michelin n° 67 plis 15, 16 ou 232 pli 42.

Mouilleron, typique village du bocage vendéen, a donné le jour à deux figures exceptionnelles de l'histoire de France, **Georges Clemenceau** *(voir p. 160)* et **Jean-Marie de Lattre de Tassigny.** C'est aussi la patrie de l'astronome **Charles-Louis Largeteau** (1791-1857).

Jean-Marie de Lattre de Tassigny. — 1889-1952. La vie de Jean de Lattre coïncide avec l'histoire de la première moitié du 20ᵉ s. Originaire d'une famille de notables vendéens, il est admis à St-Cyr. Officier de dragons puis d'infanterie durant la Grande Guerre, il part en 1920 pour le Maroc où il s'illustre au cours de la guerre du Rif. Brillant officier, il est promu colonel, puis général en 1939. Arrêté en 1942, il s'évade un an plus tard, rejoint Londres et de là gagne Alger. Il débarque en Provence en 1944, et à la tête de la Première Armée libère l'Alsace, franchit le Rhin et atteint le Danube. Le 8 mai 1945, il signe au rang des Alliés l'acte de capitulation de l'Allemagne. Nommé haut-commissaire en Indochine, en 1950, il meurt à Paris en janvier 1952. Quatre jours plus tard il est élevé à la dignité de maréchal de France.

MUSÉES NATIONAUX ⊘ visite : 2 h

Non loin de l'**église** au clocher du 12ᵉ s. (dont le carillon de 13 cloches retentit tous les jours à midi), la mairie abrite le **musée des Deux Victoires** qui met en parallèle le destin et la carrière de deux hommes d'exception, Clemenceau et de Lattre, pris dans la tourmente des deux guerres mondiales. Parmi les objets, les documents et les trophées présentés, remarquer une canne au pommeau sculpté d'un tigre, offerte à Clemenceau par ses Poilus, ainsi que la tête de l'aigle qui trônait sur le fronton du Reichstag, que le maréchal soviétique Joukov remit à de Lattre en 1945.
Dans le village, deux plaques signalent la maison natale du Tigre et celle du roi Jean devenue **musée Jean-de-Lattre-de-Tassigny.** L'intérêt de ce musée réside dans la reconstitution du cadre de vie des de Lattre, caractéristique de celui d'une génération de notables vendéens. Cette maison a conservé son mobilier d'origine et renferme un ensemble de vitrines évoquant la vie familiale et la carrière du maréchal.
En sortant de la maison, prendre en face pour atteindre le cimetière où est enterré de Lattre au côté de son fils, tué en Indochine.
Enfin, pour compléter cette évocation, se rendre à l'oratoire consacré à sa mémoire et aménagé dans un ancien moulin à vent situé sur la **colline des Moulins** *(2 km à l'Est).* De là, belle vue sur le bocage.

NIEUL-SUR-L'AUTISE

Carte Michelin nº ⓲⓱⓵ pli 1 ou ⓶⓷⓷ pli 5 – 12 km au Sud-Est de Fontenay-le-Comte – Schéma p. 82.

Le village s'est développé autour d'une abbaye fondée en 1068 par le seigneur de Vouvant.

CURIOSITÉS

Abbaye. – Au 12ᵉ s., on impose aux chanoines réguliers la règle de saint Augustin. Au siècle suivant, les chanoines entreprennent d'assainir le marais voisin. L'abbaye, sécularisée en 1715, est bientôt désaffectée.

Église. – De caractère poitevin, cet édifice roman a été restauré au 19ᵉ s. Sa façade présente un riche décor sculpté de masques d'animaux fantastiques et de motifs géométriques, rehaussés de palmettes et d'entrelacs au-dessus du portail central et des arcades latérales. Le vaisseau central, d'une majestueuse ampleur, est voûté d'un berceau que renforcent de puissants doubleaux reposant sur des colonnes géminées que supportent des piliers fortement inclinés.

Cloître★ ⊙. – Intact, il permet de prendre conscience de ce que peut être la « paix monacale ». Dessinant un carré parfait, ses quatre galeries romanes, aux lignes sobres et robustes, sont voûtées d'arêtes ; elles forment un promenoir où chaque arcade livre une perspective différente, sur le puits, sur l'abbatiale, sur les toits de tuiles en faible pente recouvrant le dortoir des moines.
Autour du cloître s'ordonnent la spacieuse salle capitulaire, revoûtée au 17ᵉ s. et contenant une pierre tombale de 1319, la chapelle des Chabot, le lavabo précédant l'entrée du réfectoire, les celliers.

Maison de la Meunerie ⊙. – Restauré, un ancien **moulin à eau** a été aménagé en musée. Mû depuis les années 20 par un moteur Diesel, il avait cessé de fonctionner en 1970. Lors de la visite *(commentaire enregistré)*, on découvre la roue à aubes et le mécanisme permettant la mouture du blé, ainsi que les pièces où vivaient le meunier et sa famille (cuisine, chambre). Près de l'accueil, voir la reconstitution d'une saboterie.

Camp néolithique de Champ-Durand ⊙. – *Accès par la rue de Champ-Durand : 2 km.* Le camp a été découvert en 1971. On y voit trois murs concentriques en pierre calcaire, bordés de fossés plus tardifs, qui remonteraient au 3ᵉ millénaire avant J.-C. Ce serait les vestiges d'un lieu de rencontre de peuplades du néolithique qui habitaient dans les environs.

★ NIORT

Carte Michelin nº ⓲⓱⓵ pli 2 ou ⓶⓷⓷ plis 5, 6 – Schéma p. 10.

Aux bords des eaux vertes de la Sèvre niortaise, Niort, abondamment fleurie durant la belle saison, dégage une impression de prospérité et de quiétude bourgeoises qui n'est pas sans charme.
La ville est le point de départ d'excursions dans le Marais poitevin *(p. 87).*

UN PEU D'HISTOIRE

Niort naquit à l'époque romaine d'un gué sur la Sèvre (Novum Ritum : nouveau gué).

Le site urbain. – Niort occupe le penchant de deux collines se faisant face. Sur l'une sont érigés le donjon et l'église Notre-Dame, sur l'autre l'ancien hôtel de ville et le quartier St-André. Cœur de la ville, la rue Victor-Hugo remplace, au creux du vallon, le marché médiéval dont elle a respecté le tracé. A l'Est, elle se termine par la place de la Brèche, vaste quadrilatère bordé d'arbres, où convergent les principales routes d'accès au centre-ville. De vieilles rues tortueuses, bordées de maisons basses à toit de tuiles rondes, escaladent les pentes. Nombre d'entre elles ont conservé leurs noms d'autrefois : rue de l'Huilerie, de la Regratterie, du Tourniquet, du Rabot ; quant à la rue du Pont et à la rue St-Jean, c'étaient des voies commerçantes où se pressaient les étals.

Activités locales. – Au contraire de la Plaine, du bocage et du Marais poitevin, Niort, nœud de voies de communication, joua de tout temps un rôle commercial. Dès le Moyen Age, leur ville ayant été reconnue « franche commune » par Aliénor d'Aquitaine, les Niortais tiraient orgueil et profit de leurs foires et marchés, pourvus de halles qui comptaient parmi les plus belles du royaume. Creusé par ordre de Jean de Berry, comte du Poitou, le port, très actif, expédiait sel et poisson, blé et laine, jusqu'en Flandre et en Espagne, tandis qu'il recevait les pelleteries de l'Europe du Nord, puis du Canada. Déjà au 14ᵉ s. les artisans se livraient au travail de la draperie, de la mégisserie, de la **chamoiserie,** cette dernière technique consistant à tanner des peaux de moutons à l'huile de poisson ou de baleine pour, après ponçage et blanchiment sur pré, en faire des gants, lavables et doux au toucher. A la veille de la Révolution il y avait une trentaine de moulins à fouler et plus de 30 régiments de cavalerie se fournissaient à Niort en culottes de peau.
De nos jours, Niort a su conserver sa place dans la chamoiserie et la ganterie, mais d'autres industries dominent : industrie lourde du bois (contreplaqués et panneaux de particules), une des plus importantes fabrications françaises, industries électro-mécaniques, électroniques et chimiques. La fabrication de machines-outils, d'appareils de chauffage ainsi que de vêtements complètent son éventail économique et cette activité commerciale se manifeste, traditionnellement au printemps, par une importante foire-exposition.
Siège de plusieurs Mutuelles nationales, Niort est devenue une capitale française de l'assurance.

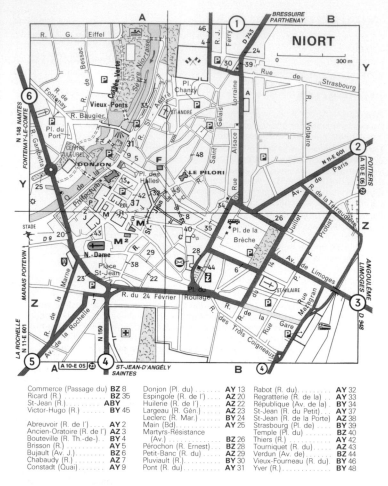

Qui ne connaît enfin la suave **angélique,** plante aromatique dont les tiges sont confites, cuites (confiture) ou distillées (liqueur d'angélique) et le tourteau fromagé, délicieux gâteau au fromage de chèvre. L'anguille et le petit-gris, provenant du Marais voisin, figurent aussi parmi les spécialités niortaises.

Madame de Maintenon. – Petite-fille du poète Agrippa d'Aubigné *(voir p. 84)*, **Françoise d'Aubigné** naît à Niort en 1635 dans une maison de la rue du Pont, à l'ombre du château où son père était enfermé pour dettes impayées. La jeune d'Aubigné, « Bignette » pour les intimes, est ensuite envoyée chez une tante au château de Mursay sur la Sèvre, à quelques lieues de Niort, où elle passe le plus clair de son temps à garder les dindons. Le séjour à Mursay est cependant la période la plus heureuse de son enfance errante. Après avoir partagé quelque temps la vie assez misérable de sa mère et de ses frères aux Antilles et à La Rochelle, la jeune Françoise est confiée à diverses familles saintongeaises. Son caractère orgueilleux et passionné lui vaut d'être placée au couvent des ursulines de Niort, alors qu'elle atteint 14 ans. Elle n'en sort que pour gagner un autre couvent, à Paris cette fois, avant d'épouser le poète Scarron. Devenue veuve, elle entre à la cour où elle sait se faire apprécier de Louis XIV qui la fait marquise de Maintenon. A la mort du Roi-Soleil (1715), épousé secrètement en 1683, Madame de Maintenon se retire dans l'institution qu'elle avait fondée à Saint-Cyr en 1685, pour l'éducation des jeunes filles nobles sans fortune. Elle y finira ses jours en 1719.

CURIOSITÉS

★**Donjon** (AY). – C'était l'élément majeur d'un château fort entrepris par Henri II Plantagenêt et terminé par Richard Cœur de Lion. Il était défendu par une enceinte de 700 m de tour dessinant un quadrilatère que délimitent aujourd'hui les rues Brisson, Thiers, de l'Abreuvoir et de la Sèvre. L'ensemble formait une petite « cité » qui englobait des habitations, des jardins et une place d'armes où s'élevait la collégiale St-Gaudens, ruinée au cours des guerres de Religion. Sous les Bourbons, le donjon servit de prison d'État. Son étrange silhouette domine la Sèvre. Le plan est peu commun; deux tours massives carrées, que relie un bâtiment du 15e s. substitué aux courtines primitives, sont flanquées de tourelles engagées servant de contreforts. L'intérieur abrite un **musée** ⊙. Au niveau de l'entrée, la **salle de la chamoiserie et de la ganterie★** (aménagée pour les non-voyants) est consacrée à ces activités traditionnelles de la ville. Dans les salles basses, voûtées (18e s.), est disposée la **collection archéologique :** outillage de pierre, collier d'or de St-Laurs (début de l'âge du bronze), céramiques et objets provenant des fouilles des tumulus de Bougon, roue de char de Coulon (9e s. avant J.-C.), stèle d'Usseau (fin de l'époque gauloise), sarcophages mérovingiens, monnaies carolingiennes de Melle, manche de couteau en ivoire représentant un berger jouant de la cornemuse (14e s.).

A l'étage, la section ethnologique présente un intérieur poitevin (vers 1830), des costumes, des instruments domestiques.

Monter sur la plate-forme supérieure pour avoir une vue sur la ville et sur la Sèvre.

Logis de l'Hercule (AY F) ⊙. – Dans cette auberge, jadis à l'enseigne d'Hercule, se déclara le 6 mai 1603, au début de la grande foire royale, le premier cas de l'épidémie de peste qui, durant sept mois, décima la population. Le rez-de-chaussée abrite les salles voûtées du 16ᵉ s., réaménagées dans le style du bas Moyen Age, où sont présentés les objets trouvés dans des fouilles (monnaies, céramiques) et des tableaux, qui, commentés, font revivre le passé de la cité.

Dans l'une des salles, un petit **musée** consacré à l'angélique rappelle que cette plante, introduite à Niort au 17ᵉ s. par des religieuses, fut longtemps considérée par la pharmacopée comme le seul remède efficace contre la peste.

★ **Le Pilori** (BY). – Ce curieux édifice est en fait l'ancien hôtel de ville, construit à l'emplacement du pilori médiéval. Bâti sur un plan presque triangulaire, il fut remanié au 16ᵉ s. par l'architecte Mathurin Bertomé, qui le flanqua de tours semi-circulaires, le couronna de merlons sur mâchicoulis et le perça de fenêtres à meneaux. La partie supérieure du beffroi date du 17ᵉ s. et le clocheton du 19ᵉ. Le Pilori abrite des expositions temporaires.

Coulée verte ⊙. – Constituée par les quais de la Regratterie, Cronstadt et de la Préfecture qui ont été rénovés, elle permet une agréable promenade au bord de la Sèvre Niortaise. Des **vieux ponts**, on a une belle vue sur le donjon.

Église Notre-Dame (AZ). – L'élégance de son clocher (15ᵉ s.) est due à l'allégement de la tour carrée par l'adjonction aux contreforts de pinacles dentelés et creusés de niches dont quatre abritent encore des statues. D'autre part, l'édification de lucarnes et de clochetons à la base de la flèche atténue la disproportion de volume entre celle-ci et la tour. Enfin la flèche, lancée à 76 m de haut, est renforcée d'arcs de décharge superposés qui dessinent un décor de chevrons.

La façade Nord, rue Bion, montre une belle porte de style flamboyant.

A l'intérieur – dont la disposition a été inversée au 18ᵉ s. –, on voit dans la 1ʳᵉ chapelle du bas-côté gauche les curieux mausolées, de 1684, de Charles de Baudéan-Parabère, gouverneur de Niort, de sa femme et de son fils lui aussi gouverneur de la ville, qui sont représentés sortant de leur tombeau, le jour de la Résurrection des Morts ; dans la 3ᵉ chapelle, *Saint Bernard foulant aux pieds le décret du pape Anaclet*, tableau peint par Lattainville (18ᵉ s.). Les fonts baptismaux, du début du 16ᵉ s., ont servi pour le baptême de Françoise d'Aubigné. La chaire en bois sculpté, de style gothique, ainsi que le chemin de croix datent de 1877.

Musée d'Histoire naturelle (AZ M¹) ⊙. – Au rez-de-chaussée est exposée une importante collection d'oiseaux naturalisés : oiseaux de la région, rapaces diurnes (faucons, busards), oiseaux de mer et d'estuaires (macareux du Cap-Ferret, goéland argenté de l'embouchure de la Vilaine, pingouin de Fromentine, etc.). La préhistoire est illustrée par une section de paléontologie et de fossiles des Deux-Sèvres. Au 1ᵉʳ étage, minéraux, insectes, reptiles, ostéologie (squelettes d'animaux).

Musée des Beaux-Arts (AZ M²) ⊙. – Le 1ᵉʳ étage est principalement consacré aux arts décoratifs : dans les vitrines, ivoires gothiques, orfèvreries, émaux limousins; on voit aussi des étains français et allemands du 16ᵉ au 18ᵉ s., des faïences orientales, des médailles du Moyen Age au 18ᵉ s.

Au 2ᵉ étage, les peintures permettent de découvrir d'excellents petits maîtres. Après avoir vu les boiseries peintes de sujets bibliques qui ornaient le château de la Mothe-St-Héray, on entre dans une galerie divisée en plusieurs salons. Dans les deux premiers, consacrés aux 17ᵉ s. et 18ᵉ s., s'arrêter devant un remarquable *Saint Augustin* de l'école espagnole, une grande composition de Coypel, de petites scènes hollandaises par Mieris. Parmi les charmants portraits du 18ᵉ s. figurent Marie Leszczynska et une *Jeune femme en Diane* par Nattier, *le marquis d'Arta-guiette en buveur* par Grimou. Une nature morte de l'Anversois Coosemans (17ᵉ s.), une aguichante *Thalie*, muse de la Comédie, par Louis de Boullogne (début 18ᵉ s.), des scènes anecdotiques ou des paysages par Corot, Chintreuil *(Clair de Lune)*... sont également dignes d'intérêt.

Dans le dernier salon consacré au 19ᵉ s. remarquer quelques sculptures (bustes de femmes) d'un artiste local, Pierre-Marie Poisson.

Maisons anciennes. – Elles se trouvent pour la plupart dans la rue St-Jean et les rues adjacentes. Citons au n° 30 la maison du Gouverneur, du 15ᵉ s., et au n° 3 de la rue du Petit-St-Jean (**AY 37**), l'hôtel d'Estissac, élégante demeure Renaissance. Voir aussi, rue du Pont (**AY 31**), de vieilles maisons à encorbellement et, dans une cour, au n° 5 de cette rue, la maison natale de Françoise d'Aubigné.

ENVIRONS

Les Ruralies. – *11 km à l'Est par* ③. Ce vaste complexe conçu principalement comme une aire de détente pour les usagers de l'autoroute groupe, outre la Chambre départementale d'agriculture, un hôtel, des restaurants et des centres de vente de produits régionaux et d'expositions.

Le **musée de la Machine agricole** ⊙ montre l'évolution des techniques à travers le matériel agricole : araires et charrues, pressoirs à huile, alambics, moissonneuses, tracteurs. Dans la section consacrée à l'apiculture, on peut observer une ruche en activité. Projection de films vidéo.

A côté du musée, dans la **Maison des Ruralies** ⊙, une exposition permanente intitulée **L'Aventure humaine en Poitou-Charentes** évoque, à l'aide de photos, documents, objets, reconstitutions et maquettes, le peuplement de la région des temps préhistoriques à nos jours. Des expositions temporaires à thèmes variés y sont également présentées.

Forêt de Chizé. – *23 km au Sud par* ④.

Beauvoir-sur-Niort. 1 242 h. Dominant la plaine niortaise à la lisière de la forêt de Chizé, le **moulin de Rimbault** ⊘, érigé en 1682, abandonné depuis 1928, a retrouvé sa toiture mobile posée sur un rail de bois graissé, son guivre (poutre extérieure permettant d'orienter les ailes), une partie de son mécanisme interne et ses ailes aux volets de bois superposés (système Berton).

Villiers-en-Bois. – 135 h. Dans la **forêt de Chizé**, vestige de la vaste forêt d'Argenson qui couvrait au Moyen Age l'ensemble de la région, s'est implanté sur le site de Virollet le **Zoorama européen** ⊘, parc dont la vocation est de faciliter l'observation de la faune européenne. Près de 600 animaux sont ainsi présentés sur un espace forestier de 25 ha, où dominent le chêne, le charme et le hêtre. Le parc animalier abrite des mammifères (loups, lynx, ours, renards, castors, loutres...), des oiseaux (rapaces diurnes et nocturnes, échassiers, palmipèdes), des reptiles et batraciens, dans des conditions qui s'efforcent de recréer les biotopes d'origine. Les grands mammifères, mouflons, chevreuils, bouquetins, cerfs, sangliers, baudets du Poitou, rares bisons d'Europe, évoluent dans de vastes enclos boisés. A noter la présence d'aurochs, espèce disparue depuis le 17ᵉ s., récemment reconstituée à partir de certaines races primitives de bovidés domestiques.

Ile de NOIRMOUTIER

Carte Michelin n° 𝟨𝟩 pli 1 ou 𝟤𝟥𝟤 plis 25, 26, 37, 38 – Lieux de séjour.

Au Sud de l'estuaire de la Loire, Noirmoutier n'est séparée du continent que par un goulet qui découvre à marée basse.
Tapie sur l'horizon, elle a été dotée par la nature d'un climat doux, d'un ciel lumineux et de sites qui en font un séjour recherché.
Auguste Renoir y séjourna avec palette et pinceaux ; à un ami il écrivit : « Je viens de Noirmoutier, c'est un coin admirable, beau comme le midi mais avec une mer autrement belle que la Méditerranée. »

Accès. – Par le pittoresque passage du Gois *(décrit p. 101)* ou par le **pont routier** ⊘ à péage au départ de Fromentine.

UN PEU DE GÉOGRAPHIE ET D'HISTOIRE

Depuis l'époque romaine, des affaissements successifs ont réduit les dimensions de Noirmoutier longue encore de 20 km, mais large à peine d'un kilomètre à la Guérinière, là où, en 1882, les flots faillirent la couper en deux.
L'île se divise en trois secteurs. Au Sud, les dunes de Barbâtre s'allongent vers la côte vendéenne dont elles sont seulement séparées par la **fosse de Fromentine**, large de 800 m, mais parcourue de violents courants. En son centre l'île rappelle la Hollande, des polders et des marais salants, situés au-dessous du niveau de la mer et protégés par des digues, sont quadrillés de chenaux dont le principal, l'étier de l'Arceau, traverse l'île de part en part. Au Nord, enfin, des criques échancrent une côte rocheuse que revêtent chênes, pins et mimosas dont les fleurs sont expédiées par tonnes chaque année.

Au sommet des dunes, plantées de pins maritimes, s'alignent quelques moulins.

Ressources. – Noirmoutier garde une vocation agricole. Enrichie de goémon, la terre dispense des pommes de terre hâtives et des primeurs réputées. Des talus, des murets de pierre sèche, des haies de tamaris ou des rangées de cyprès protègent les cultures du vent marin.
Les richesses dues à l'océan ne sont cependant pas négligées. Le port de L'Herbaudière se livre à la pêche du bar et des crustacés ; celui de Noirmoutier-en-l'Ile sert plutôt de hâvre d'hivernage. On pratique l'ostréiculture en baie de Bourgneuf.
Scintillant sous le soleil, les **marais salants** *(voir p. 16)* produisent annuellement

plusieurs centaines de tonnes de sel. La production de sel est en effet largement tributaire de l'ensoleillement, de l'amplitude des marées et des intempéries. Des 700 ha qu'ils couvrent, 100 ha seulement sont exploités par 40 « paludiers », propriétaires groupés en un syndicat s'occupant de l'entretien des étiers et formant une coopérative de commercialisation.
Les insulaires habitent des maisons basses aux tuiles rouges et aux murs blanchis à la chaux. Depuis 1959, une canalisation sous-marine apporte l'eau potable du continent.

Le sang coule à Noirmoutier. – Les guerres de Vendée n'ont pas épargné Noirmoutier, position stratégique importante pour les Vendéens qui espéraient recevoir de l'aide des émigrés réfugiés en Angleterre. En mars 1793, l'île est aux mains du royaliste Guerry de la Fortinière, en avril elle est reprise par le républicain Beysser. Dans la nuit du 11 au 12 octobre 1793, M. de Charette, à la tête de 2 000 paysans pataugeant dans le Gois encore sans chaussée, surgit et se jette sur la garnison républicaine qui baisse les armes. L'hiver suivant, le général Haxo revient en force et massacre les Vendéens, parmi lesquels le **général d'Elbée**, commandant des royalistes, et son épouse.

Passage du Gois. – *Conditions de passage : voir le guide Rouge Michelin France.* Il supporte une chaussée submersible de 4,5 km, qui fut la seule voie d'accès carrossable de la fin du 19ᵉ s. à 1971, date de la mise en service du pont. De hauts fonds ont formé le Gois dont le nom viendrait du terme local « goiser » (patauger). Des balises-refuges jalonnent le parcours, permettant ainsi aux gens surpris par la marée montante de se hisser et d'attendre... la marée descendante. Là on peut voir s'affairer pêcheurs, ostréiculteurs et boucholeurs *(p. 17).*

Promenades en mer ⊙. – De L'Herbaudière à l'île du Pilier et en direction de l'île d'Yeu.

NOIRMOUTIER-EN-L'ILE 4 846 h. (les Noirmoutrins)

Blanche capitale de l'île, Noirmoutier (lieu de séjour) est bâtie en longueur, parallèlement à un port-canal d'où la mer se retire à marée basse. Sa Grande-Rue s'étire sur 1 km pour aboutir à la place d'Armes qui ouvre sur le port.

Place d'Armes. – Sur cette esplanade fut fusillé d'Elbée. Un peu en retrait, sur une légère éminence, le château voisine avec l'église. On remarque deux édifices du 18ᵉ s. : à droite, si l'on fait face au château, l'hôtel Lebreton des Grapillières (aujourd'hui établissement hôtelier), à gauche, l'hôtel Jacobsen dont le nom rappelle une famille néerlandaise qui travailla à l'assainissement de Noirmoutier.

Château ⊙. – Son enceinte du 15ᵉ s., austère et nue, forme un rectangle interrompu seulement par deux tours d'angle et des échauguettes. Un chemin de ronde court sur son pourtour d'où se découvrent des perspectives pittoresques sur la ville, les marais salants, l'océan. L'enceinte enferme le logis du Gouverneur et un donjon carré du 11ᵉ s. où est installé un **musée.**

Rez-de-chaussée. – Ornithologie et minéralogie locales. On y voit notamment une importante collection d'oiseaux naturalisés (sarcelles, hiboux des marais, bécassines). Une carte géologique explique la formation du sol de l'île et de la baie.

Premier étage. – Présentation de divers objets ayant trait à la marine : figures de proue, maquettes de bateaux, croix de coquillages du début du 19ᵉ s., hache et sabre d'abordage, etc.

Deuxième étage. – Histoire locale : archéologie et guerre de Vendée. Dans une tour d'angle est exposé le fauteuil où fut fusillé le général d'Elbée *(ci-dessus).* Non remis de ses blessures contractées à la bataille de Cholet *(voir le guide Vert Michelin Châteaux de la Loire),* le général, incapable de se mouvoir, fut transporté dans ce fauteuil jusqu'à la place d'Armes, lieu de son exécution. Un tableau de Julien Le Blant (19ᵉ s.) illustre la scène.

Troisième étage. – Très belle collection de **faïences anglaises**★ (18ᵉ-19ᵉ s.) fabriquées dans le Staffordshire, certaines dites de Jersey car c'est dans cette île qu'on les entreposait. La variété des formes, des motifs décoratifs, des couleurs lui donne un éclat particulier.
De la tourelle de la Vigie, **panorama** sur Noirmoutier et le littoral; le regard porte au Nord jusqu'à La Baule, au Sud jusqu'à l'île d'Yeu.

Église St-Philbert. – C'est l'ancienne abbatiale bénédictine de styles roman (chœur) et gothique (nef). Sous le chœur, de part et d'autre duquel on remarque deux somptueux autels baroques, une belle **crypte** du 11ᵉ s. occupe l'emplacement de la chapelle mérovingienne primitive; elle abrite le cénotaphe de saint Philbert, tombeau vide érigé au 11ᵉ s., le sarcophage d'origine ayant été transporté à St-Philbert-de-Grand-Lieu lors des invasions normandes *(voir p. 157).*

Aquarium-Seeland ⊙. – Dans un cadre figurant des cavernes sous-marines et des carcasses de bateaux enfouis, des spécimens de la faune locale ainsi que quelques poissons tropicaux sont présentés. Un vaste bassin accueille des otaries. Devant chaque bassin quelques lignes explicatives permettent de faire connaissance avec chaque espèce.

Musée de la Construction navale ⊙. – Installé dans une ancienne salorge (grenier à sel), utilisée comme chantier naval artisanal, ce musée expose les techniques traditionnelles en matière de construction navale : sciage, demi-coques, plans, gabarits, gréements, voiles... L'ensemble restitue l'atmosphère de cet ancien atelier.

AUTRES CURIOSITÉS

★ **Bois de la Chaize.** – *Accès par la D 948; suivre la signalisation Plage des Dames.* Ce bois en bordure de l'océan paraît un coin de Côte d'Azur égaré sur les rivages de l'Atlantique. Des futaies de pins maritimes, de chênes verts, des fourrés de mimosas embaumant en février, lors de la floraison, lui font sa renommée.
La **plage des Dames** tiendrait son nom des druidesses qui opéraient en ces lieux. Bien abritée, toute de sable fin, elle dessine une courbe harmonieuse. Là débute la charmante **promenade des Souzeaux**★ *(3/4 h à pied AR),* le long de criques boisées.

Noirmoutier. — Le bois de la Chaize.

S'engager à gauche sous les chênes verts dans le sentier qui part à gauche de l'estacade. Prendre ensuite le premier chemin à gauche, en montée. Après le phare des Dames, les pins se mêlent aux chênes. La falaise rocheuse domine une mer ponctuée de récifs; vues sur la côte de Jade et Pornic. On rencontre la délicieuse anse Rouge que surveille la tour Plantier avant d'arriver à la plage des Souzeaux.

L'Herbaudière. — Le va-et-vient des bateaux colorés anime ce petit port de pêche dont les produits (poissons, langoustes, homards) sont vendus chaque jour à la criée; les fanions multicolores qui servent à repérer en mer les casiers à crustacés donnent aux caseyeurs des airs de fête. Des bateaux de plaisance dressent leurs mâts dans le bassin voisin.
De la jetée qui sépare le port de pêche du port de plaisance, vue sur le phare et l'île du Pilier qu'une chaussée reliait jadis à Noirmoutier.

La Guérinière. — 1 402 h. Le **musée des Arts et Traditions populaires** ⊘ présente une synthèse des activités traditionnelles de Noirmoutier à la fin du 19ᵉ et au début du 20ᵉ s. : agriculture, pêche, marais salants, artisanat. Il abrite également des reconstitutions d'intérieurs noirmoutrins, des collections de costumes et de coiffes, des œuvres d'art populaire (marines réalisées par des cap-horniers sur des morceaux de voile).

★ Abbaye de NOUAILLÉ-MAUPERTUIS

Carte Michelin n° 68 pli 14 ou 233 pli 8 — 11 km au Sud-Est de Poitiers.

Dans un vallon boisé se dissimule l'ancienne abbaye bénédictine de Nouaillé.

La bataille de Poitiers (1356). — Sur la rive Nord du Miosson, à l'Ouest de la petite route des Bordes, se déroula une des plus sanglantes batailles de la guerre de Cent Ans, la bataille dite « de Poitiers » au cours de laquelle **Jean le Bon** fut défait et capturé par le **Prince Noir**, fils du roi d'Angleterre Édouard III, ainsi nommé à cause de la couleur de son armure.
Jean le Bon, entouré de quelques compagnons, s'était avancé sur un mamelon, le « Champ Alexandre », où l'armée anglo-gasconne l'assaillit. Revêtu de son armure semée de fleurs de lys d'or, le roi résista longtemps avec l'aide de son plus jeune fils, Philippe, encore un enfant, qui l'avertissait du danger :
« Père, gardez-vous à droite... père, gardez-vous à gauche... ».
Enfin, épuisé, blessé au visage, Jean le Bon se rendit au Prince Noir.

VISITE *1/2 h*

De la D 12 en venant de Poitiers, on découvre une jolie vue plongeante sur l'abbaye dont les ouvrages d'enceinte (murs et tours) ont été dégagés et rénovés.
Une enceinte la protège qui comprend des tours en partie arasées, et des douves qu'alimentent les dérivations du Miosson. Au-delà d'un charmant ponceau, franchir la porte Nord voûtée et pénétrer dans la cour de l'abbaye. Contigu à l'entrée, le logis abbatial (15ᵉ s.) est desservi par une jolie tourelle d'escalier.

Église. — Se placer sur le côté gauche pour en avoir une vue d'ensemble. A droite, le clocher-porche du 12ᵉ s. présente une grande baie percée au 15ᵉ s. Au centre le mur latéral attire l'attention par une élévation très curieuse : deux étages d'arcatures remontant au 11ᵉ s. sont surmontées de baies et d'arcs eux aussi romans, mais de la fin du 12ᵉ s. Les parties hautes du transept et le chœur ont été refaits au 17ᵉ s., l'abside semi-circulaire fut alors remplacée par un chevet plat.
L'importante coupole sur trompes, renforcée de nervures, forme la première travée de la nef. Celle-ci, voûtée en berceau au 12ᵉ s., est encadrée de collatéraux très étroits. Près de la porte latérale gauche a été réemployée une colonne romaine en marbre gris-bleu.

Un bel ensemble de boiseries du 17ᵉ s. fait comme un îlot au centre de l'abbatiale : ce sont un jubé, les stalles, un aigle-lutrin.

Au fond du chœur, derrière le maître-autel du 17ᵉ s., dans un enfeu décoré de peintures murales, est déposé le **tombeau★**, du 9ᵉ s., dit «châsse de saint Junien», énorme masse de pierre sculptée et peinte. De chaque côté du chœur (restauré au 17ᵉ s.), deux escaliers descendent à la crypte où étaient vénérées les reliques du saint. Dans le bras droit du transept, un autre escalier donne accès à une nécropole.

Bâtiments conventuels. — Il en subsiste, à droite de l'église, une aile couronnée d'une curieuse cheminée romane — pour certains, ancienne lanterne des morts — et, plus loin, un bâtiment du 17ᵉ s., regardant le Miosson.

★ OIRON
1 009 h. (les Oironnais)

Carte Michelin n° 68 pli 2 ou 232 pli 45.

Le modeste village d'Oiron possède deux monuments trop peu connus : le château des Gouffier et une charmante collégiale Renaissance.

Les Gouffier. — Artus Gouffier, chambellan de François Iᵉʳ, accompagna son souverain en Italie. Conquis par l'art italien, il entreprit au début du 16ᵉ s. la construction de la collégiale et de la galerie basse du château. L'aîné de ses enfants, Claude, termina le château et la collégiale, y accumulant les œuvres d'art. Grand écuyer de France et très fortuné, « Monsieur le Grand » avait le titre de comte de Caravas : la légende en fit le marquis de Carabas.

En 1700 Mme de Montespan fit l'acquisition du château où elle séjourna fréquemment jusqu'à sa mort en 1707.

CURIOSITÉS

★ **Château** ⊙. – Le château d'Oiron intrigue autant qu'il séduit. Sans cesse remanié, mais dans un style curieusement toujours en retard sur son époque, il résume deux siècles d'histoire de l'architecture française.

Précédé de deux petits pavillons du 17ᵉ s., ce château comprend un corps de logis central du 17ᵉ s. au toit à la française, flanqué de deux pavillons carrés couronnés d'une balustrade, une aile du 16ᵉ s. à étage et une aile du 17ᵉ s. à terrasse encadrant la cour d'honneur.

Visite. — En réalisation d'un projet visant à associer art contemporain et patrimoine, le château doit s'enrichir progressivement d'une collection d'œuvres qui lui sont spécialement destinées.

L'aile à étage fut commencée par Artus Gouffier en 1515 et achevée par son fils Claude. D'inspiration gothique, la charmante galerie à arcades en anse de panier est surmontée de médaillons de marbre sculptés de profils d'empereurs romains. La paroi de la galerie a conservé les panneaux sur lesquels le grand écuyer avait fait peindre les meilleurs chevaux d'Henri II.

Par un bel escalier à noyau central dont la moulure en spirale sert de rampe, on accède à l'étage formant une majestueuse **galerie★★**. 14 peintures, aux couleurs fanées mais au dessin et à la composition remarquables, animent les murs

CHÂTEAU D'OIRON (1ᵉʳ ÉTAGE)

0   20 m

XVIᵉ s.   XVIIᵉ s.

PAVILLON DES TROPHÉES   PAVILLON DU ROI

Escalier d'Honneur

Chambre du Roi   2

Salon Arlequin   Salon du Roi

1

Terrasse   GALERIE ★★   Terrasse

N

Tour de l'Épée   Tour Mᵐᵉ de Montespan

de thèmes tirés de *l'Iliade* et de *l'Énéide*. Louis Gouffier fit exécuter le plafond Louis XIII, composé de 1 670 panneaux-caissons peints de sujets variés : mammifères, oiseaux, armes, sciences, composent une véritable encyclopédie aérienne. De là, on gagne le pavillon des Trophées et l'ancienne chapelle (**1**) de Claude Gouffier, carrelée en faïence d'Oiron.

Le pavillon central, dû à Louis Gouffier et terminé par La Feuillade, a conservé des constructions du 16ᵉ s. L'admirable escalier Renaissance, à noyau central évidé et volée droite, s'inspire de celui d'Azay-le-Rideau. La salle de réception dite salon du Roi possède un majestueux plafond aux poutres peintes de personnages mythologiques et de grotesques.

Le pavillon du Roi renferme deux salles dont l'exubérance décorative est caractéristique du style Louis XIII. La chambre du Roi est couverte d'un extraordinaire plafond surchargé de lourds motifs dorés encadrant des caissons peints. Le cabinet des Muses (**2**) doit son nom aux Muses qui décorent ses lambris.

★ **Collégiale.** — La façade Renaissance comporte en élévation deux portes jumelées et un grand arc surmonté d'un fronton aux armes des Gouffier.

Dans le transept, on admire les tombeaux des Gouffier, œuvres de l'atelier des Juste, sculpteurs toscans établis à Tours. Les deux plus grands ont été exécutés vers 1537; les deux petits datent de 1559 et sortent de l'atelier de Jean II Juste.

Dans le croisillon gauche, le tombeau de Philippine de Montmorency, deuxième épouse de Guillaume Gouffier, morte en 1516, la représente gisante, en habit de veuve; non loin a été érigé le mausolée de son fils, l'amiral de Bonnivet, tué à Pavie en 1525.

Dans le croisillon droit sont placés le tombeau d'Artus Gouffier, frère de l'amiral, revêtu de son armure, et celui de son fils Claude. Une peinture du 16ᵉ s. d'après Raphaël représente saint Jean-Baptiste.

De chaque côté du chœur, les chapelles seigneuriales offrent un ravissant décor Renaissance. On peut voir dans la chapelle Nord une toile du 18ᵉ s., *la Sainte Famille,* et dans la chapelle Sud un portrait de saint Jérôme, du 16ᵉ s., ainsi que des clefs de voûte très ouvragées. On remarquera les pittoresques statues d'apôtres (16ᵉ s.) au retable du maître-autel, une belle Résurrection, peinture de l'école maniériste flamande (16ᵉ s.), sur la paroi droite du chœur, et le portrait de Claude Gouffier sur la paroi Nord.

★ Ile d'OLÉRON

Carte Michelin n° **171** plis 13, 14 ou **233** plis 13, 14 — Lieux de séjour.

L'île d'Oléron accueille en été les familles venues chercher la mer, la pinède odorante, un air salubre et le soleil.

Pont-viaduc. — Ce pont routier aux lignes simples, le plus long de France avec ses 3 027 m, relie depuis 1966 l'île au continent. Construit en béton précontraint, il repose sur 45 piles de section rectangulaire; ses travées centrales, d'une portée de 79 m, s'élèvent à 23 m au-dessus des plus hautes mers. Son tablier, large de 10,60 m, supporte une chaussée de 7 m, deux pistes cyclables et deux trottoirs. On en aura la meilleure vue d'ensemble depuis l'ancien embarcadère du Chapus *(p. 90)*.

Promenades en mer ⊙**.** — Liaisons avec l'île d'Aix, en saison, et croisières.

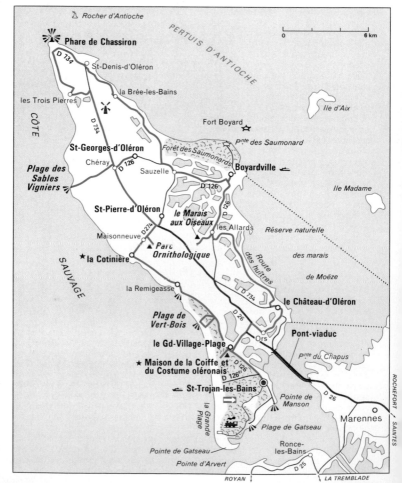

UN PEU DE GÉOGRAPHIE ET D'HISTOIRE

Prolongement de la Saintonge, Oléron est la plus vaste des îles françaises (si l'on excepte la Corse), avec 30 km de long sur 6 km de large. Le Pertuis (passage) d'Antioche et celui de Maumusson, parcouru de dangereux courants, la séparent des côtes charentaises.

Basse sur l'horizon, l'île est composée de terrains calcaires et de sables formant de longs chapelets de dunes boisées au Nord (dune des Saumonards) et à l'Ouest (Côte Sauvage). Les blanches maisons d'Oléron s'entourent de mimosas, lauriers-roses, tamaris, figuiers et agaves : de-ci de-là apparaissent d'anciens moulins à vent.

Les ressources. – A l'Est, le littoral et les terres basses entre St-Trojan et Boyardville sont entièrement dévolus à l'ostréiculture, richesse essentielle de l'île avec les primeurs et la vigne. Celle-ci, localisée surtout autour de St-Pierre et de St-Georges, dispense un vin blanc ou rosé de saveur iodée agréable.

Les marais salants, nombreux jadis près d'Ors, St-Pierre ou la Brée, ont été transformés en « claires » *(voir p. 17)*.

L'aquaculture s'est développée dans l'île, plusieurs fermes marines produisant palourdes, truites et anguilles.

Le principal port de pêche de l'île est celui de La Cotinière *(p. 107)*. A la pointe de Chassiron, un aspect original de pêche littorale survit dans les **écluses à poissons,** enceintes de murs comportant à leur extrémité des orifices grillagés par où l'eau s'écoule à marée descendante : quand la mer est basse, les pêcheurs capturent leurs proies à l'aide de « fouënes » (genre de harpon) et « espiottes » (genre de sabre).

Sur la Côte Sauvage la pêche au lancer se pratique surtout en juin et septembre, pour le bar et le maigre *(1)*.

Un centre de thalassothérapie s'est installé à St-Trojan.

Les « Rôles d'Oléron ». – Au crépuscule d'une vie agitée, une pénitente de 76 ans, **Aliénor d'Aquitaine,** séjourne en 1199 dans son château d'Oléron, avant de se retirer à l'abbaye de Fontevraud où elle mourra en 1204. Elle a jadis donné prise au scandale par la liberté de ses manières. On voit une reproduction de sa statue gisante au musée Aliénor-d'Aquitaine à St-Pierre-d'Oléron.

Pour lors, assagie, elle se préoccupe de mettre un peu d'ordre dans son île. La dangereuse Côte Sauvage est en proie aux pilleurs d'épaves : c'est ce qu'on appelle pudiquement « le droit d'aubaine ». La douairière décrète alors que ces bandits seront punis : « Ils doivent être mis à la mer et plongés tant qu'ils soient à demi morts, et puis les retirer dehors, et les lapider, et les assommer, comme on fait aux loups et chiens enragés. »

Aliénor fait ensuite rédiger une série de règles « touchant le fait des mers, des nefs, des maistres, compagnons mariniers et aussi merchants ». Ce code maritime, connu sous le nom de Rôles d'Oléron, servira de base à tout ce qui sera promulgué à l'avenir en la matière.

Après le règne d'Aliénor, l'île d'Oléron sera convoitée par les Anglais et les Français. En 1372, les Anglais abandonneront l'île, emportant avec eux tous les documents officiels.

La poche d'Oléron. – Occupée en 1940, l'île d'Oléron était libérée les 30 avril et 1er mai 1945. Une opération de grande envergure dite opération Jupiter, alliant forces terrestres, maritimes et aériennes, aboutit à la capitulation d'une garnison forte d'environ 15 000 hommes.

ST-PIERRE-D'OLÉRON 5 365 h.

Situé au cœur de l'île, en bordure des marais, St-Pierre en est le centre administratif et commercial.

Pendant les mois d'été, le centre-ville avec ses rues piétonnes connaît une intense animation.

Église. – Son clocher octogonal (18e s.) de couleur claire sert d'amer aux marins. De chaque côté du chœur, chapelle précédée d'une arcature trilobée reposant sur des piliers en marbre noir.

De la plate-forme, à 32 m de haut, le **panorama★** embrasse la totalité d'Oléron, les îles d'Aix et de Ré, l'estuaire de la Charente.

Lanterne des morts. – Haute de 30 m, elle se trouve place Camille-Memain, à l'emplacement de l'ancien cimetière. Elle a été érigée lors de l'occupation anglaise au 13e s. Ses lignes sobres et élancées sont celles du style gothique commençant; elle se termine par une pyramide du 18e s.

A l'intérieur est conservé l'escalier par lequel on accédait au fanal; un autel s'adosse à l'une des faces.

Maison des Aïeules. – C'est dans cette maison, demeure de ses grands-parents maternels, au n° 13 de la rue qui porte son nom, que **Pierre Loti,** né à Rochefort *(p. 131)*, vint passer ses vacances d'adolescent. Là, il fut enterré en 1923 « sous le lierre et les lauriers » dans le jardin familial, à l'instar de ses ancêtres huguenots; près de son corps ont été placés, selon ses désirs, son seau et sa pelle d'enfant ainsi que le paquet de lettres d'Aziyadé.

Devant la mairie le buste de l'écrivain rappelle son séjour à St-Pierre.

---

(1) La carte de l'île d'Oléron au 1/45 000 (éditions R. Quémy, 78510 – Triel-sur-Seine) localise les pêches littorales et les pêches praticables à pied.

Musée oléronais Aliénor-d'Aquitaine ⊘. — *23, rue Pierre-Loti.* Une maison oléronaise abrite ce musée d'arts et de traditions. Une cuisine locale reconstituée (meubles, objets domestiques, personnages en costumes) évoque la vie d'autrefois.

On y voit également des coquillages provenant des côtes ainsi qu'une présentation sur l'activité maritime, agricole et viticole de l'île.

Des documents sur la vie et l'œuvre de Pierre Loti complètent le musée.

ST-TROJAN-LES-BAINS 1 486 h.

Agréable station balnéaire et climatique (lieu de séjour), fleurie de mimosas de janvier à mars, bénéficiant d'une végétation quasi méditerranéenne, St-Trojan dissémine sous une magnifique forêt de pins maritimes ses coquettes villas.

Elle possède un institut de thalassothérapie où sont traités les rhumatismes, les suites de traumatisme, le surmenage.

Le Gulf Stream vient baigner quatre plages de sable fin.

Forêt de St-Trojan. — Vaste (2 000 ha) et profonde, la forêt domaniale couvre les dunes dont certaines atteignent 36 m de hauteur. Plantée surtout en pins maritimes avec quelques intercalations ou sous-bois de chênes verts et de fourrés de genêts, elle est exploitée pour le bois.

Des laies permettent de s'y promener à pied ou à bicyclette.

Grande Plage. — *3 km à l'Ouest de St-Trojan par la D 126^{E1}.* Sur la Côte Sauvage battue par les vents, la Grande Plage, de sable fin et bordée de dunes, s'étend à perte de vue.

Pointe de Manson. — *2,5 km au Sud de St-Trojan.* La route de la pointe de Manson aboutit à une estacade (digue) d'où l'on jouit de **vues** sur la pointe d'Ors, le pont-viaduc, la pointe du Chapus, l'embouchure de la Seudre et la presqu'île de La Tremblade qui délimitent une petite mer intérieure.

Plage de Gatseau. — *4 km au Sud-Ouest de St-Trojan.* La route des préventoriums mène aux sables fins de Gatseau, plage propice à la baignade.

Au cours de la promenade, s'offrent de belles **vues** sur la pointe d'Arvert, Ronce-les-Bains et le clocher de Marennes.

Pointe de Gatseau. — A l'extrémité Sud de la Grande Plage, ce lieu isolé du trafic routier est l'un des plus évocateurs de la Côte Sauvage. On y accède par un petit **train touristique** ⊘ allant de St-Trojan à la Côte Sauvage.

Ile d'Oléron. — Chenal d'Ors.

VISITE DE L'ILE

Circuit au départ de St-Trojan-les-Bains
85 km — compter 1 journée — schéma p. 104

St-Trojan-les-Bains. — *Description ci-dessus.*

Le Grand-Village-Plage. — 718 h. La **maison Paysanne oléronaise** ⊘ est la reconstitution d'une ferme oléronaise des siècles passés. La maison d'habitation, à pièce et fenêtre uniques, renferme un mobilier complet, recréant l'atmosphère de la vie paysanne d'autrefois.

Dans les dépendances, chai, écurie, hangars, est exposé le matériel rappelant les activités traditionnelles liées à la mer et à la viticulture. La petite **maison de la Coiffe et du Costume oléronais**★ présente d'une façon attrayante le costume traditionnel porté dans l'île au siècle dernier.

Le Château-d'Oléron. – 3 544 h. Lieu de séjour. Ancienne place forte du 17ᵉ s., le Château conserve les restes d'une citadelle construite à l'initiative de Richelieu. En 1666, la construction du port de Rochefort amena Louis XIV à créer une ceinture de feu pour protéger l'embouchure de la Charente. Fouras et l'île d'Aix furent alors fortifiés, la citadelle remaniée et renforcée. Sous la Révolution elle reçut de nombreux déportés laïques et religieux.

La localité s'ordonne géométriquement autour d'une vaste place ornée d'une jolie fontaine Renaissance, soulignée par quatre colonnes torsadées. Le port s'enfonce dans la ville : on y découvrira le spectacle des barques se rendant sur les parcs à huîtres ou en revenant.

La petite route côtière des Allards, au Nord, est connue localement sous le nom de « **route des huîtres** ». Étroite mais revêtue, elle permet en effet la desserte des multiples chenaux, « ports » ou « cabanes » ostréicoles, échelonnés face aux parcs à huîtres de la côte Est, donnant ainsi, surtout à marée basse, un aperçu fort intéressant sur l'activité de l'ostréiculteur oléronais.

Le Marais aux oiseaux ⊘. – Aux Grissotières. Ce **parc ornithologique** s'inscrit dans le cadre d'une réserve naturelle, constituée pour l'essentiel d'anciens marais salants entourés de chênes, site d'hivernage et de nidification de nombreux oiseaux migrateurs. Hérons, aigrettes, pélicans, bernaches évoluent dans de grands enclos reconstituant les milieux humides d'origine de ces oiseaux.

Boyardville. – Lieu de séjour. Le nom de cette localité vient des cabanes d'ouvriers installées pendant la construction du **fort Boyard**, étrange vaisseau de pierre à la carcasse ventrue, qui se dresse sur un bras de mer, au cœur même du Pertuis, face à l'île d'Oléron. Bâti pour garder l'embouchure de la Charente, le fort fut mis en chantier en 1804 et achevé en 1859 sous Napoléon III. Mais les progrès de l'artillerie, plus rapides que ceux de la construction, le rendirent inutile aussitôt achevé. En 1871 il devint la prison de bon nombre de Communards avant leur jugement et leur déportation vers la Nouvelle-Calédonie.

Ancienne station-école de torpilleurs, Boyardville possède un petit port de plaisance. La plage, longue de 8 km, est la façade sur mer de la dune des Saumonards que couvre une futaie de pins vallonnée (450 ha), propice aux promenades. Une route forestière mène à l'ancien fort des Saumonards, aujourd'hui terrain militaire.

Après Sauzelle, prendre à droite la route de St-Denis-d'Oléron (signalisation Foulerot, le Douhet, la Brée), ponctuée de petites stations balnéaires.

Après La Brée-les-Bains, prendre la route côtière.

Phare de Chassiron ⊘. – Ce phare noir et blanc construit en 1836 s'élève à 50 m de hauteur. Par 224 marches on monte au sommet d'où se découvre un vaste **panorama★** sur Oléron, le rocher d'Antioche, qui rappelle une ville engloutie, les îles d'Aix et de Ré, La Rochelle et La Pallice ; autour de la pointe se distinguent, à marée basse, les écluses à poissons.

Suivre la route côtière vers le Sud pour gagner St-Georges-d'Oléron.

La route, qui se maintient sur les petites falaises marquant le début de la **Côte Sauvage,** est bientôt bordée par une plaine où poussent des cultures maraîchères.

St-Georges-d'Oléron. – 3 144 h. L'église est un édifice roman des 11ᵉ-12ᵉ s., restauré en 1618 puis en 1968, dont la façade est joliment décorée de motifs géométriques. L'arc en tiers-point du portail central a été refait au 13ᵉ s., de même que les voûtes gothiques de la nef. Sur la place : belle halle.

Plage des Sables Vigniers. – Au pied des dunes boisées, entre deux éperons rocheux, elle offre des vues sur la Côte Sauvage et un océan souvent houleux.

St-Pierre-d'Oléron. – *Page 105.*

Parc ornithologique de Maisonneuve ⊘. – Environ 200 espèces d'oiseaux, arborant une multitude de couleurs, y sont présentées : loris de Nouvelle-Guinée à calotte noire, grues couronnées à huppe jaune, aras, toucans, etc.

★ **La Cotinière.** – Lieu de séjour. Charmant port très animé, au centre de la Côte Sauvage. Une trentaine de petits chalutiers sont basés. Ils pêchent surtout, en été, la crevette, grise ou rose (« bouquet d'Oléron ») ; soles, crabes, homards alimentent aussi les transactions qui ont lieu à la halle appelée ici **« la criée »** ⊘.

Une chapelle des Marins (1967) se dresse sur la dune dominant le port.

La route suit la Côte Sauvage à travers les dunes, passe par **La Remigeasse** (lieu de séjour), puis s'enfonce dans les bois de pins ou de chênes verts, offrant des échappées sur l'océan.

Plage de Vert-Bois. – Une route à sens unique, décrivant une boucle à travers les dunes couvertes de pins et de joncs marins, permet d'atteindre la grève d'où se dégage une **vue★** impressionnante sur l'océan qui déferle en puissants rouleaux, dès qu'il y a un peu de vent.

★ **PARTHENAY**   10 809 h. (les Parthenaisiens)

Carte Michelin n° 🔟 pli 18 ou 🔢 pli 44.

Pittoresquement située sur un promontoire baigné par le Thouet, Parthenay est la capitale de la Gâtine *(p. 14)*, région vouée à l'élevage des bovins et des ovins. Cette spécialisation a permis le développement d'industries d'abattage et de transformation. Le **marché au bétail** ⊘ qui se déroule tous les mercredis dans le quartier de Bellevue *(derrière la gare)* est le second de France pour les bovins de boucherie. D'autres industries (aéronautique, électronique, mécanique) complètent l'activité économique de la ville dont divers salons, accueillis dans le palais des congrès, reflètent le dynamisme.

UN PEU D'HISTOIRE ET DE LÉGENDE

L'inévitable Mélusine. – La fée-serpent **Mélusine** *(voir p. 82)* aurait présidé à la naissance de Parthenay comme à celle de beaucoup de places fortes poitevines. La seigneurie de Parthenay resta d'ailleurs dans sa lignée jusqu'au Moyen Age, puisqu'elle appartenait aux Larchevêque, branche cadette de la famille de Lusignan, issue de Mélusine. Au 14e s., Guillaume VII Larchevêque fit même composer un poème en l'honneur de son aïeule :

« Après fit Vouvant et Mervant
Puis la ville de Parthenay
Et le châtel jolis et gays ».

Les pèlerins de St-Jacques. – A l'époque médiévale, Parthenay fut une étape importante sur la route de St-Jacques-de-Compostelle *(carte p. 30)*. Venue de Thouars, la troupe harassée de pèlerins s'arrêtait d'abord à la Maison-Dieu, dont la chapelle existe toujours *(route de Thouars)*, et y déposait ses malades. Puis, franchissant le pont et la porte St-Jacques, elle se dispersait dans les auberges de la rue de la Vaux-St-Jacques. Venait ensuite la visite aux différents sanctuaires (au nombre de 16) tels N.-D.-de-la-Couldre et Ste-Croix. Leurs dévotions terminées, les pèlerins se répandaient dans les tavernes en admirant les gracieuses Parthenaisiennes qu'une chanson populaire a célébrées :

« A Parthenay, y avait
Une tant belle fille... ».

LA VILLE MÉDIÉVALE *visite : 3 h*

★**Site.** – Du Pont-Neuf (Y), **vue**★ sur le vieux Parthenay et, en particulier, sur le pittoresque ensemble formé par le pont et la porte St-Jacques.

Au Moyen Age, Parthenay était réputée imprenable.

A l'extrémité du promontoire, la Citadelle, ceinte de remparts, enfermait le donjon et le logis seigneurial ainsi que la collégiale Ste-Croix. En contrebas, le Thouet et le vallon de la Vaux-St-Jacques offraient une protection naturelle.

Au creux du vallon, le bourg St-Jacques et, sur la partie haute, le bourg St-Laurent étaient circonscrits par une autre enceinte dont la porte St-Jacques formait l'élément principal.

★**Pont et porte St-Jacques** (Y). – Par l'étroit pont St-Jacques qui remonte au 13e s. se faisait l'entrée en ville, côté Nord. Un pont-levis unissait celui-ci à la porte St-Jacques, de même époque, qui conserve ses deux hautes tours jumelles et son chemin de ronde sur mâchicoulis.

PARTHENAY

★ **Rue de la Vaux-St-Jacques.** – Autrefois commerçante, elle s'inscrit entre la porte St-Jacques et la porte de la Citadelle. Elle évoque, par son aspect moyenâgeux, le temps des pèlerins de St-Jacques. Les antiques demeures en encorbellement et à colombages présentent par endroits de larges baies marquant l'emplacement des anciennes boutiques.

Gravissant la côte du Vau-Vert, la rue longe à son extrémité l'enceinte de la Citadelle dont on distingue les tours arasées.

Citadelle (Y). – Ancienne « cité » des Larchevêque, renforcée de murailles au 12ᵉ s. Pénétrer à l'intérieur de l'enceinte par la **porte de la Citadelle** (ou de l'Horloge), puissante construction gothique encadrée de tours à bec. Cette porte servit de beffroi au 15ᵉ s. : grosse cloche datant de 1454.

De la terrasse près de l'hôtel de ville : **vues** sur l'abside de l'église Ste-Croix, les vieux toits de la ville basse et les jardins en terrasse ; à l'arrière-plan, viaduc du chemin de fer. Du jardin près du Commissariat de Police, **vue** sur le Thouet et son pont du 16ᵉ s.

On rencontre ensuite l'église Ste-Croix (12ᵉ s.), puis l'**église N.-D.-de-la-Couldre,** dont il reste un beau portail roman poitevin.

On arrive à la vaste esplanade gazonnée qui portait le château dont il subsiste deux tours (tour de la Poudrière et tour d'Harcourt) : **vues** plongeantes sur la boucle du Thouet et le quartier de la Vaux-St-Jacques.

Un sentier pédestre aménagé au pied des remparts permet de regagner la porte de la Citadelle.

Parthenay-le-Vieux. – *1,5 km à l'Ouest.* Sur une butte dominant la rive droite du Thouet, un clocher octogonal signale de loin l'église du prieuré de Parthenay-le-Vieux fondé par les moines de la Chaise-Dieu.

L'**église St-Pierre★** ⊙ présente une façade romane poitevine, remarquable par sa symétrie, le portail et les deux arcatures aveugles, surmontées de trois baies, annonçant les trois vaisseaux intérieurs. D'après la tradition ce serait la fée Mélusine qui figure à la voussure du portail. Aux tympans des arcatures latérales sont représentés Samson terrassant le lion et un cavalier couronné portant un faucon. Sous la corniche sont rangées des têtes de félins, aux oreilles pointues, symbolisant des diablotins.

L'intérieur, d'une majestueuse homogénéité, comprend une nef à berceau légèrement brisé, qu'épaulent deux collatéraux en demi-berceau. A la croisée du transept, la coupole sur trompes porte le clocher. De chaque côté du chœur, chapiteaux sculptés de lions et de chèvres.

PASSAY

Carte Michelin n° 🖸🔟 pli 3 ou 🎞🎞🎞 pli 28.

Typique hameau de pêcheurs, c'est le seul endroit d'où l'on peut approcher le lac de Grand-Lieu.

Lac de Grand-Lieu. – Réserve naturelle depuis 1980, le lac de Grand-Lieu fut autrefois un véritable lac, mais depuis un siècle, la végétation envahissante en fait un marais, immense et mélancolique, dont les rives indécises, cachées par les roseaux et les ajoncs, font un site ornithologique exceptionnel. Communiquant avec l'estuaire de la Loire par l'Acheneau (cheneau : chenal), appelé étier de Buzay, ce lac a une superficie qui varie de 4 000 ha, en été, à 8 000 ha en hiver. Le fond rocheux, d'une profondeur de 1 à 2 m suivant les saisons, est recouvert par endroits d'une importante couche de vase. Sous son linceul serait ensevelie la ville d'Herbauge, maudite pour ses mœurs dissolues ; le tintement de sa cloche peut encore être entendu, selon la légende, au milieu du lac, à minuit, durant la nuit de Noël.

Important site de nidification du héron cendré et de la rare spatule, le lac de Grand-Lieu, situé sur une voie de migration atlantique, accueille plus de 200 espèces d'oiseaux : bécassines, canards, sarcelles, grèbes, râles, oies...

Les **promenades en barque** ⊙ ne sont autorisées qu'exceptionnellement sur le lac dont seuls les musées (la maison du Pêcheur, *ci-dessous,* et la maison du Lac, à St-Philbert-de-Grand-Lieu) permettent de découvrir les beautés naturelles.

Maison du Pêcheur ⊙. – Installé au pied d'une **tour observatoire** dominant le lac et ses environs, ce petit musée révèle un milieu exceptionnellement riche. Le lac et son écosystème (faune, flore) sont clairement présentés, ainsi que les activités qui y sont liées, notamment la pêche avec ses techniques particulières. Des aquariums abritent les espèces indigènes : brochets, sandres, anguilles, carpes...

Héron cendré.

Carte Michelin n° 🔲🔲 plis 13, 14 ou 🔲🔲🔲 pli 8.

C'est du plateau des Dunes dans le faubourg St-Saturnin *(p. 116)*, sur la rive droite du Clain, qu'il faut observer le site de la ville, perchée sur un promontoire isolé par le Clain et la Boivre. Dans ce cadre, Poitiers offre à l'amateur d'art un rare choix de monuments. Par ailleurs, les quartiers médiévaux, au cœur de la cité, alimentent la curiosité du flâneur; l'activité universitaire leur confère une animation particulière notamment sur la place devant l'hôtel de ville.

UN PEU D'HISTOIRE

L'aube du christianisme. – Les premiers chrétiens se groupèrent au sein de la ville romaine aux 3e-4e s. et le baptistère St-Jean fut un de leurs sanctuaires. Quant à leur premier grand évêque, **saint Hilaire** (mort en 368), il tonna contre les hérésies, tout en instruisant son plus cher disciple, saint Martin. S'étant rendu sans y être invité au concile de Séleucée, les Pères refusèrent de lui laisser place : « lors, miraculeusement, la terre s'éleva en forme d'un beau siège plus haut que les autres, dont les assistants furent ébahis », rapporte le chroniqueur de *la Légende Dorée*.
Autre gloire de l'Église poitevine, **sainte Radegonde**, épouse de Clotaire Ier, se réfugia à Poitiers en 559 et y fonda le monastère Ste-Croix dans l'enceinte duquel son confident saint Fortunat récita les poèmes qu'il composait en latin.

Une date inoubliable : 732. – Des trois batailles intitulées « batailles de Poitiers » *(voir p. 18 et à Nouaillé-Maupertuis)*, celle au cours de laquelle Charles Martel sauva la chrétienté en repoussant l'invasion arabe, à quelques lieues au Nord de Poitiers *(voir p. 58)*, est de loin la plus fameuse.
Les Arabes, s'étant rendus maîtres de l'Espagne *(voir le guide Vert Michelin Espagne)*, envahirent la Gaule par le Sud. Tenus en échec une première fois par Eudes, duc d'Aquitaine, ils l'écrasèrent près de Bordeaux et continuèrent leur avancée vers le centre du pays, ravageant tout sur leur passage. Eudes appela à son secours Charles Martel, maire du palais mérovingien. Les Arabes, qui venaient de brûler l'église St-Hilaire de Poitiers, se heurtèrent aux troupes franques à proximité de la ville. La cavalerie franque tailla en pièces l'armée musulmane qui, petit à petit, évacua l'Aquitaine. 732 restera dans l'histoire le symbole de la première victoire de l'Occident chrétien sur les musulmans.

La cour de Jean de Berry. – Passée sous la domination anglaise par deux fois, au 12e s., sous Henri Plantagenêt et Aliénor d'Aquitaine, puis au 14e s. après la bataille de Poitiers de 1356 *(voir p. 102)*, la ville, grâce à Du Guesclin, est rendue à la couronne, en la personne du frère de Charles V : Jean, duc de Berry et d'Auvergne, comte du Poitou. Le gouvernement de Jean de Berry *(voir aussi le guide Vert Michelin Berry-Limousin)*, qui s'étendit de 1369 à 1416, donna à Poitiers un essor rapide, à l'instar de Bourges et de Riom. Mécène fastueux et raffiné, Jean traîne à sa suite sa ménagerie, dont il ne se sépare jamais, et un cortège de grands artistes : des architectes comme les Dammartin, un sculpteur, aussi enlumineur, nommé André Beauneveu, et plus tard des miniaturistes comme les frères de Limbourg.

Poitiers sous la Renaissance. – Le rayonnement de son université qui compte 4 000 étudiants fait de la cité des Pictons un foyer intellectuel auquel vient se chauffer maint « pisseur d'encre ».
A la suite de son protecteur Geoffroy d'Estissac *(voir p. 84)*, **Rabelais** y séjourne plusieurs fois de 1524 à 1527. « Forte et grosse ville », pleine d'écoliers, Poitiers, abondant en prêtres et en moines (on compte 67 églises), venait alors, pour l'étendue, immédiatement après Paris et Lyon. Un peu plus tard, après Calvin, certains écrivains de la Pléiade, ou leurs disciples, viennent se frotter aux doctes de l'Université, tels Jacques Pelletier du Mans, ami de Ronsard, qui professe les mathématiques, Du Bellay et Baïf dont *les Amours de Francine* évoquent les cénacles littéraires locaux.

Les Grands Jours de Poitiers. – Ils se tiennent en 1579 pour essayer de mettre fin aux discordes religieuses et rassemblent tout ce que le Poitou compte de natures distinguées, parmi lesquelles Nicolas Rapin *(voir p. 71)* et un grand avocat, Étienne Pasquier. La bonne société de Poitiers ouvre largement ses portes aux congressistes.

Un sommeil de quatre siècles. – Les guerres de Religion apportent destruction et misère à Poitiers qui par deux fois subit les rigueurs d'un siège. Dès lors s'amorce la décadence de la ville qui, le long des 17e et 18e s., voit ses activités stagner ou régresser. L'université, malgré le nom bientôt célèbre de certains de ses étudiants, tel Descartes, connaît un identique effacement. En dépit des efforts de l'intendant **comte de Blossac**, cette somnolence se confirme au-delà de la Seconde Guerre mondiale.
Sous l'impulsion d'une population rajeunie, la ville connaît, depuis, un dynamisme nouveau et se pose en capitale régionale du Poitou-Charentes.

★LE CENTRE MONUMENTAL *visite : 3 h*

★★**Église N.-D.-la-Grande** (DY). – L'ancienne collégiale N.-D.-la-Grande tiendrait son nom de l'église Ste-Marie-Majeure de Rome.
Longue de 57 m pour 13 m de largeur et 16,60 m de hauteur, elle témoigne de la perfection de l'art roman, par son architecture harmonieuse, aux lignes équilibrées. Sa façade, noircie par le temps, est l'une des plus célèbres de France.

★★★**Façade.** – Elle est du 12e s. et offre un bon exemple de l'architecture romane poitevine *(voir p. 28)*, bien qu'influencée par l'art de Saintonge. Elle est animée d'une vie intense, accentuée suivant l'heure du jour par les effets d'ombre et de lumière jouant sur le décor sculpté *(la lire de gauche à droite et de bas en haut)*.

L'étage inférieur présente un portail à quatre voussures, encadré de deux arcades en arc brisé montrant à l'intérieur des arcatures jumelles. Au-dessus des arcs, des bas-reliefs figurent : Adam et Ève (**1**) et Nabuchodonosor sur son trône (**2**); les 4 prophètes (**3**) Moïse, Jérémie, Isaïe et Daniel; l'Annonciation (**4**) et l'Arbre de Jessé (**5**); à droite, la Visitation (**6**), la Nativité (**7**), le bain de l'Enfant Jésus (**8**) et la méditation de saint Joseph (**9**).

Au-dessus du portail s'inscrit une baie, encadrée d'une double rangée d'arcatures, entre lesquelles se situent les apôtres (**10**) et, aux deux extrémités, les effigies présumées de saint Hilaire (**11**) et de saint Martin (**12**).

Les voussures des arcades et arcatures sont ornées d'un décor végétal et d'un bestiaire fantastique, traités avec virtuosité.

Le pignon présente, dans une gloire en amande, un Christ en majesté (**13**) entouré des symboles des évangélistes et surmonté d'une palme de lumière (le soleil) et d'un croissant (la lune), symboles d'éternité à l'époque romane.

La façade est flanquée de part et d'autre d'un faisceau de colonnes supportant un lanternon ajouré, aux corniches droites ou en arcatures, coiffé d'un toit en écailles en forme de pomme de pin.

Flanc gauche. — Sur le côté gauche de l'édifice ont été ajoutées des chapelles du 15ᵉ s. contre le chœur et du 16ᵉ s. le long du collatéral.

Remarquer aussi la silhouette originale du clocher datant du 12ᵉ s., sur plan carré surmonté d'une tourelle ajourée, coiffée d'un toit conique à écailles en forme de pomme de pin.

Intérieur. — De type poitevin mais dépourvu de transept, il fut malheureusement badigeonné en 1851. La nef, voûtée en berceau, est encadrée de bas-côtés voûtés d'arêtes. Sur le 2ᵉ pilier à gauche en entrant, remarquer un groupe, sculpté et peint (15ᵉ-16ᵉ s.), représentant la lignée de sainte Anne, qu'on appelle aussi la « Sainte Parenté ».

Dans le chœur, on verra un lutrin de cuivre du 17ᵉ s. Derrière le maître-autel, une statue de Notre-Dame des Clefs, du 16ᵉ s., a remplacé l'œuvre originale détruite en 1562. Elle évoque un miracle advenu en 1202, par lequel les clés de la ville furent subtilisées à un traître qui allait les remettre aux Anglais. Les six puissantes colonnes rondes qui forment l'hémicycle du chœur portent la voûte en cul-de-four décorée d'une fresque du 12ᵉ s. représentant la Vierge en majesté et le Christ en gloire. A droite du déambulatoire, l'absidiole primitive a été remplacée par une chapelle (aujourd'hui chapelle Ste-Anne) fondée en 1475 par Yvon du Fou, sénéchal du Poitou, dont on voit les armes au-dessus du bel enfeu flamboyant qui abritait sa sépulture. A sa place : Mise au tombeau du 16ᵉ s., en pierre polychrome, venant de l'abbaye de la Trinité de Poitiers, et œuvre d'artistes italiens.

Palais de Justice (DY J) ⊘. — La façade, d'époque Restauration, masque la grande salle et le donjon de l'ancien palais ducal, rares témoignages de l'architecture civile urbaine au Moyen Age. Le donjon, dit **tour Maubergeon**, remonte au début du 12ᵉ s. et a été aménagé en appartement pour Jean de Berry.

Vaste nef, longue de 47 m et large de 17, la **grande salle★** était réservée aux audiences solennelles, aux grands procès, aux réunions des États provinciaux; le Parlement y siégea sous Charles VII et Jacques Cœur y fit amende honorable après le jugement prononcé contre lui par la juridiction d'exception chargée de le condamner.

Son édification fut menée à bien sous les Plantagenêts, à la fin du 12ᵉ s., mais le mur-pignon a été refait, sous la direction de Gui de Dammartin, pour Jean de Berry. Ce mur est remarquable par ses trois cheminées monumentales que surmontent un balcon et un fenestrage flamboyants. Tout en haut, quatre admirables statues représentent, de gauche à droite, Jean de Berry, son neveu Charles VI, Isabeau de Bavière et Jeanne de Boulogne, épouse de Jean.

Dans ce palais, en 1429, Jeanne d'Arc subit son interrogatoire devant une commission du Parlement : elle fut reconnue investie d'une mission providentielle.

La façade postérieure du palais de justice *(à voir de la rue des Cordeliers)* comprend à droite la tour Maubergeon, ornée de statues, à gauche le mur-pignon de la grande salle, d'une construction très ingénieuse, les trois conduits de cheminée étant en partie dissimulés sous des gâbles fleuronnés. Dans le square attenant, vestiges de la muraille gallo-romaine.

Hôtel de l'Échevinage (DY D). — Ancien hôtel de ville, ce bâtiment du 15ᵉ s., avec chapelle d'époque, abrita d'abord les « Grandes Écoles » de l'université, puis l'échevinage.

POITIERS

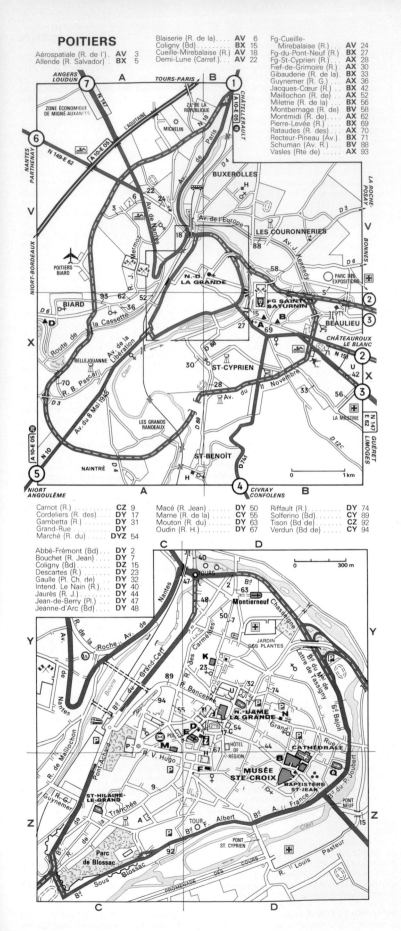

Les plans de villes sont toujours orientés le Nord en haut.

St-Porchaire (DY E). — De l'église bâtie au 11ᵉ s., seul subsiste le clocher-porche coiffé d'un toit pyramidal à quatre pans que nous admirons aujourd'hui.

Trois étages d'arcatures et baies se superposent au-dessus d'un grand arc en plein cintre servant d'entrée et orné de chapiteaux romans. Celui de droite montre Daniel livré aux lions mais heureusement sauvé par un envoyé de Dieu, tandis que les chapiteaux de gauche présentent des oiseaux buvant dans un calice et deux lions séparés par une tige végétale.

Le clocher abrite la cloche de l'université; fondue en 1451, cette cloche fut jadis utilisée pour annoncer l'ouverture des cours. Derrière le clocher, église à deux nefs reconstruite au 16ᵉ s.

★ **Baptistère St-Jean** (DZ) ⊘. — Édifié au milieu du 4ᵉ s., ce baptistère est le plus ancien témoignage de l'architecture chrétienne en France. Il est enterré de 4 m, à la suite de l'éboulement progressif des sols et des remblais effectués au 18ᵉ s.; les douves qui l'entourent datent de la moitié du 19ᵉ s.

Primitivement, il comprenait deux salles rectangulaires, la salle baptismale et le narthex, que précédait un couloir d'entrée encadré de deux vestiaires.

Il présente actuellement une salle baptismale rectangulaire, à laquelle sont accolées une abside quadrangulaire à l'Est datant des 6ᵉ-7ᵉ s. et deux absidioles jadis de plan carré, transformées vers le milieu du 19ᵉ s. en absidioles semi-circulaires. L'ancien narthex, restauré au 10ᵉ s., a pris une forme polygonale. On observe, sous les fenêtres en partie bouchées et percées d'oculi, des traces d'un petit appareil romain cubique et, sous les pignons, de curieux pilastres à chapiteaux sculptés en faible relief.

Intérieur. — Il renferme un important musée lapidaire, en particulier une belle collection de sarcophages mérovingiens, découverts à Poitiers et dans les environs, des stèles et bas-reliefs, une ancienne mesure dîmière taillée dans la pierre, des moulages de la décoration sculptée extérieure du baptistère. Le narthex est relié à la salle baptismale par trois grandes arcades, percées dans le mur édifié en retrait du portail d'entrée. Des voûtes en cul-de-four couvrent l'abside principale et les deux absidioles.

Au centre de la salle baptismale se situe la piscine octogonale qui servait au baptême par immersion : le catéchumène, dépouillé de ses vêtements dans les vestiaires, descendait dans la piscine où l'évêque procédait aux onctions rituelles; puis il revêtait une tunique blanche et était introduit solennellement dans la cathédrale. Au 7ᵉ s., pour procéder au baptême par affusion (eau versée sur la tête), on boucha la cuve sur laquelle furent installés des fonts baptismaux (il n'y en eut pas d'autres à Poitiers avant le 12ᵉ s.).

Admirer le décor de colonnes de marbre et de colonnettes soutenant les arcatures, et les chapiteaux richement sculptés de feuilles, tresses, perles, à la mode antique.

Des **fresques** romanes, en partie recouvertes par des peintures des 13ᵉ-14ᵉ s., animent les murs : Ascension au-dessus de l'abside principale, Christ en majesté au cul-de-four de cette même abside; sur les murs de la salle rectangulaire, sont représentés quatre cavaliers parmi lesquels figure l'empereur Constantin et, sur le mur de gauche, des paons, symboles d'immortalité.

★ **Cathédrale St-Pierre** (DZ). — Commencée à la fin du 12ᵉ s. et presque achevée à la fin du 14ᵉ s., date de sa consécration, St-Pierre surprend par l'ampleur de ses dimensions.

Extérieur. — Sa large façade, ornée d'une rosace et de trois portails du 13ᵉ s., est flanquée de deux tours dissymétriques; celle de gauche conserve, sur un support de colonnettes engagées, un étage octogonal surmonté d'une balustrade.

Admirer les sculptures des trois portails dont les tympans décrivent : à gauche la Dormition et le Couronnement de la Vierge; au centre, de bas en haut, les morts sortis en rade des tombeaux, les élus de Dieu séparés des réprouvés livrés au Léviathan et, au-dessus, le Christ en gloire célébré par les anges; à droite, l'apostolat de saint Thomas, patron des tailleurs de pierre : édification miraculeuse d'un « palais mystique » pour le roi des Indes.

Contourner l'édifice par la gauche jusqu'à la rue Arthur-de-la-Mauvinière.

Noter au passage l'absence d'arcs-boutants et la puissance des contreforts; se retourner pour apprécier la muraille vertigineuse du **chevet** (49 m de haut), uniformément plat et mis en valeur par la déclivité du sol.

Intérieur. — Dès l'entrée s'impose la puissance architecturale du large vaisseau divisé en trois nefs de hauteur presque égale; l'impression d'une perspective fuyante vers le chevet est accentuée par le rétrécissement progressif de la largeur des nefs et l'abaissement de la voûte centrale à partir du chœur. 24 voûtes ogivales bombées, dénotant l'influence du style Plantagenêt, coiffent les huit travées de chaque nef; le chevet, plat à l'extérieur, est creusé de trois absidioles; une coursière, supportée par une corniche, ornée de plaisants modillons historiés, règne sur le pourtour des murs décorés d'arcatures aveugles.

La cathédrale est éclairée par des verrières en partie anciennes. Au chevet, dans l'axe du chœur, Crucifixion de la fin du 12ᵉ s., au centre de laquelle rayonne un Christ en croix entouré de la Vierge et de saint Jean; de part et d'autre s'inscrivent : au-dessous la Crucifixion de saint Pierre et la Décollation de saint Paul, au-dessus les apôtres aux visages levés vers le Christ en Gloire, figuré dans une mandorle.

Dans le chœur, **stalles★** du 13ᵉ s., passant pour être les plus vieilles de France; aux dosserets, les écoinçons sculptés évoquent la Vierge et l'Enfant, des anges porteurs de couronnes, l'architecte au travail.

Revenir vers la porte Ouest pour observer les orgues du 18ᵉ s., œuvre de F. H. Clicquot, placées au revers de la façade, sur une belle tribune-coquille en anse de panier.

★★ÉGLISE ST-HILAIRE-LE-GRAND (CZ) *visite : 1/2 h*

Cette très ancienne église est considérée par les amateurs d'archéologie comme la plus intéressante de Poitiers. La contourner extérieurement pour observer, au chevet, les chapelles greffées sur le transept et le déambulatoire : ornées de colonnes portant des chapiteaux très ouvragés, elles présentent des corniches décorées de modillons sculptés (têtes de chevaux, feuillages, petits monstres).

Intérieur. — Au 11e s. St-Hilaire était déjà une grande église dont les trois nefs, couvertes de plafonds de bois, servaient d'abri aux pèlerins sur le chemin de St - Jacques - de - Compos-
telle. Malheureusement, au 12e s., elle fut ravagée par un incendie et, pour la restau-rer, en la couvrant d'une voûte de pierre, les archi-tectes d'alors durent réduire la largeur de ses vaisseaux. Ils partagèrent donc chaque bas-côté primitif en deux nefs par la construction de piliers centraux venant étayer les voûtes d'arêtes en leur milieu. Ceux de gauche ont alors englobé le clocher du 11e s., dont la base forme une superbe salle aux colonnes massives suppor-tant de remarquables chapi-teaux archaïques et des voûtes renforcées d'énor-mes bandeaux.

De même on éleva dans la nef principale une rangée de colonnes qui se raccordent de façon très ingénieuse aux murs d'origine et portent la série des coupoles sur pen-dentifs. Ainsi sont nés les sept vaisseaux de l'église actuelle. C'est du transept qu'apparaissent le mieux l'ampleur et l'originalité architecturale de l'édifice.

Le **chœur,** lieu du culte, et le transept sont considérable-ment surélevés par rapport à la nef. L'avant-chœur est orné au sol d'une belle mosaïque et, aux piliers, de chapiteaux intéressants dont, à gauche, celui de la mise au tombeau de saint Hilaire (**1**); on observe éga-

SAINT-HILAIRE-LE-GRAND

lement, sur les piliers précédant le transept, des fresques très anciennes représen-tant les évêques de Poitiers (**2**). Dans les absidioles, d'autres fresques relatent des épisodes de la vie de saint Quentin et de saint Martin. Le chœur est fermé par un hémicycle de huit colonnes à la base desquelles on admire des grilles de ferronnerie du 12e s. Observer, adossée au mur du déambulatoire, dans l'axe de l'église, une originale statue de la Trinité (**3**) : Dieu le Père coiffé d'une tiare présente son fils en croix; au sommet de la croix, la colombe du Saint-Esprit.
Dans la **crypte,** un coffret (19e s.) contient les reliques de saint Hilaire.

AUTRES CURIOSITÉS

★★ **Musée Ste-Croix** (DZ M) ⊘. – Il occupe un édifice moderne élevé à l'emplace-ment de l'ancienne abbaye Ste-Croix.

Arts et traditions populaires. — *Accès du hall par un escalier en descente.* Quelques objets évoquent l'habitat rural en Poitou, les anciens métiers, les coutumes et croyances.

Collections archéologiques. — *Au sous-sol : accès par un escalier situé au fond de la 1re salle.* Elles concernent le Poitou depuis la préhistoire. On y présente la chrono-logie du paléolithique et, en vitrine, des silex, outils, objets provenant des fouilles de la cachette de N.-D.-d'Or dans la Vienne (fragment de broche à rôtir en bronze du 7e s. avant J.-C.), du dépôt de Vénat à St-Yrieix-sur-Charente (objets enfouis vers 700 avant J.-C. : lingot de cuivre pur).
Autour de vestiges de murs antiques se répartissent d'importantes collections gallo-romaines : inscriptions, fragments de colonnes, bas-reliefs et statues, parmi lesquelles une célèbre Minerve de marbre blanc (1er s.) trouvée à Poitiers et une tête d'homme; stèles funéraires (belles stèles venant de Civaux dont *l'Homme à l'enfant*). *Prendre l'escalier au fond de la galerie.* On y voit le *Tailleur de pierre,* bas-relief médiéval trouvé aux abords de l'église St-Hilaire.
A l'étage, remarquer le *Chapiteau de la Dispute* (12e s.) et un médaillon Renaissance dessinant les traits du Christ.

Galeries de peinture. — Répartie sur plusieurs niveaux reliés entre eux par des escaliers, une riche collection de peintures, accompagnées de quelques sculptures, illustrent l'art de la fin du 18ᵉ s. à nos jours.

La 1ʳᵉ salle réunit quelques œuvres d'artistes de la **fin du 18ᵉ s.** : les Poitevins Louis Gauffier (*Ulysse et Nausicaa*) et J.-A. Pajou (*Œdipe maudissant Polynice*); Doyen (*Mars vaincu par Minerve*), Jean Broc (*la Mort d'Hyacinthe*), entourage de Géricault (*Anatomie masculine*). Au milieu : statue funéraire de Claude de l'Aubespine par Nicolas Guillain (17ᵉ s.); gisant de Mademoiselle de Montpensier, plâtre de James Pradier (vers 1845); marbre de Jean Escoula représentant *le Sommeil* (1885). Plus loin, atelier reconstitué du sculpteur Jean-René Carrière (1888-1982).

La salle suivante *(descendre quelques marches)* est consacrée au **19ᵉ s.** : le Poitevin Alfred de Curzon *(le Jardin du couvent)*, Octave Penguilly-l'Haridon *(Parade de Pierrot)*, Charles Brun *(Portrait de Germaine Pichot)*, Léopold Burthe *(Ophélia,* 1852). Au centre, marbre d'Auguste Ottin *(Jeune fille portant une amphore,* 1861), terre cuite de Carrier-Belleuse *(le Messie,* s.d.).

Quelques **orientalistes** sont réunis un peu plus haut : Alfred Dehodencq *(Fête juive à Tanger),* Eugène Fromentin *(Fantasia),* André Brouillet *(Une rue à Constantine);* à côté : buste de Louis XIII, en marbre, par Guillaume Berthelot, trois bronzes animaliers de Barye (19ᵉ s.), petits bronzes de Rodin *(l'Homme au nez cassé, l'Adolescent désespéré).*

Dans une salle voisine *(monter quelques marches),* trois œuvres de Camille Claudel dont *la Valse,* un paysage de jeunesse de Mondrian, des peintures de Vuillard, Bonnard, Sisley *(Rue dans un village)* sont regroupés.

Tout en haut se trouve la collection d'art contemporain (expositions), des œuvres de Marquet *(les Sables-d'Olonne),* Lépine, ainsi qu'un buste de Colette par Sarah Lipska.

Plus bas, toiles de l'Américaine Romaine Brooks *(le Poète en exil, Portrait de Gabriele d'Annunzio).* Sur un petit palier voisin, carton de tapisserie de Gustave Moreau *(la Sirène et le poète)* et bronze de Maillol *(les Nymphes de la Prairie).* Dans un couloir au sous-sol, voir encore la série de peintures du Hollandais Nicolas Maes : représentant les mystères de la vie du Christ (17 s.), elles proviennent de l'abbaye Ste-Croix (les autres œuvres de l'école hollandaise ancienne ont été transférées au musée de Chièvres).

★ **Église Ste-Radegonde** (DZ Q). — Cette ancienne collégiale fut fondée vers 552 par Radegonde pour servir de sépulture à ses moniales de l'abbaye Ste-Croix. Elle est caractérisée par une abside et un clocher-porche romans que relie une nef de style gothique angevin. D'une majestueuse et robuste ordonnance, le clocher-porche, sur plan carré, puis octogonal, a été pourvu, au 15ᵉ s., d'un portail flamboyant dont les niches abritent les statues modernes des saints protecteurs de Poitiers. A sa base subsiste l'enclos ceint de bancs de pierre où se rendait la justice ecclésiastique.

Du petit jardin à l'Est de l'église, on a une vue agréable sur le **chevet** et sur les lignes harmonieuses de l'ensemble.

Hôtel Fumé (DY K). — *Au n° 8 de la rue Descartes.* Occupé par la faculté des Lettres, il date du début du 16ᵉ s. Sa façade sur rue se pare de lucarnes flamboyantes. La cour est d'une harmonie discrète, avec sa tourelle d'escalier, sa galerie aux colonnes torsadées, son grand balcon en encorbellement.

Église de Montierneuf (DY). — L'église du « moutier neuf » dépendait d'une abbaye clunisienne dont les bâtiments conventuels, reconstruits au 17ᵉ s., subsistent encore quoique défigurés. Le sanctuaire proprement dit remonte au 11ᵉ s., mais a été complètement remanié aux époques gothique et classique. L'imposant portail de l'abbaye donne accès à l'ancienne cour abbatiale à l'extrémité de laquelle s'élève la façade de l'église, refaite au 17ᵉ s.

> Longer le flanc gauche de l'église pour gagner le jardin situé à l'arrière de l'abside.

La partie basse, romane, qui présente des chapelles orientées au transept et des chapelles rayonnantes au chevet, contraste avec la partie haute de style gothique, épaulée par de légers arcs-boutants qui lui confèrent une grâce surprenante.

Musée de Chièvres (CY M) ⊙. — Le musée occupe l'ancien hôtel particulier de Rupert de Chièvres. Il rassemble un beau mobilier du 16ᵉ au 18ᵉ s., des tapisseries de Felletin et des Flandres, des vitrines de céramique, d'émaux de Limoges (du 16ᵉ au 18ᵉ s.) et de statuettes en bois, et des tableaux du 16ᵉ au 18ᵉ s.

Remarquer, au rez-de-chaussée, dans les salles en enfilade, deux portraits par Jean Valade, peintre poitevin du 18ᵉ s., une corbeille peinte par Monnoyer (17ᵉ s.), deux têtes de marbre du 3ᵉ s., une rare représentation du Saint-Sépulcre, incrustée de nacre et d'ivoire (17ᵉ ou 18ᵉ s.); dans le couloir, têtes de marbre d'époque romaine. A l'étage, dans le couloir, on admire des portraits des écoles flamande et hollandaise des 16ᵉ et 17ᵉ s. (*Portrait de femme,* par Nicolas Maes, *le Duo* de Theodoor Rombouts) et, dans la première salle, un paysage d'hiver, par le Hollandais Valkenborch.

Hôtel Jean-Beaucé (DZ F). — *A l'angle de la rue Louis-Renard et de la rue du Puygarreau.* Bel édifice Renaissance jeune. Trois éléments tranchent sur l'ensemble par leur originalité : la lanterne coiffée d'une coupole à droite, au centre la tourelle d'escalier aux ouvertures obliques, à l'angle gauche les petites baies juxtaposées permettant d'observer ce qui se passe de chaque côté, sans avoir besoin de recourir à l'échauguette traditionnelle.

Hôtel de Rochefort (DY N). — *102, Grand-Rue.* Cet hôtel, qui abrite des services de la Direction des Affaires culturelles, présente une façade sur cour (fin 16ᵉ s.-début 17ᵉ s.) percée de cinq fenêtres mansardées et, à droite, de trois oculi.

Parc de Blossac (CZ). – Il fut aménagé au cours du 18ᵉ s. L'entrée principale se fait par des grilles portant les armes du comte de Blossac *(p. 110)*.
Un cours rectiligne conduit aux remparts en bordure de la « tranchée » scindant l'isthme qui sépare les vallées du Clain et de la Boivre. Agréables vues plongeantes en particulier de la tour à l'Oiseau à l'angle Sud-Ouest du parc. Le parc présente des oiseaux (perroquets, goélands...), des singes, des chèvres, etc.

Devenir-Espace Pierre Mendès-France (DZ B). – Consacré aux sciences, à la technique et à l'industrie, cet édifice moderne abrite des expositions, un centre de conférences et de documentation. Sous la coupole blanche doit être aménagé un planétarium.

Faubourg St-Saturnin (BX). – Il s'étend le long de la rive droite du Clain, au pied de la falaise rocheuse, et de chaque côté de la rue du Faubourg-du-Pont-Neuf. Le boulevard Coligny monte au sommet du plateau des Dunes que dominent la statue de Notre-Dame-des-Dunes, qui étend son bras protecteur vers la cité, et les casernements de l'ancienne école d'artillerie. Devant l'entrée de celle-ci, depuis la table d'orientation, se dégage une très belle vue★ sur le site de Poitiers; on remarquera l'alternance des toits de tuiles rondes (maisons) et d'ardoises (édifices publics) ainsi que les nombreux clochers.
En contrebas, un éperon rocheux, le rocher Coligny, servit de poste d'observation à l'amiral de Coligny lorsque les protestants assiégèrent la ville en 1569.

Hypogée martyrium (A) ⊙. – *Accès par la rue du Faubourg-du-Pont-Neuf, puis à gauche la rue de la Pierre-Levée.* Dans un jardin planté d'imposants conifères, parsemé de sarcophages, s'élève une construction de style gallo-romain (1909) abritant l'un des monuments les plus étranges du haut Moyen Age, qui ne fut découvert qu'en 1878 : une chapelle souterraine érigée au centre d'un cimetière chrétien primitif à la fin du 6ᵉ s., par un abbé qui y établit sa sépulture. L'hypogée renferme un mobilier varié, autel, stèles funéraires, bas-reliefs, et surtout une colonne sur laquelle figurent sculptés en ronde-bosse deux personnages en position de suppliciés, représentant la crucifixion des deux larrons, rare exemple de sculpture figurative de l'art mérovingien finissant. Les marches de l'escalier s'ornent de représentations symboliques caractéristiques du christianisme primitif (poissons, serpents entrelacés, rinceaux de lierre...).

La Pierre levée (B). – *Accès par la rue de la Pierre-Levée.* Ce dolmen, brisé au 18ᵉ s., était un but d'excursions, très fréquenté au temps de Rabelais. Celui-ci raconte, dans *Pantagruel,* que les « escholiers » l'escaladaient pour y « banqueter à force flacons, jambons et pâtés, et écrire leur nom dessus avec un couteau ».

EXCURSIONS

★★ **Le Futuroscope.** – *A Jaunay-Clan – 8 km au Nord par ①. Description p. 74.*

★ **Abbaye de Nouaillé-Maupertuis.** – *11 km au Sud-Est par la D 12 C. Description p. 102.*

Le Breuil-Mingot; le Bois-Dousset. – *15 km à l'Est. Par la rocade extérieure (av. John-Kennedy), gagner la D 6, à l'Est.*
Château du Breuil-Mingot. – Charmant manoir du début du 17ᵉ s.
Château du Bois-Dousset ⊙. – Élégant édifice des 16ᵉ et 17ᵉ s., ceint de douves.

Vallée du Clain. – *28 km – environ 2 h. Quitter Poitiers par l'av. de la Libération* (AX) *et prendre à gauche pour longer le Clain.* Lorsque l'on vient du Nord, cette vallée est la grande voie de pénétration du Poitou menant jusqu'au fameux « Seuil » qui sépare le Poitou de l'Angoumois, les pays de langue d'oïl de ceux de langue d'oc. Le Clain, parfois encaissé et coupé de moulins, serpente dans un cadre verdoyant de prairies et de coteaux souvent troués de cavernes.
St-Benoît. – 5 843 h. Au débouché du vallon du Miosson, ce gros village est profondément encaissé entre les pentes escarpées de collines boisées. L'**église**, ancienne abbatiale bénédictine, est bâtie dans un style roman très sobre qui paraît étranger à la manière habituelle de l'école poitevine. A l'intérieur, la disposition des pierres des murs de la nef retiendra l'attention : l'appareil, en blocage dans le bas, en réseau dans le haut, marque une construction du 11ᵉ s. Les boiseries et les stalles sont du 18ᵉ s., le tabernacle du 17ᵉ s. A droite de l'édifice, vestiges d'une galerie de cloître du 12ᵉ s., dans laquelle est incorporée l'entrée de la salle capitulaire.
Abbaye de Ligugé. – *Page 78.*
Château d'Aigne. – Édifice Renaissance, très restauré, dans une position dominante. De la terrasse, vue plongeante sur la vallée; au flanc du coteau, grotte dite de Rabelais *(sur Rabelais voir à l'index).*
Vivonne. – 2 955 h. (les Vivonnois). Petite ville juchée sur un éperon, Vivonne commande le confluent de trois rivières, la Vonne, le Palais et le Clain, ce dernier s'y divisant en plusieurs bras qui enserrent de vertes prairies et une petite plage. L'**église**, d'architecture quelque peu disparate mais non sans saveur, comprend un croisillon gauche du 12ᵉ s., une nef gothique, dans laquelle on pénètre par un beau portail en tiers-point du 13ᵉ s., un croisillon droit et un chevet de la fin du 16ᵉ s. Ravaillac y aurait eu la vision d'un infidèle enfermé dans un triangle d'épées, apparition qui le confirma dans son dessein de faire périr Henri IV.
Château-Larcher. – 820 h. Pittoresquement situé sur la Clouère, ce bourg conserve des vestiges de son enceinte et de son château. Église romane avec portail sculpté; dans le cimetière, lanterne des morts du 12ᵉ s.

Vallée de la Boivre. – *Circuit de 44 km – environ 2 h. Bd Pont-Achard, prendre la rue Georges-Guynemer* (CZ) *qui traverse la Boivre. Sitôt franchi le pont, emprunter à gauche la route de la Cassette* (AX 12), *signalisation « Grottes de la Norée », se glissant au creux de la vallée sinueuse, que borde la falaise entaillée de cavernes.*

Grottes de la Norée (AX D) ⊙. – Dans un site charmant, près d'un coude de la Boivre que coupe un moulin en ruine, elles comptent environ 500 m de salles fort intéressantes, formées dans un terrain dur (calcaire à bancs de silex) donnant par endroits de curieuses concrétions à forte teneur en silice.

Château de Montreuil-Bonnin. – Dans une belle position au-dessus de la Boivre, le château, en partie ruiné, date du 13ᵉ s. Son enceinte dessine un rectangle jalonné de tours; l'entrée en est défendue par un châtelet à pont-levis; à l'angle Sud-Ouest, sur la vallée, se trouve la salle seigneuriale éclairée par d'élégantes baies gothiques. Le donjon a des murs épais de 3 m; la salle supérieure était couverte d'une gigantesque coupole aux bases encore apparentes. Au 15ᵉ s. fut élevé un autre logis seigneurial, encore en bon état. Des terrasses plantées d'énormes cèdres, vues plongeantes sur la vallée de la Boivre.

Traverser la rivière puis suivre la petite route de La Torchaise, jusqu'à la première route goudronnée à gauche qui rejoint la Boivre.

Abbaye du Pin. – Fondée en 1120, elle fut confiée aux cisterciens. De la grande abbatiale à nef unique restent les murs et le pignon Ouest. Les beaux bâtiments monastiques de la fin du 16ᵉ s. ont été transformés en château.

Abbaye de Fontaine-le-Comte. – Construite vers 1126-1136 par le comte de Poitiers Guillaume VIII, père d'Aliénor d'Aquitaine, cette ancienne abbaye de l'ordre de Saint-Augustin conserve une vaste église dont la nef unique est voûtée en berceau.

PONS

4 412 h. (les Pontois)

Carte Michelin nº **171** pli 5 ou **233** pli 27 – Lieu de séjour.

L'avenante petite cité de Pons (prononcer Pon) s'étire sur une colline. Son donjon et ses remparts veillent sur le cours languissant de la Seugne, affluent de la Charente qui se divise en multiples bras, coulant entre les prés, les peupliers et les saules. Étape sur la route de Compostelle au Moyen Age, Pons devint, aux alentours de 1900, une forteresse du radicalisme militant et de l'anticléricalisme en la personne de son maire Émile Combes (1835-1921).

CURIOSITÉS

Ancien château. – Il couvrait jadis la surface actuellement occupée par la place et le jardin public. Ses possesseurs, les sires de Pons, ne relevaient que du roi de France; ils commandaient à plus de 60 villes ou bourgs et plus de 600 paroisses ou seigneuries, ce qui donna naissance à l'adage : « Si roi de France ne puis être, sire de Pons voudrais être... »

Le **donjon★** ⊙ du 12ᵉ s. atteint 30 m de hauteur; on y pénétrait par des échelles qu'on retirait en cas de danger. Son couronnement actuel, refait en 1904, relève de la fantaisie, mais l'ensemble de la construction épaulée par des contreforts peu saillants donne une impression de puissance. Du sommet, **panorama** sur la ville et la vallée.

Au fond de l'abrupt, l'ancien logis seigneurial comprend un corps de bâtiment du 17ᵉ s. que flanque une tourelle d'escalier plus ancienne. Il abrite l'hôtel de ville. Au-delà, le charmant jardin public établi en terrasse sur les remparts offre de jolies vues plongeantes sur les bras de la Seugne. A l'extrémité du jardin apparaît l'ancienne chapelle du château (St-Gilles). Sous son chevet, on trouvera une porte romane qui commandait une des entrées de l'enceinte; à côté a été remontée la façade d'une maison Renaissance.

Église St-Vivien. – *Au Sud de la ville, près du cours Jean-Jaurès.* Cette ancienne chapelle d'un prieuré à façade du 12ᵉ s. suscite l'intérêt par son portail roman très profond à voussures et par ses deux petits clochers-arcades, installés au 18ᵉ s., qui encadrent de façon insolite le pignon de la façade.

★ Hospice des pèlerins. – Ces établissements religieux, nombreux au Moyen Age, ont rarement survécu. Celui de Pons, situé sur la route de Bordeaux, hors des murs, offrait un refuge au voyageur arrivant de nuit après la fermeture des portes.

Un passage voûté, qu'emprunte la route, sépare l'hospice proprement dit de la chapelle qui en dépendait. Le portail de la salle des malades s'ouvre sous des voussures plein cintre ornées de motifs végétaux ou géométriques. En face il ne reste plus que le portail de la chapelle dédiée à saint Martin.

De chaque côté du passage, des bancs de pierre permettaient aux pèlerins harassés de se reposer ou d'attendre la fin des intempéries : on les imagine traçant, pour tromper l'ennui, les graffiti qu'on distingue encore sur les murs. Dans les enfeus, des fosses étaient sans doute destinées à recevoir les corps des pèlerins décédés.

Château d'Usson ⊙. – *1 km par la D 249.* Bel exemple d'architecture Renaissance, ce château, bâti par la famille de Rabaine, s'élevait près de Lonzac, à deux lieues à l'Est de Pons. A la fin du siècle dernier, menacé de destruction, il fut transporté et remonté, pierre par pierre, à son emplacement actuel.

La cour suscite l'intérêt par la variété de son ornementation : au fond, la galerie à arcades en anses de panier est remarquable par son décor de médaillons (les douze Césars), ses statues de marmousets, ses sentences gravées, etc. A l'extrémité d'une des ailes, une tour, au toit original, est toute sculptée de blasons, d'emblèmes (coquilles et croissants figurant sur les armes de Rabaine) et, sous le rebord du toit, d'une frise découpée en panneaux par des tronçons de colonnes creuses.

A l'intérieur, remarquer le salon, paré de ravissantes **boiseries★** Régence, blanches à rechampis d'or, provenant du château de Choisy-le-Roi et, dans la salle d'honneur, la porte de l'ancienne chapelle, sculptée par Nicolas Bachelier, élève de Michel-Ange.

ENVIRONS

La région pontoise, en plus de ses châteaux, réserve aux amateurs d'art la découverte d'une série d'églises de village, romanes ou Renaissance, présentant des éléments architecturaux ou décoratifs particulièrement dignes d'intérêt.

Avy. – 457 h. *5 km au Sud-Est*. La façade de l'église romane est percée d'un portail dont la voussure représente un concert burlesque.
A l'intérieur, à gauche, s'ouvre une chapelle ornée d'une peinture murale du 14ᵉ s. : deux donateurs présentés par leur saint patron vénèrent une Vierge à l'Enfant, portant l'équipement du parfait pèlerin : chapeau, bourdon, besace... La chapelle recouvre un ossuaire dont on voit l'orifice à l'extérieur.

Chadenac. – 424 h. *10 km au Sud-Est*. La façade romane de l'église présente une exubérante décoration sculptée illustrant le thème du Bien et du Mal :
– au centre du portail figure le Christ couronné de l'Ascension; les voussures sont habitées par tout un peuple de saints, de monstres et de figures allégoriques : Vierges sages et folles (voussure centrale), Vertus et Vices (en bas);
– les arcades latérales

sont garnies de statues, mutilées en 1840 et surmontées d'un molosse attaquant un agneau qui fuit et un bœuf qui fait front; dans les écoinçons se font face saint Georges et la princesse de Trébizonde, saint Michel et son dragon;
– les chapiteaux d'angle de la façade représentent à droite les saintes femmes au tombeau, à gauche Constantin à cheval près d'un palmier, foulant l'hérésie;
– la frise sous corniche est ornée de motifs géométriques et de têtes.

Échebrune. – 440 h. *8 km à l'Est*. Le portail de l'église romane prend beaucoup d'importance par rapport aux arcades latérales, toutes petites, mais son décor très sobre se borne aux chapiteaux joliment découpés en feuilles d'acanthe. Au-dessus de la corniche, une rangée de hautes arcatures occupe toute la largeur de la façade; celle du centre est polylobée.

Fléac-sur-Seugne. – 340 h. *6 km au Sud*. Église Renaissance dont le clocher, d'un dessin original, présente une base carrée coiffée d'un dôme octogonal surmonté d'une lanterne. De chaque côté du portail, deux colonnes torsadées supportent deux lions.

Lonzac. – *Page 79*.

Marignac. – 347 h. *10 km au Sud-Est*. Petit village à flanc de coteau, Marignac naquit d'un prieuré de l'abbaye de Charroux. Dans l'église St-Sulpice, du 12ᵉ s., l'**abside★** romane, sur plan tréflé, attire le regard par son originalité, les absidioles se confondant avec les bras arrondis du transept. Admirer la richesse de sa frise sculptée dont les motifs, les personnages (l'homme-tonneau au Sud-Est), les animaux sont traités avec une savoureuse fantaisie. La croisée du transept retient l'attention par ses dispositions : arcades doubles, consoles supportant les bases des trompes de la coupole. Détailler les chapiteaux (scène de chasse au pilier Sud-Ouest, deux amours au pilier Sud-Est) décorés d'une frise répondant à celle de l'extérieur; l'aspect hispano-mauresque du décor s'affirme avec force.

Château de Plassac. – *13 km au Sud*. Le château de Plassac fut bâti vers 1772 pour l'évêque d'Autun par le célèbre architecte Victor Louis. En 1832 le château abrita la duchesse de Berry avant qu'elle ne tente de soulever la Vendée *(voir Blaye, guide Vert Michelin Pyrénées Aquitaine)*. En pénétrant par l'allée principale, on peut voir, dans la cour de la ferme, la tour du pèlerin, reste d'un château du 15ᵉ s.

Abbaye de la Tenaille. – *16 km au Sud*. Ce monastère bénédictin est occupé aujourd'hui par une ferme. L'**abbatiale** romane, à façade saintongeaise, a vu s'effondrer deux de ses trois superbes coupoles sur pendentifs. Le château (1830) possède une **façade** de pur style Louis XVI avec son décor de guirlandes et ses balustrades.

PONT-L'ABBÉ-D'ARNOULT   1 385 h. (les Pontilabiens)

Carte Michelin nº ⬛⬛⬛ Est du pli 14 ou ⬛⬛⬛ pli 15.

Bourg jadis fortifié sur l'Arnoult canalisé, au contact de la Saintonge et de l'Aunis qu'annoncent des maisons blanchies à la chaux, Pont-l'Abbé s'est développé autour d'un prieuré de bénédictins implanté au 11ᵉ s. par Geoffroy Martel, comte d'Anjou.
Originaire de Mauzé-sur-le-Mignon, l'explorateur **René Caillié** (1799-1838), premier Européen à être revenu vivant de Tombouctou, est enterré au cimetière de Pont-l'Abbé.

Église. – La partie basse de la façade est décorée de sculptures romanes. Au centre de la première voussure du portail figure l'Agneau mystique, honoré par les anges, tandis que la deuxième et la quatrième illustrent Vertus et Vices, Vierges sages et Vierges folles. La troisième voussure est consacrée aux saints.
Les tympans des arcades latérales montrent, à gauche saint Pierre délivré de prison, scène peu lisible, à droite saint Pierre crucifié.
Un porche voisin donne accès à la cour du prieuré (15ᵉ-16ᵉ s.) dont la façade porte une élégante tourelle.

★ PORNIC
9 815 h. (les Pornicais)

Carte Michelin n° 67 pli 1 ou 232 pli 26 – Lieu de séjour.

Un site de crique étroite qu'occupe un petit port de pêche, de vieux quartiers serrés sur la colline, des villas cossues aux jardins plantés de pins parasols, un terrain de golf, des plages de sable abritées, un important port de plaisance et un institut de thalassothérapie font de Pornic une station balnéaire privilégiée.

CURIOSITÉS

Vieille ville. – C'était jadis une place forte dont la protection naturelle était assurée au Sud par le port et à l'Ouest par un vallon, aujourd'hui « jardin de Retz ». Le château et des remparts, suivant le tracé de la promenade de la Terrasse puis de la rue de la Douve, constituaient le dispositif de défense.

Le port de pêche. – Il offre un abri à une flottille de bateaux de pêche et de temps à autre à quelque caboteur. De l'extrémité du port, séduisantes perspectives à droite vers la ville étagée sur la pente, en face sur l'anse à l'entrée de laquelle on distingue au milieu des frondaisons la silhouette du château.

Château. – Enfoui dans la verdure, le château de Pornic, bâti en granit, domine la petite plage du Château. Il fut entouré d'eau et son accès se faisait par un pont-levis qu'a remplacé un pont fixe sous lequel passe la rue des Sables.
Élevé aux 13ᵉ-14ᵉ s., il appartint au célèbre Gilles de Rais *(voir p. 171);* il a été remanié au 19ᵉ s.

PORNIC

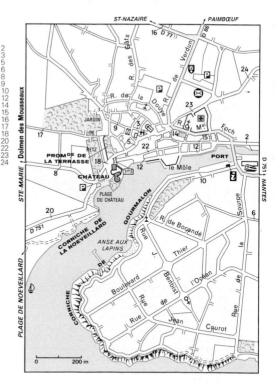

Promenade de la Terrasse. – Aménagée sur l'emplacement des anciens remparts, elle permet de découvrir des vues agréables sur le château et sur le jardin de Retz, envahi par les pépinières.

★ **Corniche de la Noéveillard.** – *1/2 h à pied AR. Prendre le sentier longeant la mer à partir de la plage du Château.* On rejoint un chemin en balcon sur mer, qui offre des vues agréables sur l'anse de Pornic, les rochers et l'océan. On domine bientôt les installations du vaste port de plaisance avant d'atteindre la plage de la Noéveillard, de sable fin.

Corniche de Gourmalon. – La route suit le bord de la corniche, passe au-dessus de l'anse aux Lapins (plage), puis sur la pointe de Gourmalon. Vues sur Pornic, le château, la corniche de la Noéveillard.

Dolmen des Mousseaux. – *Signalé au départ de la plage du Château.* Cette double allée couverte, surmontée de pierres étagées en gradins, aurait eu un double rôle de tombeau et de monument de prestige pour des cultivateurs du néolithique, aux alentours de l'an 3500 avant J.-C. Les deux chambres ont la particularité, répandue près de l'estuaire de la Loire, d'avoir un plan transepté, c'est-à-dire un couloir à chambres latérales *(panneau explicatif).*

ENVIRONS

★ **Pointe de St-Gildas.** – *14 km par la D 751 – environ 3/4 h.*

De Pornic à St-Brévin-les-Pins, un chapelet de stations balnéaires fréquentées jalonne le littoral du pays de Retz, nommé la **Côte de Jade** *(1)* en raison de la couleur de ses flots d'un vert soutenu. Entre Pornic et St-Gildas, les schistes, formant une corniche échancrée de criques sablonneuses, lui donnent un caractère particulièrement pittoresque.

Ste-Marie. – A proximité de la plage Mombeau, un sentier en corniche permet de jouir d'une jolie **vue** sur la côte rocheuse où s'inscrivent des plages de sable fin. On remarque de nombreux carrelets installés pour la pêche.

Prendre la direction « Le Porteau par la côte ».

De la plage des Sablons à celle du Porteau, la route suit la mer, longeant en balcon une côte déchiquetée.

Du Porteau à Préfailles, la route ne côtoie plus le littoral; seuls les adeptes de la marche à pied pourront s'en rapprocher en empruntant le sentier de randonnée (Tour du Pays de Retz) qui domine l'océan.

★ **Pointe de St-Gildas.** – *Laisser la voiture sur le parc aménagé près du port de plaisance.* Couverte de l'herbe rase de la lande, que parsèment les vestiges du mur de l'Atlantique, elle se prolonge par des écueils de schiste sur lesquels se brisent les vagues. C'est au large de la pointe de St-Gildas que sombra, le 14 juin 1931, le vapeur nantais St-Philibert, entraînant la mort de 500 passagers de retour d'une excursion à Noirmoutier.

De l'extrémité de la pointe, la vue se développe de la côte bretonne, entre St-Nazaire et Le Croisic, jusqu'à Noirmoutier, basse sur l'horizon.

PORT-D'ENVAUX
1 028 h. (les Port-d'Envallois)

Carte Michelin n° **[71]** pli 4 ou **[233]** plis 15, 16 – 12 km au Nord de Saintes – Schéma p. 55.

Port-d'Envaux est campé sur la rive gauche de la Charente; au Sud se profilent l'église St-Saturnin et les anciens logis de la Tour et de la Prévôté.

LES CHATEAUX *visite : 2 h*

Château de Panloy ⊙. – *0,5 km au Nord.* Édifié de 1770 à 1773 sur les bases d'un ancien château dont il a conservé les deux pavillons d'entrée de style Renaissance, le château de Panloy offre une harmonieuse façade en regard d'une large cour d'honneur, fermée par une balustrade de pierre ajourée.

A l'arrière du château, où débouche le chemin d'accès, se situent les écuries et un **pigeonnier** daté de 1620, qui a conservé son échelle tournante. On visite successivement une grande salle à manger aux boiseries Louis XV, puis un salon de même époque, au décor raffiné : au-dessus des portes, de petites scènes historiées ont pour thème les saisons, tandis que les panneaux muraux sont ornés de cinq belles **tapisseries de Beauvais★**, d'après des cartons de J.-B. Huet, représentant des scènes pastorales du 18ᵉ s. Une porte du salon donne accès à la galerie de chasse ajoutée au 19ᵉ s. et décorée de quelque 70 têtes de cerfs et de chevreuils. Au bout de la galerie, un petit couloir d'angle contenant quelques tableaux du 17ᵉ s. mène au pavillon opposé présentant un mobilier Renaissance. Remarquer en sortant l'ornementation des murs : colonnettes et masque Renaissance.

Château de Crazannes ⊙. – *3 km au Nord.* Une allée de tilleuls conduit à la terrasse du château édifié au 15ᵉ s. sur les bases d'un château féodal du 11ᵉ s., dont subsistent une petite chapelle romane, surmontée d'un clocher-pignon, un donjon et les vestiges de l'ancienne enceinte (en particulier douves, tourelle de défense et pont-levis). Le château, construit en belle pierre (la pierre de Crazannes était très réputée), présente un logis seigneurial orné à gauche d'une tourelle d'angle et flanqué à droite d'une puissante tour à mâchicoulis.

La face Nord, percée de fenêtres à la Renaissance, offre une **porte★** de style gothique flamboyant à la délicate ornementation sculptée : dans les pinacles latéraux sont logés des artisans tailleurs de pierre représentés avec leurs emblèmes, tandis que l'accolade porte deux hommes sauvages tenant un heaume et deux femmes sauvages accroupies. Une inscription gravée dans la pierre rappelle que le château, domaine de la famille de Tonnay-Charente, fut au 18ᵉ s. la résidence estivale des évêques de Saintes.

La grande salle, décorée de boiseries sculptées et d'une cheminée du 15ᵉ s., se distingue surtout par son plafond de bois, du 15ᵉ s.; remarquer aussi les portes basses en arcades donnant accès aux petits salons; de l'un d'eux part un escalier à vis, orné des célèbres coquilles des pèlerins de Compostelle.

---

(1) La carte de la Côte de Jade au 1/50 000 (éditions R. Quémy, 78510 Triel-sur-Seine) localise les pêches praticables à pied ou en bateau.

POUZAUGES
5 473 h. (les Pouzaugeais)

Carte Michelin n° 67 pli 16 ou 232 pli 42 — Schéma p. 66 — Lieu de séjour.

Au cœur des Collines vendéennes *(p. 65)*, Pouzauges est étagée sur la pente d'une colline que couronne le bois de la Folie, face à une vaste étendue de bocage où se pratique l'élevage intensif qui a donné naissance à une grande entreprise agro-alimentaire (fabrication de plats cuisinés).

CURIOSITÉS

Vieux château. — Cette forteresse féodale fut apportée en dot à Gilles de Rais *(voir p. 171)* par sa femme. Son enceinte est jalonnée de 10 tours rondes ruinées, et un donjon carré, flanqué de tourelles engagées, en protège l'entrée. Une croix rappelle le souvenir des 32 Vendéens fusillés à cet endroit pendant la Révolution.

Église St-Jacques. — De type vendéen, en granit, trapue et équilibrée, avec une tour carrée sur la croisée du transept, elle présente une courte nef et un transept du 12ᵉ s. dont le style marque la transition du roman au gothique. Le vaste chœur gothique flamboyant à trois vais-seaux a été édifié au 15ᵉ s.

Pouzauges-le-Vieux. — *1,5 km au Sud-Est.* De style roman, à l'ex-ception du chœur refait au 14ᵉ s., l'**église** en granit, aux lignes très simples, érigée sur un tertre planté de cyprès, compose un tableau harmonieux. Son portail au dessin pur, son transept très saillant, sa courte tour carrée à la croisée du transept ont donné le ton à maints sanctuaires vendéens. L'intérieur, voûté en berceau brisé, est pavé de dalles funéraires. Sur le mur gauche, **peintures murales** du 13ᵉ s. : Rencontre de sainte Anne et de saint Joachim à la Porte Dorée, Présentation de la Vierge au Temple, Entretien de la Vierge avec un ange.

★★ **Puy Crapaud.** — *2,5 km au Sud-Est.* S'élevant à 270 m d'altitude, c'est un des points culminants des Collines vendéennes. Il est cou-ronné par les vestiges d'un moulin, transformé en restaurant. Au som-met du moulin a été posée une table d'orientation *(s'adresser au bar)* : vaste **panorama** sur toute la

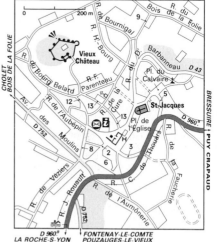

POUZAUGES

Champ-de-Foire (R.) . .	2	Lattre-de-T. (Pl. Mar.) . 6
Clemenceau (R. G.) . . .	3	Pavé (R. du) 8
Guichet (R. du)	5	Puy-Trumeau (R. du) . . 9
		Remparts (R. des) 12
		Vieux-Château (R. du) 13

Vendée, jusqu'à l'océan; admirer particulièrement la perspective sur l'alignement des monts en direction de Pouzauges et de St-Michel-Mont-Mercure.

Bois de la Folie. — *1 km par la D 752 puis une petite route à droite.*
A droite apparaissent les **moulins du Terrier-Marteau★** ⊙, charmantes constructions blanches, à toits de bardeaux, dont il est plaisant de voir tourner les ailes entoilées. Édifiés au milieu du 19ᵉ s., ils ont été restaurés. Leur toiture mobile où sont fixées les ailes est orientée à l'aide d'une poutre ou guivre. Dans l'un des moulins on mout encore le grain. Dans l'autre on peut voir un film vidéo sur la Vendée, quelques animaux naturalisés et des instruments agricoles. Belle **vue★** sur le bocage, à l'Ouest. Le 14 août, en soirée, a lieu la « Nuit des Moulins », animée par un groupe folklorique. Le **bois de la Folie** groupe chênes, pins et hêtres sur une butte formée par un amoncellement de roches granitiques. Ce fut vraisemblablement un « lucus » (bois sacré) romain, après avoir été un lieu de réunion pour les druides qui y coupaient le gui sacré et accomplissaient les sacrifices rituels. Les Vendéens ont surnommé cette épaisse touffe d'arbres, isolée et visible de très loin, le « bouquet de Pou-zauges » ou le « phare de la Vendée ». De là, **vue★** au Nord-Est sur le bocage.

EXCURSIONS

Circuit à l'Est. — *31 km. Prendre la D 960 bis jusqu'à St-Mesmin.*
Environ 1 km après St-Mesmin, sur la droite, apparaissent les ruines féodales du **château de St-Mesmin,** pittoresquement situé; le donjon a conservé ses mâchicoulis.
La Pommeraie-sur-Sèvre. — *964 h.* Dans l'église gothique, dont la nef d'élégantes voûtes Plantagenêt, des fresques du 15ᵉ s. figurent les sept péchés capitaux, représen-tés par des personnages chevauchant des animaux. Pont romain sur la Sèvre.

Circuit à l'Ouest. — *33 km. Sortir de Pouzauges par la D 960 bis à l'Ouest.*
Le Boupère. — *2 832 h.* Ce village possède une curieuse **église.** Du 13ᵉ s., elle a été fortifiée au 15ᵉ s. Sa façade est encadrée de contreforts percés de meurtrières et de canonnières et surmontés de deux échauguettes que relie un chemin de ronde à mâchicoulis. Les côtés sont défendus par des bretèches.
Prieuré de Chassay-Grammont ⊙. — Ce monastère, qu'aurait fondé vers 1196 Richard Cœur de Lion, a fait l'objet d'une importante restauration. C'est un bon exemple de l'architecture de l'ordre de Grammont. Ermites vivant en communauté dans un lieu retiré, les Grandmontains étaient attachés à la pauvreté, aussi leurs monastères ou « celles » étaient-ils empreints de sobriété et de dépouillement.

A Chassay, tous les bâtiments conventuels sans exception, ainsi que l'église, se groupent en quadrilatère autour d'une cour où se trouvait le cloître. Dans l'église, à nef unique dépourvue de décor, la lumière n'était fournie que par les trois baies de l'abside. Au rez-de-chaussée, la salle capitulaire, avec une voûte de style roman angevin, et le réfectoire, grande salle qui a retrouvé, lors de sa reconstruction, sa voûte de style gothique angevin (13e s.), ne manquent pas d'élégance. A l'étage, on peut voir le dortoir des moines.

Le Bois-Tiffrais. — Ce château abrite le **musée de la France protestante de l'Ouest** ⊙ qui retrace l'histoire et les vicissitudes du protestantisme dans l'Ouest et particulièrement dans le Poitou. Des panneaux explicatifs, étayés de nombreux documents, mettent l'accent sur les principaux épisodes : prédication de Calvin dans le Poitou (1534), édit de Nantes (1598) et sa révocation en 1685, entraînant l'émigration et la pratique clandestine dite « du Désert », enfin édit de Tolérance (1787). Différents objets dont des bibles et des reproductions de méreaux (médailles qui permettaient aux pasteurs de reconnaître leurs fidèles pendant la période du Désert), ainsi qu'une chaire démontable (pour les Assemblées du Désert) complètent cette évocation.

PREUILLY-SUR-CLAISE
1 427 h. (les Prulliaciens)

Carte Michelin n° 68 pli 6 ou 238 pli 25.

Étagée sur la rive droite de la Claise, Preuilly, qui a conservé de nombreuses demeures anciennes, était considérée comme la première baronnie de Touraine dont furent titulaires d'illustres familles : les Amboise, La Rochefoucauld, César de Vendôme, Galliffet, Breteuil... Cinq églises et une collégiale suffisaient à peine aux besoins des fidèles. Preuilly était couronnée par une forteresse, aujourd'hui en ruine et remplacée par un château moderne; il subsiste toutefois quelques vestiges du château ancien (12e-15e s.) et de la collégiale St-Mélaine (12e s.) qui en dépendait.

Église St-Pierre. — Ancienne abbatiale bénédictine, St-Pierre est un édifice roman où se mêlent les influences poitevines et tourangelles; des arcs-boutants l'ont renforcée au 15e s. Remarquablement réparée en 1846 par l'architecte Phidias Vestier, cette église a subi des restaurations abusives en 1873, date à laquelle fut élevée la tour. La nef, de cinq travées, est couverte d'un berceau; chapiteaux historiés.

Adjacent au croisillon Sud, le presbytère occupe un bâtiment de la fin du 15e s. qui abrite la salle capitulaire et le dortoir des moines.

Près de l'église, hôtels du 17e s. dont l'un est transformé en hospice (ancien hôtel de la Rallière).

Boussay. — 269 h. *4,5 km au Sud-Ouest.* Le château juxtapose des tours à mâchicoulis (15e s.), une aile à la Mansart du 17e s., une façade du 18e s. Il se dresse dans un beau parc à la française.

★ Le PUY DU FOU

Carte Michelin n° 67 pli 15 ou 232 pli 42.

Le château du Puy du Fou brille la nuit sous les feux d'un célèbre Son et Lumière. Le jour, un musée y évoque le passé de la Vendée tandis que le site s'anime des attractions du « Grand Parcours ».

Le nom du domaine dérive du latin : le « puy » (de « podium ») désigne une éminence où croissait un hêtre ou « fou » (de « fagus »).

Château. — Édifié aux 15e et 16e s., il ne fut probablement jamais achevé et brûla partiellement durant les guerres de Vendée *(p. 21).* Il en subsiste cependant, au fond de la cour, un beau pavillon, du style de la Renaissance finissante, que précède un péristyle à colonnes engagées ioniques, constituant l'entrée de l'écomusée de la Vendée. L'aile gauche est construite sur une longue galerie.

Cinéscénie★★★. — La terrasse de la façade postérieure du château offre une agréable perspective sur une pièce d'eau et compose le décor et l'aire scénique (12 ha) de l'éblouissante cinéscénie du Puy du Fou. « Jacques Maupillier, paysan vendéen » met en scène 700 acteurs venant des 14 communes environnantes et 50 cavaliers qui font revivre l'histoire de la Vendée avec des moyens impressionnants : jets d'eau, effets spéciaux, éclairages et pyrotechnie informatisés, structure sous-marine autotractée, laser, etc. *(voir le chapitre des Principales manifestations en fin de volume).*

Écomusée de la Vendée★ ⊙. – Dans l'entrée, remarquer le bel escalier à volées droites et plafond à caissons. En préambule à la visite, la chapelle et la salle des gardes proposent des vues du château et un film sur la Vendée actuelle.

La première partie de l'écomusée est consacrée au passé de la région, de sa formation géologique à la fin de l'Ancien Régime; chaque grande période est évoquée par une approche thématique, illustrée par des objets témoins et des reconstitutions (sépulture mégalithique, cuisine gallo-romaine, façade d'église romane...).

La seconde partie propose une approche des guerres de Vendée par un montage audio-visuel retraçant les opérations militaires de 1793 à 1796.

Ensuite on explique l'émergence d'une mémoire populaire locale fondée sur des récits et des témoignages, qui fut structurée et officialisée par la Restauration, et qui s'exprima par une abondante iconographie (portraits des chefs vendéens), un courant littéraire et des récompenses royales.

A cette conception s'oppose à la fin du 19ᵉ s. une vision républicaine qui exalte le souvenir des héros révolutionnaires (Bara, Hoche), tandis que l'art officiel imposait une image bretonnante des combattants de l'Ouest.

Enfin vient une évocation du patrimoine industriel de la Vendée; on remarque une machine à vapeur Piguet (début du 20ᵉ s.) qui entraînait une machine à filer la laine cardée.

Le Grand Parcours★ ⊘. – Longeant des étangs ou traversant des bois de châtaigniers, les chemins qui sillonnent le domaine de 30 ha entourant le château, permettent une agréable promenade ponctuée d'intéressantes étapes. *Desserte par un petit train.*

Dans le **village** du 18ᵉ s., reconstitué, avec son moulin à vent, son carillon, on peut voir à l'ouvrage des artisans en costume d'époque; des musiciens traditionnels donnent parfois une aubade; des jongleurs rivalisent de virtuosité; dans les champs environnants paissent les animaux de la ferme parmi lesquels des baudets du Poitou. Les ruines d'un **château** du 13ᵉ s. servent de cadre à un spectacle de fauconnerie : vol libre de rapaces dressés; à proximité, nombreuses volières de rapaces.

On peut encore assister à une fête de chevalerie, voir, sous un chapiteau, un film en relief sur la Vendée, commander des jets d'eau à distance, écouter un quintette de cuivre interpréter de la musique baroque, etc.

Abbaye de PUYPÉROUX

Carte Michelin n° **72** Sud-Est du pli 13 ou **233** pli 29.

Ce monastère occupé par les religieuses de la Sainte Famille de Bordeaux domine un carrefour de vallées. Du promontoire battu par les vents et circonscrit de vieux trembles, on embrasse une région de collines boisées, aux confins de l'Angoumois et du Périgord.

Église St-Gilles. – L'abbatiale romane a été restaurée en 1895. Sa disposition est originale : le carré du transept, couvert d'une coupole octogonale, est encadré d'étroits passages, courbes près de la nef, rectilignes vers le chœur, qui devaient permettre d'accéder de la nef à l'abside sans traverser le carré où se dresse l'autel. Le chœur lui-même est entouré de sept absidioles accolées les unes aux autres. On examinera aussi, au carré du transept, des chapiteaux historiés dont l'un, à droite, évoque la Tentation sous l'aspect d'une sirène.

★ Ile de RÉ

Carte Michelin n° **171** pli 12 ou **233** plis 2, 13 – Lieux de séjour.

Allongée à fleur d'eau, nette et dépouillée, l'île de Ré, que coupent seulement quelques vignobles et bois de pins, est devenue l'un des rendez-vous favoris des amateurs de vacances estivales au soleil et au grand air.

Elle a su conserver, du moins en partie, son caractère insulaire et ses célèbres marais salants.

De nombreuses pistes cyclables balisées permettent de sillonner l'île en toute quiétude.

Pont-viaduc ⊘. – Ce pont routier, à péage, long de 2 960 m, dont la dorsale culmine à 32 m au-dessus du niveau des plus hautes eaux, relie depuis 1988 l'île au continent.

UN PEU D'HISTOIRE ET DE GÉOGRAPHIE

La rivalité franco-anglaise. – De la guerre de Cent Ans à la chute de Napoléon, elle se donna libre cours à l'île de Ré où les « habits rouges » tentèrent de nombreux coups de main. Les guerres de Religion n'épargnèrent pas l'île, qui connut bien des heurts et malheurs pendant cette période.

En 1625 le brave **Toiras** gouverne l'île qu'il a conquise sur les protestants, puis renforcée par l'édification du fort de la Prée et de la citadelle de St-Martin. C'est un homme aussi habile que spirituel. La chronique rapporte qu'un officier lui ayant demandé, à la veille d'une bataille, la permission d'aller voir son père malade, il lui répondit : « Allez... Tes père et mère honoreras... afin de vivre longuement! »

Pont-viaduc de l'île de Ré.

Pour l'instant, Ré est sous les armes. Une flotte anglaise, dirigée par le duc de Buckingham, se présente devant les Sablanceaux. L'infanterie de Sa Gracieuse Majesté débarque et vient assiéger St-Martin, défendue par 1 400 Français, et le fort de la Prée. Assez rapidement la place manque de vivres. Il n'y a plus qu'un jour de pain lorsque le miracle se produit : une trentaine de vaisseaux de la marine royale débouchent dans le Pertuis breton et, avec l'avantage du vent, réussissent à pénétrer dans le port.

Le siège continue cependant. Le 6 novembre, 6 000 Anglais entonnent les psaumes puis se jettent à l'assaut des murailles. Ils sont repoussés après de sanglants corps à corps. C'est alors que Louis XIII, arrivant devant La Rochelle, envoie à Ré un contingent de renfort, commandé par le maréchal de Schomberg. Les Anglais, pris entre deux feux, sont rejoints au pont de Feneau, près de Loix, et taillés en pièces, laissant sur le terrain 2 000 cadavres, 6 canons, 46 drapeaux. Toiras sera fait maréchal de France.

Le pays et les hommes. — Ré, qu'on surnomme « l'île blanche », s'étend sur près de 30 km. Constituée par des assises de calcaire jurassique, elle est formée d'une suite d'îlots maintenant soudés dont les principaux sont Ré proprement dit, Loix et Ars. Au Nord, la baie du Fier d'Ars et les marais qui la bordent constituent la **réserve naturelle de Lilleau des Niges** ⊘, peuplée de milliers d'oiseaux : courlis cendrés, pluviers argentés, sarcelles, bernaches... Au Sud, une ligne de dunes repose sur un plateau rocheux qui se poursuit loin vers le large : ces rivages battus par les flots forment la Côte Sauvage.

La partie orientale de l'île, la plus large et la plus fertile, est consacrée aux cultures (morcelées en lopins minuscules) : primeurs, asperges et surtout vigne qui donne un vin blanc, rouge ou rosé, savoureux, au goût d'algue. Quant au pineau, il vaut celui d'Oléron. A l'Ouest, jusqu'à La Couarde s'étendent bois de pins et vignes; au-delà de La Couarde, au pays d'Ars-en-Ré, c'est le domaine des salines, en voie de disparition (voir p. 16).

Les Rétais sont plus terriens que marins. Des fruits de la mer ils ne retiennent guère que le goémon (le « sart ») ramassé à l'aide de grands râteaux, les coquillages ou les crevettes qui pullulent sur le « platin » rocheux ceignant le littoral et découvrant à marée basse.

L'ostréiculture a été introduite dans la Fosse de Loix et le Fier d'Ars.

Autrefois, les îliennes avaient l'habitude de se couvrir la tête d'une coiffe : la **quichenotte** (illustration p. 15), utilisée comme protection contre un soleil ardent. D'autres traditions sont également perdues : les ânes de l'île, qui ont disparu, portaient un pittoresque pantalon rayé ou à carreaux, comme protection contre les mouches et les moustiques dans les marais salants, et un chapeau de jardinier. Ces charmes du passé n'apparaissent plus que sur les cartes postales.

L'île est parsemée de villages aux maisons basses, d'une blancheur éclatante, dont les façades sont égayées de quelque treille, glycine, et de fleurs, roses trémières, belles-de-nuit.

Promenades en mer ⊘. — En saison, liaisons avec l'île d'Aix et croisières.

★ **ST-MARTIN-DE-RÉ** 2 512 h. (les Martinais)

La capitale de l'île, jadis place militaire puissante et port actif, est devenue une charmante cité de tourisme, aux rues étroites et paisibles, bossuées de pavés, reluisantes de propreté, et qui dans l'ensemble ont gardé leur aspect du Grand Siècle.

★ **Fortifications.** — Elles remontent au début du 17e s. mais ont été entièrement remaniées par Vauban, après le siège de 1625. Afin de renforcer la défense des installations navales de Rochefort créées par Colbert en 1666, Vauban, mandaté par Louis XIV, vint inspecter l'île de Ré en 1674. La fortification de St-Martin-de-Ré fut achevée en 1692.

L'enceinte est percée de deux portes monumentales, la porte Toiras et la porte des Campani, précédées par des demi-lunes et pourvues de corps de garde sur leur face interne.

La citadelle, édifiée en 1681, servit de prison sous l'Ancien Régime et Mirabeau y fut enfermé pour avoir enlevé la fille d'un prévôt de police. Elle est devenue pénitencier. On ne visite pas la citadelle mais on peut parcourir les bastions du front de mer d'où se découvrent de belles **vues** sur le Pertuis breton et le continent : remarquer les embrasures à canons et les tourelles de guetteurs. L'entrée principale de l'ouvrage se fait par une majestueuse porte classique dont le fronton est sculpté d'emblèmes guerriers; face à cette porte, entre deux bastions, est aménagé le petit port particulier de la citadelle. En dépassant la citadelle et les tennis en contrebas, on atteint une plage de sable fin.

Parc de la Barbette. — A l'abri des fortifications ont poussé de beaux arbres d'essences souvent méridionales, parfois abîmés par les tempêtes : pins, chênes verts, acacias, robiniers. Agréable promenade surplombant la mer, offrant une vue sur la côte Sud-Vendéenne au loin.

Le port. — Ses relations commerciales avec le Canada et les Antilles lui firent connaître au 17e s. une période de prospérité. Les bateaux de plaisance et quelques bateaux de pêche ont remplacé les voiliers venus du Nord chercher le sel ou le vin, et les goélettes des Antilles chargées d'épices. Le port et le bassin font comme une ceinture à l'ancien quartier des marins, aujourd'hui bordé de commerces, qu'ils encerclent complètement, constituant un pittoresque îlot. Les quais sont pavés avec le lest des anciens navires marchands.

Hôtel de Clerjotte (Ancien arsenal) (M). — De hautes toitures d'ardoises couronnent ce bel édifice mi-flamboyant mi-Renaissance, qui était l'hôtel des Officiers des Seigneurs de Ré, avant de devenir arsenal.

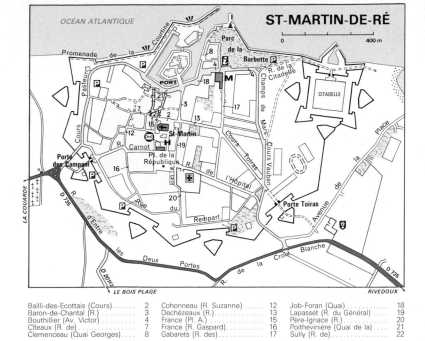

Dans la cour bordée de galeries Renaissance, on admire l'élégante porte flamboyante à accolade fleuronnée qui donne accès à la tourelle d'escalier. Aujourd'hui, cet hôtel abrite le musée ainsi que l'office de tourisme.

Musée naval et Ernest-Cognacq ⊙. – Sur deux niveaux, l'histoire maritime locale est évoquée par la présentation de maquettes, tableaux (scènes de combats, portraits de marins, Le retour de l'île d'Elbe sur le brick l'Inconstant), figures de proues, armes anciennes. Au rez-de-chaussée, une collection de faïences (Delft, Jersey, La Rochelle...) et la reconstitution d'une chambre Louis XIII avec du mobilier d'époque s'ajoutent aux collections historiques du musée.

Église St-Martin ⊙. – Appelée « Grand Fort », en raison des défenses qui la protégeaient, encore visibles au transept, l'église date du 15ᵉ s. Ruinée par les bombardements de la flotte anglo-hollandaise en 1696, elle a été restaurée au début du 18ᵉ s. Une chapelle, dédiée aux marins, contient des ex-voto des 18ᵉ et 19ᵉ s.

Ancien hôtel des Cadets de la marine (**H**). – Il abrite l'hôtel de ville et la poste. Ce bâtiment fut construit au 18ᵉ s. pour servir de logement à une compagnie de cadets des troupes de marine. Au début du 20ᵉ s., Ernest Cognacq, négociant, fondateur des grands magasins de la Samaritaine à Paris, en fit don à sa ville natale.

VISITE DE L'ILE

Du pont-viaduc à St-Martin-de-Ré *13 km – environ 1/2 h*

La route, D 735, longe la côte et arrive en vue du fort de la Prée, jadis défenseur de La Rochelle, qu'elle laisse à droite pour bifurquer vers l'intérieur.

Ancienne abbaye des Châteliers. – Sur la lande couvrant le promontoire des Barres, face au Pertuis breton, le vent joue dans les vestiges d'une abbaye cistercienne fondée au 12ᵉ s. et ruinée en 1623. De l'abbatiale subsistent la façade et les murs dessinant une nef et un chevet plat à la mode de Cîteaux; le chœur est percé d'une élégante baie en tiers-point. A gauche de l'église, piliers et départs d'ogives attestent qu'il y eut là un cloître : des fouilles ont ramené au jour des chapiteaux, pièces de monnaie, squelettes.

De St-Martin-de-Ré au phare des Baleines *17 km – environ 1 h*

Ars-en-Ré. – 1 165 h. Lieu de séjour. Un réseau de ruelles, si étroites qu'il a fallu tailler les angles des maisons pour que les attelages puissent virer, s'enchevêtre au centre d'Ars, dont le port recevait les vaisseaux de Hollande et de Scandinavie venus embarquer le sel.
Sur la place centrale qui fut cimetière, maintenant remblayée et plantée d'ormes, s'élève l'**église St-Étienne** ⊙ au clocher fin comme une aiguille, peint en blanc et noir pour servir d'amer. Un beau portail roman, à demi enterré, précède la nef de même époque que renforcent d'épaisses nervures en ogives. Le chœur gothique, plus long que la nef et flanqué de larges collatéraux, porte des voûtes bombées angevines.
Rue Gambetta, non loin de l'église *(au Sud, à 50 m)*, maison du Sénéchal, Renaissance, à deux tourelles d'angle.

St-Clément-des-Baleines. – 607 h. La **maison des Marais** *(16, rue de l'École)* ⊙ est un centre d'information sur la flore et la faune de l'île de Ré. Des sorties pédestres y sont organisées pour découvrir la dune, le littoral ou le marais.

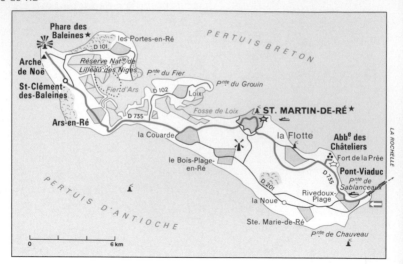

L'Arche de Noé ⊘. – Peu après St-Clément-des-Baleines, ce **parc d'attractions** invite le visiteur à un circuit à travers un monde magique et merveilleux : histoire de la navigation retracée par des dioramas et des maquettes (l'Aventure de la marine), collection de crustacés et de coraux (Oceanorama), oiseaux de l'île naturalisés, labyrinthe, animaux exotiques. Dans le **Naturama★**, on verra une remarquable collection d'animaux naturalisés du monde entier, groupés selon leurs milieux de vie, une collection de papillons exotiques et d'insectes présentés d'une façon décorative, des aquariums ainsi qu'une tortue de 537 kg échouée en 1978 sur une plage de l'île. Un spectacle de musique et de danse, agrémenté de jets d'eau, se déroule dans une salle adjacente.

★ Phare des Baleines ⊘. – Haut de 55 m, il a été construit en 1854 pour remplacer une tour-fanal du 17ᵉ s. qu'on repère à peu de distance et à laquelle on peut accéder par un petit chemin. On monte au sommet du phare par un escalier hélicoïdal de 257 marches débouchant sur une galerie; de là s'offre un **panorama★** embrassant les côtes de Vendée, le Pertuis breton et la pointe de l'Aiguillon à l'Est, Ré au Sud-Est, Oléron au Sud. A marée basse on distingue les écluses à poissons *(voir p. 105)*, aménagées à la pointe. A l'Est du phare, la conche des Baleines, grande baie bordée de dunes, dessine une courbe harmonieuse. Des centaines de baleines seraient venues s'y échouer à l'époque romaine.

Abbaye de La RÉAU

Carte Michelin n° **72** pli 5 ou **233** pli 20 – 14 km à l'Ouest de L'Isle-Jourdain.

Dans la région bocagère qui marque les confins du Poitou et du Confolentais, se dissimule au sein de la vallée du Clain, la belle et sévère abbaye de La Réau.

Une fondation royale. – Fondée au 12ᵉ s. par Louis VII ou par Henri II Plantagenêt, l'abbaye, occupée par des chanoines réguliers de Saint-Augustin, prospère rapidement et essaime; ses prieurés se répandent en Touraine et en Anjou, si nombreux que l'on peut parler d'un « ordre de La Réau ».
Mais, durant la guerre de Cent Ans, elle est fortifiée par Charles V et devient l'asile des troupes françaises; les Anglais brûlent les bâtiments.
Puis l'abbaye est mise en commende : régime administratif, décidé par le roi, qui concède ses bénéfices et revenus au profit d'un abbé commendataire, souvent un laïc qui ne joue aucun rôle dans la vie religieuse de la communauté. L'abbaye tombe en décadence.
Enfin Louis de La Rochefoucauld, abbé depuis 1635, la confie en 1652 aux religieux de Sainte-Geneviève qui la restaurent. A la Révolution, les génovéfains durent quitter le monastère. Devenue pensionnat sous l'Empire, La Réau changea à nouveau de mains sous la Restauration et fut, une fois encore, remise en état.

VISITE ⊘ 1/2 h

Abbatiale. – Construite aux 12ᵉ-13ᵉ s., elle a perdu ses voûtes, écroulées au 19ᵉ s. Défendue par deux échauguettes, la façade est percée d'une grande baie gothique et d'un portail aux multiples voussures. Ce portail donne accès à la nef unique précédant le transept à chapelles orientées et le chœur à chevet plat de type angevin, éclairé par trois baies, et pourvu, à l'extérieur, de deux échauguettes, comme la façade.

Bâtiments conventuels. – Remaniés au 18ᵉ s., ils furent transformés en habitation au 19ᵉ s. Ils comprennent un vestibule, des salons, un escalier monumental de pierre (17ᵉ s.) à balustrade, œuvre de l'architecte François Leduc dit Toscane, et une salle capitulaire romane du 12ᵉ s. à voûtes d'arêtes qui reposent sur des culots sculptés de masques étranges. On peut y voir la clé de voûte (13ᵉ s.) du chœur de l'abbatiale, représentant la main divine bénissante.
A l'extrémité Est des bâtiments se dresse une grosse tour du 15ᵉ s.

Pays de RETZ

Carte Michelin n° 67 plis 1 à 3, 13 ou 232 plis 26 à 28, 39.

Cette « presqu'île » comprise entre l'estuaire de la Loire et la « rive » Nord du Marais breton-vendéen *(p. 85)* constitue, historiquement, l'extrême Sud de la Bretagne. Région de faibles reliefs et de vastes dépressions parfois marécageuses (lac de Grand-Lieu), l'intérieur revêt un caractère mélancolique non dénué de charme. La façade atlantique, avec les falaises schisteuses de la Côte de Jade *(p. 119)*, présente des aspects moins austères et souvent pittoresques.

L'économie a pour base la pêche, l'activité des stations balnéaires, l'élevage des vaches laitières, les cultures maraîchères des polders, la vigne enfin : le pays de Retz fournit en effet le populaire gros plant et participe à la production du muscadet de la région nantaise.

VILLES ET CURIOSITÉS

Bourgneuf-en-Retz. – 2 346 h. Le **musée du Pays de Retz** ⊙ *(6, rue des Moines)* occupe les dépendances (17ᵉ s.) d'un ancien couvent de cordeliers. Une section archéologique, des collections de coiffes et de costumes, un intérieur paysan, de nombreuses reconstitutions d'ateliers font revivre l'histoire du pays de Retz et surtout les activités de ses habitants (métiers de la mer, agriculture, artisanat).

Château du Bois-Chevalier ⊙. – *4 km au Nord-Est de Legé*. Il a été construit sous Louis XIV; son pavillon central à coupole, flanqué de six autres pavillons coiffés de hauts toits à la française, se reflète dans un miroir d'eau. Il hébergea Charette lors de la guerre de Vendée.

Machecoul. – 5 072 h. Centre industriel (fabrique de cycles) et capitale historique du pays de Retz.

Les Moutiers-en-Retz. – 739 h. L'**église** du 11ᵉ s, restaurée au 17ᵉ s., contient un joli retable du 17ᵉ s. Lanterne des morts devant l'église.

De la plage, beau point de vue sur la baie de Bourgneuf.

Passay et le lac de Grand-Lieu. – *Page 109.*

★ **Pornic.** – *Page 119.*

St-Brévin-les-Pins. – *Page 150.*

St-Philbert-de-Grand-Lieu. – *Page 157.*

★ **RICHELIEU** 2 223 h. (les Richelais)

Carte Michelin n° 67 Sud-Ouest du pli 10 ou 232 pli 46.

Aux confins de la Touraine et du Poitou, Richelieu, que La Fontaine nommait « le plus beau village de l'univers », est une cité paisible qui s'anime les jours de marché. Elle fut créée de toutes pièces, à partir de 1631, sur l'initiative **du cardinal de Richelieu,** désireux de loger sa cour près de l'immense château qu'il faisait alors construire.

UN PEU D'HISTOIRE

L'homme rouge. – En 1621, lorsque Armand du Plessis (1585-1642), évêque de Luçon *(p. 81)*, racheta Richelieu, érigé en duché 10 ans plus tard, il n'y avait sur les bords du Mable qu'un village accompagné d'un manoir. Devenu cardinal et Premier ministre, **Richelieu** chargea Jacques Le Mercier, architecte de la Sorbonne et du palais Cardinal, d'établir les plans d'un château neuf et d'un bourg clos de murs. Cet ensemble construit sous la direction de Pierre Le Mercier, frère de Jacques, était considéré au 17ᵉ s. comme une merveille, que visita Louis XIV âgé de 12 ans. En 1663, La Fontaine notait malicieusement : « Les dedans ont quelques défauts. Le plus grand c'est qu'ils manquent d'hôtes. »

Autour de la ville, le cardinal constitua une petite principauté, se faisant céder, bon gré mal gré, quantité de châteaux que, par orgueil, il mit à bas, tout ou partie. Il possédait déjà Bois-le-Vicomte; il y ajouta Champigny-sur-Veude, L'Ile-Bouchard, Cravant, Crissay, Mirebeau, Faye-la-Vineuse, Chinon même, propriété royale, qu'il laissa tomber en ruine. Il poursuivit de sa vindicte Loudun dont la forteresse fut détruite après qu'Urbain Grandier *(voir p. 80)*, ennemi du cardinal, eut péri sur le bûcher.

Les fastes du passé. – Juste retour des choses ou malheureux hasard, il ne reste aujourd'hui presque rien de la magnifique et orgueilleuse demeure du cardinal. Dans un vaste parc s'élevait un merveilleux palais rempli d'œuvres d'art. Deux vastes cours encadrées de communs précédaient le château défendu par des douves, des bastions et des guérites : un portique en formait l'entrée dont le porche était orné d'une statue de *Louis XIII* et surmonté d'une *Renommée*, œuvres dues à Guillaume Berthelot ; des obélisques, des colonnes rostrales (en proues de navire) et les *Esclaves* de Michel-Ange, sculptés pour le tombeau de Jules II, décoraient le pavillon situé au fond de la cour d'honneur.

Les appartements, la galerie, la chapelle étaient ornés de peintures par Poussin, Claude Lorrain, Champaigne, Mantegna, Pérugin, Bassano, Caravage, Titien, Jules Romain, Dürer, Rubens, Van Dyck...

Les parterres des jardins, les bords du canal étaient peuplés d'antiques et les grottes cachaient des pièges hydrauliques, amusement fort apprécié de ce temps ; c'est là que furent plantés les premiers peupliers d'Italie.

La dispersion de ces richesses commença dès 1727 ; le maréchal de Richelieu, petit-neveu du cardinal, en ramena une partie dans son hôtel parisien et en vendit. Mis sous séquestre en 1792, le château reçut alors la visite de Tallien qui s'intéressa à l'argenterie, puis de Dufourni et Visconti qui prélevèrent ce qui convenait au musée des Monuments français.

La Révolution terminée, les héritiers de Richelieu cédèrent le château à un nommé Boutron qui le démolit pour en vendre les matériaux.

Les œuvres d'art ont été dispersées. Le Louvre conserve les *Esclaves* de Michel-Ange, les Pérugin et une table de marbre incrustée de pierres fines ; douze tableaux narrant les conquêtes de Louis XIII se trouvent au palais de Versailles, tandis que les musées de Tours et d'Azay-le-Ferron possèdent quelques antiques et quelques peintures ; au musée des Beaux-Arts de Poitiers figure le *Louis XIII* de Berthelot. Les obélisques décorent le château de Malmaison ; les colonnes rostrales ont échoué au musée de la Marine, à Paris.

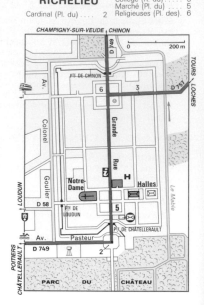

RICHELIEU

CURIOSITÉS

★ **La ville.** — Le « bourg clos » voulu par Richelieu à proximité du château qu'il se faisait construire constitue par lui-même un monument exemplaire de style Louis XIII, dessiné par Jacques Le Mercier.

La ville matérialise le sens de l'ordre, de l'équilibre mesuré, de la régularité, de la symétrie qui annonce le Grand Siècle.

Sur plan rectangulaire, comptant 700 m de longueur sur 500 m de largeur, elle est entourée de remparts et de douves. Les portes monumentales, à refends, ont conservé leurs pavillons à portails soulignés de bossages, à fronton et hauts toits à la française.

Grande-Rue. — Elle traverse Richelieu de part en part. Outre les deux portes de la ville, on remarque les hôtels Louis XIII, à parements de tuffeau clair, parmi lesquels celui du Sénéchal (n° 17), qui conserve une élégante cour décorée de bustes d'empereurs romains.

Deux places, proches de l'enceinte, frappent par leur disposition excentrée.

Place du Marché. — Face à l'église, se trouvent les **halles** à la belle charpente de châtaignier du 17e s. couverte d'ardoises.

L'**église Notre-Dame,** de style classique, dit « jésuite », bâtie en pierre blonde, ne manque pas de noblesse ni d'harmonie. Sa façade est creusée de niches abritant les évangélistes et son chœur est flanqué, suivant une disposition rare, de deux tours terminées par des obélisques. A l'intérieur se retrouvent les mêmes qualités architecturales; remarquer la noblesse du maître-autel (18e s.).

Dans l'hôtel de ville, ancien palais de justice, un **musée** ⊙ présente des documents et œuvres d'art se rapportant au château et à la famille du cardinal.

Le parc du château ⊙. — Une majestueuse statue de Richelieu par Ramey précède l'immense parc (475 ha) que sillonnent des allées rectilignes, ombragées de marronniers ou de platanes.

Des splendeurs d'antan, il subsiste un pavillon à dôme, qui faisait partie des communs, les canaux et, à l'extrémité des parterres *(au Sud-Est)*, deux pavillons qui servaient d'orangerie et de caves. Dans le pavillon à dôme a été installé un petit **musée** (maquettes du château, histoire de Richelieu).

L'ancienne porte d'entrée du château se voit toujours sur la D 749 *(au Sud-Ouest)*.

Promenades en train à vapeur ⊙. — Un authentique convoi du début du siècle relie Richelieu à Chinon via Champigny-sur-Veude et Ligré, sur un parcours de 20 km. A la gare de Richelieu, un **musée** rassemble du matériel ancien : locomotives du début du siècle, voiture-salon (1906) de la compagnie PLM, machine diesel américaine (vestige du plan Marshall), etc.

ENVIRONS

Faye-la-Vineuse. — *7 km au Sud par la D 749. Description p. 70.*

Château de la Roche-du-Maine ⊙. — *11 km au Sud-Ouest par la D 749 et la D 46.* Érigé vers 1520 par Charles Tiercelin, capitaine des armées de Louis XII et de François Ier, en Italie, ce château occupe un promontoire dominant les vastes étendues de la plaine loudunaise. Avec ses tours coiffées en poivrière, cet édifice, caractéristique de la première Renaissance, a cependant conservé des traits défensifs hérités du Moyen Age : pont-levis, chemin de ronde sur mâchicoulis, canonnières ouvertes à la base des tours, châtelet d'entrée, grosse tour d'angle. Mais la Roche-du-Maine a été confié à des décorateurs de grand talent, qui, servis par une pierre excellente, ont déployé une réelle virtuosité et donné à cette demeure seigneuriale son aspect italianisant. Comme Louis XII à Blois, Charles Tiercelin s'est fait représenter sous la forme d'une statue équestre, au-dessus du portail d'entrée.

Abbaye de Bois-Aubry ⊙. — *16 km à l'Est par la D 757.* En approchant apparaît, comme posée sur l'horizon, la flèche de pierre de cette abbaye bénédictine du 12e s., isolée dans la campagne. Des ruines, seul le clocher carré, du 15e s., est bien conservé. On verra, aux voûtes de la nef (13e s.), une clé ornée d'un blason sculpté et, dans la salle capitulaire (début 12e s.), douze chapiteaux joliment ciselés.

RIOUX

Carte Michelin n° **171** pli 5 ou **233** pli 26 – Schéma p. 165.

Parmi les églises rurales de Saintonge, celle de Rioux, qui paraît modeste avec son clocher-porche tout simple et sa nef basse, est connue des amateurs d'art pour son décor sculpté de toute première qualité.

Son mur-façade présente des voussures et des arcatures très travaillées; parmi ses archivoltes sculptées, l'une, au centre, encadre une belle madone en majesté. Son **chevet★** *(illustration p. 29)* vaut par les contreforts-colonnes qui séparent ses pans coupés, l'infinie variété des motifs décoratifs géométriques qui soulignent l'appareillage des murs et l'encadrement des fenêtres et des arcatures. Une telle « perfection » décorative marque en quelque sorte l'aboutissement du roman saintongeais parvenu à son terme et n'évoluant plus que par la virtuosité de ses sculpteurs.

A l'intérieur, bien mis en valeur, on verra des litres seigneuriales et, dans le chœur à droite, un remarquable groupe en bois sculpté, représentant le Mariage mystique de sainte Catherine (première moitié du 16e s.). A gauche, chapelle seigneuriale ajoutée au 15e s.

★ Château de la ROCHE COURBON

Carte Michelin n° **171** Ouest du pli 4 ou **233** pli 15 – 2 km au Nord de St-Porchaire.

Isolé au sein de ces bois de chênes que **Pierre Loti** aimait, le château de la Roche Courbon préside à une harmonieuse suite de terrasses à balustres et de jardins à la française.

« Le château de la Belle au bois dormant. » – Tel fut le titre de l'article que Loti *(voir à Rochefort)* fit paraître en 1908, dans Le Figaro, pour tenter de sauver le château alors abandonné et menacé de perdre les admirables futaies qui l'enserraient de toutes parts. L'auteur du *Roman d'un enfant* y évoquait ses souvenirs de jeunesse alors qu'il passait ses vacances chez son beau-frère, percepteur à St-Porchaire. Souvent l'adolescent allait errer dans les « chênaies profondes » que traverse un ravin enfoui dans la verdure et troué de grottes où s'infiltrait « le demi-jour verdâtre des feuillées »...

Son action, conjuguée avec celle de l'écrivain André Hallays, ne resta pas vaine. Non seulement la cognée du bûcheron épargna la forêt, mais, à partir de 1920, le château fut restauré et ses jardins furent reconstitués.

VISITE ⊘ *2 h*

On pénètre à l'intérieur du domaine par la porte des Lions, portique monumental à trois arcades, du 17e s., orné de cariatides à son revers. Après avoir franchi des douves, bordées de balustrades au 17e s., on passe sous le « donjon », ancienne tour d'enceinte à mâchicoulis, qui abrite un musée de préhistoire rassemblant les trouvailles faites aux alentours.

Château. – Comme le « donjon », il date du 15e s. mais a été profondément modifié par Jean-Louis de Courbon au 17e s., époque à laquelle furent refaites baies et lucarnes et ajoutées les arcades supportant le balcon qui orne la façade donnant sur les jardins. Cette façade est d'ailleurs remarquable par son équilibre, son perron et son escalier à balustres.

A l'intérieur on parcourt un bureau-bibliothèque au mobilier Louis XIII, la salle de peintures appelée par tradition « Salle de Bain », revêtue de panneaux peints sur bois, d'époque Louis XIV, représentant les Travaux d'Hercule, des paysages, des allégories, des épisodes bibliques, et provenant de l'ancienne chapelle. Le grand salon du 18e s., aux meubles d'époque et aux murs lambrissés, contient un buste de Hubert Robert d'après Pajou et un tableau du peintre hollandais Hackaert, reproduisant le château tel qu'il était au 17e s.

De là, on franchit un vestibule Louis XVI, orné de paysages peints par Casanova, le frère du célèbre libertin et de rares papiers peints panoramiques du début du 19e s., pour passer dans deux salles du 17e s., aux plafonds Louis XIII; ce sont une salle à la grande cheminée de pierre portant la devise « Fide, Fidelitate, Fortitudine » (par la Foi, par la Fidélité, par le Courage) et une cuisine-salle à manger (curieux tourne-broche ancien, meubles saintongeais).

★ **Jardins.** – Leurs parterres et leurs bassins, ennoblis de statues et d'ifs taillés, composent une magnifique perspective dont l'axe aboutit à un escalier encadrant une allée d'eau.

Contourner le miroir d'eau que termine un nymphée, pour atteindre une terrasse; de là, s'offre une **vue★★** ravissante du château qui se mire dans les eaux lisses du bassin, situé en contrebas.

Suivre la grande allée percée à travers bois, jusqu'à une colonne surmontée d'une sphère. Revenir alors sur ses pas : la Roche Courbon surgit : c'est bien le château de la Belle au bois dormant, tel que le vit Loti.

Salle des fêtes. – Elle renferme un superbe escalier de pierre à balustres (fin du 16e s.).

Grottes. – *1/2 h à pied AR.* Le sentier se termine par une allée de chênes verts débouchant sur le vallon creusé par le Bruant, affluent de la Charente, qui alimente les bassins du parc.

Dans la falaise s'ouvrent des cavernes qui furent habitées à l'âge préhistorique.

ROCHEFORT

25 561 h. (les Rochefortais)

Carte Michelin n° **171** pli 13 ou **233** plis 14, 15 — Schéma p. 10.

Noble et sévère, la ville « de Pierre Loti » était une place maritime et l'on y respire encore le parfum du passé. Le long de ses larges rues tracées au cordeau, se coupant à angle droit, et dans ses jardins déambulent aujourd'hui les élèves de l'école aéronautique navale.

UN PEU D'HISTOIRE

Au temps de la marine à voile. — En ce milieu du 17e s., Colbert cherche une base pour la défense des côtes de l'Atlantique menacées par les incursions anglaises. Brouage s'envase et la rade de La Rochelle n'est pas assez abritée. Il choisit Rochefort, située à 15 km de l'embouchure de la Charente, dont les abords sont protégés par les îles de Ré, d'Aix, d'Oléron et par les promontoires (Fouras, le Chapus) faciles à fortifier. On crée donc là, de toutes pièces, un port militaire muni d'un arsenal aussi puissant que celui de Toulon. A partir de 1666, un neveu du ministre, Colbert du Terron, s'y emploie, secondé par deux ingénieurs, le chevalier de Clerville et François Blondel, qui tracent les remparts et donnent les plans de l'Arsenal. En 1671, Rochefort compte déjà 20 000 habitants et on y lance treize vaisseaux, une galère et plusieurs brigantins.

A l'origine en bois, la ville est reconstruite en pierre sous l'intendant de la Marine Michel Bégon (1688) dont le bégonia, plante découverte aux Antilles par le père Plumier, porte le nom *(p. 133).*

Des remparts, ne subsistent qu'un pan de mur près du port de plaisance et une échauguette derrière la poste.

Les pontons de Rochefort. — En automne 1792, l'épuration du clergé est commencée. Par centaines, les prêtres « non jureurs » (qui n'ont pas prêté serment à la Constitution civile du clergé) se dirigent vers Rochefort où ils doivent embarquer pour la Guyane.

Ancrés sur la Charente, de vieux vaisseaux désaffectés (des « pontons ») les attendent : un antique navire-hôpital, le Bonhomme-Richard, et un vaisseau de ligne, le Borée. Finalement, les prisonniers sont transférés à bord de deux anciens navires négriers, le Washington et les Deux-Associés.

On entasse les « scélérats » dans les entreponts par groupes de 400, couchés sur une paille pourrie. Pour se laver, il n'y a que de l'eau salée. Pour manger, un baquet de bouillon où nagent quelques fèves, les sans-culottes vendant une partie des vivres prévues pour les proscrits.

Un beau jour, les pontons appareillent et vont jeter l'ancre dans la rade de l'île d'Aix. On fusille sur le pont aux cris de « Vive la République! Vive Robespierre! ». Les déportés, manquant de tout, sont uniquement préoccupés de survivre, lorsque, en janvier 1794, le typhus apparaît. Douze à treize prêtres meurent chaque jour; chaque fois que l'un d'eux expire, l'équipage se réjouit bruyamment. Les cadavres, d'abord jetés à la mer, sont ensuite portés à l'île Madame *(p. 83)* et à l'île d'Aix par des corvées de jeunes prêtres dont beaucoup périssent à la tâche.

Transférés enfin sur l'île Madame, les survivants seront libérés en 1795.

L'arsenal. — Le vieil arsenal de Colbert est, en 1690, « le plus grand, le plus achevé et le plus magnifique du royaume » : 47 navires y sont armés parmi lesquels plusieurs à trois ponts, tel le fameux Louis-le-Grand. De 1690 à 1800, 300 nouveaux vaisseaux glissent sur les eaux de la Charente.

ROCHEFORT

Audry-de-Puyravault (R.)...... 2
Gambetta (Av.) 17
Gaulle (Av. Ch. de)......... 18
La Fayette (Av.)............ 21
République (R. de la)

Benes (Rue) 5
Carnot (R. Sadi)........... 7
Clemot (Rue) 8
Colbert (Pl.) 9
Combes (R. E.)............ 12
Dr-Pujos (Rue du).......... 13
Duvivier (Rue C.).......... 14
Fosse-aux-Mâts (Av. de la).. 15
Grimaux (Av.)............. 19
Lesson (Rue).............. 23
Pelletan (Av. C.).......... 25
Port (R. du).............. 27
Roux (R. A.).............. 31
Vivres (Quai aux).......... 37
Zola (R. E.).............. 38
11-Novembre-1918
   (Av. du)............... 42
14-Juillet (R. du)......... 43

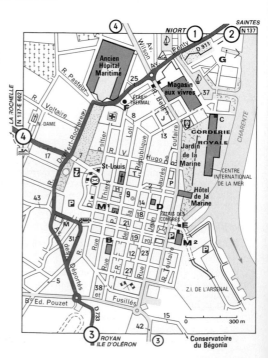

130

Dans la première moitié du 19ᵉ s., on construit le Sphinx, premier grand bâtiment à vapeur de la marine militaire, puis le Mogador, la plus puissante frégate à roues qui ait été réalisée en France.

L'année 1926 voit la fermeture de l'arsenal.

L'arsenal s'étendait le long de la Charente sur deux plans encore existants, séparés par des cales de lancement ou de radoub. On y accéda à partir de 1830 par la fameuse porte du Soleil. Il abritait 11 chantiers de construction et 4 bassins de radoub dont la **Vieille Forme** (G), la plus ancienne cale sèche maçonnée du monde (1669). Il comprenait également une fonderie spécialisée dans la fabrication des clous doublés de cuivre, une chaudronnerie, des forges, des scieries, une tonnellerie, une corderie. Enfin, d'immenses magasins pourvoyaient aux subsistances. Des fosses aux mâts pouvaient contenir 50 000 stères de bois que l'eau saumâtre rendait imputrescible. Un atelier de « sculpteurs de la Marine » ciselait poupes et proues. L'arsenal employait de 5 000 à 10 000 ouvriers. Matin et soir le vaisseau amiral tirait un coup de canon pour annoncer l'ouverture et la fermeture des portes.

C'est de Rochefort que La Fayette partit pour la deuxième fois pour l'Amérique, en mars 1780, afin d'aller renforcer les troupes des « Insurgents ». En 1816, la frégate la Méduse appareilla également de Rochefort pour se rendre au Sénégal. Son naufrage, au large des côtes de la Mauritanie, inspira à Géricault son célèbre tableau le Radeau de la Méduse.

CURIOSITÉS

★ **Maison de Pierre Loti** (B) ⊘. – Né au 141 de la rue qui porte son nom, **Pierre Loti** (1850-1923), de son vrai nom Julien Viaud, était le fils d'un employé à la mairie de Rochefort. Officier de marine, rompu à tous les sports, affichant des allures et une mise singulières, mais auteur sensible et narrateur exceptionnel, ses voyages lui ont inspiré de nombreux romans qui le porteront à l'Académie française à 41 ans : Aziyadé, le Mariage de Loti, le Roman d'un spahi, Pêcheur d'Islande, Madame Chrysanthème, Ramuntcho...

La **maison de Pierre Loti** se compose de deux maisons, communicantes : sa demeure natale et celle dont il fit plus tard l'acquisition. Leur façade n'égale pas leur somptuosité intérieure, riche d'étonnants souvenirs de voyage.

Au rez-de-chaussée se succèdent deux salons : le premier, aux murs ornés de tableaux de famille, certains de la main de la sœur de Loti, abrite son piano; le second, un mobilier Louis XVI et des bibelots; la **salle à manger « Renaissance »**, meublée dans le style espagnol et tapissée de cinq tapisseries flamandes du 17ᵉ s., comporte, avec une cheminée monumentale, une tribune de musiciens.

A l'entresol, l'ancien atelier de peinture de la sœur de Loti est agencé en « salon » 15ᵉ s. où se déroula en avril 1888 un « dîner Louis XI ».

Au 1ᵉʳ étage, la chambre du maître contraste par son dépouillement avec les aménagements voisins : la **mosquée,** au décor d'éléments provenant d'une mosquée damasquine (collection de tapis de prière, de candélabres, d'armes, plafond en cèdre peint) et où Loti fit transporter la stèle d'Aziyadé (tous les éléments avaient été rapportés par des contreban-

Rochefort. – Maison de Pierre Loti.

diers); le **salon turc** avec son sofa, ses coussins, ses tentures, son plafond en stuc inspiré de l'Alhambra de Grenade; la **chambre arabe** décorée d'émaux et d'un moucharabieh (grille en bois placée devant une fenêtre).

★ **Musée d'Art et d'Histoire** (M¹) ⊘. – L'ancien hôtel Hèbre-de-Saint-Clément abrite les collections du musée. Dans un cabinet et une grande galerie, remarquer une esquisse de Rubens (Lycaon changé en loup par Jupiter), des tableaux de fleurs (17ᵉ s.), des portraits de l'école italienne du 16ᵉ s., d'autres par Roques, maître d'Ingres, Pater (la Leçon de musique). Série de portraits, de paysages et de scènes sentimentales des époques Empire ou romantique, par Gauffier (le Retour de l'enfant prodigue), Belloc, Rouget (portrait de Lola Montès), Michallon, et d'autres œuvres plus récentes.

Dans la galerie Lesson, belles collections ethnographiques d'Afrique et d'Océanie (superbes masques polynésiens).

Voir, dans la salle suivante, des marines (par Garneray, Roullet) et une copie du Radeau de la Méduse de Géricault; puis, dans la salle d'histoire locale, l'étonnant plan-relief de Rochefort, exécuté en 1835, et le Port de Rochefort, tableau de Vernet. La salle Camille Mériot est consacrée aux coquillages.

Place Colbert (9). – Cette vaste place rectangulaire bordée de belles façades constitue le centre de la ville.

A l'Ouest l'hôtel de ville est installé dans l'hôtel d'Amblimont (ancien gouverneur de la Martinique, vainqueur de la flotte hollandaise en 1674), de l'autre côté se dresse une fontaine monumentale du 18ᵉ s. figurant l'Océan et la Charente mêlant leurs eaux.

C'est sur cette place qu'ont été tournées de nombreuses scènes du film de Jacques Demy *les Demoiselles de Rochefort* (1967).

Église St-Louis. – Elle a été bâtie sur l'emplacement de la chapelle d'un couvent de capucins (1672). Son immense portique à colonnes corinthiennes, surmonté d'un fronton triangulaire, ses trois nefs à gros piliers, ses voûtes à pénétration dénotent un style classique empreint de majesté.

Le maître-autel est coiffé d'un dais supporté par quatre colonnes corinthiennes.

Porte du Soleil (E). – Construite en 1830, en forme d'arc de triomphe, elle constituait l'entrée de l'arsenal. Elle est décorée, sur sa face intérieure, de trophées marins vigoureusement sculptés.

Hôtel de Cheusses (M²). – Édifié au 17ᵉ s. Un majestueux portail donne accès à la cour. L'hôtel, qui fut Commissariat général de la marine, est affecté à un musée de la Marine.

Musée de la Marine ⊙. – Modèles réduits de navires, figures de proue et cariatides, instruments de navigation, peintures, armes et drapeaux évoquent l'histoire de la marine de guerre française du 17ᵉ au 20ᵉ s.; des cartes, documents et maquettes explicatives sont consacrés à l'ancien arsenal de Rochefort.

Une mention spéciale est méritée par les très grosses maquettes de vaisseaux et de moulins à vent présentées dans la grande salle extérieure. Remarquer notamment le cabestan monumental du Duguay-Trouin.

Hôtel de la Marine. – Ancienne Préfecture maritime, c'est la résidence du commandant de la base aéronautique navale de Rochefort. Cet édifice, dont la partie ancienne remonte à Louis XIV et hébergea Napoléon, est précédé par une porte monumentale du 18ᵉ s. Une haute tour carrée, voisine, servait à communiquer par signaux visuels.

Jardin de la Marine. – Paisibles et abrités, ses mails et ses quinconces de tilleuls ont été plantés en terrasse sur la Charente au 18ᵉ s.

Un bel escalier terminé par une porte à trois arcades assure l'accès à l'ancienne corderie royale.

★ **Corderie royale.** – En contrebas du jardin de la Marine et dominant la Charente s'étend l'ancienne Corderie royale. Construit par Colbert en 1666, l'édifice est ancré sur un radeau formé d'un quadrillage de madriers de chêne, en raison de la nature marécageuse du sol. Achevée en 1670, la Corderie fournit toute la marine en cordages jusqu'à la Révolution. Son activité déclina lorsque apparut la vapeur et elle ferma ses portes en même temps que l'arsenal.

Très endommagée durant la dernière guerre, la Corderie royale a fait l'objet d'une importante restauration, qui lui a restitué sa longue façade (374 m), que surmonte un comble mansardé à ardoises bleues, percé de lucarnes à frontons.

La façade postérieure est renforcée par d'élégants contreforts en forme de volutes.

Ce bâtiment classique représente l'un des rares témoignages de l'architecture industrielle du 17ᵉ s.

L'aile Nord abrite la Chambre de commerce et d'industrie. Dans le pavillon central se trouve la bibliothèque-médiathèque municipale. Enfin, l'aile Sud accueille le Conservatoire de l'Espace littoral et des rivages lacustres, la Ligue pour la Protection des Oiseaux (LPO), ainsi que le **Centre International de la Mer** ⊙ qui présente une exposition permanente sur les corderies et cordages. Le chanvre arrivé d'Auvergne était filé, puis commis (opération de torsion et d'assemblage des fils au cours de laquelle la longueur du bâtiment limitait et conditionnait à la fois celle des cordages) et enfin goudronné. Remarquer l'imposante machine à corder du 19ᵉ s., montée sur rail. Des expositions temporaires à thème maritime sont également organisées ici.

Autour de la Corderie se poursuit l'aménagement du **jardin des Retours**, planté d'espèces exotiques et rares : le **jardin des Amériques,** au bord de la Charente, comprend l'**Aire des gréements,** évoquant la marine ancienne, et le **Labyrinthe des batailles navales,** composé d'ifs.

Magasin aux vivres. – Situé en bordure du bassin aux vivres, face au port de plaisance, il est de la fin du 17ᵉ s. Il abritait notamment la boulangerie, capable de fournir 20 000 kg de pain par jour; ses caves pouvaient contenir 18 000 hl de liquide.

Ancien hôpital maritime. – Bâtiment de la fin du 18ᵉ s., au milieu d'un parc. La chapelle, surmontée d'un clocheton, est précédée par un avant-corps à fronton sculpté.

Sur un terrain voisin est aménagé un petit **établissement thermal :** la Source l'Empereur, exploitée depuis 1866 mais utilisant depuis 1953 l'eau d'un puits artésien foré à 846 m de profondeur, soigne les rhumatismes et les dermatoses.

A proximité se dresse l'ancien **château d'eau (F)**, belle construction de pierre quadrangulaire datant de 1900, qui servait à alimenter la ville.

C'est parce que Nicolas Chauvin, un soldat de Rochefort, montrait pour le premier Empire un enthousiasme démesuré, qu'on a fini par qualifier de « chauvin » toute personne affichant un patriotisme excessif...

AUTRES CURIOSITÉS

★ **Les Métiers de Mercure** (D) ⊙. – Dans un entrepôt du début du siècle ont été reconstitués avec un soin minutieux une série de commerces et d'ateliers de 1900 à 1940 (bar rochefortais avec sa devanture de style 1900, chapellerie, pharmacie, épicerie, forge, etc.), pittoresque évocation de la vie d'autrefois.

Conservatoire du Bégonia ⊙. – *Prendre au Sud l'avenue du 11-Novembre, puis à gauche l'avenue de la Charente et à droite la rue Charles-Plumier.* Dans une grande serre, on fait croître plus de 850 espèces naturelles et hybrides de bégonias. Cette plante fut découverte aux Antilles à la fin du 17e s. par un botaniste, le père Plumier, qui la baptisa ainsi en l'honneur de l'intendant de Rochefort, Michel Bégon. La plante ne fut néanmoins introduite en Europe qu'à la fin du 18e s.

Ancien pont transbordeur de Martrou. – *2,5 km au Sud par l'avenue des Déportés-et-Fusillés.*
Ce bel ouvrage d'art (1900) en fer, long de 176 m, surplombe le cours de la Charente de plus de 50 m. Dernier de ce type à être resté en service en France, il est maintenant fermé au trafic. Depuis 1991, le passage est assuré par un viaduc *(ci-dessous).*

ENVIRONS

Tonnay-Charente. – 6 814 h. *7 km par* ②. Tonnay-Charente reçoit les cargos venus approvisionner ses usines en phosphates ou charger le maïs récolté dans la région. N'ayant pas suffisamment de place pour virer de bord, les navires viennent piquer dans la vase de la rive gauche de la rivière à marée montante; le flot les fait alors tourner sans effort sur leur erre.
Long de 204 m, le **pont suspendu** *(circulation autorisée seulement aux piétons et aux deux-roues)* a été jeté en 1842 par l'ingénieur Louis Dor, puis modifié à plusieurs reprises. Belles vues sur la vallée de la Charente, la ville, les ponts.

Circuit de 28 km. – *Environ 1 h 1/2. Quitter Rochefort par* ③.
On franchit l'imposant **viaduc de la Charente**, à péage ⊙ : en service depuis 1991, il s'est substitué à un pont à travée levante, construit en 1967, qui a été démoli.

Soubise. – 1 220 h. Ancienne baronnie et place forte des Rohan. La façade de l'église St-Pierre du 16e s. présente quatre pilastres d'ordre ionique. A l'intérieur, litre funéraire aux armes des Rohan-Soubise. Face à l'église se tient un élégant hôtel du 17e s.

Moëze. – 467 h. L'église est dominée par un haut clocher gothique qui servait d'amer. Dans le cimetière, la **croix hosannière**★ *(voir p. 29)*, dite aussi « Temple de Moëze », est un gracieux monument de style corinthien, de proportions réduites mais harmonieuses, datant du début du 16e s. De plan carré, l'édifice repose sur une vaste plate-forme dodécagonale (douze angles).
La **réserve naturelle des Marais de Moëze** couvre une zone de 79 ha, principalement maritime, qui est située entre Moëze et l'île d'Oléron.

Échillais. – 2 672 h. L'église présente une charmante **façade**★ de style roman saintongeais, sans pignon; des modillons garnissent la frise et la corniche supérieure : animaux ou personnages jouant de la viole, jongleur, tireur à l'arc, etc. A gauche du portail, un chapiteau porte un de ces monstres que les Saintongeais nomment « grand goule », parce qu'il semble avaler le fût de la colonne.

La ROCHEFOUCAULD   3 448 h. (les Rupificaldiens)

Carte Michelin n° 𝟩𝟤 pli 14 ou 𝟤𝟥𝟥 pli 30.

La Rochefoucauld, petite ville située sur les bords de la Tardoire, conserve de jolies maisons à colombage lui donnant un certain caractère.
Près du champ de foire, le **pont** est un ouvrage du 17e s., en léger dos d'âne, avec des demi-lunes se faisant vis-à-vis, pour que les piétons puissent se ranger au passage des charrois : vues sur la Tardoire et sur le château qui s'élève noblement au-dessus de la rivière.
La Rochefoucauld vit de quelques industries dont la fabrication de charentaises. C'est sous Louis XIV qu'on commença à produire ici cette pantoufle confortable réalisée alors en partie avec des déchets de feutres qui avaient été utilisés pour confectionner les cabans des marins. Elle connut un tel succès qu'on en vit même à la cour.

CURIOSITÉS

★ **Château** ⊙. – Le château de La Rochefoucauld est le berceau d'une lignée dont le chef porte traditionnellement le prénom de François. Qui ne connaît **François VI de La Rochefoucauld** (1613-1680), le pessimiste auteur des *Maximes*?
Érigé en duché en 1622, le château appartient encore à l'illustre Maison.
Bâti en tendre pierre blanche, il conserve les vestiges d'un donjon roman carré. La Rochefoucauld, avec son harmonieuse façade Renaissance et sa belle cour d'honneur, rappelle les châteaux de la Loire. La façade sur rivière est encadrée par une tour médiévale et par la chapelle; admirer les lucarnes avec leurs candélabres et leurs frontons en motifs de tabernacle timbrés d'une coquille.

Ancien couvent des Carmes (B). – Il comprend un vaste cloître ogival aux arcatures trilobées soutenues par de fines colonnettes et une salle capitulaire restaurée. Une partie a été aménagée en laboratoire de paléontologie.

Église N.-D.-de-l'Assomp-tion-et-St-Cybard (E). — Cette église représente un style rare dans l'Angoumois : le gothique du 13ᵉ s. Joli portail en tiers-point surmonté d'une rose et clocher surmonté d'une flèche octogonale.

Ancienne pharmacie de l'hôpital ⊘. — L'établissement remonte au 17ᵉ s. On y voit notamment une intéressante collection de pots à pharmacie et de mortiers des 16ᵉ et 17ᵉ s., une trousse de chirurgien de l'Empire, ayant appartenu à un chirurgien de l'armée de Napoléon, un beau Christ en ivoire du 17ᵉ s., une collection d'étains (gobelets, écuelles), un gaufrier à hostie de 1740.

LA ROCHEFOUCAULD

Basse-Ville (Faubourg)	2	Marillac (R. Porte)	10
Champ-de-Foire (Pl. du)	3	Robinière (R.)	12
Dames (Bd des)	6	Tanneurs (R. des)	14
Gambetta (Av.)	7	Tête-Noire (Faubourg)	15
Gare (Av. de la)	8	Vitrac (R. de)	16
Gaulle (Bd Gén. de)	9	11-Novembre (Bd du)	18

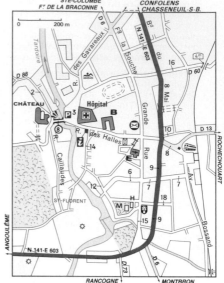

ENVIRONS

Rancogne. — 315 h. *6,5 km au Sud.* Du pont sur la Tardoire, il faut goûter le site bucolique que forment le château et la rivière coulant au milieu des platanes, des peupliers, des aulnes. Dans la falaise boisée qui borde la rive gauche en aval du pont s'ouvre une suite de cavernes, de grottes profondes creusées par les eaux et habitées dès l'âge préhistorique.

Ste-Colombe. — 174 h. *13 km au Nord-Ouest.* Ce petit village de Charente possède une église qui présente une intéressante façade romane, ornée de sculptures (statues-colonnes de sainte Colombe et de saint Pierre) et bas-reliefs figurant les symboles évangéliques.

Pranzac. — 874 h. *10 km au Sud par la D 73.* Sur l'emplacement de l'ancien cimetière se dresse une lanterne des morts du 12ᵉ s. Une curieuse ouverture ronde pratiquée dans le fût donne à l'ensemble une allure de pigeonnier.

Mémorial de la Résistance et cimetière national (à Chasseneuil-sur-Bonnieure). — *11 km au Nord-Est.* Ce monument à la gloire de la Résistance française, haut de 21 m, occupe le centre du cimetière disposé en gradins sur la colline, où 2 026 soldats et maquisards, tués de 1940 à 1945, reposent sous les pelouses plantées de rosiers. Vues sur Chasseneuil et la forêt.

Montbron. — 2 422 h. *14 km au Sud-Est.* Au portail de l'église romane, on remarque trois voussures garnies de festons; sur le flanc droit, des enfeus contiennent des tombeaux. A l'intérieur, une coupole couvre la croisée du transept.
Voir aussi l'ancienne chapelle de la Maladrerie précédée d'une clôture romane constituée de colonnettes galbées.

Forêt de la Braconne. — *Circuit de 18 km au Nord-Ouest — environ 1 h. Quitter La Rochefoucauld par la D 6 au Nord-Ouest et, au Pont-d'Agris, prendre la D 11 à gauche.*
Couvrant 4 000 ha environ, le massif de la Braconne occupe un plateau calcaire sculpté par les eaux souterraines qui ont donné naissance à des dolines ou « fosses » produites par des affaissements dans le sol.
La plus connue et la plus spectaculaire est la **« grande fosse »**, vaste entonnoir de 55 m de profondeur et de 250 m de diamètre. De moindres dimensions, la **« fosse limousine »** *(au Sud-Est du rond-point de la Grande Combe),* masquée de grands hêtres, ne manque pas d'attrait. Quant à la **« fosse mobile »** *(non accessible au public),* la légende raconte qu'un fils parricide tenta en vain d'y faire disparaître sa victime, la fosse se déplaçant devant lui. Ce gouffre qui apparaît dans un site retiré, où règne un silence épais, sert de lieu d'entraînement aux spéléologues locaux et débouche dans une réserve d'eau qui communique avec les sources de la Touvre *(p. 172).*

Au rond-point de la Grande Combe, prendre la route forestière au Sud et rentrer à La Rochefoucauld par la N 141.

Pour organiser vous-même vos itinéraires :

Consultez tout d'abord la carte des itinéraires de visite. Elle indique les parcours décrits, les régions touristiques, les principales « Villes et Curiosités ».

Reportez-vous ensuite aux descriptions, dans la partie Villes et curiosités. Au départ des principaux centres, des buts de promenades sont proposés sous le titre Environs ou Excursions.

*En outre, les **cartes Michelin** n°ˢ ▨▨▨, ▨▨▨ signalent les routes pittoresques, les sites et les monuments intéressants, les points de vue, les rivières, les forêts...*

Carte Michelin n° 🔲🔲🔲 pli 12 ou 🔲🔲🔲 pli 14 — Schéma p. 10 — Lieu de séjour. Plan d'agglomération dans le guide Rouge Michelin France.

La capitale de l'Aunis, aimée des peintres, séduit par son animation. Sous la lumière brillante des ciels d'été ou sous un crachin romantique, son vieux port fortifié, ses rues secrètes bordées d'arcades, ses vieilles maisons de bois et ses hôtels aristocratiques en font la ville la plus attachante du littoral, de Nantes à Bordeaux.

UN PEU D'HISTOIRE

Une citadelle protestante. — Surnommée « la Genève française », La Rochelle compta, dès avant 1540, des adeptes de la religion réformée qui, à ses débuts, était prêchée dans les églises mêmes. De 1562 à 1598, des guerres de Religion vont ensanglanter le pays. En 1565, des prêtres sont jetés dans la mer du haut de la tour de la Lanterne. En 1568, dans l'ancien couvent des augustins est aménagé un temple. Là se tient, trois ans plus tard, un synode national, sous la présidence de Théodore de Bèze, écrivain et théologien disciple de Calvin. Jeanne d'Albret, son fils Henri de Navarre (le futur Henri IV), le prince de Condé assistent au synode. La Confession de foi des Églises réformées, élaborée à Paris en 1559, y est ratifiée et devient la Confession de foi de La Rochelle.

En 1573, l'armée royale, conduite par le duc d'Anjou, futur Henri III, met le siège devant la cité. L'ingénieur italien qui a dirigé, pour le compte des protestants, la construction des remparts, mène maintenant l'assaut contre ceux-ci, dont il connaît les points faibles! Mais La Rochelle résiste. Les Rochelais servent une machine, nommée par dérision « l'Encensoir », qui déverse poix et huile bouillantes sur les assaillants. Six mois d'investissement n'entament pas la défense et les troupes royales ont perdu 20 000 hommes quand le siège est levé.

Siège de La Rochelle, par Henri Motte (Hôtel de Ville).

Le siège de La Rochelle (1627-1628). — Quelque 55 ans plus tard, l'armée royale se présente de nouveau devant la ville, alliée des Anglais qui ont envahi Ré *(voir p. 123)*.

Deux caractères également obstinés s'affrontent à cette occasion : le **cardinal de Richelieu**, qui cherche à achever l'unité française, et **Jean Guiton** (1585-1654), petit homme sec, rude, fanatique, qui d'amiral est devenu maire de la ville, et aurait dit :

> « Je serai maire puisque vous le voulez absolument, mais vous voyez ce poignard, je jure de l'enfoncer dans le sein du premier qui parlera de se rendre et je veux qu'on m'en perce moi-même si je propose de capituler... »

Malheureusement pour Guiton, le blocus est organisé de main de maître, côté terre, et côté mer d'où doivent venir les secours anglais.

L'architecte Clément Métezeau jette en effet, au travers de la baie, une digue gigantesque : on enfonce dans les flots de longues poutres de bois entre lesquelles sont entassés blocs de pierre et gravats, dans le déferlement des lames et les remous des courants; au centre, une ouverture est aménagée pour le passage de la marée. Des soldats et de l'artillerie s'installent sur la crête. Les Rochelais ne réagissent guère, persuadés que l'ouvrage ne résistera pas aux tempêtes. Or, il tient, réduisant la cité à la famine : le 30 octobre 1628, Richelieu entre dans la ville, Louis XIII l'y rejoint le 1er novembre. Les maisons sont pleines de cadavres : de 28 000 âmes avant le siège, il ne reste que 5 000 survivants, dont Jean Guiton qui servira plus tard le roi.

Les Quatre Sergents. — Lorsque, au mois de février 1822, le 45e régiment de ligne arrive à La Rochelle pour y tenir garnison, il compte en ses rangs un certain nombre de comploteurs, affiliés à la société secrète des **« Carbonari »**. Ce sont en majorité des sous-officiers qui cherchent à abattre le gouvernement de la Restauration. Démasqués, les conspirateurs sont incarcérés sur place avant d'être transférés à Nantes puis à Paris. Quatre d'entre eux, les Quatre Sergents de La Rochelle, dont les graffiti sur les murs de la tour de la Lanterne évoquent le drame, seront condamnés à mort. Dès lors, leur sacrifice sera exalté par les opposants au régime.

De Rabelais à Fromentin. – Plusieurs écrivains de passage ont fait de La Rochelle une de leurs villes de prédilection. L'un des premiers, **Rabelais,** fit étape à La Rochelle qu'il cite dans *Pantagruel :*

« Sur l'instant, entrasmes au port de Lanternois. Là sur une haute tour, recongnust Pantagruel, la lanterne de La Rochelle, laquelle fit bonne clarté. »

Officier du génie, **Choderlos de Laclos,** l'auteur des *Liaisons dangereuses,* tint garnison à La Rochelle vers 1786, s'occupant de la construction de l'arsenal. Il habitait une maison qui communiquait avec l'hôtel Duperré par un escalier dérobé et un souterrain. Peut-être sont-ce ces relations faciles qui lui firent épouser Solange Duperré, sœur de l'amiral Duperré *(voir p. 137).*

Eugène Fromentin (1820-1876), lui, est un Rochelais pur sang. Son unique roman, *Dominique,* décrit avec une précision de naturaliste la société rochelaise du 19ᵉ s.; les paysages, les ciels, la lumière de l'Aunis y sont suggérés avec une délicatesse de touche incomparable, l'écrivain étant par ailleurs un excellent peintre.

Depuis 1732, une Académie royale tient ses assises à La Rochelle, rassemblant les esprits distingués d'une ville où ils furent légion. En firent partie plusieurs de ces naturalistes dont La Rochelle s'est fait une spécialité : ce sont Lafaille, d'Orbigny, Bonpland, Réaumur *(voir p. 137)* ; parmi les écrivains, citons Voltaire et Laclos. Le port a été peint par Joseph Vernet, Corot, les impressionnistes, Signac, Marquet.

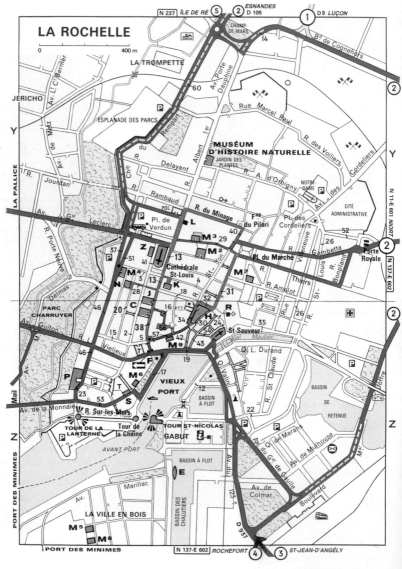

Un esprit curieux. – Physicien, **Réaumur** (1683-1757) mit au point un thermomètre à alcool qui porte son nom. Esprit encyclopédique, il se consacra aussi à l'histoire naturelle, faisant des recherches sur des sujets aussi divers que l'élevage des poulets, les moules perlières, l'histoire des insectes. Il fut en outre remarqué pour ses études sur la métallurgie de la fonte et de l'acier et proposa l'application du microscope à l'étude des métaux. Le verre blanc opaque, imitant la porcelaine, qu'il découvrit, est désigné sous le nom de « porcelaine de Réaumur ».

LE PORT ET LES INDUSTRIES

Commerce et industrie. – Après avoir, au Moyen Age, commercé avec le Nord (vins et sel à l'exportation, toiles et laines de Flandre à l'importation), après s'être enrichi avec le Canada et surtout les Antilles, le havre d'échouage (actuel Vieux Port), qui manque de profondeur, est maintenant surtout voué à la pêche artisanale. La Rochelle dispose aujourd'hui de trois ports : l'un affecté à la pêche industrielle, le fret lourd passant par La Pallice et le nouveau port des Minimes réservé à la navigation de plaisance. Près de 50 chalutiers pêchent le long du littoral dans le golfe de Gascogne jusqu'au large des côtes portugaises, et à proximité des côtes anglaises et irlandaises, faisant de La Rochelle un important port pour la pêche fraîche. La flotte de pêche rochelaise, qui comprend des chalutiers utilisant la technique de conteneurisation du poisson (mise en caisse à bord évitant les manipulations ultérieures), est une des plus modernes de France.
Régates et courses de haut niveau rassemblent l'élite des navigateurs.
Chaque année, à la Pentecôte, se déroule la Semaine internationale de la voile qui offre un spectacle étonnant à la fois maritime et terrestre.
Si les activités liées à la mer se sont accrues, les industries traditionnelles (chantiers navals, constructions automobiles et ferroviaires, industries chimiques) n'en n'ont pas pour autant été négligées.

Les ports. – Le port ancien est situé au fond d'une baie étroite. On distingue l'avant-port, le bassin d'échouage ou **Vieux Port,** fréquenté par les petits chalutiers et les petits navires de plaisance, le petit bassin à flot où s'amarrent les yachts, le bassin à flot extérieur ou bassin des chalutiers (vente à la criée du poisson, le matin, sous la halle), le bassin de retenue alimenté par un canal amenant les eaux de la Sèvre. A l'Ouest du grand bassin à flot, s'étend le quartier de la **Ville-en-Bois,** ainsi nommé à cause de ses maisons basses en bois qui servent d'ateliers de réparations pour différentes pièces de bateaux ou de magasins de pièces détachées.
Au sud s'étend un important **port de plaisance,** le **port des Minimes** (p. 140).
Dépendant administrativement de La Rochelle, **La Pallice** (5,5 km à l'Ouest) est le **port de commerce** de la capitale de l'Aunis. Créé à la fin du 19e s., disposant d'une rade bien protégée par l'île de Ré, le port comprend un môle d'escale propre à recevoir les grands navires. Le trafic (6 millions de tonnes), faisant de La Pallice le 8e port de France, concerne, à l'importation, les hydrocarbures, les bois tropicaux, les pâtes à papier, les phosphates et les engrais; à l'exportation, les céréales, les graines oléagineuses, les viandes congelées.
C'est à La Pallice, à la pointe de **Chef de Baie,** que doit être transféré en 1993 le **port de pêche** de La Rochelle, qui sera ainsi remplacé par un port ultramoderne, doté d'une halle à criée informatisée.
De nombreuses **promenades en bateau** ⊘, en mer ou en rivière, peuvent être effec-tuées au départ de La Rochelle.

★★LE VIEUX PORT (Z) visite : 2 h

Quai Duperré. – De ce quai bordé de cafés se découvre le plan d'eau qu'anime le va-et-vient des embarcations. La perspective est fermée par les tours St-Nicolas à gauche, de la Chaîne à droite; à l'extrême droite apparaît le chapeau pointu de la tour de la Lanterne (illustration p. 177).
Sur le quai aboutissent les pittoresques rue du Port et Petite-Rue-du-Port, habitées par les marins. A l'Ouest se dresse, face à la grosse horloge, la statue de l'**amiral Duperré :** né à La Rochelle en 1775, il commandait la flotte française lors de la prise d'Alger en 1830.

★Tour St-Nicolas (Z) ⊘. – La tour (hauteur totale : 42 m), légèrement penchée, constitue à elle seule une véritable forteresse. Placée sous le vocable du patron des navigateurs, elle a été édifiée au 14e s. sur plan pentagonal; ses cinq angles sont renforcés par trois tourelles circulaires engagées, une tourelle rectangulaire et une tour carrée, plus haute, faisant donjon. Percée de meurtrières munies de bretèches, elle servit longtemps de prison.

Un escalier extérieur, formant contrefort, dessert la salle principale, octogonale et couverte d'une élégante voûte d'ogives. De là, d'autres escaliers pratiqués dans l'épaisseur des murs conduisent à une autre salle, sur laquelle ouvrent plusieurs pièces dont l'une à usage de chapelle, puis à la première plate-forme, ceinte de merlons. Dans ces salles sont exposés des plans aquarellés du 18e s., maquettes, dioramas, retraçant l'évolution du site portuaire du 12e s. à nos jours, faisant partie du musée maritime.
De la plate-forme supérieure, bordée de hautes parois à meurtrières et mâchicoulis, vue limitée sur la sortie de la rade, la baie et l'île d'Aix.

Tour de la Chaîne (Z) ⊘. – On y accède par le cours des Dames planté de vieux tilleuls et sur lequel donnent d'anciennes maisons d'armateurs; ce quai servait jadis de poste d'accostage aux vaisseaux de haut bord.
La tour de la Chaîne doit son nom à la grosse chaîne qui y était fixée et qui, durant la nuit, la joignait à sa sœur St-Nicolas, fermant ainsi le port. Selon Rabelais, cette chaîne, que l'on voit encore au pied de la tour, aurait servi à attacher Pantagruel dans son berceau.

La tour fut utilisée comme poudrière. Bâtie au 14e s., mais découronnée au 17e s., elle était jadis cantonnée d'une tourelle qui fut démolie pour élargir la passe.

A l'intérieur, une superbe salle voûtée abrite un **plan-relief★** montrant l'aspect de La Rochelle avant le siège *(commentaire enregistré sur l'histoire de la ville, avec effets lumineux)*.

Reliant la tour de la Chaîne à celle de la Lanterne, la **rue Sur-les-Murs** emprunte la crête du rempart médiéval. C'est la seule section non détruite par Richelieu qui souhaitait l'utiliser comme défense contre les Anglais. Son pied était alors baigné par la mer.

★ **Tour de la Lanterne** (Z) ⊙. – Moins ancienne que les deux précédentes (elle date du 15e s.), la tour de la Lanterne concilie des soucis esthétiques évidents avec les impératifs militaires.

L'ouvrage, dont les murs ont 6 m d'épaisseur à la base, contraste par sa masse avec l'élégante flèche octogonale à crochets et la fine lanterne, servant jadis de fanal, qui la surmontent. Elle servit de prison aux Carbonari *(p. 135)* : certains des Quatre Sergents y furent, dit-on, détenus.

En bas était la salle des gardes; des panneaux y évoquent l'histoire de la ville. La grande flèche contient quatre salles superposées sur les murs desquelles on remarque de nombreux **graffiti★** de prisonniers ou de soldats, dont beaucoup datent des 17e et 18e s. : les plus précieux sont protégés par des plaques de verre.

A mi-hauteur de la flèche *(2e plate-forme)*, un balcon en saillie offre un remarquable **panorama★★** sur les toits de la vieille ville, le port, les îles; à marée basse, on distingue les fondations de la digue de Richelieu, à hauteur de Fort-Louis, au-delà du mail.

Quartier du Gabut. – A l'emplacement d'un bastion de l'enceinte de la ville, démoli en 1858, on a construit ce pittoresque quartier résidentiel et commerçant dont les façades évoquent, par leur revêtement de bois, les anciens hangars de pêcheurs, tandis que des couleurs vives et de larges baies leur donnent un cachet nordique.

★★ **LE QUARTIER ANCIEN** *visite : 2 h 1/2*

Le quartier ancien conserve son cachet de cité marchande et militaire, tracée sur plan régulier et, jusqu'en 1913, protégée par de beaux remparts à la Vauban.

Vivant et animé, le **quartier commerçant** a pour centre l'hôtel de ville, pour axes la grande-rue des Merciers et la rue du Palais. Ses voies étroites ayant conservé leurs anciennes plaques de pierre gravées, ses passages secrets, parfois voûtés, ses « porches » sombres où circulent les passants à l'abri des intempéries lui donnent beaucoup de caractère.

On observera la configuration originale de beaucoup d'habitations. Se développant en profondeur, elles possèdent presque toujours deux issues, sur la rue principale et sur une voie secondaire parallèle. Leur plan comprend : au rez-de-chaussée, une vaste pièce, souvent convertie en magasin, une cour intérieure avec escalier et balcon formant galerie, une arrière-cour entourée de communs; à l'étage, au-dessus du magasin, une salle sur rue et une cuisine sur cour flanquant une « chambre noire », sans éclairage direct.

Les maisons les plus anciennes sont à **pans de bois** couverts de plaques d'ardoise destinées à protéger ceux-ci des méfaits de la pluie.

Les **« beaux quartiers »** s'étendent à l'Ouest de la rue du Palais. Les rues de l'Escale et Réaumur en sont les voies les plus aristocratiques. Les vieilles familles, souvent de religion protestante, s'y retirent dans de solennels hôtels du 18e s., entre cour et jardin, derrière de hauts murs percés de grands portails et parfois couverts de balustres (rue Réaumur).

Suivre l'itinéraire indiqué sur le plan.

★ **Porte de la Grosse Horloge** (Z F). – Elle constituait l'entrée de la ville du côté du port. C'est une tour gothique remaniée au 18e s. par l'adjonction d'un couronnement comprenant, au centre, un beffroi que surmontent une coupole à pans et un lanternon; les deux tours de part et d'autre ont reçu des trophées marins.

En franchissant la porte de la Grosse Horloge, on débouche sur la place des Petits-Bancs; à l'angle de la rue du Temple, observer une jolie maison datant de 1654, à façade sculptée Renaissance. Au centre de la petite place, statue d'Eugène Fromentin.

★ **Rue du Palais** (Z 38). – Elle est l'une des principales voies de La Rochelle, reliant le quartier commerçant et le quartier résidentiel.

A droite, les boutiques se succèdent sous des galeries dont le profil diffère suivant l'époque de leur construction. A gauche, alternent galeries et bâtiments publics; on y voit de vieilles maisons, comme la quatrième aux fenêtres ornées de petites arcades et de mascarons.

★ **Hôtel de la Bourse** (Z C). – Siège de la Chambre de commerce depuis sa fondation, cet édifice a été bâti au 18e s., dans le style Louis XVI commençant.

La cour, harmonieuse, frappe par son plan original avec sa galerie périphérique et son portique. La façade sur cour est ornée de poupes de navires et de trophées maritimes. On aperçoit dans un angle, à gauche, un bel escalier à rampe de fer forgé, de style Louis XVI. En face de la Bourse, au n° 29 de la rue du Palais, un passage mène, par la cour de la Commanderie, à la cour du Temple (vieilles maisons à pans de bois).

Palais de justice (YZ J). – Terminé en 1789, il présente une majestueuse façade à colonnes cannelées corinthiennes et frise sculptée de rinceaux. Au fronton règnent l'inscription « Temple de la justice » et les traditionnels attributs sculptés : balance, glaive...

Remarquer, au croisement de la rue Chaudrier et de la rue E.-Fromentin, une maison du 17e s. à tourelle d'angle et escalier sur corbeau sculpté et, en face, à l'entrée de la rue Dupaty, une maison ancienne à pans de bois couverts d'ardoises.

Prendre à gauche la rue E.-Fromentin.

Maison Venette (Y N). – Elle s'élève dans la pittoresque **rue de l'Escale**★ (Z 20). Pavée de moellons utilisés jadis comme lest par les vaisseaux en provenance du Canada, cette rue est en partie bordée d'arcades et en partie jalonnée de porches derrière lesquels se dissimulent de nobles demeures du 18e s.

La maison Venette a été édifiée au 17e s. pour le médecin de ce nom, auteur d'une facétieuse satire intitulée *Tableau de l'amour conjugal*. La façade est rythmée de termes sculptés représentant de célèbres médecins de l'Antiquité et du Moyen Age : Avicenne, Hippocrate, Galien, etc.

Regagner la rue du Palais.

★ **Rue Chaudrier** (Y 13). – Au début de la rue, observer au no 6 une ancienne maison à pans de bois et plaques d'ardoise. Devant la maison, un panneau porte une inscription extraite des élégies de Ronsard, à la gloire de Chaudrier, l'un des défenseurs de La Rochelle.

Tourner à droite, dans la rue des Augustins : maison Henri II au no 11 bis.

★ **Maison Henri II** (Y K) ⊘. – Au fond du jardin s'élève cette luxueuse demeure, construite vers 1555 pour Hugues de Pontard, seigneur de Champdeniers.

La façade est de style Henri II avec ses deux pavillons, sa galerie et sa loggia, sa frise découpée en triglyphes (rainures verticales), médaillons, bucranes (têtes de bœufs décharnées).

A l'étage inférieur, deux contreforts du pavillon gauche portent, à droite, un satyre jouant de la guitare, à gauche, une femme ailée aux prises avec un serpent.

Reprendre la rue Chaudrier.

Cathédrale St-Louis (Y). – Sobre et sévère, elle a été bâtie en partie sur l'église St-Barthélemy, sur les plans des Gabriel père et fils. La façade, un peu lourde, surmontée d'un fronton à volutes, est Louis XVI. Dans la 3e chapelle du bas-côté gauche, des ex-voto peints, offerts par des marins, contrastent, par leur candeur, avec les savantes et académiques compositions que le Rochelais Bouguereau (1825-1905) a brossées à la coupole de la chapelle absidale.

Le **trésor** ⊘ contient des objets de culte des 18e et 19e s., déposés par les paroisses du diocèse.

Café de la Paix (Y L). – Il demeure le seul témoin de ces opulents cafés du siècle dernier, ruisselants d'or et de glaces, où les bourgeois lisaient la gazette et jouaient au billard. Il présente en façade des panneaux de verre en forme d'arcades, ornés de dessins en verre dépoli. L'intérieur, paré de boiseries sculptées et de dorures, est mis en valeur par les grandes glaces en arcades, des lustres et les médaillons du plafond, peints en trompe-l'œil (1895). Il est meublé de tables de marbre à bordure de cuivre.

Rue du Minage (Y). – La rue du Minage *(sur ce terme voir p. 36)* est bordée de part et d'autre de vieilles **arcades**★ aux formes irrégulières, responsables d'un alignement fantaisiste. On y voit de très anciennes maisons ornées de frises et de sculptures, ou de fenêtres à fronton triangulaire (nos 43, 22, 4 et 2). La rue prend fin à la **fontaine du Pilori**, du 16e s. mais refaite au 18e s.

Par la rue du Pas-du-Minage, gagner le marché que l'on contourne.

Place du Marché (Y). – A l'entrée de l'impasse Tout-Y-Faut se font face deux maisons anciennes bien conservées : l'une du 15e s., à pans de bois, meneaux de bois et haute lucarne; l'autre du 16 e s., en pierre, aux étroites baies coiffées de frontons.

★ **Grande-rue des Merciers** (Y 31). – Très commerçante, c'est une des artères les plus caractéristiques de La Rochelle, par ses nombreuses galeries et ses maisons des 16e et 17e s. Les maisons moyenâgeuses, aux pans de bois couverts d'ardoises, alternent avec des demeures Renaissance en pierre, ornées de fantastiques gargouilles sculptées. Remarquer, à l'angle de la rue du Beurre, une maison à colombages et ardoises comme celles des nos 33, 31, 29, et vers le fond de la rue les maisons des nos 17 (17e s., à baies surmontées de frontons), 8 (fin 16e s., à baies étroites aux lourds frontons), 5 (début 17e s., à curieuses figures sculptées), 3 (1628), ces deux dernières ayant été habitées par Jean Guiton.

Prendre à droite la rue de la Grille pour tourner ensuite à gauche dans la rue de l'Hôtel-de-Ville.

★ **Hôtel de ville** (Z H) ⊘. – Élevé entre la fin du 15e s. et le début du 16e s., cet édifice composite est remarquable par la richesse de sa décoration.

Une enceinte gothique surmontée d'un chemin de ronde sur mâchicoulis, que renforce une tour-beffroi, défend la cour rectangulaire.

Sur cette cour se développe la **façade**★ principale de l'édifice, construite sous Henri IV à la mode italienne. Admirer, au rez-de-chaussée, la galerie aux colonnes cannelées, ornée d'un plafond à caissons, et son décor de trophées, de médaillons, de chiffres aux initiales d'Henri IV et de Marie de Médicis. Plus bel encore est le 1er étage, auquel on accède par un escalier à balustrade; il présente des piliers et des niches à la mode toscane, dans lesquelles se situent les effigies des quatre vertus cardinales : Prudence, Justice, Force et Tempérance *(de gauche à droite)*. Dans les parties hautes : élégantes lucarnes au-dessus de la corniche.

A l'**intérieur**, on visite le cabinet de Jean Guiton avec un fauteuil en cuir de Cordoue et le bureau que l'énergique maire aurait frappé du coup de poignard légendaire; sur les murs, tapisseries d'Aubusson. Dans d'autres salles, le siège de La Rochelle, peint en 1628 par Van der Kabel, au 19e s. par Henri Motte *(illustration p. 135)*, ou gravé par Jacques Callot, rappelle un épisode tragique de l'histoire de la ville.

La façade postérieure donne rue des Gentilshommes; elle est d'époque Henri IV et comporte une porte à bossages, dite « des gentilshommes », empruntée par les échevins le jour où se terminait le mandat qui leur donnait la qualité de gentilhomme. Au-dessus est sculpté le vaisseau figurant aux armes de la ville.

Par la rue du Temple (maisons médiévales, musée du Flacon à parfum, p. 141), on revient à la porte de la Grosse Horloge.

PORT DES MINIMES *visite : 2 h*

A l'entrée de la baie, rive Sud, se trouve le port de plaisance des Minimes, qui peut accueillir 3 200 quillards de tous types, ce qui en fait le premier port européen sur l'Atlantique. Trois bassins à flot en eau profonde ont été aménagés à cet effet : Lazaret, Bout-Blanc et Marillac. Tout autour du port s'est développée une zone artisanale liée à la plaisance (réparations navales, accastillage, voilerie, etc.) ainsi qu'une zone d'habitation composée d'immeubles résidentiels. Une école de voile réputée est également installée ici.

Des bus de mer relient les Minimes au Vieux Port.

★ **Aquarium** ⊙. — Fondé par René Coutant, cet important aquarium, de conception très moderne, présente un vaste panorama de la faune et de la flore sous-marines en provenance de toutes les mers du globe. Les trois premières salles sont consacrées à un océan ou à un milieu particulier (Atlantique, Méditerranée, tropiques) dont elles présentent, dans de magnifiques aquariums, les espèces spécifiques. Un tunnel aux parois transparentes permet au visiteur d'évoluer au sein d'un environnement marin tropical, tandis qu'un immense bac de 2 500 hl accueille des requins et des tortues. Petit jardin tropical (aquarium avec piranhas).

Musée Océanographique ⊙. — *Bassin du Lazaret.* Ce musée à l'architecture moderne s'ouvre sur une vaste salle consacrée aux mammifères marins : phoques, morses, dauphins, baleines, où sont présentés des squelettes et des spécimens naturalisés, ainsi qu'une documentation sur la biologie des différentes espèces. Une autre salle propose un panorama du milieu marin et des activités qui y sont liées : exploration scientifique et océanographie, faune et flore de la mer et du littoral, écosystèmes, mytiliculture, ostréiculture et pêche.

MUSÉES

★★ **Muséum d'Histoire naturelle** (Y H) ⊙. — Situé à l'entrée du jardin des Plantes, il occupe deux bâtiments se faisant face.

Musée Lafaille. — Aménagé dans l'ancien hôtel du Gouverneur, bel édifice du 18ᵉ s., il a conservé en partie ses boiseries Louis XV.

Le rez-de-chaussée abrite le **cabinet Lafaille**. Contrôleur ordinaire des guerres, passionné de sciences naturelles, Clément de Lafaille s'était constitué un cabinet de curiosités qu'il légua en 1770 à l'Académie royale de La Rochelle et qui fut transféré ici en 1832, avec son mobilier. Armoires vitrées, vitrines, « coquillier », le seul conservé en France, se fondent dans de magnifiques boiseries, rechampies de corail, et sculptées d'objets scientifiques. De rares coquillages, mollusques et crustacés retiennent l'attention.

On accède au 1ᵉʳ étage par un vaste escalier de pierre décoré de têtes et de massacres d'ongulés; le palier est occupé par la première girafe introduite en France, cadeau du pacha d'Égypte Méhémet Ali au roi Charles X.

La grande **salle de zoologie**, créée en 1832, témoigne des conceptions muséologiques de l'époque, soucieuses de donner une vision très complète du règne animal, dont la classification commence à obéir alors à une véritable rationalisation. Parmi les collections exposées dans les **salles d'ethnologie**, certaines pièces sont tout à fait exceptionnelles : statue du dieu Terriapatura rapportée de l'archipel des Gambiers par Dumont d'Urville, statuette bicéphale « Moaï-Kava-Kava » originaire de l'île de Pâques, grand masque Kwele du Congo, terres cuites Sao du Tchad.

Musée régional Fleuriau. — Il est consacré à l'histoire naturelle régionale : géologie, paléontologie, préhistoire, zoologie. Reconstitution d'une partie de forêt avec la faune locale : cerfs, sangliers, loutres, chevreuils...

★ **Musée du Nouveau Monde** (Y M²) ⊙. — L'hôtel Fleuriau, acquis par l'armateur rochelais de ce nom en 1772, abrite dans ses salons à lambris Louis XV et Louis XVI des collections qui illustrent les relations tissées entre La Rochelle et les Amériques depuis la Renaissance. Les armateurs s'enrichirent avec le Canada, la Louisiane et surtout les Antilles où ils possédaient de vastes domaines produisant des épices, du sucre, du cacao, du café, de la vanille; ils prospéraient aussi par le commerce du « bois d'ébène » ou commerce triangulaire : vente de tissus et « achat » d'esclaves sur les côtes d'Afrique, vente de ces esclaves et achat de produits coloniaux à l'Amérique, vente de ces produits coloniaux en Europe.

Parmi les pièces exposées, on s'attardera en particulier devant les cartes anciennes et les gravures aquarellées, devant les allégories de l'Amérique, les papiers peints (Les Incas de Dufour et Leroy) et les objets usuels indiens. Les évocations littéraires *(Atala)*, les gravures anciennes des Antilles, l'esclavage, la chute de Québec constituent d'autres sujets d'intérêt.

★ **Musée des Beaux-Arts** (Y M³) ⊙. — Le musée occupe le 2ᵉ étage du palais épiscopal, édifié sous Louis XVI par Monseigneur de Crussol d'Uzès suivant la formule locale : entre cour et jardin, hauts murs à balustres. Un escalier, à rampe de fer forgé en oves, conduit à la galerie à alcôves où sont exposés les tableaux. Le reste du palais est occupé par une bibliothèque, une artothèque (prêt de gravures et photos de tableaux) et une section d'études et de fonds anciens.

Dans le domaine de la peinture ancienne, l'œuvre la plus intéressante est une *Adoration des mages*, dernière œuvre connue d'Eustache Le Sueur (école française du 17ᵉ s.). On peut y découvrir aussi des portraits dus à des artistes rochelais du 18ᵉ s. (Brossard de Beaulieu, A. Duvivier).

Le 19ᵉ s. est représenté par des compositions de Bouguereau (originaire de La Rochelle), Corot, Maurice Denis et Eugène Fromentin dont sont exposées quelques toiles évoquant avec subtilité l'Algérie.

Une section est consacrée à des œuvres du 20ᵉ s. (verreries de Maurice Marinot), dont certaines sont présentées par roulement.

★ **Musée d'Orbigny-Bernon** (Y M⁴) ⊘. – Il rassemble des collections relatives surtout à l'histoire rochelaise et à la céramique.

A l'intérieur, on verra des souvenirs du siège de La Rochelle, en particulier des objets de culte qu'utilisa Richelieu lorsqu'il célébra la première messe dans La Rochelle conquise.

Quelques documents évoquent la prospérité économique et la vie intellectuelle au 18ᵉ s.

Le 1ᵉʳ étage présente une série exceptionnelle de céramiques évoquant principalement l'histoire de la faïencerie de La Rochelle. Dans des armoires du 18ᵉ s. sont exposés de remarquables vases de pharmacie provenant de l'hôpital Aufredi. Quelques belles pièces de Marseille, Strasbourg, Nevers et Moustiers complètent cette collection.

Le 2ᵉ étage est consacré à l'Extrême-Orient (table incrustée de nacre, objets en ivoire finement sculptés, instruments de musique), tandis qu'au sous-sol est disposée la collection archéologique : célèbre tombeau du 12ᵉ s., dit de Laleu, vraisemblablement dû à un moine bâtisseur.

Musée maritime : frégate France I (Z E) ⊘. – De la salle des machines à la passerelle, en passant par les cuisines, le visiteur peut parcourir les cinq ponts de cet imposant navire, ancienne frégate météorologique.

La météorologie, la pêche et la vie à bord font l'objet d'intéressantes expositions. A côté de la frégate sont amarrés le St-Gilles, remorqueur de haute mer, et le Joshua, ketch avec lequel Bernard Moitessier participa au Golden Globe, première course autour du monde en solitaire (1967-1968).

Sur le quai, ancien canot de sauvetage en bois.

Musée Grévin (Z M⁶) ⊘. – A la Ville-en-Bois, dans la tradition du genre, ce musée présente en 15 tableaux où se confondent histoire et légende les grandes heures de La Rochelle (siège de 1628, commerce triangulaire) et les personnages qui ont profondément marqué le passé de la cité (Aliénor d'Aquitaine, Richelieu, Jean Guiton...).

Musée des Automates (Z M⁸) ⊘. – Ce musée, installé à la Ville-en-Bois, fait découvrir le monde féerique des automates. Plus de 300 automates, anciens et modernes, s'animent sur un fond musical. Des clowns musiciens, un charmeur de serpent, des grandes scènes animées (Cendrillon, le moulin avec sa roue entouré de petits animaux) enchanteront petits et grands et feront revivre l'histoire des automates.

Musée des Modèles réduits (Z M⁵) ⊘. – A la Ville-en-Bois, importante collection de maquettes contemporaines (automobiles, trains, bateaux). Remarquer un bel ensemble de voiliers présentés dans des dioramas, ainsi qu'une intéressante reconstitution d'une bataille navale, animée par ordinateur, et un historique des grandes découvertes maritimes, d'Erik le Rouge (explorateur norvégien du 10ᵉ s. vers l'Islande et le Groenland) aux explorations scientifiques du 18ᵉ s.

Musée rochelais de la Dernière Guerre (Y M⁷) ⊘. – Installé dans un ancien blockhaus, occupé de 1941 à 1945 par l'état-major de la Kriegsmarine.

Une intéressante collection de photos, affiches, armes et uniformes évoque la vie de La Rochelle pendant l'Occupation, les ouvrages du mur de l'Atlantique et l'importante base sous-marine allemande de La Pallice.

Musée du Flacon à parfum (Z M⁹) ⊘. – 33, rue du Temple, au 1ᵉʳ étage d'une parfumerie. Charmante collection de flacons à parfum, de boîtes à poudre et d'étiquettes, créés depuis les années 20 ; quelques modèles de flacons sont signés Lalique, Dali, Cocteau...

AUTRES CURIOSITÉS

★ **Parc Charruyer** (YZ). – Aménagé sur les glacis et dans les fossés des anciennes fortifications, il ceinture la ville sur 2 km de long et 200 m de large. Une rivière, où s'ébattent cygnes et hérons, le parcourt, accompagnée d'allées sinueuses.

A l'Ouest, le parc se prolonge par le **mail**, promenade favorite des Rochelais, aboutissant au monument aux morts, œuvre maîtresse de Joachim Costa. Entre cette majestueuse allée d'ormes et la mer s'étendent les jardins en terrasse du casino et le parc d'Orbigny, le parc Delmas leur faisant suite.

Préfecture (Z P). – Installée dans l'ancien hôtel Poupet, d'époque Louis XVI et typique de l'architecture privée rochelaise, la préfecture ouvre sur la place par un porche monumental, couronné de balustres.

Temple protestant (Z R). – Charmante façade classique à décor sculpté de palmes et de draperies. C'est l'ancienne chapelle des Récollets, construite en 1708.

Musée protestant ⊘. – Dans une salle est retracée l'histoire du protestantisme, notamment dans la région de La Rochelle. Parmi les documents et objets présentés : exemplaire de la Confession de foi de La Rochelle (1571) avec les signatures des pasteurs ; une bible de 1606 imprimée à La Rochelle même. Une table et une chaire démontables, de même qu'une collection de méreaux (pièces servant de reconnaissance entre protestants), illustrent la période des réunions clandestines dite « période du Désert ».

Église St-Sauveur (Z). – Édifice des 17ᵉ et 18ᵉ s. Le haut clocher remonte au 15ᵉ s.

Ancienne chapelle des Carmes (Z S). – Imposant portail du 17ᵉ s. surmonté d'une coquille Saint-Jacques. A l'intérieur, belle cour à arcades. Aujourd'hui maison de la Culture.

Porte royale (Y). – Du 17ᵉ s. A fronton sculpté. Elle faisait partie des remparts de Vauban.

Ancien hôtel de l'Intendance (Y Z). – Superbe portail Louis XV.

ENVIRONS

La Jarne. – 1 633 h. *9 km par ③ du plan et la D 939.* Le **château de Buzay** ⊙, édifié en 1771 pour un armateur rochelais, Pierre-Étienne Harouard, présente une élégante façade à avant-corps central formant péristyle, encadrée de deux pavillons en saillie. A l'arrière, des guirlandes en bas-relief surmontent les baies du rez-de-chaussée. A l'intérieur, on admire la belle lampe en fer forgé de l'escalier, les boiseries et le mobilier d'époque, et de nombreux portraits de famille.

Châtelaillon-Plage ; réserve naturelle du Marais d'Yves. – *20 km au Sud par ④.*

Châtelaillon-Plage. – 4 993 h. Lieu de séjour. Châtelaillon a succédé à une ville fortifiée qui fut la capitale de l'Aunis et que la mer engloutit peu à peu, à partir du 13ᵉ s. De sa **promenade de mer,** on a une vue semi-circulaire portant, de gauche à droite, sur la pointe de la Fumée, le fort Enet, l'île d'Aix, l'île d'Oléron à l'arrière-plan, la pointe du Chay. En arrière s'élève le **palais de l'Atlantique,** bel édifice restauré abritant le Casino. La plage, immense, a retrouvé sa splendeur, grâce à un apport de 337 000 m³ de sable pompé au large de l'île de Ré.
De la **pointe des Boucholeurs** *(3 km par la D 202 au Sud)* ⊙, où se pratique l'élevage des huîtres et des moules, on a une vue sur le pertuis d'Antioche.

Réserve naturelle du Marais d'Yves. – Elle s'étend au Sud de la pointe des Boucholeurs, autour d'une vaste lagune. Dans le **Centre nature** ⊙, aménagé à proximité *(Aire du Marouillet, sur la N 137),* on peut se documenter sur la réserve, observer les oiseaux à l'aide de longues-vues, derrière une baie vitrée, enfin voir un diorama sur l'avifaune du marais. Il est possible de se rendre avec un guide au poste d'observation situé à 1 km.

La ROCHE-POSAY   1 444 h. (les Rochelais)

Carte Michelin n° 🎫 pli 5 ou 🎫 pli 48 – Lieu de séjour.

Aux confins du Poitou, de la Touraine et du Berry, La Roche-Posay occupe un site pittoresque sur une rive escarpée de la Creuse, près de son confluent avec la Gartempe. Du pont sur la Creuse, on découvre une jolie vue sur la ville que dominent l'église et le donjon.
Connues peut-être dès l'époque romaine, les eaux de La Roche-Posay sont mentionnées officiellement au 16ᵉ s. Bicarbonatées, calciques et silicatées, contenant du sélénium, elles s'emploient avec succès contre les dermatoses, les séquelles de brûlures et les affections buccales.

Église. – Dominée par un clocher roman du 11ᵉ s., elle a été fortifiée au 15ᵉ s. comme en témoigne l'existence de deux tours à mâchicoulis accolées au croisillon Nord. Le vaisseau, voûté d'ogives, se termine par un chœur à chevet plat.

Donjon. – Cette puissante tour du 12ᵉ s., se dresse à l'endroit le plus élevé de la vieille ville. Des fortifications subsiste aussi une porte du 13ᵉ s. à mâchicoulis.

ENVIRONS

La Guerche. – 237 h. *15 km au Nord-Ouest.* Au milieu des frondaisons, qui rendent plus noires encore les eaux profondes de la Creuse, surgit un imposant **château** ⊙, aux longues courtines jalonnées de tours. Le château actuel a été construit vers 1485. A l'intérieur, on visite la salle des Gardes, dite du Pont-Levis, et un salon. Au sous-sol, deux étages voûtés révèlent un immense grenier à grains, une prison et des emplacements d'artillerie.

La ROCHE-SUR-YON   45 219 h. (les Yonnais)

Carte Michelin n° 🎫 plis 13, 14 ou 🎫 pli 40.

Cette ville singulière, située sur un plateau dominant l'Yon et le bocage, est née de la volonté impériale d'implanter au cœur de la Vendée, soumise par les armes, une place militaire stratégique destinée à prévenir de nouveaux soulèvements. En 1804, Napoléon transfère le chef-lieu de Fontenay à La Roche-sur-Yon, modeste bourgade qui reçoit le nom de « Napoléon ». Un plan de ville est tracé par l'ingénieur militaire Duvivier, mais l'absence de pierres le contraint à bâtir en pisé. Aussi, lorsque l'Empereur fit étape en 1808 dans la nouvelle cité, il destitua le responsable, lui reprochant d'avoir élevé une « ville de boue ».
C'est en fait sous la Restauration que la ville prend sa configuration : plan géométrique, larges artères tracées au cordeau et se coupant à angle droit, immense esplanade centrale faisant office de place d'armes. La Roche-sur-Yon acquiert alors la forme d'un pentagone irrégulier d'où partent six grandes voies rectilignes permettant un déplacement rapide des troupes. Cette innovation en matière d'urbanisme reflète la conception politico-architecturale du milieu du 19ᵉ s.
La ville changea encore plusieurs fois de nom : Bourbon-Vendée sous la Restauration et la monarchie de Juillet, Napoléon-Vendée sous le Second Empire; elle redevient La Roche-sur-Yon en 1870.

CURIOSITÉS

Place Napoléon. – Cette vaste esplanade, prévue pour accueillir 20 000 soldats, est entourée d'édifices de style néo-classique : l'hôtel de ville, le palais de justice devenu le conservatoire, le lycée et l'église St-Louis, imposant monument aux lourdes colonnes doriques.
Au centre de la place s'élève une statue équestre (1854) de Napoléon Iᵉʳ.

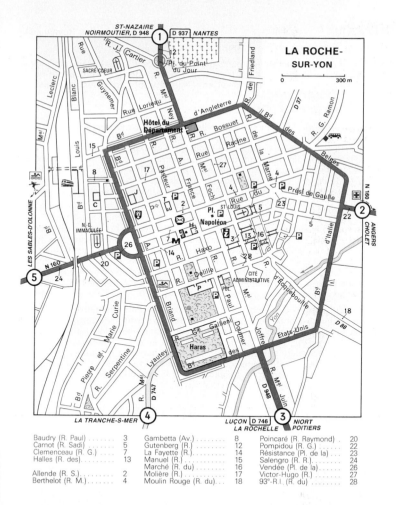

Musée (M) ⊘. – Outre des collections archéologiques (époques préhistorique, gallo-romaine et médiévale), il offre un panorama de la peinture académique parisienne de la fin du 19ᵉ s. et une série de toiles d'artistes locaux de la même époque comme C. Milcendeau, portraitiste du monde maraîchin, ou P. Baudry, natif de La Roche et décorateur de l'Opéra de Paris.

Le musée possède aussi une collection *(présentée par roulement)* d'œuvres d'artistes contemporains (Boltanski, Beuys, etc.) réalisées à partir d'un support photographique. Des expositions d'art contemporain y sont organisées.

Hôtel du Département. – Il occupe l'ancien hôpital napoléonien, restauré, où ont lieu des expositions et, en arrière de celui-ci, un nouvel édifice (1990), œuvre de Roland Castro et Jean-Luc Pellerin, qui tranche, par son immense façade vitrée masquant à peine une grande tour rose, avec l'austérité et la rigueur de l'urbanisme qui présida à la naissance de La Roche au 19ᵉ s.

Haras ⊘. – C'est un des plus importants de France. Nombreux étalons pur sang et trotteurs français.

EXCURSIONS

Circuit de 73 km. – *Environ 2 h. Sortir par ①. A 25 km, prendre à gauche.*

Château de la Chabotterie ⊘. – Bâti en plaine dans un cadre de boqueteaux et de prairies où se dressent quelques pins parasols, ce château fut le témoin d'un épilogue tragique de la guerre de Vendée : la capture du chef royaliste Charette. L'édifice actuel (fin 16ᵉ-début 17ᵉ s.) est un manoir fortifié, typiquement vendéen avec sa cour d'honneur carrée et son toit d'ardoise à cheminées de briques coiffant des murs bruns en pierre granitique. Les vestiges de l'enceinte, des douves et ce qui subsiste des anciennes allées ombragées attestent l'importance qu'avait, à l'origine, ce domaine des puissants seigneurs de Chabot et des familles qui leur ont succédé.

Croix de Charette. – *Accès par la D 18 et un chemin à travers champs, par 2 ponceaux à tourniquets.* Cette croix de granit, érigée en 1911, au fond d'un pré, proche du petit bois de la Chabotterie, indique l'emplacement où le chef vendéen fut capturé.

Par la D 18 à l'Est, la D 6 et la D 7, gagner Les Essarts.

Les Essarts. – *Page 70.*

Prendre la D 7 et la D 29.

La Chaize-le-Vicomte. – 2 287 h. Vaste et sobre édifice de granit, l'**église** est campée sur un rocher face aux ruines de l'ancien château féodal. On admire la façade fortifiée de cette église romane et sa nef, très majestueuse. Intéressants chapiteaux historiés.

★★ ROYAN

16 837 h. (les Royannais)

Carte Michelin n° ▮▮▮ pli 15 ou ▮▮▮ pli 25 — Lieu de séjour.

Reconstruite après les bombardements qui la dévastèrent en 1945, la capitale de la **Côte de Beauté** a retrouvé, sous les traits d'une ville moderne, la prospérité qui la caractérisa dès la fin du 19ᵉ s. Elle connaît, en saison, un important afflux de population.

LE SITE ET L'HISTOIRE

Un site privilégié. – Royan est admirablement située à l'entrée de la Gironde et elle est entourée d'une série de villégiatures qui la complètent : l'aristocratique Pontaillac, St-Palais et St-Georges-de-Didonne plus familiales.

Des plages de sable fin dessinent une courbe harmonieuse aux creux des **conches,** anses tièdes, abritées des vents. Entre elles alternent falaises ou dunes revêtues d'une forêt de chênes verts et de pins maritimes aux vivifiants effluves. Le climat doux et sain, les bains de varech attirent les curistes. Un équipement perfectionné et de multiples distractions expliquent la vogue de Royan.

Des **promenades en mer** Ⓥ sont organisées en saison.

La « poche de Royan ». – Au moment de la libération de la France, à l'automne 1944, les troupes allemandes stationnées dans l'Ouest refluèrent en quelques points du littoral ; elles se replièrent sur St-Nazaire, le Verdon, Royan..., et s'y retranchèrent fortement. Royan était investie par les forces du général de Larminat quand, le 5 janvier et les 14-15 avril 1945, deux sanglants bombardements aériens rasèrent presque totalement la ville que les Allemands rendirent trois semaines seulement avant l'armistice du 8 mai.

La ville moderne. – Qui a connu la Royan d'avant-guerre se souvient non sans nostalgie de ses villas et de ses chalets nichés dans la verdure, de ses grands hôtels victoriens aux façades chargées, de ses casinos imitant les palais Renaissance ou baroques. Aujourd'hui, Pontaillac reste seule pour évoquer ces souvenirs. Royan même a été reconstruite suivant les normes de l'urbanisme de l'après-guerre. De vastes perspectives ont été créées que bordent des immeubles rythmés de grands balcons et couverts de toits de tuiles roses, à la charentaise.

CURIOSITÉS

★ **Église Notre-Dame** (B). – Construit de 1955 à 1958 sur les plans des architectes Guillaume Gillet et Hébrard, c'est un édifice en béton armé, qu'il a fallu enduire d'une couche de résine pour le protéger contre l'érosion éolienne, et dont les éléments porteurs en V, s'ouvrant vers l'extérieur, sont séparés par des verrières. De la place Notre-Dame, située un peu en contrebas, la perspective ascendante du chevet formant proue est accusée par le clocher culminant à 65 m. A gauche on remarque, détaché de la nef, le baptistère pyramidal.

A l'intérieur, l'envolée de la nef unique, spacieuse et claire, frappe d'emblée le visiteur. La hauteur du vaisseau, que ceinturent galeries et triforium, varie de 28 m au centre à 36 m. Les grandes orgues en étain martelé, dues au maître poitevin Robert Boisseau, sont renommées pour leur musicalité.

Sous la tribune, remarquer, à gauche, la statue moderne, en cuivre, de Jeanne d'Arc et, en face, près des fonts baptismaux, celle de saint Joseph que jouxte un Christ allongé, sculpture en bois, du 14ᵉ s.

★ **Le front de mer** (BC). –
A l'extrémité Nord de la **Grande Conche,** immense plage de 2 km de développement, s'incurve le majestueux front de mer de Royan, commerçant et résidentiel, que souligne un péristyle permettant de faire ses achats et d'admirer, à couvert, la vue sur la Gironde (à droite, on reconnaît la silhouette du phare de Cordouan).

Au centre de la courbe, un portique-promenoir interrompt la ligne des bâtiments, découvrant la perspective du boulevard Aristide-Briand fermée par le marché central (*voir p. 145*).

Au terme du front de mer se trouve le port qui comprend un bassin d'échouage pour les chalutiers et les sardiniers pêchant la fameuse « royan », un bassin pour les bateaux de plaisance, un bassin à flot avec jetée où aborde le bac de la pointe de Grave.

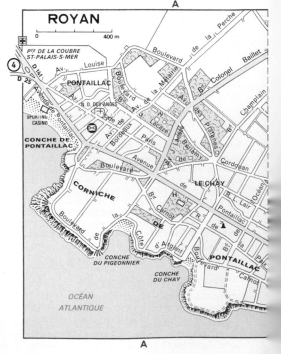

ROYAN

0   400 m

OCÉAN ATLANTIQUE

Église réformée (B D) ⊙. — Ses lignes sont d'une grande sobriété, suivant la tradition protestante. Jeter un coup d'œil sur l'intérieur, ensemble très harmonieux où le bois domine.

Marché central (B). — A l'extrémité du boulevard Aristide-Briand se découpe le marché couvert avec son originale coupole compartimentée, en voile de béton d'environ 50 m de diamètre.

Palais des Congrès (B). — Le palais des Congrès domine la conche de Foncillon. Pouvant recevoir 2 000 personnes, il présente une façade entièrement vitrée.

★ **Corniche de Pontaillac** (A). — *Promenade à faire de préférence au moment de la marée haute; suivre les boulevards Carnot et de la Côte-d'Argent.*
Après avoir côtoyé les tennis et l'ancien fort du Chay, on domine plusieurs petites conches (conche du Chay, conche du Pigeonnier) qui offrent des points de vue sur l'estuaire de la Gironde et la Côte de Beauté, de la pointe de Suzac à la pointe de la Coubre.
On aboutit à la **conche de Pontaillac★**, étroite et profonde, admirablement abritée et qui s'entoure de villas cossues disséminées sous les frondaisons. Petite, mais ourlée de sable fin et décrivant une courbe parfaite, c'est la plage la plus en vue de Royan.

EXCURSIONS

★ **Pointe et forêt de la Coubre.** — *31 km — environ 3 h.*

Vaux-sur-Mer. — 3 054 h. Lieu de séjour. Au flanc du vallon, délicieuse église romane dans un vieux cimetière que veillent ormes et cyprès; à l'intérieur, voir les chapiteaux de la croisée du transept (à droite le montreur d'ours).

Nauzan. — Conche de sable fin, bien protégée du vent par des falaises latérales.

St-Palais-sur-Mer. — 2 736 h. (les Saint-Palaisiens). Lieu de séjour. D'une élégance de bon ton, St-Palais est une station très fréquentée dont les villas s'éparpillent au milieu des pins et des chênes verts. Le **parc du marais du Rhâ** *(derrière le marché couvert),* aménagé autour d'un lac, est bien équipé pour les loisirs (golf miniature, piste cyclable, tennis, pêche, etc.). De la conche : vue sur le phare de Cordouan. A l'extrémité de la plage, à droite en regardant la conche, prendre la rue de l'Océan au bout de laquelle commence le **sentier de la Corniche★** *(signalé, 3/4 h à pied AR)* nommé aussi « sentier des pierrières ». Il serpente à travers les bois de chênes verts puis franchit une anfractuosité où, à marée haute, le flot s'engouffre avec un bruit de tonnerre. On arrive enfin à une pointe dont les rochers sont bizarrement découpés : la roche du Moine, le pont du Diable, les Pierrières.

★★ **La Grande Côte.** — *Laisser la voiture sur le parc, à gauche, à l'endroit où la D 25 quitte le bord de mer pour pénétrer sous bois. Gagner la plate-forme rocheuse. Longues-vues.*
Là, quand le temps est mauvais ou même médiocre, on peut contempler le spectacle grandiose des lames s'écrasant avec fracas, tandis que jaillit à grande hauteur une poussière d'embruns. **Vue** de gauche à droite sur la Gironde, la pointe de Grave, le phare de Cordouan, la pointe et le phare de la Coubre.

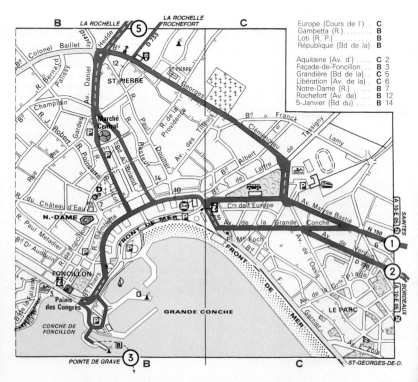

Faire quelques pas à droite : vue en enfilade sur les plages et les dunes sauvages de la Grande Côte, où le flot déferle en puissants rouleaux (bains dangereux). Sur la grève déserte se pratique la pêche au lancer lourd, surtout pour le bar *(1)*.

★ **Zoo de La Palmyre** ⊙. — Des flamants roses, au pied d'un immense rocher du haut duquel tombe une cascade, accueillent les visiteurs dans un parc de 10 ha accidenté et agréablement ombragé. La présentation des animaux est particulièrement soignée, la forêt de pins et les accidents du terrain ayant été utilisés pour reconstituer leur milieu naturel.

Des notices expliquent le mode de vie et le caractère des différentes espèces. On y voit lions, panthères, hyènes, ours, rhinocéros, pingouins, hippopotames, oiseaux, reptiles, etc. Le spectacle des perroquets amusera, on les verra faire de la bicyclette, de la voiture, de la trottinette. Le zoo assure également la reproduction d'espèces menacées d'extinction.

L'itinéraire traverse la forêt puis la station de **La Palmyre**. On longe alors la **Bonne Anse**, refuge de barques, créée par la formation d'une flèche littorale *(voir ci-dessous)* dans l'axe de la pointe de la Coubre.

★ **Phare de la Coubre.** — Plusieurs fois reconstruit à cause de la mobilité de la dune, l'ouvrage actuel date de 1905 et s'élève à plus de 60 m. Sa silhouette bicolore, fine et élancée, domine la pointe de la Coubre, non loin d'un sémaphore. D'une portée lumineuse de 53 km, c'est un des plus puissants phares de France; il signale les approches de la Gironde. Les parois intérieures sont revêtues d'opaline bleue. Du sommet, qu'on atteint par 300 marches puis par une échelle métallique, vaste **panorama★** : au Nord et à l'Est sur la forêt de la Coubre et l'île d'Oléron; au Sud, sur la pointe de la Coubre qui, à son extrémité, se recourbe en crochet, comme les bouliers picards, sous l'action du courant littoral. On distingue, à l'horizon, le phare de Cordouan, isolé en mer, la pointe de Grave et la Côte de Beauté jusqu'aux falaises de Meschers.

★ **Forêt de la Coubre** ⊙. — Cette forêt de pins maritimes et de chênes verts, que parcourent quelques cerfs et chevreuils, s'étend sur 8 000 ha. D'importants travaux de reboisement ont permis d'effacer les traces du grand incendie qui l'a ravagée en 1976. La forêt de la Coubre fixe les dunes de la côte d'Arvert dite aussi **Côte Sauvage** que, durant la guerre, l'organisation Todt avait parsemée de casemates. Une piste cyclable parcourt la forêt et dessert les plages.

A environ 1 km au Nord du phare de la Coubre *(parking aménagé)*, un chemin de sable conduit à la grève : vue impressionnante sur les lames s'écrasant sur le sable.

8 km plus au Nord, au-delà de la métallique tour du Gardour, surmontant une éminence boisée à droite de la D 25, une tour panoramique en bois, la **tour des Quatre Fontaines**, à l'extrémité du chemin forestier dit des Quatre Fontaines, permet de découvrir l'ensemble du massif forestier et l'océan.

★ **La Côte d'Argent.** — *Traversée par bac : voir le guide Rouge Michelin France. La Côte d'Argent est décrite dans le guide Vert Michelin Pyrénées Aquitaine.*

★ **Phare de Cordouan.** — *Accès et description p. 67.*

Estuaire de la Seudre. — *Page 167.*

RUFFEC   3 893 h. (les Ruffécois)

Carte Michelin n° **72** pli 4 ou **233** pli 19.

Un peu à l'écart de la Charente et au Nord du département du même nom, Ruffec est un lieu d'échanges commerciaux au contact de l'Angoumois et du Poitou. La ville compte deux axes principaux, la N 10 et la rue Jean-Jaurès que prolonge la rue du Docteur-Roux, artère principale de la ville ancienne. L'ancien château fut le siège d'un marquisat qui, au 18ᵉ s., appartint au duc de Saint-Simon, le célèbre mémorialiste. On peut savourer à Ruffec une spécialité : le fromagé, sorte de tarte au fromage.

Église St-André. — Elle dépendait jadis du diocèse de Poitiers. Sa façade romane sculptée mérite un coup d'œil . dans les arcatures de l'étage sont postés les apôtres; au pignon : Christ en gloire. L'ensemble représente l'Ascension.

ENVIRONS

Courcôme; Ligné. — *15 km au Sud-Ouest.*

Courcôme. — 391 h. De style poitevin, l'**église** romane (11ᵉ-12ᵉ s.) de Courcôme attire l'attention par son élégant clocher carré surmontant la croisée du transept et sa nef en berceau haute et étroite, où l'on verra d'intéressants chapiteaux ornés d'animaux fantastiques.

Ligné. — 194 h. Cette modeste bourgade, située aux confins du Poitou et de la Charente, est l'une des rares communes à posséder un cimetière des chevaliers du Temple de Jérusalem. Il renferme une soixantaine de pierres tombales des 13ᵉ et 14ᵉ s., dont certaines sont ornées d'épées, de bannières et d'insignes militaires évoquant l'ordre du Temple. Au centre, une base de lanterne des morts porte une croix hosannière.

Lichères. — *20 km au Sud.*

Verteuil-sur-Charente. — *Page 172.*

---

(1) La carte de la Côte de Beauté au 1/50 000 (éditions R. Quémy, 78510 Triel-sur-Seine) localise les pêches littorales et les pêches praticables à pied.

Lichères. — 86 h. Aux limites de la localité s'inscrit l'église St-Denis. Bien que située en Charente, elle ressort de l'art roman poitevin par la disposition de sa façade. Le beau **portail** roman, qui comprend un tympan, fait très rare dans la région, est orné de sculptures d'inspiration byzantine : à l'archivolte, des lions, des cerfs, enserrés dans des rinceaux, et, au tympan, deux anges portant l'Agneau dans une gloire.

Sa restauration, en 1905 (reconstruction du mur et du transept Nord), n'a pas modifié le caractère de l'édifice. Noter la disposition du chevet : l'abside était séparée des absidioles (il n'en subsiste qu'une) par de curieuses petites chapelles carrées. Détailler par ailleurs les modillons du côté droit de la nef.

A l'intérieur, l'original pavage en petites pierres date du 18ᵉ s.

★★ Les **SABLES-D'OLONNE** 15 830 h. (les Sablais)

Carte Michelin nᵒ 67 pli 11 et Sud du pli 12 ou 233 pli 1 — Lieu de séjour.
Plan d'agglomération dans le guide Rouge Michelin France.

Importante station balnéaire sur la **Côte de Lumière,** la ville, bâtie sur les sables d'un cordon littoral *(voir p. 12)*, s'étire entre son port aux quais animés et son immense plage de sable fin, en pente douce, qui court sur plus de 3 km au pied du célèbre « Remblai ».

Hormis les figurantes des cortèges folkloriques de la saison estivale, on ne rencontre plus les brunes Sablaises dans leur costume ancestral : « légères et court-vêtues », en bas et sabots noirs à talons, portant avec grâce le cotillon plissé et la haute coiffe à ailes frémissantes ; leur type méridional viendrait de Maures expulsés d'Espagne et installés dans la dépression de la Vertonne qu'on appelle encore « corridor des Sarrasins ».

UN PEU D'HISTOIRE ET DE GÉOGRAPHIE

La chance des Sables. — Au Moyen Age, la ville ne servait encore que d'avant-port à Olonne, capitale du pays des Olonnes. Puis la baie se combla peu à peu et se changea en marais *(voir p. 12)*. L'heure des Sables était venue.

Sous le patronage de Louis XI, qui y vint en compagnie du chroniqueur Commynes, sénéchal du Poitou, le port fut creusé, s'adjoignit des chantiers navals et participa aux grandes découvertes. Au 17ᵉ s., l'un des marins, Nau, dit **l'Olonnais,** s'illustra aux Antilles dans la guérilla sanguinaire que les boucaniers de l'île de la Tortue et les « Frères de la Côte », mi-corsaires mi-flibustiers, menaient contre les Espagnols ; il mourut dévoré par les indigènes.

Vie économique. — Le port comporte un bassin de pêche, un bassin à flot destiné aux navires de charge et un port de plaisance de 1 100 anneaux, **Port Olona,** situé dans l'ancien bassin des chasses le long de la rocade reliant les Sables à la Chaume. Ce bassin était ainsi appelé parce que ses eaux, brusquement libérées, chassaient les vases en voie d'accumulation.

De Port Olona part tous les quatre ans le Vendée Globe, course de voiliers autour du monde « en solitaire, sans escale et sans assistance » *(prochain départ en novembre 1992)*.

Les marins-pêcheurs se consacraient jadis principalement à la pêche à la morue et les Sables armaient jusqu'à 100 morutiers annuellement. De nos jours, les chalutiers pratiquent la pêche côtière et hauturière, notamment dans le Sud du golfe de Gascogne, quelques rares unités se rendant aussi dans le canal St-Georges, entre l'Irlande et la Grande-Bretagne. Le port de pêche se classe pour le tonnage au 12ᵉ rang français.

On n'exploite plus guère **les marais salants** ⊘ au Nord de la ville : il est prévu de les transformer en zone d'aquaculture. En revanche, les potagers de la Chaume, fumés d'herbes marines, produisent toujours des primeurs de qualité, artichauts, fraises, etc. Des **promenades en mer** ⊘ ont lieu en saison, au départ du port.

Les Sables-d'Olonne. — Tempête près de la jetée.

LES SABLES-D'OLONNE

CURIOSITÉS

★**Le Remblai** (BCZ). – Édifié au 18e s. pour protéger la ville qui se trouve en contrebas, le Remblai, belle promenade bordée d'immeubles luxueux et de boutiques, de cafés et d'hôtels, offre une vue très agréable sur la baie et la plage. L'été, avant de déjeuner ou dans la soirée, c'est le rendez-vous préféré des baigneurs qui n'ont que sa chaussée à traverser pour aller se désaltérer ou faire leurs emplettes. A l'extrémité Ouest du Remblai se trouvent la piscine, l'un des casinos (casino de la Plage), pourvu d'un théâtre de 700 places, et d'une salle de congrès de 1 000 places. En arrière des immeubles, la vieille ville dissimule ses ruelles pittoresques.

La Corniche. – Elle prolonge le Remblai et dessert le nouveau quartier résidentiel de la Rudelière (ci-dessous). La route suit le bord de la falaise et atteint (3 km) le **Puits d'Enfer,** étroite et impressionnante anfractuosité au fond de laquelle bouillonne la mer.

Quartier de la Rudelière. – Près du lac de Tanchet et de son école de voile s'est développé un nouveau quartier résidentiel où se trouvent l'autre casino ou Casino des Sports, l'institut de thalassothérapie, des installations sportives et le zoo de Tanchet.
Le **parc zoologique de Tranchet** ⊙ permet au visiteur, dans un cadre verdoyant, de côtoyer maintes espèces d'animaux : chameaux, lamas, kangourous, singes, oiseaux.

Église N.-D.-de-Bon-Port (BZ B). – Elle a été élevée en 1646 par Richelieu. Sa nef constitue un excellent exemple de style gothique tardif : les voûtes gothiques s'allient sans heurt avec les pilastres d'ordre corinthien qui les soutiennent.

Musée de l'abbaye Ste-Croix (CZ M¹) ⊙. – Il est installé dans une abbaye bénédictine du 17e s. convertie en centre culturel.
Au rez-de-chaussée, deux salles consacrées à l'art **moderne et contemporain :** toiles de Marquet (l'Été, la plage des Sables-d'Olonne), peintures et sculptures surréalistes de Victor Brauner.
Au 1er étage sont exposées des œuvres de Gaston Chaissac, l'un des représentants do l'Art brut (1910-1964), de Dubuffet qu'il a influencé, de Robert Combas, peintre de la Figuration libre et une lithographie de Francis Bacon.
Au 2e étage, outre la section de **préhistoire,** on peut voir une **collection ethnologique :** intérieur maraîchin (bourrine du marais de Monts), costumes sablais et maraîchins, marines du peintre sablais Paul-Émile Pajot, maquettes de bateaux. Sous les combles du 17e s. sont rassemblées d'autres œuvres de Victor Brauner et de Chaissac.

Musée des Guerres de Vendée (AZ M²) ⊙. – Musée de cire où sont représentés les épisodes les plus marquants des guerres de Vendée. Nombreux documents d'époque.

La Chaume. – Ancien quartier de pêcheurs, remodelé, constitué de petites maisons aux toits de tuiles contrastant avec l'urbanisme moderne de la station.
Tour d'Arundel ⊙. – C'est l'ancien donjon d'un château fort construit au 12e s. par lord d'Arundel, utilisé aujourd'hui comme phare. Du sommet on découvre une belle vue sur la baie des Sables.
Prieuré St-Nicolas. – Cette ancienne chapelle du 11e s., transformée en fort en 1779, occupe un site agréable dominant l'entrée de la passe et, périodiquement, présente des expositions temporaires. Les abords ont été aménagés en jardin où se dresse une fresque-mosaïque (1971) à la mémoire des marins péris en mer. Belle vue sur la baie. De là on peut descendre jusqu'à la pointe de la grande jetée, occupée par un phare (illustration p. 147).

ENVIRONS

Château de Pierre-Levée ⊙. – *5 km au Nord-Est par la N 160.* Cette charmante « folie » champêtre, de style et d'époque Louis XVI, fut édifiée par Luc Pezot, receveur des Finances pour l'élection des Sables.

Forêt et marais d'Olonne. – *Circuit de 21 km. Quitter les Sables par La Chaume et suivre la D 87 A.* À droite s'étend une zone de **marais salants** *(p. 147).*

Forêt d'Olonne. – Formant comme une île entre l'océan et les marais de la Vertonne qui miroitent au soleil, elle s'allonge sur une quinzaine de kilomètres au Nord des Sables. Ses taillis de chênes sous futaie de pins couvrent plus de 1 000 ha de dunes que sillonnent de nombreux sentiers où l'on peut parfois rencontrer des hardes de chevreuils.

A Champclou, se diriger vers L'Ile-d'Olonne. La route s'engage à travers le **marais d'Olonne** dont la partie droite a été transformée en réserve ornithologique. Ce marais est le résultat de l'envasement progressif, depuis les temps préhistoriques, de l'ancien golfe d'Olonne.

A L'Ile-d'Olonne, prendre la direction d'Olonne. A 1 km, tourner à droite vers l'observatoire (signalé).

Observatoire d'oiseaux de L'Ile-d'Olonne ⊙. – Bien situé sur une petite butte dominant le marais d'Olonne, il permet d'observer, grâce à des télescopes, les oiseaux de la **réserve de chasse de Chanteloup** qui s'étend sur 38 ha et accueille notamment en été une importante colonie d'avocettes.

Olonne-sur-Mer. – Cité et port déchus, encore sous-préfecture au 19ᵉ s.

Abbaye de SABLONCEAUX

Carte Michelin n° 🔳🔳🔳 Nord-Est du pli 15 ou 🔳🔳🔳 pli 26 – 30 km à l'Ouest de Saintes – Schéma p. 165.

L'abbaye de Sablonceaux fut longtemps abandonnée. D'importants travaux de restauration sont en voie de lui rendre sa fière allure d'antan. La haute tour gothique de son église, surgissant d'un boqueteau, règne sur la campagne silencieuse. Fondée en 1136 par Guillaume X, duc d'Aquitaine et comte de Poitou, et père d'Aliénor, l'abbaye fut confiée à des augustins placés sous l'autorité du chanoine Geoffroy de Lorroux, ami de saint Bernard. Mais à partir du 14ᵉ s., l'histoire de Sablonceaux n'est plus qu'une longue suite de drames : occupation anglaise durant la guerre de Cent Ans, bombardement protestant en 1569, incendie des bâtiments conventuels par le duc de Soubise alors en rébellion contre Louis XIII, délabrement sous le règne des abbés commendataires qui se succèdent de 1625 à 1784. Enfin la Révolution achève de ruiner le monastère.

VISITE *1/2 h*

Abbatiale. – Grâce à une importante restauration, l'église N.-D.-de-l'Assomption a retrouvé une partie de sa splendeur. La nef romane comptait à l'origine cinq coupoles sur pendentifs, dont deux ont subsisté à la croisée du transept et sur la nef. Le chœur gothique à chevet plat s'abrite sous une haute voûte d'ogives à liernes, et laisse pénétrer la lumière par trois grandes baies aux vitraux modernes. La sobriété de cette église est toute cistercienne.

Bâtiments conventuels. – Longtemps utilisés comme bâtiments agricoles, ils sont aujourd'hui en cours de rénovation. A l'Est, s'ouvre la porte en plein cintre de la salle capitulaire. Un portail Louis XVI armorié donne accès à une ancienne cour de ferme ombragée par un majestueux noyer d'Amérique. Là s'élève le logis abbatial reconstruit au 18ᵉ s., dont la façade présente des arcades séparées par des pilastres doriques et des balustres à l'étage. Les celliers gothiques aux vastes salles voûtées sont surmontés de la grange dîmière.

ST-AMANT-DE-BOIXE   997 h. (les St-Amantois)

Carte Michelin n° 🔳🔳 Nord-Est du pli 13 ou 🔳🔳🔳 pli 18.

St-Amant, tranquille bourgade agricole, porte le nom d'un ermite retiré au 7ᵉ s. en cette forêt de Boixe qui fut propriété du peintre Delacroix. La forêt conserve des monuments de l'époque mégalithique (dolmens, pierres inclinées).

CURIOSITÉS

★ **Église.** – A l'origine sanctuaire d'un monastère bénédictin, l'édifice, très long (69 m), offre une nef romane et un chœur gothique, reconstruit au 15ᵉ s.
A l'extérieur, un des côtés du croisillon gauche porte un décor raffiné qu'on a rapproché de celui de la cathédrale d'Angoulême. La façade principale présente au rez-de-chaussée, dans l'arcade de gauche, un tombeau orné de croix de Saint-André et, à l'étage, dans les arcades latérales, des oculi dont le dessin diffère sensiblement. Une porte en bois sculpté, du 16ᵉ s., et un escalier donnent accès à l'intérieur de l'église, très en contrebas en raison de la déclivité du terrain. La nef en berceau, majestueuse, est contrebutée par deux bas-côtés très étroits et presque aussi élevés qu'elle, suivant l'habitude poitevine. Au transept, coupole du 12ᵉ s.
Le chœur, désaxé par rapport à la nef, est beaucoup plus profond que ne l'était le chevet roman primitif, comme le prouvent les deux absidioles qui subsistent dans le croisillon gauche et dont l'une a été tronquée lors de la reconstruction du chœur.

Les piliers de la croisée du transept portent des chapiteaux très fouillés. Restaurées, des fresques du 14e s., qui se trouvaient dans la crypte, ont été placées dans le bras droit du transept.

Ancien logis abbatial. – L'abbaye bénédictine, prospère au 12e s., amorça son déclin au 14e s., lors des guerres franco-anglaises. Par la suite, guerres de Religion et abbés commendataires achevèrent de la ruiner. Aujourd'hui ne subsistent que quelques arcades mutilées d'un cloître gothique derrière lesquelles s'élève l'ancien logis abbatial dont l'une des salles a conservé une cheminée monumentale du 17e s.

ENVIRONS

Lanville ; Barbezières. – *27 km. Prendre la D 15 vers le Sud.*

Montignac-Charente. – 709 h. En bordure de la Charente, ce pittoresque village est dominé par les ruines d'un château du 12e s. à l'imposant **donjon**.

Prendre la D 737 vers le Nord-Ouest.

Lanville. – Son église fortifiée romane est de vastes proportions.

Barbezières. – 157 h. Derrière l'église se dissimule le **château** ⊘, charmante construction du 15e s. qui, jadis très endommagée, a été remarquablement restaurée. En équerre, il est flanqué de tourelles, l'une ronde à l'arrière, l'autre carrée, renfermant l'escalier. Une décoration discrète orne la porte d'entrée (accolade, fleurons) et les lucarnes.

L'intérieur, où se remarquent de belles cheminées, abrite un mobilier ancien, des tapisseries des Flandres et d'Aubusson et une collection de tableaux.

ST-BRÉVIN-LES-PINS
8 664 h. (les Brévinois)

Carte Michelin n° 🔢 pli 1 ou 🔢🔢 pli 26. – Lieu de séjour.

Des villas disséminées parmi les pins, 8 km de plage de sable fin, un casino, un port de plaisance, tels sont les principaux atouts de cette station balnéaire de la **Côte de Jade**, qui englobe la localité de **St-Brévin-l'Océan** dont les dunes s'étendent au Sud de l'avancée rocheuse du Pointeau.

En été s'y déroule un festival de spectacles de rue *(voir le chapitre des Principales manifestations en fin de volume).*

Un **petit train** ⊘ parcourt la station en saison.

CURIOSITÉS

Dolmen de l'allée des Rossignols. – *A St-Brévin-l'Océan.* Ce dolmen de 5 m de long est l'un des plus accessibles parmi les nombreux mégalithes (dolmens ou menhirs) qui parsèment la région brévinoise.

Musée de la Marine ⊘. – *A Mindin.* A l'embouchure de la Loire, sur le promontoire du Nez de Chien, ce musée occupe un fort désaffecté, construit en 1861. Des documents y évoquent l'histoire de Mindin, en particulier la bataille des Cardinaux en 1759 (guerre de Sept Ans), au cours de laquelle les Anglais firent couler au large de Mindin le navire le Juste dont on peut voir les canons à l'entrée du fort. Parmi de nombreuses maquettes reproduisant des bateaux de toutes époques, on remarque celles de trois géants construits à St-Nazaire : le Normandie, le France et le Batillus, un des plus grands pétroliers du monde (1976).

Des abords du fort, **vue** sur St-Nazaire avec ses chantiers de l'Atlantique et sur l'élégant **pont routier St-Nazaire-St-Brévin★** *(voir le guide Vert Michelin Bretagne).* Dans la **maison du Tourisme** ⊘, située sur l'esplanade, des panneaux illustrés relatent la construction du pont reliant St-Nazaire à St-Brévin.

ST-GÉNÉROUX
351 h. (les St-Générolviens)

Carte Michelin n° 🔢 Nord du pli 18 ou 🔢🔢 pli 45.

Sur la rive droite de la vallée du Thouet s'étage St-Généroux que Villon célébra :

« Si je parle un peu poitevin   Elles sont très belles et gentes
Ice m'ont deux dames appris   Demourans à St-Générou. »

CURIOSITÉS

Vieux Pont. – Ce remarquable ouvrage du 13e s. fut construit par les moines de l'abbaye voisine de St-Jouin-de-Marnes *(p. 154).* Étroit, il compte cinq arches appareillées en belle pierre calcaire. Les piles sont pourvues d'éperons en amont et de contreforts en aval pour servir de refuge aux piétons.

Église. – Dédiée à saint Généroux, un moine de St-Jouin retiré dans les solitudes des bords du Thouet, cette église date des 9e-10e s.

A l'exception de sa façade, elle offre un exemple à peu près complet d'architecture préromane : d'abord par son plan comprenant un simple vaisseau prolongé par trois absides juxtaposées, par sa structure ensuite, faite d'un petit appareil de moellons dans lequel sont intercalés des morceaux d'appareil réticulé (à mailles) ou en arêtes de poisson, par son décor enfin, limité à l'effet géométrique de la disposition des pierres. A l'intérieur, dans la nef couverte d'une charpente, on observera l'aspect primitif des piles carrées démunies de chapiteaux et surtout l'originalité des trois arcades surmontées d'arcatures qui précèdent le chœur : cette disposition très rare paraît d'origine berrichonne.

ST-GEORGES-DE-DIDONNE

4 705 h. (les St-Géorgeais)

Carte Michelin n° 🔢🔢🔢 pli 15 ou 🔢🔢🔢 pli 25 — Lieu de séjour.

Bien abritée au creux d'une conche de sable fin de plus de 2 km, la station balnéaire de St-Georges a succédé au modeste bourg où l'historien Michelet se retira.

CURIOSITÉS

★ **Pointe de Vallières.** — *A l'Ouest, par la rue du Port et le boulevard de la Corniche.* De la pointe se dégage une belle **vue** : la pointe de Grave en face, à droite Royan, à gauche la pointe de Suzac, boisée de pins. Remarquer le **phare de St-Georges** ⊘, bel édifice de pierre de 1900, désaffecté, sur un promontoire qui protège le charmant petit port du même nom. Autour du phare, un petit sentier procure également de jolies vues sur la pointe de Grave, la pointe de Suzac et, en mer, le phare de Cordouan.

★ **Pointe de Suzac.** — *Au Sud de la plage de St-Georges, prendre la direction de Meschers et la 1ʳᵉ route à droite en impasse.* Faire quelques pas sur le sentier qui court au sommet de la falaise pour découvrir de belles **vues** sur les anfractuosités dans lesquelles se nichent des plages de sable fin. On remarque quelques vestiges du mur de l'Atlantique.

ENVIRONS

Château de Didonne. — *7 km à l'Est.* Le château fut construit au 18ᵉ s. avec les pierres d'un château féodal voisin, en ruine, dont il reçut le nom. Aujourd'hui il appartient à la coopérative agricole des cantons de Cozes et Saujon. On visite le parc-arboretum qui contient plus de 50 essences différentes parmi lesquelles un très beau cèdre du Liban bicentenaire.

A proximité, situé dans une vaste garenne, le **musée Agricole** ⊘ fait revivre l'histoire des campagnes à travers la présentation d'un intérieur charentais et de matériel ancien : araire du 18ᵉ s., semoir de céréales du 19ᵉ s., attelages, locomobile (machine à vapeur qui servait à actionner une batteuse), moissonneuse-batteuse, tracteurs ; voir aussi la ruche en activité.

ST-GILLES-CROIX-DE-VIE

6 296 h. (les Gillocruciens)

Carte Michelin n° 🔢🔢 pli 12 ou 🔢🔢🔢 plis 38, 39 — Lieu de séjour.

L'actif port de pêche de **Croix-de-Vie** forme une seule commune avec St-Gilles-sur-Vie situé sur la rive gauche de l'embouchure de la Vie. Le nom de Havre-de-Vie est parfois donné à cette agglomération, en englobant St-Hilaire-de-Riez. De nombreux bateaux de pêche y sont armés, alimentant mareyeurs et conserveurs de homards, langoustes, thons, sardines, etc. Bien abrité, le port de plaisance peut accueillir 600 bateaux.

La configuration de l'estuaire de la Vie constitue une curiosité géographique : le cours d'eau vient d'abord buter contre un cordon de dunes sablonneuses, la pointe de la Garenne, puis sur le promontoire rocheux dit « Corniche vendéenne », décrivant ainsi plusieurs méandres avant de déboucher dans l'Atlantique entre les plages de Croix-de-Vie (plage de Boisvinet) et de St-Gilles (Grande Plage) par un goulet. En saison, des **promenades en mer** ⊘ sont organisées au départ du port.

ENVIRONS

★ **Corniche vendéenne.** — *Circuit de 22 km — environ 2 h.*

St-Hilaire-de-Riez. — *7 416 h.* Le bourg, dominant la vallée de la Vie, groupe des maisons autour de son église, reconstruite au 19ᵉ s., et qui renferme trois retables en pierre polychrome du 17ᵉ s.

La **bourrine du Bois Juquaud** ⊘ *(à 4 km au Nord, par Le Pissot)* est la reconstitution fidèle d'une habitation maraîchine (Marais breton-vendéen) du début du siècle. Dans l'enclos ou «tcheraïe» sont groupées diverses petites constructions, pour la plupart en terre : habitation ou «bourrine» *(illustration p. 15)* avec son intérieur du début du siècle et le four à pain adjacent, dépendances telles que grange, grande galerie (pour la charrette), petite galerie (pour le bois), toit à poules, laiterie, etc. Le jardin potager fait également partie de l'enclos.

Sion-sur-l'Océan. — Cette station balnéaire, réputée pour ses crevettes, marque le commencement de la Corniche vendéenne.

A la sortie de Sion, l'itinéraire offre des perspectives sur de curieux écueils ruiniformes, les **Cinq Pineaux**, puis suit le bord de la falaise aride, coupée de criques où vient battre l'océan. Sur une plate-forme rocheuse au-delà de la plage des Bussoleries, face à une villa à tourelle, se dissimule le **Trou du Diable**, creux où la mer s'engouffre violemment lors des grandes marées.

St-Nicolas-de-Brem. — *14 km au Sud.* Curieuse église du 11ᵉ s., partiellement reconstruite au 17ᵉ s., dont le portail est surmonté d'une statue de saint Nicolas. Près de l'église, tumulus, ancienne butte féodale édifiée sans doute pour protéger le port.

*La région de **Brem-sur-Mer** produit, sous l'appellation Fiefs vendéens, qu'elle partage avec les régions de Mareuil, Vix et Pissotte, un vin classé V.D.Q.S. (Vin délimité de qualité supérieure) depuis 1984.*

ST-JEAN-D'ANGÉLY

8 060 h. (les Angériens)

Carte Michelin n° 〖171〗 plis 3, 4 ou 〖233〗 pli 16.

En Basse-Saintonge, la Boutonne arrose le pied de la colline où s'est établie St-Jean-d'Angély sur l'emplacement d'une ville romaine, dans une campagne calme et très reposante.

Ceinturé de boulevards, le centre de la ville se resserre en un lacis de rues tortueuses et de placettes triangulaires : on y voit nombre de demeures anciennes, maisons à pans de bois et en encorbellement des 15e-16e s., et vieux hôtels des 17e-18e s. remis en valeur par d'importants travaux de restauration.

UN PEU D'HISTOIRE

Au Moyen Age, étape sur la route des pèlerinages de St-Jacques-de-Compostelle (carte p. 30), St-Jean-d'Angély, anciennement Angeriaco, connut une période de prospérité. En 1152, Aliénor d'Aquitaine apporta en dot la Saintonge à Henri Plantagenêt, roi d'Angleterre en 1154. La ville se trouva alors et pendant des siècles au cœur des combats qui opposèrent les rois de France et d'Angleterre. Au 16e s., St-Jean devint un des principaux bastions de la Réforme; des presses de son imprimerie sortit l'*Histoire universelle* d'Agrippa d'Aubigné.

En 1621 la ville fut prise aux protestants après un siège conduit par Louis XIII en personne.

Une belle carrière. — **Michel Regnaud de Saint-Jean-d'Angély,** né dans l'Yonne (1762), est député du bailliage de St-Jean aux États généraux de 1789. Administrateur des hôpitaux à l'armée d'Italie, il se lie avec Bonaparte. Après le 18 Brumaire, il est nommé au Conseil d'État, où Stendhal, jeune « auditeur », s'amuse à singer son air important et gourmé. Il contribue à la rédaction du Code civil. Académicien (1803), procureur général près de la haute cour impériale (1804), Regnaud reçoit le titre de comte d'Empire en 1808. Proscrit après la chute de l'Empire, il bénéficie d'une mesure d'amnistie en 1819, mais, rentré à Paris, meurt d'émotion le jour même de son arrivée.

Une statue a été érigée à sa mémoire sur la place de l'Hôtel-de-Ville (**B 9**).

CURIOSITÉS

Ancienne abbaye (**A**). — Elle prit corps au 9e s. pour recevoir un des « chefs » (chef : tête) de saint Jean-Baptiste (il y en eut un autre à Amiens!) rapporté d'Alexandrie et donné à Pépin d'Aquitaine qui le confia aux bénédictins. Ce chef, objet d'un important pèlerinage, figurait, avec les lis royaux, dans les armes de l'abbaye qui furent ensuite adoptées par la ville.

Après la destruction du monastère par les huguenots en 1562 pendant les guerres de Religion, les bénédictins entreprirent deux campagnes de reconstruction, aux 17e et 18e s., mais la dernière, très ambitieuse, ne put être menée à bien, la Révolution ayant interrompu les travaux.

Les « Tours ». — De l'immense abbatiale commencée en 1741 ne purent être mises en œuvre que les grandes arcades amorçant la nef et une monumentale façade, demeurée inachevée, qu'on appelle ici les « Tours ». Effectivement, cette façade majestueuse et puissamment campée est encadrée de hautes tours à dômes, dont l'une servit de prison pendant la Révolution : les chapiteaux et les clés d'arcs sont simplement ébauchés. Le porche est encadré de colonnes doriques.

ST-JEAN-D'ANGÉLY

Bancs (R. des)	**A** 4	Abbaye (R. de l')	**A** 2	Porte de Niort (R. de la)	**B** 13
Gambetta (R.)	**A**	Aguesseau (R. d')	**A** 3	Port-Mahon (Av. du)	**AB** 14
Grosse-Horloge (R.)	**B** 8	Bourcy (R. Pascal)	**B** 6	Remparts (R. des)	**B** 15
Hôtel-de-Ville (Pl. de l')	**B** 9	Dubreuil (R. L.-A.)	**A** 7	Rose (R.)	**B** 16
Taillebourg (Fg)	**A**	Jacobins (R. des)	**B** 12	Texier (R. Michel)	**A** 17
				Tour-Ronde (R.)	**B** 19
				Verdun (R. de)	**A** 21

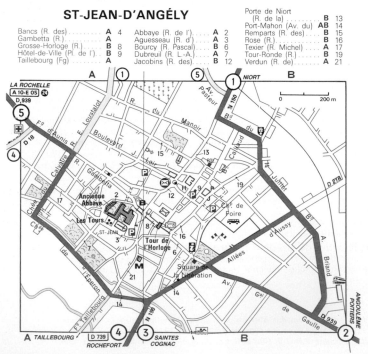

De l'abbatiale gothique ruinée en 1562 subsiste seulement une partie du chevet. A l'intérieur de l'église actuelle, édifiée à la fin du 19e s., Vierge à l'Enfant en bois sculpté du 17e s. et, dans le chœur, deux grands tableaux : *Jésus au jardin des Oliviers,* par Chassériau, et la *Présentation au temple,* de Sotta.

Bâtiments conventuels. – Occupés par l'école municipale de musique. Vastes bâtiments classiques ordonnés autour d'une cour, à laquelle donne accès une porte Louis XV.

Fontaine du Pilori (A B). – Au cœur du vieux St-Jean, elle a été amenée en 1819 du château voisin de Brizambourg jusqu'au canton (quartier) du Pilori, où les condamnés étaient exposés aux quolibets et aux outrages populaires.
Ce charmant édifice Renaissance fut installé à l'emplacement d'un puits qui était destiné à alimenter la ville en cas de siège. Il comporte une margelle que protège un petit dôme couvert d'écailles et portant l'inscription sculptée en lettres gothiques « L'an 1546 je fus édifié et assis ».

Tour de l'Horloge (B). – Enjambant la rue Grosse-Horloge qui conserve quelques belles maisons à pans de bois et en encorbellement, cet ancien beffroi gothique est pourvu de mâchicoulis : sa cloche, le « Sin » (du latin signum), signalait jadis le moment de la fermeture des portes de la ville; elle sonne encore dans les grandes occasions.
A proximité, ancien **hôtel de l'Échevinage,** du 15e s., à porte en accolade, où se tenaient jadis les réunions des notables de la ville et les assises royales.

Musée (A M) ⊙. – Installé dans le bel hôtel d'Hausens (18e s.). Intéressantes collections archéologiques et souvenirs des missions Citroën, notamment la croisière Noire (1924-1925) et la croisière Jaune (1931-1932), dont l'un des chefs fut **Audouin-Dubreuil,** enfant de St-Jean-d'Angély. Est exposé en particulier « le Croissant d'argent », première automobile ayant traversé le Sahara, en 1922.

ENVIRONS

Château de Beaufief ⊙. – *3 km au Sud par la N 150 et la D 127.* Une allée bordée de pelouses mène à Beaufief (prononcer Beaufié), folie Louis XV composée d'un corps central avec deux ailes en arcs de cercle. La toiture mi-tuiles, mi-ardoises, la couleur de la pierre, l'abondance des fenêtres donnent à l'ensemble une élégance particulière. La plinthe de la cage d'escalier, en bois peint, imite parfaitement le marbre. L'escalier souligné par une belle rampe en fer forgé conduit au salon, dont le trumeau de la cheminée est orné d'une sculpture représentant l'été. La petite chapelle possède un décor de gypse d'une grande sobriété.

Landes. – 527 h. *8 km au Nord-Ouest par* ⑤. Église romane avec peintures murales de la fin du 13e s. représentant des scènes de la Bible (le baptême du Christ, l'Annonciation, la Visitation...).

Tonnay-Boutonne. – 1 088 h. *15 km à l'Ouest par* ⑤. La ville a conservé une partie de ses défenses, notamment les fossés et la majestueuse porte St-Pierre du 14e s.

Varaize ; Matha. – *20 km au Sud-Est par* ②.

Varaize. – 594 h. L'église romane présente une abside en hémicycle, une nef et des collatéraux sans voûtes, une croisée du transept couverte d'une coupole sur trompes. Le portail latéral Sud est remarquable par la finesse et la richesse de ses voussures sculptées (anges adorateurs de l'agneau, Vertus triomphant des Vices, Christ en majesté accompagné d'apôtres et de vieillards de l'Apocalypse).

Matha. – 2 183 h. L'église St-Hérie possède une façade romane où l'on peut voir, dans une arcade à droite, une charmante statue dite de sainte Blandine.

ST-JEAN-DE-MONTS

5 898 h. (les Montois)

Carte Michelin n° 67 pli 11 ou 232 pli 38 – Lieu de séjour.

Station balnéaire réputée, dotée de nombreux équipements (casino, golf, centre de thalassothérapie, etc.), St-Jean-de-Monts a pour noyau un bourg qu'un chapelet de dunes boisées sépare de l'océan et qui se groupe autour d'une charmante église : bien que reconstruite en 1935, celle-ci a conservé son allure de la fin du 14e s. et son clocher du 17e s. couvert de bardeaux.

Le front de mer. – Un cordon d'immeubles résidentiels s'aligne le long d'une plage rectiligne de sable fin que borde, sur près de 3 km, jusqu'à la plage des Demoiselles, une esplanade à double circulation. Devant le palais des congrès, le Monument aux oiseaux de mer (1966) est l'œuvre des frères Jan et Joël Martel. Immense, la plage de St-Jean ne forme cependant qu'une des sections aménagées de la **Côte de Monts,** qui s'étend de Fromentine à Sion sur une distance de 26 km, interrompue seulement par la chaussée rocheuse du Pont d'Yeu *(p. 86).*

Sur une plage surveillée, il est important de tenir compte de la couleur du drapeau dressé à proximité du poste de surveillance :
Vert : Baignade surveillée, sans danger
Orange : Baignade dangereuse, mais surveillée
Rouge : Baignade interdite

Carte Michelin n° 67 pli 18 ou 232 pli 45.

L'ancienne abbaye fondée au 4ᵉ s. par saint Jouin devint, après son rattachement à la règle bénédictine, un établissement puissant qui, au 12ᵉ s., possédait 130 bénéfices. Les dévastations engendrées par la guerre de Cent Ans, le régime de la commende puis les guerres de Religion ruinèrent à la fois les bâtiments et l'exercice de la vie monacale ; si bien qu'au 17ᵉ s. les mauristes reçurent mission de la relever et de la réformer.
Du monastère lui-même, il ne reste, de nos jours, qu'une galerie du cloître du 15ᵉ s., adossée au côté gauche de l'église, et un important bâtiment du 17ᵉ s. auquel donne accès un portail de la même époque.

★**ÉGLISE** visite : 1/2 h

Cette ancienne abbatiale, construite de 1095 à 1130, relève de l'architecture romane poitevine la plus pure par sa façade flanquée de faisceaux de colonnes portant de part et d'autre un lanternon ajouré couvert en écailles, ornée de voussures sculptées, timbrée au pignon triangulaire d'un Christ vers lequel s'avance la procession des élus. Les portails, sans tympan, ont des voussures décorées de végétaux, masques, coquillages et de petites scènes évoquant les mois (portail central). Les baies sont encadrées de hauts-reliefs : animaux fantastiques, l'empereur Constantin à cheval, Annonciation, saints, Vertus et Vices. Un Jugement dernier orne le pignon.

Intérieur. – Il impressionne par son immensité (71 m de longueur). Il est poitevin par ses trois nefs, par les arcatures aveugles disposées autour du déambulatoire et dans le chœur entre les grandes arcades et les fenêtres hautes.
Au 13ᵉ s. l'église fut dotée d'élégantes voûtes de type angevin dans la plus grande partie de la nef (restaurée au 19ᵉ s.), le chœur et le déambulatoire (les sculptures des clés de voûte méritent d'être examinées à la jumelle).
De ravissantes statuettes, en cul-de-lampe, supportent les ogives des absidioles. Dans le chœur, remarquer les stalles et un superbe lutrin du 17ᵉ s.

ENVIRONS

Moncontour. – 929 h. Lieu de séjour. *4 km à l'Est*. En vue de la vallée de la Dive aux peupliers frémissants, sur une colline de la rive droite, le village de Moncontour, que Du Guesclin reprit aux Anglais en 1372, est connu pour son massif **donjon** (12ᵉ s.) à contreforts, haut de 24 m ; les mâchicoulis rappellent une restauration du 15ᵉ s.
C'est à la bataille de Moncontour (1569) que Coligny fut vaincu avec l'armée protestante par le duc d'Anjou, futur Henri III.
De nombreuses manifestations sont organisées chaque été dans le cadre des Estivales de la Dive *(voir le chapitre des Principales manifestations en fin de volume)*.

ST-LAURENT-SUR-SÈVRE   3 247 h. (les Saint-Laurentais)

Carte Michelin n° 67 pli 5 ou 232 pli 42.

Dans le cadre frais et reposant d'un petit bassin formé par la Sèvre, St-Laurent, « ville sainte de la Vendée », doit sa célébrité à saint **Louis-Marie Grignion de Montfort** qui y mourut en 1716, au cours d'une mission. Très vénéré dans l'Ouest de la France, cet humble prêtre breton parcourut l'âme ardente les campagnes, prêchant des missions et érigeant des calvaires ; il fonda trois institutions religieuses, la congrégation des Filles de la Sagesse, la Compagnie de Marie (Missionnaires Montfortains) et la congrégation enseignante des Frères de St-Gabriel, dont les maisons mères se trouvent à St-Laurent.
La basilique abrite, dans le transept gauche, le tombeau de Grignion de Montfort.

CURIOSITÉS

Maison du Saint-Esprit. – La maison des missionnaires montfortains comprend la **Maison longue** ⊙ qui abrite un petit musée consacré à la vie et à l'œuvre du père Grignion de Montfort, et la chapelle des Missionnaires, érigée en 1854.

Maison mère des Filles de la Sagesse ⊙. – Une imposante chapelle de style néo-gothique élevée entre 1864 et 1869 abrite un reliquaire de saint Louis-Marie Grignion de Montfort.
L'oratoire est aménagé dans le réduit où mourut le père de Montfort. Un parcours sonorisé et des films vidéo évoquent la vie et l'œuvre du saint, ainsi que celle de Marie Louise de Jésus, qui fut sa première disciple et cofondatrice de la congrégation des Filles de la Sagesse.
Dans le cloître qui mène à la chapelle figurent des informations sur les pays où s'est établie la congrégation.

Centre gabriéliste ⊙. – *4, avenue Rémy-René-Bazin*. Une exposition permet de s'y documenter sur l'histoire de la congrégation des Frères de St-Gabriel.

Parc de la Barbinière. – A la sortie de la ville, en direction de la Verrie, ce parc s'étend sur la rive gauche de la Sèvre Nantaise que dominent des collines boisées. En aval du tumultueux défilé de Mallièvre, la rivière s'apaise et égrène ses îlots verts dans un dédale de rochers sombres. A 1 km en aval de la rivière, un moulin à eau, partiellement remis en état, se dissimule sous une épaisse frondaison.

ENVIRONS

Mortagne-sur-Sèvre. – 5 724 h. Lieu de séjour. *5 km au Nord-Ouest.*
De l'ancien tracé de la N 160, se dégagent de jolies perspectives sur le site de Mortagne, étagée sur la rive droite de la Sèvre. Un vallon latéral est dominé par les ruines du château médiéval dont la courtine est jalonnée de tours.
En aval de la ville, importante tannerie.
Un train à vapeur de la Belle Époque relie Mortagne aux Herbiers, en passant par la gare des Épesses *(p. 76).* Il permet de découvrir le pays du Puy du Fou.

ST-LOUP-LAMAIRÉ
1 143 h. (les Lupéens)

Carte Michelin n° 67 pli 18 ou 232 pli 45.

Dans un coude du Thouet, s'étirent les vieux toits de St-Loup qui, au Moyen Age, fut un « fief franc », enclave du comté de Poitou en vicomté de Thouars. Durant la Révolution, le bourg prit pendant quelque temps le nom de Voltaire, car les ancêtres du philosophe, les Arouet, en étaient originaires.

CURIOSITÉS

Château ⊙. – Ce monument, d'un équilibre tout classique, marque la prépondérance de la manière française sobre et raisonnée en réaction contre l'italianisme alors à la mode : c'est ainsi qu'on note l'absence des ordres de l'art antique. Sa construction est due à Louis Gouffier *(voir p. 103),* gouverneur du Poitou.
Solitaire dans le cadre de ses douves, l'édifice, en forme de H, comprend deux courtes ailes formant pavillons qui flanquent le corps principal. Au centre, une petite tour surmontée par un lanternon donne de la légèreté à la façade. Les combles, détachés les uns des autres et couverts de hauts toits à la française, sont typiques du style Henri IV-Louis XIII, qui s'affirme aussi dans l'appareil à chaînages de pierre. De la forteresse féodale, les Gouffier gardèrent le donjon, muni d'échauguettes d'angle.

Grande-Rue. – Maisons des 15e et 16e s. en brique et à pans de bois. Celles du 15e s. ont des baies à accolades, celles du 16e s. des ouvertures en anse de panier.

ST-MAIXENT-L'ÉCOLE
6 893 h. (les Saint-Maixentais)

Carte Michelin n° 68 pli 12 ou 233 pli 6.

Sise sur le penchant d'une colline regardant la Sèvre Niortaise, St-Maixent est connue localement pour ses marchés et, dans toute la France, pour son école militaire.

L'école de St-Maixent. – Elle a pour origine l'implantation en 1881 à St-Maixent d'une École Militaire d'Infanterie, destinée à la formation des officiers.
En 1951, on transfère à St-Maixent l'École d'Application de l'Infanterie qui n'y reste cependant que 16 ans. L'École Nationale des Sous-Officiers d'Active (E.N.S.O.A.), créée en 1963, est actuellement la seule école militaire de St-Maixent.
Elle se répartit sur trois emplacements : en premier lieu le Quartier Coiffé, mais aussi la caserne Canclaux (bâtiments conventuels de l'ancienne abbaye) et le Quartier Marchand où un musée illustre les hauts faits des élèves de l'école.

CURIOSITÉS

Abbaye. – L'abbaye fut fondée au 5e s. par l'ermite Agapit et son disciple Adjutor qui prit le nom de Maixent. Cent cinquante ans plus tard elle eut pour abbé saint Léger, qui devait devenir l'évêque d'Autun et mourir martyr. Desservie par les bénédictins, elle fut en grande partie détruite durant les guerres de Religion au 16e s. et restaurée au siècle suivant par l'architecte François Leduc, dit Toscane, mort à St-Maixent en 1698.

★ **Église.** – Elle apparaît dans son ensemble comme un édifice flamboyant. Mais on y distingue des éléments divers : les murs latéraux et le narthex sont romans; le chœur à chevet plat gothique du 13e s., remanié au 17e s.; la tour du clocher gothique du 15e s.; la nef, œuvre de Leduc, gothique du 17e s., remarquable par sa perspective intérieure et par la hauteur (24 m) de ses voûtes en étoile.
Le mobilier date en grande partie du 17e s. : le jubé (transporté du chœur au revers de la façade), l'ange-lutrin, les stalles des moines rivalisent de richesse par les sculptures. Dans le bras droit du transept, près de la sacristie, bel enfeu flamboyant et une bonne toile de l'école française du 17e s. : *Soldats jouant aux dés la robe du Christ.*
Près de l'entrée se trouve une niche où, en 1962, fut découvert le passage roman conduisant à l'ancien cloître détruit pendant les guerres de Religion. Il était muré depuis 300 ans.
Remontant aux 6e et 7e s., les sarcophages (vides) des saints Maixent et Léger reposent sous le maître-autel, dans la crypte romane.

Bâtiments conventuels ⊙. – Transformés en caserne (caserne Canclaux), ils occupent une vaste surface à droite de l'abbatiale. Une monumentale porte cochère donne accès à la cour. Un imposant escalier de pierre à rampe en fer forgé orne le bâtiment principal et l'on peut voir le cloître du 17e s.

Porte Chalon. – Ancienne porte de ville du 18e s., empruntant l'aspect d'un arc de triomphe. Admirer l'imposte de fer forgé.

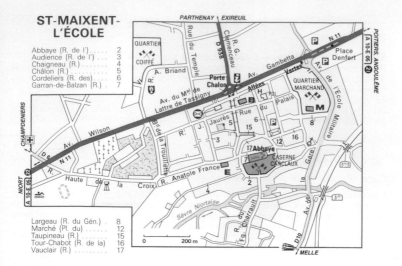

ST-MAIXENT-L'ÉCOLE

Abbaye (R. de l')	2
Audience (R. de l')	3
Chaigneau (R.)	4
Châlon (R.)	5
Cordeliers (R. des)	6
Garran-de-Balzan (R.)	7

Largeau (R. du Gén.)	8
Marché (Pl. du)	12
Taupineau (R.)	15
Tour-Chabot (R. de la)	16
Vauclair (R.)	17

Allées Vertes. – *Avenue Gambetta*. L'intendant du Poitou, Blossac, les fit tracer au 18ᵉ s. à l'emplacement des anciennes fortifications. Elles forment une perspective avec la place Denfert dont un angle est occupé par la chapelle Notre-Dame-de-Grâces (15ᵉ s.), édifiée pour remercier Charles VII de l'octroi des libertés communales.

Musée militaire (M) ⊙. – Il retrace l'histoire des écoles militaires qu'a accueillies St-Maixent et plus particulièrement de l'école des sous-officiers.
On peut y voir des souvenirs de Denfert-Rochereau (né à St-Maixent), des tenues évoquant la carrière des élèves à la sortie de l'école, les décorations françaises et étrangères, une collection d'armes orientales, des documents illustrant l'histoire des écoles. Dans la section consacrée aux sous-officiers sont rassemblés des souvenirs de parrains de promotions et une **série d'uniformes**★ portés par les sous-officiers, de l'Ancien Régime à nos jours.

Hôtel Balizy (B). – Construit pour un « capitaine du château », il offre, sur sa façade Sud *(rue du Palais)*, un bon exemple de style Renaissance avec ses lucarnes à frontons timbrés de coquilles et son décor de médaillons sculptés d'effigies d'empereurs romains.

Maison ancienne (E). – *N° 13 de la rue Anatole-France*. Maison du 15ᵉ s., bâtie pour un apothicaire qui y fit mettre l'inscription publicitaire « Hic Valetudo » (Ici la santé).

ENVIRONS

Exireuil. – *Circuit de 7 km. Quitter St-Maixent au Nord par la D 938*. La route gravissant le coteau offre de jolies vues plongeantes sur la ville. *Poursuivre par la route d'Exireuil et la D 121 :* points de vue successifs sur de rustiques vallons et St-Maixent elle-même.

★**Tumulus de Bougon.** – *17 km – environ 2 h. Quitter St-Maixent au Nord-Est par la N 11 et prendre à droite la D 737.*

La Villedieu-de-Comblé. – Du pont sur le Pamproux, affluent de la Sèvre, jolie vue sur le vallon verdoyant; chapelle qui a donné son nom au hameau.

La Mothe-St-Héray. – 1 857 h. Étirée de chaque côté d'une longue rue parallèle à la Sèvre, La Mothe est fidèle à son folklore. Le jour de la fête des Rosières (1ᵉʳ samedi de septembre), on peut assister à un mariage en costume poitevin.
La ville tient son nom de son château féodal qui occupait une « motte » défensive. Refait au 16ᵉ s., celui-ci a été démoli au 19ᵉ s.. Il n'en subsiste que l'**orangerie,** bel édifice rose à lucarnes sculptées et deux pavillons coiffés de dômes à pans *(à la sortie de la localité à droite, sur la route de Melle).*

★**Tumulus do Bougon.** – *Page 46.*
On peut rentrer à St-Maixent par la D 5 et la D 10 qui traversent la belle **forêt de l'Hermitain.**

ST-MICHEL-EN-L'HERM
1 999 h. (les Michelais)

Carte Michelin n° 🔢 pli 11 ou 🔢 pli 3 – Schéma p. 88 – Lieu de séjour.

Ses maisons blanches couvrent les pentes d'une ancienne île du golfe du Poitou.

Ancienne abbaye bénédictine ⊙. – *Visite : 1/2 h*. L'abbaye St-Michel-en-l'Herm (du latin in eremo : dans un lieu désert) était dédiée à l'archange **saint Michel** qui apparaissait toujours aux hommes dans les lieux élevés, ce qui explique la position dominante de ses statues ou de ses sanctuaires.
Fondée au 7ᵉ s. par Ansoald, évêque de Poitiers, elle connut une période de prospérité jusqu'au 9ᵉ s. où elle fut dévastée par les Normands. Les guerres anglaises des 14ᵉ et 15ᵉ s., les guerres de Religion du 16ᵉ s., la Révolution lui portèrent de rudes coups. Reconstruite à chaque fois, elle le fut partiellement pour la dernière fois à la fin du 17ᵉ s. par l'architecte François Leduc.
On parcourt la salle capitulaire gothique, encore entourée du banc de pierre des moines, le chauffoir, gothique lui aussi, dont les voûtes n'ont gardé que leurs nervures, le réfectoire et le bâtiment des moines, refaits par Leduc au 17ᵉ s.

ST-PHILBERT-DE-GRAND-LIEU 5 159 h. (les Philibertins)

Carte Michelin n° **67** pli 3 ou **232** plis 27, 28.

Son abbatiale est l'une des plus anciennes de France.
Au Nord, le lac de Grand-Lieu *(p. 109)* attire les pêcheurs ainsi que les amateurs de solitude.

La légende de saint Philbert. — Philbert, ou Philibert, un Gascon né vers 616 à Eauze, fonda plusieurs abbayes dans l'Ouest de la France, notamment à Jumièges près de Rouen, à Déas (St-Philbert-de-Grand-Lieu), à Noirmoutier où il mourut en 685.

Sa dépouille connut lors des invasions normandes maintes tribulations. Le sarcophage qui la contenait fut d'abord transféré à St-Philbert-de-Grand-Lieu (836) puis la dépouille seule, enfermée dans un sac de cuir, fut évacuée à Cunault, en Anjou, en 858. De là son exode se poursuivit par Messais, en Poitou (862), puis par St-Pourçain, en Bourbonnais. L'odyssée se termina à Tournus où le corps se trouve toujours.

CURIOSITÉS

Abbatiale St-Philbert. — Sa construction remonte au 9e s. Utilisée comme dépôt sous la Révolution, elle fut quelque peu dénaturée en 1870 : c'est ainsi qu'on n'hésita pas à araser les murs, les abaissant de plus de 3 m. Les travaux entrepris depuis ont au contraire amélioré la présentation de l'édifice qui a été rendu au culte en 1936. L'aménagement des abords permet de mieux apprécier l'architecture de ce monument. En été, festival de musique et expositions.

Intérieur. — La nef frappe dès l'abord par son austère majesté. Ses puissants piliers dépourvus de décor et l'alternance de briques et pierres à la romaine mettent tout de suite dans l'ambiance carolingienne ou, pour certaines parties, au moins préromane. De-ci, de-là, on remarquera des pierres romaines en réemploi et, sur les murs latéraux, la ligne blanche de chaux marquant le niveau du sol avant déblaiement. Le chœur ne dément pas la première impression. On y voit une intéressante crypte en forme de « confession » avec des ouvertures permettant aux fidèles de regarder le sarcophage en marbre du 7e s. qui contenait jusqu'en 858 le corps de saint Philbert.

Maison du Lac ⊘ **.** — *Accès par l'office de tourisme.* Ce musée ornithologique, de conception remarquable, est consacré aux 225 espèces d'oiseaux nicheurs ou de passage qui hantent le lac de Grand-Lieu. L'ensemble est complété par un montage audio-visuel présentant la faune et la flore du lac, et par la transmission en vidéo d'une prise de vue en direct de la réserve.

Créez vos propres itinéraires
à l'aide de la carte des principales curiosités et régions touristiques.

★★ ST-SAVIN 1 089 h. (les St-Savinois)

Carte Michelin n° **68** pli 15 ou **233** pli 10.

Bâtie sur la rive gauche de la Gartempe, St-Savin possède une abbaye dont l'église romane est ornée de peintures murales de la même époque, qui constituent l'ensemble le plus beau et le plus complet conservé en France.

UN PEU D'HISTOIRE

La part de la légende. — Vers le milieu du 5e s., en Macédoine, deux frères, Savin et Cyprien, comparaissent devant le proconsul Ladicius pour avoir refusé d'adorer des idoles. Condamnés à mort, les supplices les laissent insensibles. Emprisonnés, ils s'échappent et partent pour les Gaules. Leurs bourreaux les rejoignent sur les rives de la Gartempe où ils les décapitent. Savin est inhumé par des prêtres sur une hauteur appelée alors le mont des Trois Cyprès, non loin de la ville actuelle.

Les étapes de la construction. — Près de ce lieu sacré, au 9e s., est élevée la première abbatiale placée sous le vocable du martyr. Louis le Débonnaire y installe vingt bénédictins et les place, dit-on, sous la tutelle de Benoît d'Aniane. Protégée par une ligne de fortifications, l'abbaye n'en est pas moins pillée par les Normands en 878. La reconstruction ne tarde à commencer qu'au 11e s. et, grâce à des moyens très importants, allait être menée à bien en un temps relativement bref. La décoration peinte, qui recouvrait complètement l'intérieur de l'édifice, est exécutée au fur et à mesure de l'avancement des travaux.

Déclin et renouveau. — La guerre de Cent Ans met un terme à la prospérité de l'abbaye qui est l'enjeu de violents combats entre les soldats du roi de France et ceux du Prince Noir. Au 16e s., les guerres de Religion voient catholiques et huguenots se disputer sa possession. Elle est dévastée en 1562 et 1568 par les huguenots qui brûlent les stalles, les orgues et la charpente, et pillée 6 ans après par l'armée royale.

Plus tard, commence la démolition de la plupart des bâtiments, dont l'entretien était trop onéreux. De 1611 à 1635 enfin, un aventurier qui se faisait appeler le baron des Francs se retranche dans l'église comme dans une place forte. L'arrivée, en 1640, de religieux de la congrégation de Saint-Maur met un terme aux profanations dont l'abbaye avait été l'objet depuis trois siècles.

Mais si les moines sauvent les bâtiments d'une ruine complète, la décoration peinte a souffert des diverses restaurations entreprises.

En 1836, Mérimée fait classer l'église monument historique et entreprend d'importants travaux de restauration qui se poursuivent pendant près d'un siècle.

C'est un ingénieur de St-Savin, Léon Edoux, qui, en 1867, inventa l'élévateur hydraulique et l'expérimenta dans le logis abbatial. Il lui donna le nom d'« ascenseur ».

★★ ABBAYE ⓥ *visite : 1 h*

Commencer la visite par les bâtiments abbatiaux où se trouve un service d'accueil.

★ **Bâtiments abbatiaux.** — Reconstruits au 17ᵉ s. dans le prolongement du bras du transept de l'abbatiale, ils ont été restaurés.

L'ancien **réfectoire**, à droite de l'entrée, abrite des expositions d'art mural contemporain organisées par le CIAM (Centre International d'Art Mural) qui siège dans l'abbaye.

A gauche, dans la **salle capitulaire**, des reproductions photographiques évoquent la crypte de l'abbatiale *(temporairement fermée).*

Du jardin, en bordure de la Gartempe, jolie vue sur l'élégante façade postérieure des bâtiments abbatiaux, entre le logis abbatial (à gauche), d'origine médiévale, remanié aux 17ᵉ et 19ᵉ s., et le chevet de l'abbatiale où s'étagent clocher, abside et absidioles.

★★ **Abbatiale.** — Elle allie l'harmonie et la sobriété et frappe par l'ampleur de ses dimensions : longueur totale 76 m, longueur du transept 31 m, hauteur de la flèche 77 m.

Pour en avoir une **vue**★ d'ensemble, traverser la Gartempe. A gauche, s'allongent les bâtiments abbatiaux, tandis que, dominant l'abside et ses absidioles et le clocher trapu, se dresse l'élégant clocher-porche, terminé par une flèche à crochets, cantonnée de clochetons. A droite, on remarque le **Vieux Pont** à avant-becs, ouvrage des 13ᵉ et 14ᵉ s.

A l'intérieur de l'abbatiale, remarquer les **chapiteaux** de la nef : ceux ornés de feuillages et parfois d'animaux faisant saillie sur la pierre profondément ciselée; ceux du chœur, décorés de feuilles d'acanthe et de lions.

★★★ **Les peintures murales.** — Certaines peintures ont été détruites au cours des dévastations subies par l'abbaye, d'autres ont été altérées par le badigeon dont les bénédictins les recouvrirent ou même lors des premières phases des travaux de restauration.

Contrairement à la plupart des fresques exécutées à partir d'un canevas, les peintures de St-Savin ont été dessinées directement sur le mur, par un procédé intermédiaire entre la fresque et la détrempe, les couleurs appliquées sur un mortier déjà ancien ne pénétrant que dans la couche superficielle de cet enduit et ne formant qu'une très légère pellicule.

St-Savin. — Peinture de la nef : La vocation d'Abraham.

Peu nombreuses, les couleurs employées se réduisent à l'ocre jaune, à l'ocre rouge et au vert, mélangés au noir et au blanc.

L'ensemble présente généralement une grande douceur de tons, mais reste très lumineux grâce à des jeux de contrastes : une vie intense anime les différents personnages, les pieds entrecroisés indiquent le mouvement, les vêtements moulent les formes, les mains souvent d'une longueur disproportionnée sont très expressives.

On retrouve cette allure dansante constatée dans la sculpture romane. Les visages sont dessinés à grands traits, des taches rouges et blanches soulignant les joues, les narines et le menton.

Dans le **narthex**, les diverses scènes représentent des épisodes de l'Apocalypse : Christ en gloire de la Jérusalem céleste, combat de l'Archange et de la Bête, la Jérusalem nouvelle, le Fléau des sauterelles. La prédominance des tons très pâles (vert, ocre jaune, ocre rouge) permet une meilleure lecture de ces peintures, le porche étant placé dans une demi-obscurité.

La **nef** est la pièce maîtresse de l'édifice, celle qui attire d'emblée tous les regards. Mises en valeur par l'admirable pureté de l'architecture, les peintures de la voûte se déroulent à plus de 16 m de hauteur, sur une superficie de 412 m² ; elles ont fait l'objet de délicats travaux de restauration. Ce qui frappe tout d'abord, c'est la tonalité fondue, beige et rose, des colonnes supportant la voûte. Sur cette dernière se succèdent les scènes fameuses inspirées de la Genèse et de l'Exode, placées sur deux registres, de part et d'autre de la ligne faîtière, qui forme un bandeau décoratif. Au revers de la porte d'entrée est représenté le Triomphe de la Vierge.

On distingue deux parties dans la nef. Les trois premières travées composant la première partie de la nef sont séparées par des doubleaux, alors que le reste de la voûte constitue un berceau continu facilitant la décoration picturale : l'artiste a, toutefois, dessiné un faux doubleau entre la 5ᵉ et la 6ᵉ travée.

Se placer dans le bas-côté droit pour voir les fresques de la partie gauche de la voûte. On reconnaît successivement les scènes suivantes :

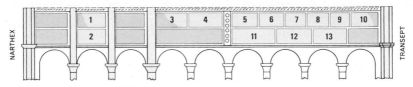

1) Création des astres (Dieu place la Lune et le Soleil dans le firmament).

2) Création de la femme - Dieu présente Ève à Adam - Ève et le serpent.

3) Ève assise file sa quenouille.

4) Offrandes de Caïn et d'Abel (Abel, élu de Dieu, est seul nimbé).

5) Meurtre d'Abel - Malédiction de Caïn.

6) Énoch, les bras levés vers le ciel, invoque Dieu - Dieu annonce le déluge à Noé et l'invite à construire l'arche.

7) L'arche de Noé pendant le déluge.

8) Dieu bénit la famille de Noé sortant de l'arche (image illustrant le «Beau Dieu» de St-Savin).

9) Noé sacrifie un couple d'oiseaux et un agneau pour remercier Dieu.

10) Noé cultive la vigne. Avant de poursuivre l'histoire de Noé sur la partie droite de la voûte, voir le registre inférieur illustrant la fin de l'Exode et contant la vie de Moïse.

11) Passage de la mer Rouge : les flots engloutissent la cavalerie égyptienne et le char de Pharaon.

12) L'ange de Dieu et la colonne de feu séparent les Égyptiens des Hébreux et protègent ces derniers qui marchent en rangs serrés, conduits par Moïse.

13) Moïse reçoit de Dieu les Tables de la Loi.

Traverser la croisée du transept et se placer au début du bas-côté gauche pour voir les fresques de la partie droite de la voûte.

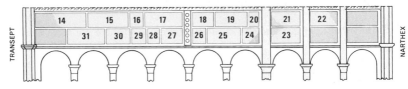

14) Noé s'enivre en dansant, une coupe à la main.

15) Ivresse de Noé : étendu, il dort, sa robe entrouverte ; Cham se moque de son père, tandis que ses frères Sem et Japhet apportent une couverture pour le couvrir.

16) Noé maudit Chanaan, devant Sem et Japhet.

17) Construction de la tour de Babel.

18) La vocation d'Abraham *(voir illustration)*.

19) Séparation d'Abraham et de Loth.

20) Annonce du combat des rois et appel au secours de Loth à Abraham.

21) «Le Combat des rois» *(déposée)*.

22) Rencontre d'Abraham et de Melchisedech,

roi de Salem et prêtre du Très-Haut, qui lui apporte le pain et le vin *(déposée)*.

23) Mort d'Abraham.

24) Isaac bénit son fils Jacob.

25) Joseph vendu par ses frères.

26) Joseph acheté par Putiphar, officier de Pharaon.

27) Joseph, Putiphar et sa femme (Tentation de Joseph).

28) Joseph en prison.

29) Joseph explique le songe de Pharaon.

30) Pharaon passe son anneau au doigt de Joseph et fait de lui son intendant.

31) Triomphe de Joseph.

Crypte. — *Temporairement fermée ; on ne visite pas.*

ENVIRONS

Vallée de la Gartempe. — *18 km — environ 2 h.* Tout le long du parcours, la Gartempe est jalonnée d'édifices religieux ou civils ornés de peintures murales qui justifient ce nom de «vallée des fresques» qu'on lui a parfois donné.
La technique utilisée à Jouhet et à Antigny, qui s'inspire par certains côtés de celle que l'on trouve à Montmorillon et à St-Savin, et la parenté des sujets traités permettent d'affirmer que ces peintures ont été exécutées à la même époque (fin du 15ᵉ s.).

Antigny. — 607 h. L'**église** du 12ᵉ s., coiffée d'un petit clocher que surmonte une flèche à crochets, abrite, à droite du chœur, une chapelle seigneuriale dont la voûte en berceau est ornée de peintures murales d'une facture naïve ; ces peintures du 16ᵉ s., où dominent les tons jaunes et ocre, représentent des scènes de la Passion.
Sous le porche couvert à droite de l'église : restes de sarcophages ; sur la vaste place triangulaire située devant l'église : lanterne des morts.

Jouhet. — 476 h. Ce petit bourg possède, non loin de l'église paroissiale *(près du pont, face au monument aux morts)*, une **chapelle** funéraire ornée d'intéressantes peintures murales.
Les **fresques**★, exécutées au 15ᵉ s., sont d'une facture souvent naïve. Le Christ en majesté, entouré des symboles des évangélistes, occupe la partie supérieure de la voûte, au-dessus de l'autel. On reconnaît, sur la voûte, à gauche la Création, la Tentation d'Adam et Ève, la légende des trois Morts et des trois Vifs ; à droite, l'Annonciation, la Nativité, l'Annonce aux bergers, l'Adoration des Mages, le Jugement dernier.

ST-VINCENT-SUR-JARD
658 h. (les Vincentais)

Carte Michelin n° 67 pli 11 ou 233 pli 2 — 9 km au Sud-Est de Talmont-St-Hilaire.

St-Vincent, station balnéaire de la côte vendéenne, évoque surtout la silhouette ramassée de **Georges Clemenceau** (1841-1929) qui y passa les dernières années de sa vie tumultueuse.

Né en 1841 à Mouilleron-en-Pareds *(p. 96)*, il est issu d'une famille de la bourgeoisie vendéenne de tradition républicaine. Après des études de médecine, il séjourne aux États-Unis et se lance véritablement dans la carrière politique à son retour en France en 1869. Maire de Montmartre en 1870, il est élu député à l'Assemblée nationale un an plus tard, où il siège à l'extrême gauche. Tombeur de ministères, il multiplie les mots (ses coups de griffe ne lui valent-ils pas son surnom de « Tigre » ?) et les duels et prend vigoureusement le parti de Dreyfus en 1898.

Ministre de l'Intérieur en 1906, président du Conseil la même année, il se lance dans une active politique de réformes, mais il est renversé en 1909 par les radicaux qui lui reprochent son intransigeance et la dure répression des grèves du Midi. Désormais dans l'opposition, il fonde un journal, L'Homme enchaîné, qui combat systématiquement tous les gouvernements jusqu'en 1917, date à laquelle il est rappelé à la présidence du Conseil. De nouveau à la tête du pays, il visite le front, mobilise l'énergie des civils et des militaires et soutient le moral des troupes. Très vite, le Tigre, devenu le Père la Victoire, jouit d'une très grande popularité et incarne dès lors, pour toute une génération, l'histoire même de la France. Président de la conférence de la paix en 1919, Clemenceau démissionne de la présidence du Conseil en 1920 et quitte la scène politique. Il se retire à St-Vincent-sur-Jard, où, entre de nombreux voyages à l'étranger, il se consacre à l'écriture, après un demi-siècle de présence politique.

MAISON DE CLEMENCEAU ⊙ *visite : 1/2 h*

Elle se trouve à peu de distance du bourg, à l'extrémité de la D 19^A.

Face à l'océan et à l'île de Ré, cette maison occupe un site empreint de grandeur où se complaisait l'âme farouche et tourmentée du vieux tribun. Basse, très vendéenne d'aspect, elle a été conservée telle qu'elle était à la mort du « Tigre ».

Dans le jardin, orné d'un buste très expressif de Clemenceau *(illustration p. 20)*, fleurissent les roses qu'il aimait.

On visite le kiosque à toit de chaume, le salon, la chambre qui servait aussi de cabinet de travail, la cuisine-salle à manger où figure un arrosoir de cuivre battu ayant appartenu à Marie-Antoinette.

La promenade à travers les pièces est jalonnée de souvenirs du Père la Victoire : le célèbre bonnet de police, la table de travail avec le nécessaire de bureau garni de plumes d'oie, les armes de duel, le fauteuil vendéen, la bibliothèque de campagne...

ENVIRONS

Abbaye N.-D.-de-Lieu-Dieu ⊙. *— 5 km à l'Ouest.* Entre les marais de Talmont et la pinède littorale de Jard, s'élève la masse imposante de l'ancienne abbaye de Lieu-Dieu. Fondée en 1190 par Richard Cœur de Lion, elle fut transférée ici par ce dernier. Pillée et mise à sac durant la guerre de Cent Ans, ruinée par les protestants au 16e s., elle est reconstruite au 17e s. par les moines Prémontrés qui édifient l'étage aux échauguettes d'angle octogonales. Mais à la fin de ce siècle, l'abbaye est complètement abandonnée. Aujourd'hui, la salle capitulaire des 12e et 14e s. a conservé de belles voûtes Plantagenêt et s'ouvre sur un jardin tracé à l'emplacement de l'ancien cloître.

Les mégalithes du Talmondais. *— 22 km au Nord-Est.*
Son abondance en dolmens et menhirs fait du Talmondais la région de Vendée la plus riche en mégalithes.

St-Hilaire-la-Forêt. *—* 363 h. Le **CAIRN** (Centre archéologique d'initiation et de recherche sur le néolithique) ⊙ *(accès par la D 70)* permet une approche de la période du néolithique au cours de laquelle ont été érigés les mégalithes.

Des panneaux explicatifs informent sur cette civilisation dont de belles photographies montrent les principaux témoignages dans l'Ouest de la France.

Deux diaporamas, l'un sur les mégalithes du Talmondais *(carte lumineuse)*, l'autre sur ceux du monde entier, complètent cette évocation.

A l'extérieur, en saison, ont lieu des démonstrations de techniques préhistoriques : construction d'un dolmen, usage du polissoir, etc. Quelques plantes dont la culture est attestée à l'époque néolithique ont été semées.

On peut louer des bicyclettes pour aller à la découverte des mégalithes des environs *(circuit fléché).*

> *Par Longeville, gagner Le Bernard et prendre la D 91. A un calvaire, tourner à gauche.*

On remarque, au passage, à droite, les trois **dolmens de Savatole** *(panneau explicatif).*

Dolmen de la Frébouchère. — De type « angevin », cet imposant monument de granit possède un portique précédant une chambre rectangulaire. La dalle unique (aujourd'hui fracturée) qui couvre celle-ci pèse environ 80 tonnes.

Avrillé. — 1 004 h. Dans le parc municipal, derrière la mairie, s'élève le **menhir du camp de César.** Seul rescapé d'un groupe de pierres dressées, c'est le plus haut menhir de Vendée et l'un des plus grands de France : 7 m au-dessus du sol.

Château de la Guignardière ⊙. — *1 km à l'Ouest d'Avrillé.* Édifié en 1538 par Girard, panetier de François Ier, le château resta inachevé, son propriétaire ayant été assassiné.

Il présente sur le parc une façade Renaissance à chaînages de granit, percée de grandes fenêtres à meneaux doubles et surmontée de hautes cheminées de brique. Quelques modifications, dans le même style, ont été apportées au 18e s.

A l'intérieur, il faut remarquer : les monumentales cheminées en granit, un bel escalier, en granit également, de type intermédiaire entre l'escalier à vis et l'escalier à palier, les combles avec leur maginifique charpente à trois niveaux en bois de châtaignier, enfin les caves voûtées.

Un circuit fléché fait découvrir, dans le parc, les étangs avec leurs cyprès chauves à racines aériennes, le moulin et, disséminés dans le bois de Fourgon, trois groupes de menhirs, vestiges d'anciens alignements, le plus haut de ces mégalithes atteignant environ 6 m.

★★ SAINTES
25 874 h. (les Saintais ou Santons)

Carte Michelin n° **171** pli 4 ou **233** pli 27 — Schéma p. 55 et p. 165. Plan d'agglomération dans le guide Rouge Michelin France.

A qui la traverse en hâte par la percée de l'avenue Gambetta et des cours National et Lemercier, commerçants, animés, ombragés de platanes, Saintes montre le visage d'une cité souriante et aérée. Mais à qui la visite, elle offre d'attachantes découvertes, ses monuments illustrant tous les âges depuis les Romains. A partir du pont, on pourra flâner agréablement le long de la Charente jusqu'au jardin public et au-delà.

UN PEU D'HISTOIRE

La croissance. – « Mediolanum Santonum », capitale des Santons sous la domination romaine, s'étendait sur la colline bordant la rive gauche de la Charente que franchissait un pont sur lequel était érigé l'arc de Germanicus. Le poète latin Ausone y mourut dans sa villa de Pagus Noverus, alors même que saint Eutrope commençait à prêcher l'Évangile. A l'époque médiévale, sous les Plantagenêts, la ville se couvre de monuments religieux : sur son pont défilent les pèlerins de St-Jacques-de-Compostelle *(voir p. 30).* Deux faubourgs, issus d'établissements ecclésiastiques, l'escortent : celui de St-Eutrope et, sur la rive droite de la Charente, celui des Dames.

Jusqu'à la Révolution, qui fait de Saintes le chef-lieu de la Charente-Inférieure mais lui retire son évêché, nobles et robins élèvent maints hôtels cossus, où l'on observe l'évolution de l'architecture classique. Le 18e s. fait aussi œuvre d'urbanisme en aménageant les cours tangents à la vieille ville, sur l'emplacement des remparts. Enfin, au 19e s., le cours National, axe de la ville moderne, se borde d'édifices néo-classiques parmi lesquels, face à face, le palais de justice et le théâtre.

Un obstiné. – **Bernard Palissy** (1510-1590), installé à Saintes comme arpenteur vers 1539, choisit bientôt de se consacrer à l'art de la céramique : il avait son atelier près des remparts. Là, « Maistre Bernard, ouvrier de terre et inventeur des rustiques figulines du Roy », peina dans le dénuement avant de découvrir le secret de l'émail : ne dit-on pas qu'il fut obligé de brûler ses meubles et son plancher pour entretenir le feu de son four?

Un philanthrope. – A son corps défendant..., **Joseph Ignace Guillotin** (1738-1814), médecin de Saintes, a laissé son nom à la guillotine. Souhaitant l'égalité de tous devant la mort (la décapitation étant jusque-là réservée aux nobles) et désireux d'éviter aux condamnés des souffrances inutiles, Guillotin proposa en 1789 à l'Assemblée nationale l'usage d'une machine à décapiter à action rapide.

Bien qu'elle ne fût mise au point, grâce au docteur Louis, qu'en 1792, celle-ci fut nommée tout naturellement « guillotine », ce qui n'eut pas l'heur de plaire au docteur Guillotin.

ABBAYE AUX DAMES ⊙ (BZ) *visite : 1/2 h*

Consacrée en 1047 et placée sous le vocable de sainte Marie, elle dut sa prospérité à Agnès de Bourgogne, remariée à Geoffroy Martel, comte d'Anjou, maître de la Saintonge. Confiée à des religieuses bénédictines, l'abbaye fut dirigée par une abbesse portant le titre de « Madame de Saintes », choisie parmi les plus illustres familles de France. Chargée de l'éducation des jeunes filles nobles, l'abbaye compta parmi ses pensionnaires Athénaïs de Rochechouart, future marquise de Montespan. La Révolution et l'Empire entraînèrent le déclin de l'abbaye; transformée en caserne, et libérée après la Première Guerre mondiale, elle nécessita un important travail de restauration avant d'être rendue au culte.

★ **Église abbatiale.** – Elle est de style roman saintongeais. On la découvre en pénétrant dans la première cour de l'abbaye, par un porche de 18e s. Les bâtiments conventuels s'ordonnent autour de l'abbatiale, dont les éléments les plus remarquables sont la façade et le clocher.

La **façade** présente une disposition d'arcatures latérales aveugles, encadrant un **portail** central richement ornementé. Les voussures sculptées de ce portail figurent, de bas en haut : six anges adorant la main de Dieu; les symboles des évangélistes autour de l'Agneau; le supplice des martyrs, menacés d'une hache, du glaive ou du fouet; 54 vieillards couronnés se faisant vis-à-vis deux par deux et jouant de la musique.

La voussure de l'arcade latérale droite évoque la Cène, celle de gauche la présence divine d'un Christ auréolé face à cinq figures nimbées, à la signification incertaine. Remarquer les chapiteaux historiés (chevaliers, petits monstres) et, au pignon, les armes de Françoise Ire de La Rochefoucauld, abbesse de 1559 à 1606.

Le **clocher** *(illustration p. 29),* élevé à la croisée du transept, est caractérisé par un étage de plan carré décoré de trois arcades par face, que surmonte une assise octogonale accostée de pinacles, sur laquelle repose une rotonde percée de 12 baies géminées séparées par des colonnettes et coiffée d'un toit à écailles conique, légèrement renflé.

Intérieur. – Il a subi, dans la première moitié du 12e s., des transformations auxquelles on associe le nom de l'architecte Béranger (une inscription gravée sur le mur extérieur Nord situerait son œuvre avant 1150). Les croisées d'ogives sur les bras du transept et la chapelle gothique du bras Nord témoignent des apports du 15e s. La nef de deux travées, jalonnée de six gros piliers élevés au 12e s. en avant des murs du 11e s., est couverte de plafonds de bois posés en remplacement des deux anciennes coupoles sur pendentifs, incendiées en 1648. A l'entrée du transept, à droite, une console supporte une tête de Christ du 12e s.

Le carré du transept, porté par quatre gros piliers, est surmonté d'une coupole sur trompes. Dans le croisillon droit, s'inscrit la tribune des Infirmes.

Le chœur roman présente une voûte en berceau brisé, que prolonge une voûte en cul-de-four, légèrement en retrait.

Bâtiments conventuels. – La façade de ce long corps de logis du 17e s. a retrouvé la pureté originelle de ses lignes : deux étages percés d'étroites fenêtres que surmonte un comble rythmé par des lucarnes à frontons. A gauche, jouxtant trois travées rénovées de l'ancien cloître du 14e s., s'ouvre une belle porte du 17e s. à pilastres, dont les sculptures exubérantes contrastent avec la sévérité de la façade.

SAINTES

Alsace-Lorraine (R.)....	**AZ**	3	Blair (Pl.).............	**AZ**	9	Mestreau (R. F.)	**BZ**	38
Gambetta (Av.).......	**BZ**		Bois-d'Amour (R.)....	**AZ**	10	Monconseil (R.)......	**AZ**	39
National (Cours).......	**AZ**		Brunaud (R. A.)......	**AZ**	13	République		
			Clemenceau (R. G.)..	**AZ**	15	(Quai de la)......	**AZ**	41
Arc-de-Triomphe (R.)...	**BZ**	4	Denfert-			St-Eutrope (R.)......	**AZ**	42
Bassompierre (Pl.).....	**BZ**	5	Rochereau (R.).....	**BZ**	16	St-François (R.)......	**AZ**	43
Berthonnière (R.)......	**AZ**	7	Foch (Pl. Mar.)......	**AZ**	20	St-Macoult (R.).....	**AZ**	45
			Jacobins (R. des).....	**AZ**	25	St-Pierre (R.)........	**AZ**	46
			Lemercier (Cours)....	**AZ**	35	St-Vivien (Pl.).......	**AZ**	47
			Marne (Av. de la)....	**BZ**	37	Victor-Hugo (R.).....	**AZ**	49

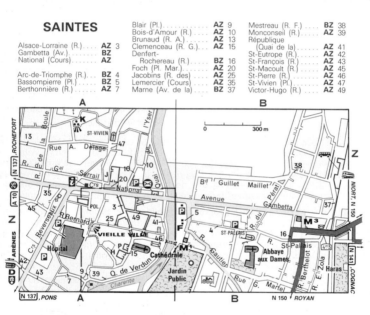

QUARTIER ANCIEN *visite : 1 h 1/2*

★**Arc de Germanicus** (BZ F). – Ce bel arc romain, à double arcade, se dressait, jusqu'en 1843, sur le pont principal de Saintes. Menacé de destruction quand le pont, d'origine romaine, commença à être démoli, il fut sauvé par l'intervention de Prosper Mérimée, inspecteur des Monuments historiques, et remonté sur la rive droite de la Charente.

Bâti en l'an 19 dans le calcaire du pays, ce n'était pas un arc de triomphe, mais un arc votif ; les inscriptions qu'il porte le dédiaient à Germanicus, à l'empereur Tibère et à son fils Drusus; on lit aussi le nom du donateur, Caius Julius Rufius. Au centre, les arêtes des trois piliers qui soutiennent la double arcade sont soulignées par des pilastres cannelés coiffés de chapiteaux corinthiens.

Musée Archéologique (BZ M¹) ⊘. – Il est installé dans les anciens abattoirs. Une allée bordée de colonnes doriques conduit au bâtiment principal qui renferme une intéressante collection lapidaire romaine : colonnes, chapiteaux, architraves, bas-reliefs, remarquablement sculptés, découverts lors de la démolition du mur du castrum gallo-romain.

Aux alentours du musée se disséminent d'autres vestiges romains.

★**Vieille ville.** – Autour de la cathédrale St-Pierre s'étend un quartier qui préserve le pouvoir évocateur du Vieux Saintes.

Cathédrale St-Pierre (CZ). – Elle a été édifiée sur les bases d'un édifice roman, dont il reste une coupole au bras Sud du transept. Sa construction, menée sous la direction successive de trois évêques de Saintes, membres de la famille de Rochechouart, date en majeure partie du 15e s. Elle subit, en 1568, de gros dommages causés par les calvinistes.

Le clocher massif, que ses énormes contreforts à ressauts alourdissent, n'a pu être achevé : un dôme de plomb à pans remplace la flèche qui devait le couronner. Ce clocher abrite un porche, dont le portail de style flamboyant est orné d'anges, de saints et de prophètes.

L'unité et la simplicité caractérisent l'architecture de l'intérieur. Cette impression est accentuée par les rais de lumière tombant dans l'édifice par les fenêtres hautes ou latérales, rendant plus blancs les murs de pierre. Les grands piliers ronds de la nef, comme les piliers gothiques du chœur, dépourvus d'ornementation, portent un mur supérieur nu et un plafond de bois apparent; seuls les bas-côtés sont voûtés de pierre.

La nef gothique et les collatéraux datent en presque totalité du 16e s., les grandes orgues des 16e et 17e s.

Dans le bras droit du transept, une porte ouvre sur l'ancien cloître des chanoines, du 13e s., dont subsistent deux galeries et les vestiges de la salle capitulaire.

La chapelle axiale, aux niches surmontées de dais très ouvragés, témoigne des ultimes recherches de la période flamboyante; les crédences sont déjà Renaissance. Dans une chapelle annexe, le **trésor** ⊙ renferme une collection de vases sacrés et d'ornements sacerdotaux.

> *Partir de la place du Marché, contiguë à St-Pierre, et suivre sur toute sa longueur la rue St-Michel jusqu'à la rue Victor-Hugo que l'on emprunte à gauche.*

La rue St-Michel offre une suite de belles demeures saintongeaises en pierres apparentes. La rue Victor-Hugo, ancienne Grande-Rue, emprunte le tracé de la voie antique qu'enjambait l'arc de Germanicus à l'entrée du pont sur la Charente.

Présidial (CZ M²). – *N° 2, rue Victor-Hugo. En retrait au fond d'un jardin.* Ancien hôtel du président Le Berthon (1605), il abrite le musée des Beaux-Arts *(voir Autres curiosités).* Il marque les débuts du style classique avec ses baies et ses lucarnes à frontons triangulaires.

> *Continuer la rue Victor-Hugo jusqu'à la rue Alsace-Lorraine que l'on prend à gauche. Dépasser la place de l'Échevinage.*

Ancien échevinage (CZ M⁴). – Au-delà d'un portail classique, il présente une façade du 18e s. contre laquelle est accolée une tourelle du 16e s. On y trouve le musée de l'Échevinage.

> *Revenir sur la place de l'Échevinage et prendre la rue du Dr-Mauny.*

Passer sous le porche à trois arcades, pour entrer dans la cour de l'hôtel Martineau.

Hôtel Martineau (CZ R). – Il renferme la bibliothèque municipale.

Chapelle des Jacobins (CZ N). – Elle est percée d'une baie flamboyante au dessin élégant.

> *Rue des Jacobins, on passe devant la façade arrière de l'hôtel Martineau.*

Square de Nivelles (CZ). – La porte d'entrée (17e s.) de l'ancien collège donne accès à ce square fleuri que bordent de beaux bâtiments municipaux.

AUTRES CURIOSITÉS

Église St-Eutrope ⊙ **(AZ D).** – Édifiée entre 1080 et 1090 par des moines clunisiens, l'église St-Eutrope fut un lieu de pèlerinage consacré à l'apôtre des Santons. Elle fut en outre une importante étape sur la route de St-Jacques-de-Compostelle. Cette double fonction explique l'originalité architecturale de ce sanctuaire, constitué à l'origine d'une nef unique et de deux chœurs superposés; cette disposition originale permettait à la fois d'accueillir les pèlerins et d'assurer la permanence du culte monastique.

Mutilé en 1803 par la destruction de la nef, l'édifice n'a conservé que le transept et l'ancien chœur roman (nef de l'église actuelle), aux remarquables **chapiteaux** historiés (Daniel dans la fosse aux lions, St-Michel et le pèsement des âmes...). La richesse de ces sculptures contraste avec la sobriété du chœur gothique qui a remplacé au 15e s. la chapelle absidiale primitive.

Le clocher, érigé au 15e s. grâce à la générosité de Louis XI qui avait une dévotion particulière pour « Monseigneur Saint Eutrope » à qui il attribuait la guérison de son hydropisie, doit son aspect élancé à sa flèche, haute de 65 m.

SAINTES
VIEILLE VILLE
0   100 m

★ **Église inférieure.** – Elle offre un contraste saisissant avec l'église haute. Faiblement éclairée par les collatéraux, cette église à demi enterrée reproduit à l'identique le plan de l'église haute. Elle est entièrement voûtée d'arêtes, avec d'épais doubleaux séparant les travées de la nef. Les chapiteaux s'ornent de motifs végétaux : palmettes, acanthes... Dans l'absidiole du croisillon Sud se trouve une imposante cuve baptismale monolithe. Le chœur abrite le sarcophage reliquaire (4e s.) de saint Eutrope, découvert en 1843, là où il avait été dissimulé durant les guerres de Religion.

Saintes. — Les arènes

★ **Arènes** (AZ). — *Accès par les rues St-Eutrope et Lacurie.* Un peu à l'écart de la cité, les arènes (en réalité un amphithéâtre) doivent une part de leur agrément et de leur pouvoir évocateur à la verdure qui a remplacé la plus grande partie des gradins. Élevées au début du 1er s., elles comptent parmi les plus anciennes du monde romain mais sont de dimensions moyennes : l'ellipse mesure, hors tout, 126 m de long sur 102 m de large (arènes de Nîmes : 136 m sur 100 m) tandis que l'arène proprement dite mesure 64 m sur 39 m. 20 000 spectateurs pouvaient y prendre place.

Dans une anfractuosité à mi-pente des gradins, côté Sud, sourd la petite fontaine Ste-Eustelle, à l'emplacement où fut décapitée une jeune disciple de saint Eutrope.

Quai de Verdun (CZ). — Le long du quai s'alignent les jardins suspendus de vieux hôtels des 17e-18e s. fiers de leurs ferronneries et de leurs balustres.

Musée Dupuy-Mestreau ⊙ (CZ M). — Installé dans l'ancien hôtel du marquis de Monconseil, bâti au 18e s., ce musée renferme d'importantes collections.

Dans la cour, remarquer un puits Renaissance et une berline de voyage de la fin du 18e s. Le vestibule est orné d'une cheminée en bois peint d'époque Louis XV et d'une collection d'enseignes régionales. L'escalier avec sa rampe de fer forgé est dominé par un beau plafond provenant du château de Romegoux.

Une salle conserve de rares boiseries Louis XIV provenant du château de Tonnay-Charente et attribuées à Bérain. Une autre salle renferme de nombreux souvenirs marins dont une figure de proue et un coffre de corsaire.

Plus loin, on admire un choix de coiffes saintongeaises et d'habits paysans. La salle des faïences contient près de 400 pièces d'origine régionale.

Une chambre du 18e s. a été reconstituée avec son lit « à la duchesse » et son armoire charentaise, tandis qu'une autre pièce reproduit la chambre-cuisine d'un intérieur charentais du milieu du 19e s. Ailleurs, on peut voir des armes du 13e s. trouvées dans la Charente, de rares habits brodés du 18e s., une collection de perlés et sablés.

Hôtel de la Bourse (CZ B). — Un magnifique portail sculpté annonce l'ancien hôtel de la Bourse (1771), occupé à l'origine par la juridiction consulaire.

Hôtel d'Argenson (CZ S). — Des pilastres ioniques rythment la façade de cet hôtel.

Hôpital (AZ). — Beau pavillon du 16e s. Vue sur les vieux quartiers.

★ **Musée des Beaux-Arts** (CZ M²) ⊙. — Aménagé dans un hôtel du 17e s., le Présidial *(p. 163)*, ancienne demeure du président du tribunal, ce musée est principalement consacré à la peinture du 15e au 18e s. Y figurent : les écoles flamande et hollandaise (Bruegel de Velours, Gilles Copignet, Floris Schooten, Marienhof, etc.), l'école française des 17e et 18e s. (G. Rigaud, E. Allegrain, F. de la Traverse...).

Une salle rassemble des céramiques saintongeaises du 14e au 19e s.

Musée de l'Échevinage (CZ M⁴) ⊙. — Installé dans l'ancien échevinage *(p. 163)*, il renferme des œuvres de peintres du 19e s. (orientalistes, néo-classiques, académiques, etc.) et une belle collection de porcelaines de Sèvres de 1890 à 1910. Le dernier étage présente un ensemble d'œuvres contemporaines représentatives des années 50.

Thermes St-Saloine (AZ K). — Le caldarium (salle chaude) en est la partie la mieux conservée. De ce site s'offre une belle vue sur la ville.

Jardin public (ABZ). — C'est l'ancien terrain de manœuvres. Transformé en jardin après le départ des militaires en 1924, il est décoré de vestiges romains. A son extrémité a été remontée une façade dans le goût du 18e s. et reconstituée une orangerie.

Musée éducatif de Préhistoire (BZ M³) ⊘. – La présentation commentée de ses tableaux synoptiques, schémas et outils (authentiques), permet de mieux connaître la vie des hommes de la préhistoire.

Dans le jardin, le visiteur s'arrêtera avec profit devant le polissoir de Grézac, immense pierre pesant plusieurs tonnes. L'homme préhistorique utilisait sable et eau comme abrasif afin de polir des outils; le polissage creusait des rainures encore nettement visibles sur la pierre.

Haras (BZ) ⊘. – Il abrite pur-sang anglais et anglo-arabes, demi-sang normands, trotteurs français, chevaux de trait bretons, au nombre d'une soixantaine.

EXCURSIONS

★ Circuit des églises romanes saintongeaises

75 km – environ 4 h. Quitter Saintes par l'Ouest (N 150 puis D 728).

Corme-Royal. -- *Page 67.*

Abbaye de Sablonceaux. – *Page 149.*

St-Romain-de-Benet. – 1 244 h. Dans le hameau de Pirelonge *(au Sud de la N 150),* le **musée des Alambics** ⊘, installé dans une distillerie, rassemble des alambics charentais (servant encore pour l'élaboration du cognac) et une série d'alambics ambulants utilisés naguère pour obtenir de l'alcool à partir de vin ou de fruits par les bouilleurs de cru dont les privilèges ont été progressivement réduits. Une collection d'alcoomètres est à signaler.

En été, les fêtes des Alambics qui se déroulent dans le hameau font revivre les traditions (tissage, dentelle, etc.).

A 500 m de la distillerie *(derrière la ligne de chemin de fer),* s'élève la **tour de Pirelonge,** construction romaine encore partiellement coiffée de pierres sculptées d'écailles. Située en bordure d'une voie romaine, elle servait peut-être de borne.

Meursac. – 922 h. Un chœur roman voûté en berceau brisé prolonge un édifice gothique dont les murs sont renforcés par de puissants contreforts. Dans le chœur des chapiteaux romans montrent des oiseaux becquetant des lions et un homme étranglant deux lions. Le retable et le tabernacle sont en bois sculpté et doré. Sous l'église, une crypte du 5ᵉ s. a été découverte en 1972; on y accède par un étroit escalier à vis situé près du chœur. Entièrement taillée dans le roc, la crypte révèle une grande salle coiffée d'une coupole.

Thaims. – 232 h. La modeste **église** romane a été élevée sur l'emplacement d'une villa gallo-romaine, dont on voit les murs s'élevant jusqu'à 2,50 m de hauteur, au pied Nord de la tour octogonale. Dans le jardin qui longe le côté Sud de l'église sont disposés des sarcophages mérovingiens. A l'intérieur de l'église, la croisée du transept montre des corniches mérovingiennes et des scènes gravées carolingiennes (Évasion de saint Pierre). L'avant-chœur sert de musée lapidaire : on y remarque deux vestiges de sculptures gallo-romaines, l'une en marbre à scène bachique, l'autre en pierre célébrant une divinité celtique, Épona.

Rétaud. – 805 h. L'**église**, du 12ᵉ s., est intéressante par sa façade à la frise très décorative, par son clocher octogonal à la croisée du transept et surtout par son abside à pans, richement sculptée : détailler les modillons façonnés de grotesques. A l'intérieur, voir les deux chapiteaux à l'entrée de l'abside, les colonnettes qui encadrent ses baies et une partie d'une litre funéraire.

Rioux. – *Page 129.*

La route passe en vue du château de Rioux, qui appartenait au Moyen Age à la famille des seigneurs de Didonne, vassaux des comtes de Poitou.

Chermignac. – 968 h. Près de l'église, dont les voussures du portail représentent des suites de personnages ou des animaux effrayants, se dresse une belle croix hosannière *(voir p. 29).*

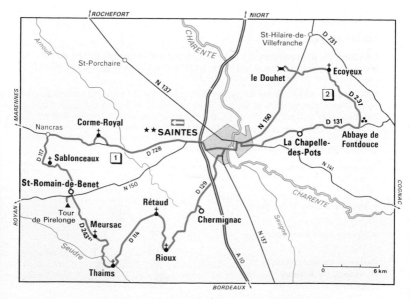

Abbaye de Fontdouce
Circuit de 39 km — environ 4 h. Quitter Saintes par la N 150 à l'Est.

Château du Douhet ⊙.— Ce château du 17ᵉ s. restauré, aux lignes sobres, bâti, croit-on, sur les plans de Hardouin-Mansart, occupe avec ses dépendances et son parc plus de 20 hectares.

Il ne faut pas manquer de faire le parcours extérieur *(1 h)*, du colombier Renaissance aux deux miroirs d'eau de l'esplanade Sud, élégants bassins carrés à balustres, toujours alimentés par l'aqueduc gallo-romain du 1ᵉʳ s., jadis pourvoyeur des thermes de Saintes. En chemin, on appréciera la fraîcheur du **bois de buis★** centenaire. De la terrasse qui borde le bois et domine les pièces d'eau, belle perspective sur celles-ci et la majestueuse façade Sud du château.

A l'intérieur du château *(accès par le perron de la façade Sud)*, dont les aménagements d'époque n'ont pu être qu'en partie préservés, l'intérêt se portera surtout sur le curieux salon dit de la Lanterne, aux boiseries du 17ᵉ s. Dans l'aile droite a été aménagé un musée folklorique avec reconstitution d'un intérieur bourgeois saintongeais de la première moitié du 19ᵉ s. et présentation de collections minéralogique, préhistorique et gallo-romaine.

Écoyeux.— 804 h. Imposante église du 12ᵉ s., fortifiée au 15ᵉ s., ainsi qu'en témoignent les deux échauguettes qui encadrent sa façade.

Abbaye de Fontdouce ⊙.— Les huguenots ruinèrent cette prospère abbaye bénédictine nichée dans un vallon encaissé abrité de futaies centenaires. Seuls ont échappé quelques bâtiments conventuels : le cellier du 12ᵉ s., le chauffoir orné d'un campanile au 16ᵉ s., le bâtiment principal des 12ᵉ et 13ᵉ s., auquel le 19ᵉ s. a adjoint une maison de maîtres charentaise. Au rez-de-chaussée on visite le parloir, les deux chapelles romanes superposées et surtout la magnifique **salle capitulaire★** composée de douze travées à voûtes d'ogives reposant sur une forêt de piliers; détailler les admirables clefs de voûte sculptées, parmi lesquelles le curieux visage tricéphale à quatre yeux, symbolisant probablement la Trinité. Pour évoquer l'abbatiale disparue, il reste quelques vestiges de colonnes et une massive base de pilier qui se trouvait à la croisée du transept.

La Chapelle-des-Pots. — 890 h. Dans ce bourg se perpétue l'artisanat de la céramique dont l'origine remonte au 13ᵉ s.

★**Vallée de la Charente** *Page 53.*

SANXAY
630 h. (les Sanxéens)

Carte Michelin n° 🕮 pli 12 ou 🕮 pli 7.

Le charmant bourg de Sanxay est agréablement situé au-dessus d'un méandre de la Vonne franchie par un pont du 15ᵉ s.

Ruines gallo-romaines ⊙. — *1 km à l'Ouest*. Il s'agit d'un sanctuaire païen et de ses annexes, du 2ᵉ s. après J.-C.; l'affluence des pèlerins devait être grande à en juger par les dimensions des édifices mis au jour.

En descendant vers la rivière, on rencontre d'abord le **théâtre,** dont les gradins, adossés au coteau, pouvaient recevoir, croit-on, près de 10 000 spectateurs.

La Vonne franchie, les **thermes** apparaissent, protégés par un hangar. Ils ont encore des murs de 3 à 4 m de haut et on distingue fort bien les emplacements des trois salles principales : frigidarium (bains froids), tepidarium (bains tièdes), caldarium (bains chauds). Les conduites d'eau et les fours de chauffe ont été conservés.

Poursuivre enfin tout droit le chemin conduisant à ce qui était autrefois la façade du **temple.** De celui-ci, long de 75 m, il reste seulement les bases mais on discerne parfaitement, au centre, l'emplacement de la « cella » où se trouvait l'effigie du dieu.

ENVIRONS

Château de Marconnay ⊙. — *3 km au Nord*. Bel ensemble fortifié du 15ᵉ s., avec enceinte baignée de douves, poterne, pont-levis et logis seigneurial probablement construit dans la seconde moitié du 17ᵉ s.

Ménigoute. — 899 h. *5 km à l'Ouest*. Ménigoute, sur la Vonne, est située au contact de la Gâtine parthenaise et de la Plaine. Au 16ᵉ s., le bourg est doté d'une croix hosannière et surtout *(place des Cloîtres)* de la charmante **chapelle Boucard** ⊙, du nom du chanoine qui la fit bâtir, flamboyante, ouvragée et fouillée comme une châsse. Des contreforts creusés de niches et surmontés de pinacles à crochets d'un grand effet décoratif garnissent son pourtour.

*Participez à notre effort permanent
de mise à jour.*

*Adressez-nous vos remarques
et vos suggestions :*

**Cartes et Guides Michelin
46, avenue de Breteuil
75324 PARIS CEDEX 07**

SCORBÉ-CLAIRVAUX 2 110 h. (les Scorbésiens ou Clairvoyant)

Carte Michelin n° 68 pli 4 ou 232 pli 47.

Au nom de Scorbé, bourg remontant à l'époque romaine, s'est adjoint celui de Clairvaux, désignant une seigneurie connue depuis le 11e s.

CURIOSITÉS

Château de Clairvaux ⊙. – Au-delà d'une vaste cour d'honneur, le château, entouré de douves en eau, se dissimule derrière un gracieux châtelet d'entrée, à balustrade de pierre ajourée (17e s.).
Quittant son château féodal du Haut-Clairvaux où se dressent encore les ruines d'un donjon et d'une chapelle, le seigneur de Chabot se fit construire ici au 15e s. un logis Renaissance en équerre, flanqué d'une tour ronde décorée à l'arrière d'une fenêtre richement sculptée. Au 18e s., y fut accolé le corps de logis qui constitue l'harmonieuse façade actuelle, à avant-corps central surmonté d'un fronton.
On visite, dans la partie la plus ancienne, la cuisine, couverte d'une belle voûte gothique, la salle de garde conservant des fresques du 16e s. représentant des combats de chevaliers et les élégantes salles de la tour d'angle où est installé le **musée international du Jeu d'échecs :** riche collection d'échiquiers du monde entier, garnis de figurines pittoresques exécutées dans des matières parfois précieuses (jade, ivoire).
On pénètre également dans le pigeonnier à toit de pierre avec lanternon : remarquer les 1 800 cases et la grande échelle tournante.

Halles. – Sur la place du champ de foire, devant le château, elles conservent leur charpente qui daterait du 12e s.

Estuaire de la SEUDRE

Carte Michelin n° 171 plis 14-15 ou 233 plis 14 et 25.

L'estuaire de la Seudre, petit fleuve côtier, fait partie du bassin ostréicole de Marennes-Oléron : ses anciens marais salants ont en effet été convertis en parcs à huîtres et en claires (p. 17) que des chenaux alimentent en eau de mer.
L'estuaire, avec son quadrillage de parcs à huîtres, ses chenaux où s'alignent bateaux et cabanes des ostréiculteurs, et les marais qui l'environnent, compose un paysage très particulier.
Le **chemin de fer touristique de la Seudre** ⊙ relie Saujon à La Tremblade.

Circuit au départ de Saujon
80 km – environ 1 journée

Saujon. – 4 871 h. Petite ville thermale située sur la Seudre. L'église renferme *(dans la nef à gauche)* quatre **chapiteaux★** romans, d'une rare finesse d'exécution, qui proviennent de l'église de l'ancien prieuré St-Martin. Ils représentent, en haut à gauche, Daniel dans la fosse aux lions ; à droite, les Saintes Femmes au tombeau ; en bas à gauche, le pèsement des âmes, à droite, le transport d'un gros poisson (saumon ?).

Le Gua. – 1 689 h. Le **musée Historique 39-45 « La Poche de Royan »★** ⊙ *(à 1 km du Gua – prononcer « Ga » – route de Marennes)* retrace cet épisode de la Seconde Guerre mondiale *(voir p. 144).*
Des mannequins mis en scène avec armes et véhicules *(en état de marche),* dans des décors reconstitués, évoquent : les troupes allemandes dans la forêt de la Coubre, les troupes américaine (13e brigade d'artillerie) et française, la résistance (poste émetteur-récepteur clandestin, sabotage d'une voie de chemin de fer, parachutage de nuit). Remarquer l'engin Goliath, petit char explosif télécommandé. De nombreuses photos et affiches de l'époque, des vitrines contenant divers documents (journaux, etc.) et objets (pièces d'uniformes, etc.) complètent le musée.
A l'extérieur a été placée une péniche de débarquement (île d'Oléron, 1945).

Cadeuil. – Dans le **Village des Oiseaux** ⊙ *(route de Saintes),* un circuit fléché permet de découvrir, sur 3 ha, une succession d'enclos, de volières et de bassins où évoluent des centaines d'espèces ornithologiques de tous les continents, souvent parées de plumages multicolores. On peut voir aussi bien l'émeu, le plus grand oiseau du monde après l'autruche, que le bec-de-corail, qui ne mesure que 10 cm de long...

La Gripperie-St-Symphorien. – Une haute tour ronde domine l'église romane de St-Symphorien. Les voussures du portail montrent de fines sculptures : palmettes, chimères à corps d'oiseaux, personnages.

Donjon de Broue. – Ce donjon carré du 12e s., à demi en ruine, se dresse à l'extrémité d'un promontoire; jolie vue sur le marais.

St-Sornin. – 322 h. Son église romane présente une coupole octogonale sur trompes couvrant le carré du transept. Plusieurs chapiteaux sont historiés : Vierge à l'Enfant, personnages impudiques. Lors de la restauration de l'église, on a découvert, dans le chœur, des fresques de style un peu naïf réalisées pendant la période classique.

St-Just-Luzac. – 1 432 h. L'église présente une belle façade flamboyante. A proximité, un musée de trains miniatures et jouets anciens, **Atlantrain** ⊙, rassemble une importante collection de locomotives, tramways, wagons, de fabrication française et étrangère.

La traversée du **viaduc de la Seudre** qui relie Marennes à la presqu'île d'Arvert offre des **vues** intéressantes, à gauche, sur les innombrables parcs à huîtres et claires qui ont colonisé l'estuaire de la Seudre.

Ronce-les-Bains. — Paisible villégiature, aux villas petites mais coquettes, à l'ombre des pins. Vues sur la pointe du Chapus, le pertuis de Maumusson, Oléron.

La Tremblade. — 4 623 h. Centre ostréicole important, ainsi qu'en témoignent les nombreuses cabanes alignées le long du chenal. La Tremblade possède un petit **musée maritime** ⊙ consacré à la vie de l'huître : élevage et histoire de l'huître; un diaporama présente la célèbre Marennes-Oléron.
On peut participer, en saison, à des **promenades en bateau** ⊙, en mer ou dans le bassin ostréicole.

Mornac-sur-Seudre. — 640 h. Dans ce village enchevêtrant ses ruelles au voisinage des parcs à huîtres de la Seudre, on peut encore observer le travail de quelques artisans : potiers, tisserands. Le long du chenal, où accostent les bateaux, se succèdent les cabanes des ostréiculteurs. La vieille église fortifiée conserve un chœur roman à frise d'entrelacs et de palmettes, précédé d'une belle croisée de transept à coupole ovale sur trompes.

SURGÈRES
6 049 h. (les Surgériens)

Carte Michelin n° **171** pli 3 ou **233** pli 15.

Important centre laitier, cette ancienne cité vinicole s'est reconvertie dans la production de beurre dès 1888, à la suite des ravages causés par le phylloxéra. Surgères est aujourd'hui le siège de l'Association centrale des laiteries coopératives des Charentes et du Poitou, regroupant près de 150 sociétés. Existe également une École nationale d'industrie laitière et des industries agro-alimentaires, fondée en 1906.
Des industries mécaniques (chaudronnerie de l'aluminium et de l'inox, moteurs Diesel) se sont en outre développées à Surgères.

UN PEU D'HISTOIRE

Fondée au 9ᵉ s. par le roi Charles le Chauve qui y édifia une forteresse, la ville appartint ensuite aux comtes de Poitiers qui y placèrent un homme lige, Guillaume Mingot, pour diriger le château. Louis XI au 15ᵉ s. fait raser les remparts qui sont néanmoins relevés au siècle suivant.

Une égérie. — Belle autant que sage, **Hélène de Surgères** appartint à cet «escadron volant » des filles d'honneur que Catherine de Médicis utilisait pour favoriser ses intrigues. Dans l'ambiance dissolue de la cour, Hélène sut cependant garder sa réputation intacte, s'attirant les hommages des poètes de la Pléiade.
Le chef de ceux-ci, Pierre de Ronsard, fut le plus assidu. Las! Il fut éconduit malgré ses doléances, dont l'ensemble constitue les immortels *Sonnets à Hélène*.
Peu sensible à tant de flamme, même versifiée, la froide Hélène ne se maria point et revint vivre à Surgères, auprès de son frère, le reste de son âge. Là, elle se voua aux bonnes œuvres et aux tâches ménagères, accomplissant ainsi la parole du poète :

«Quand vous serez bien vieille, au soir, à la chandelle,
Assise auprès du feu, dévidant et filant,
Direz, chantant mes vers et vous émerveillant,
Ronsard me célébrait, du temps que j'étais belle... ».

CURIOSITÉS

Château. — C'était, au Moyen Age, une importante forteresse. L'enceinte, refaite au 16ᵉ s. par le frère d'Hélène de Surgères, déroule sa courtine jalonnée de 20 tours sur près de 600 m.
Une poterne s'ouvre sur un parc, planté de beaux arbres dont des marronniers séculaires. Le **logis seigneurial** du 17ᵉ s. abrite la mairie où l'on admire un bel escalier, tandis qu'à proximité se dresse un remarquable portique Renaissance et une tour médiévale, la tour Hélène.

★ **Église Notre-Dame.** — Cet édifice roman (12ᵉ s.), dominé par un important clocher octogonal garni de colonnettes, présente une large façade ornée de deux registres d'arcatures et flanquée de deux faisceaux dissemblables de colonnes engagées.
Détailler les deux corniches : celle du bas montrant les signes du zodiaque ou l'image des Vices en alternance avec de savoureuses figurines (coqs, sirènes, singe jouant de la vielle, montreur d'ours, troubadour...), celle du haut évoquant les travaux des mois entre des animaux fantastiques. A l'étage, de chaque côté de la baie centrale, des niches abritent des cavaliers dont l'identification prête à controverse : Hugues de Surgères et Geoffroy de Vendôme, fondateurs de l'église, ou l'empereur Constantin et le Christ triomphant entrant dans Jérusalem.
A l'intérieur, le chœur voûté en cul-de-four est éclairé par cinq fenêtres romanes dont les colonnes portent de beaux chapiteaux.
La crypte conserve quelques vestiges de fresques du 16ᵉ s. et les sépulcres des seigneurs de Surgères.

Centre socio-culturel. — Il occupe, derrière l'église, une ancienne remise du 18ᵉ s. dont l'harmonieuse façade de pierre blanche est surmontée d'un comble d'ardoise bleue à la Mansart.

TAILLEBOURG

561 h. (les Taillebourgeois)

Carte Michelin n° 🔟🔢🔢 pli 4 ou 🔢🔢🔢 pli 16 — 13 km au Nord de Saintes — Schéma p. 55.

Étagé sur les pentes d'un vallon adjacent à la Charente, Taillebourg est dominé par les ruines de son château féodal. Ses quais attestent qu'il possédait jadis un port fluvial.

Taillebourg, point de départ d'une ancienne chaussée romaine *(voir p. 55)*, a donné son nom à une bataille qui mit aux prises, en juillet 1242, Saint Louis et le roi d'Angleterre Henri III Plantagenêt. Le combat pour le pont, amplifié par l'imagination romantique d'un Delacroix, ne fut en fait qu'une rencontre de patrouilles. Deux jours plus tard, le choc décisif, sur la rive gauche de la Charente, entre Taillebourg et Saintes, s'acheva par la déroute des Anglais.

Château. — Il appartint aux Larchevêque de Parthenay, à Charles VII qui y fit enfermer Jacques Cœur, aux La Trémoille.

Laisser la voiture sur l'esplanade du monument aux morts (route d'Annepont).

En passant entre deux pavillons du 18ᵉ s., pénétrer dans le parc public aménagé dans les ruines où se dresse encore une haute tour d'angle à mâchicoulis. De la terrasse du parc, belle vue sur la paisible vallée de la Charente, tapissée de prairies.

★ TALMONT

83 h. (les Talmontais)

Carte Michelin n° 🔟🔢🔢 plis 15, 16 ou 🔢🔢🔢 pli 26.

Charmant village aux ruelles fleuries de roses trémières, Talmont était autrefois une ville romaine qui s'est effondrée dans la Gironde sous les effets de l'érosion. De nos jours la localité est connue pour son église Ste-Radegonde.

★ ÉGLISE STE-RADEGONDE *visite : 1/2 h*

Bel exemple de style roman saintongeais, elle se dresse dans un **site★** impressionnant, en à-pic sur la Gironde. Menacée d'effondrement par le courant qui attaquait ses assises calcaires, elle a été longtemps en péril. La falaise a été consolidée et on a restitué à l'église son aspect du 12ᵉ s. Sentinelle à l'écart du village, elle est entourée d'un petit cimetière d'où la **vue** porte sur l'estuaire et, à droite, sur les blanches falaises de Meschers.

L'édifice est ramassé : la nef a perdu une de ses deux travées, effondrée au 15ᵉ s. Abside et absidioles traditionnelles, en cul-de-four. Une tour carrée surmonte la croisée du transept.

Du pied de la falaise, à marée basse, on peut apprécier l'originalité du site et admirer l'élégant chevet rythmé par des contreforts-colonnes, couronné de grandes arcatures entourant les fenêtres au 1ᵉʳ étage et de petites arcatures sur colonnettes au 2ᵉ étage.

Pénétrer à l'intérieur par le croisillon gauche où s'ouvre un joli portail dont les voussures sont ornées d'anges adorant l'Agneau, d'acrobates et de bonshommes tirant sur une corde aux extrémités de laquelle sont attachés deux lions. Remarquer la coupole sur pendentifs et quelques chapiteaux autour de l'abside en cul-de-four.

Talmont. — Église Ste-Radegonde.

Cet ouvrage, périodiquement révisé, tient compte des conditions du tourisme connues au moment de sa rédaction.

Certains renseignements perdent de leur actualité en raison de l'évolution incessante des aménagements et des variations du coût de la vie.

Nos lecteurs sauront le comprendre.

TALMONT-ST-HILAIRE
4 409 h. (les Talmondais)

Carte Michelin n° 67 pli 11 (cartouche) ou 233 pli 1 – Lieu de séjour.

Talmont occupe la zone alluviale de l'estuaire du Payré, à l'Est des Sables-d'Olonne, envahi par les marécages (marais salants et à poissons).

CURIOSITÉS

Château de Talmont ⊙. – Sur une motte dominant l'ancien port, ce château en ruine remonte au 11ᵉ s. On pénètre par une poterne dans la cour seigneuriale sur laquelle donnent la chapelle et le donjon roman. Du sommet de celui-ci, belle vue sur la rivière et le havre jusqu'à la mer.

Musée automobile de Vendée ⊙. – *2,5 km au Nord-Ouest.* Près de 140 véhicules, restaurés et pour la plupart en état de marche, évoquent les noms prestigieux de l'automobile : Léon-Bollée, Rochet-Schneider, Brasier, de Dion-Bouton, Chenard...
Parmi les modèles exposés, construits entre 1885 et 1970, certains sont tout à fait remarquables, notamment les véhicules datant de la fin du 19ᵉ s., dont un tricycle de Dion-Bouton à vapeur de 1885, et de nombreuses voitures produites avant la Première Guerre mondiale : Motobloc 1908, Peugeot Lion 1910...
Cycles, motocycles et collection d'affiches d'époque complètent le musée.

ENVIRONS

Port-Bourgenay. – *9 km au Sud-Ouest.* Sur la **Côte de Lumière**, depuis la création en 1985 d'un port de plaisance d'une capacité de 510 anneaux, s'est développée une petite station. Non loin du port, près d'un golf et d'une piscine, le **Village du lac★** déploie ses résidences à l'architecture pleine de fantaisie et de couleurs sur les rives découpées d'un petit plan d'eau. En face se dresse la chapelle de l'abbaye N.-D. de l'Espérance dont la façade est flanquée de deux insolites tours crénelées.

★ THOUARS
10 905 h. (les Thouarsais)

Carte Michelin n° 67 pli 8 ou 232 plis 44, 45 – Lieu de séjour.

Il faut arriver par le Sud et franchir le Thouet sur le pont Neuf d'où se découvre le **site★** de la ville : un promontoire rocheux cerné par la rivière. Aux confins du Poitou et de l'Anjou, Thouars mêle ses toits de tuiles romanes et d'ardoises angevines.
Les vicomtes de Thouars restèrent longtemps fidèles aux Plantagenêts, mais Du Guesclin s'empara de la cité en 1372, après un siège mémorable. Ayant acheté Thouars à la famille d'Amboise, Louis XI y résida plusieurs fois et son épouse, Marguerite d'Écosse, voulut y être ensevelie. Charles VIII donna Thouars aux La Trémoille qui en restèrent seigneurs jusqu'à la Révolution. Thouars embrassa la religion réformée mais, à la révocation de l'édit de Nantes, la ville perdit la moitié de ses habitants.

LA VIEILLE VILLE *visite : 1 h*

★**Église St-Médard.** – Accostée d'une tour carrée du 15ᵉ s., à échauguette, St-Médard est un édifice roman malgré la rosace gothique ornant sa belle **façade★★** de style poitevin. Le portail, très décoré, est surmonté d'un Christ en majesté adoré par les anges; ses voussures, dont la dernière est interrompue par un Christ de la Résurrection semblant sortir du tombeau, retombent sur des chapiteaux historiés montrant le châtiment des Vices. Au-dessus des arcades latérales sont alignées de belles effigies de saint Pierre, saint Paul, des prophètes et des sibylles. Sur le côté gauche de l'église, portail roman à arcs festonnés d'inspiration mauresque. Les trois nefs romanes ont fait place, au 15ᵉ s., à une nef unique à voûte surbaissée. A gauche, la chapelle St-Louis, à voûtes de liernes et tiercerons, fut construite en 1510, par Gabrielle de Bourbon, épouse de Louis II de La Trémoille.

★**Maisons anciennes.** – Rue St-Médard et rue du Château qui formaient naguère l'artère principale de Thouars, aboutissant au vieux pont. Citons, près de l'église St-Médard, une maison de briques à pans de bois, occupée par le syndicat d'initiative, et l'hostellerie St-Médard (**D**), également à pans de bois et flanquée d'un passage sous voûte. Rue du Château se serrent plusieurs façades en encorbellement, nanties de pignons aigus, parmi lesquelles, au n° 11, celle de l'hôtel des Trois Rois (15ᵉ s.) (**E**) où coucha le dauphin, futur Louis XI; une sorte de bretèche sur console moulurée permet de surveiller la rue.

Chapelle Notre-Dame (**F**). – Comme le château dont elle dépend, elle donne sur une esplanade qui constituait la cour seigneuriale. Gabrielle de Bourbon la fit bâtir sur une série de cryptes dont l'une sert encore de caveau funéraire aux La Trémoille. Sa ravissante façade flamboyante est surmontée d'une galerie Renaissance à décor de coquilles.
De l'esplanade, belle perspective sur le site de Thouars et la boucle du Thouet.

Château (Collège Marie-de-La Tour-d'Auvergne) ⊙. – Ayant remplacé une forteresse médiévale, cet imposant édifice fut construit à partir de 1635 par Marie de La Tour d'Auvergne, duchesse de La Trémoille, sœur aînée de Turenne. Sur le corps de bâtiment central, fait saillie un pavillon à dôme abritant un escalier monumental; d'autres pavillons s'élèvent aux extrémités. De la promenade sur la galerie, belle vue sur la façade du château.

Par l'ancienne poterne, on peut descendre au Thouet que franchit le **pont gothique** commandé par une porte fortifiée.

Tour du Prince de Galles (**K**). – Dite aussi tour graine-tière, elle renfermait les provisions de grain et faisait partie de l'enceinte qui protégeait la cité. Renforcée de petites bretèches, c'est une tour ronde, massive, qui servit de prison.

Porte au Prévôt (**N**). – Par cette porte, Du Guesclin pénétra dans Thouars, lors du siège de 1372. Elle est encadrée de deux tours en demi-lune à base octogonale.

Ancienne abbaye St-Laon (**H**). – Desservie par les bénédictins, puis, à partir de 1117, par les augustins, elle comporte une église (12e-15e s.) au beau clocher roman carré, où fut enterrée Marguerite d'Écosse, épouse de Louis XI. Dans les bâtiments conventuels (17e s.) est installé l'hôtel de ville.

Chemin du Panorama. – Au Nord-Ouest du plan, prendre la D 759 puis à gauche une forte descente qui offre un joli **point de vue** sur Thouars et la vallée du Thouet.

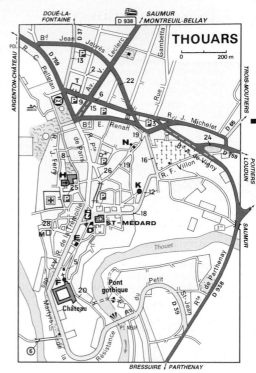

Bergeon (Bd)	2
Boël (Pl. du)	3
Château (R. du)	5
Curie (Bd Pierre)	6
Drouineau-de-Brie (R.)	8
Flandre-Dunkerque (Pl.)	9
Gellusseau (R. F.)	12
Guesde (R. J.)	13
Lavault (Pl.)	15
Madeleine (Av. de la)	16
Palissy (R. B.)	18
Porte-au-Prévost (R.)	19
Porte-Maillot (R.)	20
République (Bd de la)	22
Ronsard (R.)	24
St-Laon (Pl.)	25
St-Médard (R.)	26
St-Pierre (Pl.)	28

TIFFAUGES
1 208 h. (les Teiphaliens)

Carte Michelin n° 67 pli 5 ou 232 pli 41.

Tiffauges, placée sur un promontoire dominant le confluent de la Sèvre Nantaise et de la Crume, est connue pour les ruines romantiques du château de Gilles de Rais.

« Barbe-Bleue ». – **Gilles de Rais** (ou de Retz), né en 1404, se montre dès sa prime adolescence beau cavalier et fin lettré, mais orgueilleux, cruel et emporté. Marié en 1420 à Catherine de Thouars qui lui apporte en dot la seigneurie de Pouzauges, il montre très tôt des qualités de chef de guerre, secondant Charles VII dans sa lutte contre les Anglais et accompagnant Jeanne d'Arc au cours de la reconquête du royaume. Sa vaillance est récompensée par l'octroi du bâton de maréchal à 25 ans...
La mort de Jeanne semble avoir libéré ses instincts, car, propriétaire de Tiffauges, Pouzauges, Champtocé et Machecoul, le jeune maréchal mène une vie fastueuse : une suite de 200 cavaliers et une innombrable domesticité vont dilapider une fortune déjà bien entamée.
Pour trouver des ressources, le seigneur de Tiffauges se fait alchimiste et invoque les démons. Un nécromancien lui affirme que le diable lui fournira l'or nécessaire s'il consent à « donner en offrande, main, cœur, œil et sang prélevés sur de jeunes et beaux enfants ». Et c'est ainsi que Gilles de Rais, compagnon de Jeanne d'Arc, héros du siège d'Orléans, devient ce criminel satanique qui terrifie la campagne à 20 lieues à la ronde et que Perrault, dans un de ses « Contes », a transposé sous le nom de Barbe-Bleue.
De tels forfaits devaient trouver leur châtiment, en 1440. Trop sûr de lui, Gilles se laissa prendre par la justice qui le soupçonnait depuis longtemps; il passa aux aveux et fit amende honorable, avant d'être pendu et brûlé, à Nantes, en présence d'une foule immense.

LE CHATEAU ⊘ visite : 1 h

Ses ruines couvrent une vaste superficie (3 ha) que délimite une enceinte.
Les parties les mieux conservées sont le donjon du 12e s. entouré d'un fossé et la tour du Vidame, du 15e s., aux mâchicoulis énormes : on y voit la salle des Gardes (cheminée et latrines) et la salle de veille reliée au chemin de ronde, qui conserve le banc circulaire sur lequel s'asseyaient les guetteurs (curieux effet d'acoustique). La chapelle du 13e s., bâtie sur une crypte du 11e s., a gardé son abside en cul-de-four.

Les plans de ville sont toujours orientés le Nord en haut.

Carte Michelin n° 68 pli 14 ou 233 pli 9 – 6 km au Nord-Ouest de Chauvigny.

Malgré la juxtaposition de quatre styles différents, le **château** ⊙ forme avec ses terrasses un ensemble harmonieux, à l'agrément duquel contribuent une situation privilégiée sur la Vienne et la belle teinte ocre de sa pierre.

La partie la plus ancienne du château est constituée par le puissant donjon, formé par la réunion, à la Renaissance, de deux donjons des 11e et 12e s. A chacun des angles extérieurs, les contreforts sont surmontés de tourelles très élégantes. Au 14e s., furent édifiées quatre grosses tours rondes : la tour St-Georges aux belles ouvertures sculptées, la tour St-Jean, la tour de l'Hostellerie, exhumée et restaurée en 1938, la tour de la Chapelle avec ses prisons.

L'aile Renaissance, reliant la tour St-Georges et le donjon, fut ajoutée vers 1560; elle est ornée de fenêtres à meneaux et de lucarnes dont les frontons triangulaires contiennent un jeu de 17 armoiries, représentant la généalogie de la famille Chasteignier.

Après avoir visité les terrasses et le jardin suspendu, on verra, à l'intérieur du château, la chambre dite « de François Ier » ou « des Quatre-Saisons », décorée de fresques représentant les travaux des champs, la salle de chasse et, dans la tour de l'Hostellerie, une collection de boutons de chasse.

ENVIRONS

Bonneuil-Matours. – 1 642 h. *8 km au Nord.* Bourg joliment situé sur la Vienne (du pont, vues sur la rivière). Moulin hydraulique. L'église romane, restaurée, est ornée d'intéressants chapiteaux primitifs à la croisée du transept et dans le chœur.

★ **TOUVRE**   1 020 h. (les Tolvériens)

Carte Michelin n° 72 pli 14 ou 233 pli 30.

Ce village perché domine un site séduisant de l'Angoumois : le frais vallon où sourd la Touvre.

Église. – Petit édifice roman dont la position explique qu'il fut fortifié, comme l'atteste une bretèche visible sur la façade. De la pelouse qu'ombragent des cyprès, **vue★** plongeante sur les sources et la vallée de la Touvre *(p. 42).*

★ **Sources de la Touvre.** – *Laisser la voiture au parking et emprunter le chemin tracé le long de la rive.*

Situées au pied de la falaise, les sources constituent en réalité des résurgences de deux rivières, le Bandiat et la Tardoire, qui disparaissent sous terre pendant 6 mois de l'année.

Les habitants des alentours ont eu longtemps une crainte quasi sacrée de ces sources, alors insondables et d'origine mystérieuse, coulant abondamment dans un cirque rocheux au silence oppressant : c'était « le Gouffre ». Maintenant que « le Gouffre » a été exploré, les deux sources principales alimentant la rivière apparaissent bien distinctes.

Le **Bouillant,** que trahit en surface un léger frémissement, s'inscrit dans une fosse ovale de 40 m de longueur, 30 m de largeur et 15 m de profondeur. Le **Dormant,** prolongement du Bouillant, atteint 20 m de profondeur.

Il existe une troisième résurgence, la **Font de Lussac**, profondément modifiée lors du tremblement de terre de Lisbonne en 1755; puis une quatrième, la **Lèche,** située au hameau voisin du même nom, ayant pour origine les pertes du haut Bandiat et celles du ruisseau l'Échelle.

Les sources de la Touvre assurent l'alimentation en eau potable de l'agglomération d'Angoulême ainsi que de plusieurs communes environnantes, par l'intermédiaire de la station de pompage qui prélève les eaux du Bouillant. Elles donnent également naissance à une rivière qui, après un parcours de 10 km, traversant joncs, algues et roseaux, vient se jeter dans la Charente.

VERTEUIL-SUR-CHARENTE   714 h. (les Verteuillais)

Carte Michelin n° 72 pli 4 ou 233 pli 19 – 6 km au Sud-Est de Ruffec.

D'un des ponts sur la Charente, qui se scinde ici en deux bras, on découvre le site de Verteuil, serré entre la falaise et la rivière; sur son promontoire, le château des La Rochefoucauld paraît veiller sur la petite ville où Balzac fit naître Rastignac dans son roman *le Père Goriot.*

CURIOSITÉS

Église ⊙. – Elle renferme, dans le croisillon gauche du chœur, une **Mise au tombeau★** du 16e s., en terre cuite, ayant conservé sa polychromie d'origine et qui a été attribuée à Germain Pilon. Ce groupe, restauré, comprend les personnages habituels, grandeur nature, entourant le corps du Christ. Les visages lisses des femmes, ceux, burinés, des hommes, les vêtements, très soignés dans le détail, sont traités avec un art réaliste.

Château. – Imposant par son donjon rectangulaire remontant au 11e s. et ses grosses tours rondes à mâchicoulis du 15e s., il a été souvent remanié. Sa construction est due aux La Rochefoucauld, et le grand moraliste y conçut ses *Mémoires* ainsi que quelques-unes de ses célèbres *Maximes;* il appartient toujours à un membre de cette famille.

VILLEBOIS-LAVALETTE

765 h. (les Villeboisiens)

Carte Michelin n° 72 pli 14 ou 233 pli 30.

Villebois-Lavalette occupe un **site★** attachant sur les premières pentes d'une colline isolée portant le « Bourg-Haut », ancienne cité fortifiée par les Lusignan au 12ᵉ s.

Le « Bourg-Haut ». — Il doit son origine à un « oppidum » qui commandait la voie romaine de Blanzac à La Rochebeaucourt. Puis, à l'oppidum succéda la cité féodale dont subsiste la longue enceinte jalonnée de six tours rondes : on peut en suivre le contour par le chemin ombragé qui longe le pied de la muraille, offrant des vues étendues sur un immense paysage de collines boisées.
Les halles remontent au 17ᵉ s.
Le **château** proprement dit a été reconstruit au 17ᵉ s. par le duc de Navailles, exilé sur ses terres par Louis XIV : le châtelet d'entrée, découronné, a conservé les rainures de son pont-levis. La chapelle des 12ᵉ-13ᵉ s., qui avait deux étages, domine la vallée.

ENVIRONS

Château de la Mercerie. — *4 km au Nord-Ouest.* L'impressionnante masse blanche du château de la Mercerie surgit, comme une apparition du Grand Siècle, sur le penchant d'une colline.
L'ampleur de cet étonnant palais, de style, mais non d'époque Louis XIV, confond l'imagination; 220 m de façade, 15 m de hauteur, 20 m de profondeur caractérisent ce pastiche de Versailles, édifié en pierre des Charentes à partir de 1930.
Les jardins à la française, qui s'étendent sur plus de 1 km, ont nécessité l'enlèvement de 30 000 m³ de terre. Ils sont prolongés par un parc de 40 ha, riche en essences rares.

Gardes-le-Pontaroux. — 242 h. *5 km au Nord-Est.* Son église romane est isolée au sein d'un bouquet d'arbres; curieux clocher carré et façade à chapiteaux historiés.

La Rochebeaucourt-et-Argentine. — 424 h. *8 km à l'Est.* Aux confins du Périgord blanc et de l'Angoumois, La Rochebeaucourt a conservé une **église** construite au 13ᵉ s. par des moines de Cluny. Bâtie en belle pierre grise, elle offre une façade sévère qu'égaye seulement une rose divisée en sept compartiments. A droite de la façade s'élève un clocher carré à deux étages.
Le souvenir de Pauline de Tourzel, compagne de captivité de Louis XVI et de la famille royale au Temple avec sa mère, gouvernante des enfants royaux, est évoqué dans le parc de l'ancien château des comtes de Béarn, incendié en 1941, et dans la chapelle du cimetière de La Rochebeaucourt.

Charras. — 328 h. *15 km au Nord-Est.* L'église occupe un beau site, dominant les forêts d'Horte et de La Rochebeaucourt. Elle fut fortifiée au 14ᵉ s. pendant la guerre de Cent Ans. De puissants contreforts renforcent les murs de la nef, un chemin de ronde pourvu de mâchicoulis couronne la partie haute.

Prieuré de VILLESALEM

Carte Michelin n° 68 pli 16 ou 233 plis 10, 11 — 8 km au Nord-Ouest de La Trimouille.

Fondé à la fin du 11ᵉ s., par Audebert, seigneur de La Trimouille (ou Trémouille), le prieuré de Villesalem fut placé sous la dépendance de l'abbaye de Fontevraud. Les bâtiments, vendus au moment de la Révolution comme biens nationaux, furent alors en partie démolis; l'église échappa de peu à la destruction mais fut convertie en grange par ses propriétaires successifs.

Église ⊙. — Construite au début du 12ᵉ s., elle se compose d'une nef dont les cinq travées sont rythmées par les contreforts plats du bas-côté Sud. Le transept saillant s'ouvre sur une profonde abside flanquée de deux absidioles.

★ **Façade.** — La décoration sculptée en est très riche. Les portails comprennent des chapiteaux ornés de feuillages, de griffons, d'oiseaux, de lions, de masques humains, des voussures décorées de rinceaux et de palmettes. Le portail droit de la grande façade est en partie masqué par un bâtiment du 17ᵉ s. ajouté par les bénédictines.

Intérieur. — Le chœur, le transept et les trois premières travées de la nef ont été dégagés. Certains des chapiteaux offrent une élégante décoration de feuillage, mêlé à des entrelacs, des oiseaux, des serpents.

★ VOUVANT

829 h. (les Vouvantais)

Carte Michelin n° 67 pli 16 ou 233 pli 4 — Schéma p. 92.

Les haies du bocage, les futaies profondes de la forêt, les eaux de la Mère, ses remparts font de ce bourg juché sur un promontoire un îlot de silence dont l'atmosphère secrète et préservée résulte peut-être de l'intervention de la fée Mélusine *(voir à l'index)* qui, en une nuit, construisit le château.

CURIOSITÉS

★ **Église.** — Sa création est due à l'abbaye de Maillezais. De la nef du 11ᵉ s., fortement endommagée en 1568 par le passage des Réformés, ne subsistent que les murs des trois premières travées. On reconstruisit au 12ᵉ s. les trois absides (restaurées en 1882), la crypte au-dessous (restaurée également au 19ᵉ s.) et le grand portail Nord, dans le style roman.
Encadrée de colonnes en faisceau et terminée par un pignon très aigu, la **façade★** du croisillon gauche du transept forme une page sculptée à la fois riche et lisible.

Portails. – Des motifs floraux décorent les voussures, des animaux et des scènes fantastiques ornent les chapiteaux. Deux reliefs mutilés surmontent chacun des portails : on identifie Samson terrassant le lion, à droite, et Dalila coupant les cheveux de Samson, à gauche.

Arc de décharge. – A la première voussure figurent des atlantes, petits personnages arc-boutés, à la seconde des figures de fantaisie, animaux et personnages. A gauche et au-dessus de l'arc, Vierge à l'Enfant dans une gloire, à droite saint Jean-Baptiste.

Frises. – Celle du bas évoque la Cène, celle du haut les apôtres assistant à l'Ascension.

Château. – Il appartint durant l'ère féodale aux Lusignan, soi-disant descendants de Mélusine. La forteresse interdisait la racine du promontoire que contourne le méandre de la Mère. Son enceinte délimite une esplanade gazonnée, plantée de marronniers, servant de place du Bail. Jolies vues plongeantes sur la boucle de la Mère : le lit de cette rivière s'élargit ici, en amont du barrage de Pierre-Brune.

Ancien donjon, la **tour Mélusine★** ⊙ date de 1242. Ses murs, atteignant 3 m d'épaisseur, enferment deux salles superposées aux curieuses voûtes pyramidales. 120 marches permettent d'accéder au sommet, haut de 36 m, d'où s'offre un vaste **panorama★** sur le site de Vouvant, la forêt dont la masse sombre revêt le plateau, au Sud, et le bocage, au Nord.

★★ Ile d'YEU   4 941 h.

Carte Michelin n° **67** pli 11 ou **232** pli 37 – Schéma ci-contre.

L'austère grandeur des paysages de l'île plaira aux amateurs de nature sauvage et préservée. A la visite de l'île et notamment de la Côte Sauvage rocheuse s'ajoute l'attrait d'une jolie traversée, parfois un peu mouvementée par temps maussade. Nous décrivons ici les curiosités essentielles de l'île ; mais on peut y passer deux ou trois jours en promenades ou excursions.

Accès ⊙. – Au départ de Fromentine ou, en saison, de Noirmoutier.
La meilleure façon de découvrir l'île est de la parcourir à bicyclette (nombreuses locations dès l'arrivée à Port-Joinville).

UN PEU D'HISTOIRE ET DE GÉOGRAPHIE

Longue de 10 km, large de 4, Yeu présente un aspect beaucoup plus breton que Noirmoutier située plus au Nord. Par la nature de son terrain de schistes cristallins, par sa configuration et sa Côte Sauvage tournée vers le large, elle s'apparenterait à Belle-Ile. De même on y rencontre de rudes types de pêcheurs bretons, comme on peut en voir dans le Finistère. Par sa côte Sud et Est, l'île d'Yeu se montre vendéenne : pins, dunes, chênes verts, longues plages de sable fin.

Dès la préhistoire, l'île d'Yeu connut une présence humaine comme en témoignent les dolmens et les menhirs, que l'on trouve en grand nombre.

Il n'est pas impossible que l'île d'Yeu fût celle où siégeait, d'après le géographe grec Strabon, un collège de druidesses.

Dès le 6e s., un monastère y est fondé : il attire, au début du siècle suivant, le futur saint Amand, apôtre des Flandres.

Au 8e s., l'île porte le nom énigmatique de « Insula (île) Oya ».

Au 16e s., tout un village de Cornouaille débarqua dans l'île sous la conduite de son recteur. Cependant, le préfixe Ker qui précède certains noms de localités, loin d'être breton, serait une altération du mot bas-poitevin « querry » qui servait à désigner les villages.

L'île d'Yeu appartint à différents seigneurs, dont Olivier de Clisson, avant d'être vendue au roi en 1785.

De nos jours, en dehors du tourisme, la ressource principale des insulaires est la pêche : Yeu compte en effet plus de 450 marins pêcheurs. La pêche au thon germon (1 530 t en 1991, soit 36 % de la production française) est pratiquée au large du Portugal et des Açores par quelque 20 à 30 unités, équipées de filets maillants dérivants.

La détention du Maréchal. – Le 16 novembre 1945, un aviso débarque un vieillard de 90 ans qui va être incarcéré à la Citadelle (fort de la Pierre-Levée) : c'est l'« ex-maréchal » Pétain, ancien chef de l'« État français » de 1940 à 1944.

On lui assigne une cellule blanchie à la chaux, humide et très sommairement meublée, qu'il balaie lui-même chaque matin et dont il fait le lit avant d'aller effectuer sa promenade dans une cour sans vue, plantée de maigres marronniers. En 1951, une double congestion pulmonaire le frappe. Le 29 juin on le transporte dans la maison Lucos, près de l'église, où il s'éteint le 23 juillet. Ce sont d'anciens combattants de Verdun qui portent, à bras, le cercueil au cimetière de Port-Joinville.

VISITE *compter 1 journée*

Des sentiers tracés sur les hauteurs, en bordure de mer, permettent de faire le tour de l'île et de découvrir les différentes plages ou anses et les belles vues qui s'offrent sur la côte, particulièrement sur la côte occidentale.

★ **Port-Joinville.** – Lieu de séjour. Son nom actuel lui vient de l'amiral de Joinville, fils de Louis-Philippe ; on l'appelait auparavant Port-Breton. C'est l'un des premiers ports de France pour la pêche au thon. L'arrivée en bateau offre une jolie vue sur le port rempli de thoniers et de petits chalutiers dont les fanions multicolores, au bout de perches montées sur des bouées, claquent au vent. A l'arrière-plan court un quai bordé de maisons blanches.

Le port assèche à marée basse, à l'exception d'un avant-port.
En arrière des quais, la localité dissimule une rue commerçante et de multiples ruelles où se pressent les maisons des marins.
Le **musée-historial (M)** , installé dans la maison où habita la Maréchale pendant la captivité de son mari, retrace l'histoire de l'île et expose des souvenirs relatifs au maréchal Pétain dans la chambre dite « du Souvenir ».

Ile d'Yeu. — Port-Joinville.

Au cimetière *(au départ de l'église, prendre la rue Jean-Simon-Chassin)* est enterré le maréchal Pétain : au fond, à droite, quelques cyprès et des ifs taillés marquent l'emplacement de sa tombe, la seule face au continent, constituée d'une simple dalle de pierre blanche.

Élevage d'anguilles . – *Société Eel d'Yeu : suivre la côte sur 500 m au Nord de Port-Joinville.*
L'anguille ne se reproduisant qu'à 2 000 m de fond, on élève ici depuis 1985 des civelles, jeunes anguilles pêchées sous le pont de Noirmoutier et on les commercialise lorsqu'elles ont atteint un poids de 300 g. La production des anguilles, dont 80 % sont fumées, représente 6 tonnes par an. La visite permet de découvrir d'une part les bassins d'anguilles où celles-ci sont réparties selon leur taille et leur alimentation (à base de fécule de pomme de terre et de poissons invendus), d'autre part le système de nettoyage des bassins par bactéries.

Dolmen de La Planche à Puare. – Il s'élève près de l'anse des Broches. Construction de granit schisteux, il est original par son couloir transepté, c'est-à-dire pourvu de cellules latérales (ici au nombre de deux). On y a retrouvé des ossements.

Grand Phare . – Du sommet *(201 marches)*, à 41 m du sol et 56 m du niveau de la mer, **vue★** sur l'île et l'océan et, par temps clair, sur la côte, de Noirmoutier à St-Gilles-Croix-de-Vie.

★ **Le Vieux Château.** – Il occupe un joli site de la Côte Sauvage *(ci-dessous)* qu'on gagne en traversant la lande. Sa silhouette fantomatique, presque confondue avec la roche qui le porte, est à la fois romantique et impressionnante. Elle se dresse sur un éperon de granit coupé de la côte par une étroite crevasse, profonde de 17 m, où le flot s'engouffre avec un bruit assourdissant.
Bâti à l'époque féodale (au 11ᵉ s.?), remanié au 16ᵉ s., ce farouche nid de corsaires dessine un trapèze défendu par des tours de flanquement formant bastions. Remplaçant le pont-levis, une passerelle permet d'accéder à l'intérieur de l'enceinte. Du sommet du donjon *(attention, absence de parapet)*, **vues★★** splendides sur la Côte Sauvage et l'océan.

★★ **Côte Sauvage.** – Découpée de façon étrangement capricieuse, elle s'étend de la pointe du But à la pointe des Corbeaux, offrant des vues magnifiques sur l'océan. En partant du Vieux Château, on peut suivre à pied, à distance respectable, le bord de la falaise dénudée qui surplombe les flots *(attention au vertige et aux éboulements)*, en direction de Port-de-la-Meule. On arrive au petit bois de pins qui marque l'entrée du havre : pittoresque **vue★★** plongeante sur la crique.

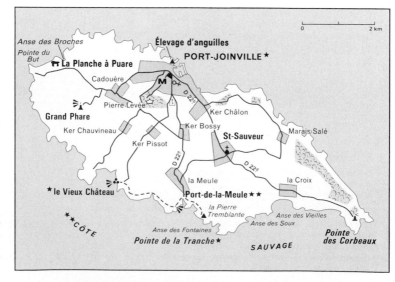

★★ Port-de-la-Meule. – Anfractuosité de la côte, longue et étroite. A son extrémité s'est installée la cale des langoustiers et des homardiers qui vont mouiller leurs casiers sur les fonds rocheux de la Côte Sauvage.

Sur le haut de la lande, la petite chapelle blanche Notre-Dame-de-Bonne-Nouvelle veille sur le port. Chaque année les marins y viennent en pèlerinage.

En suivant la falaise au-delà de la chapelle, on arrive à la **Pierre tremblante**, énorme rocher dominant la mer, que l'on peut faire bouger en s'appuyant en un point précis.

★ Pointe de la Tranche. – Nombreuses criques rocheuses. De chaque côté de la pointe, anse des Fontaines ainsi nommée en raison de ses sources, et deux anses bien abritées propices à la baignade, l'anse des Soux (grotte marine) à laquelle fait suite l'**anse des Vieilles,** la plus belle plage de l'île.

Pointe des Corbeaux. – De l'extrémité Sud-Est de l'île, on découvre le contraste saisissant entre la côte Ouest, rocheuse, d'allure bretonne, et la côte Est, sablonneuse, d'allure vendéenne.

St-Sauveur. – Jadis capitale de l'île et résidence du gouverneur, communément appelé « le Bourg », St-Sauveur possède une église romane dont la croisée du transept porte une tour carrée.

Renseignements pratiques

La Rochelle. – Entrée du Vieux Port.

AVANT DE PARTIR...

Quelques adresses utiles

La plupart des renseignements concernant les loisirs sportifs, la location de gîtes ruraux, la découverte de la région, les stages chez les artisans peuvent être donnés par les comités de tourisme départementaux ou régionaux, la maison régionale installée à Paris ou les services de réservation Loisirs Accueil.

Comités régionaux de tourisme

Poitou-Charentes : 2, rue Ste-Opportune, BP 56, 86002 Poitiers Cedex, ☎ 49 88 38 94.

Pays de la Loire (pour les départements de Loire-Atlantique et de Vendée) : rue de la Loire, Ile Beaulieu, 44200 Nantes, ☎ 40 48 24 20.

Comités départementaux de tourisme

Charente : place Bouillaud, 16021 Angoulême, ☎ 45 92 24 43.

Charente-Maritime : 11 bis, rue des Augustins, BP 1152, 17008 La Rochelle Cedex, ☎ 46 41 43 33.

Loire-Atlantique : place du Commerce, 44000 Nantes, ☎ 40 89 50 77.

Deux-Sèvres : 6, rue du Palais, BP 49, 79002 Niort Cedex, ☎ 49 24 76 79.

Vendée : 8, place Napoléon, 85000 La Roche-sur-Yon, ☎ 51 05 45 28.

Vienne : 15, rue Carnot, BP 287, 86007 Poitiers Cedex, ☎ 49 41 58 22.

Maison Poitou-Charentes

68-70, rue du Cherche-Midi, 75006 Paris, ☎ 42 22 83 74.

Services de réservation Loisirs Accueil

La F.N.S.R.L.A. (Fédération nationale des services de réservation Loisirs Accueil : 2, rue Linois, 75015 Paris, ☎ 40 59 44 12) propose des hébergements et des forfaits de loisirs.
Elle édite un guide national annuel et, pour certains départements, une brochure détaillée. En s'adressant au service de réservation de ces départements, on peut obtenir une réservation rapide. Sur minitel: 3615 code SLA.

Charente : place Bouillaud, 16021 Angoulême, ☎ 45 92 24 43 (poste 147).

Loire-Atlantique : place du Commerce, 44000 Nantes, ☎ 40 89 50 77.

Vendée : 8, place Napoléon, 85000 La Roche-sur-Yon, ☎ 51 62 65 27.

Vienne : 15, rue Carnot, BP 287, 86007 Poitiers Cedex, ☎ 49 88 89 79.

Hébergement

Le **guide Rouge Michelin France** des hôtels et restaurants et le **guide Camping Caravaning France** présentent chaque année un choix d'hôtels, de restaurants et de terrains établi après visite et enquêtes sur place. Hôtels et terrains de camping sont classés suivant la nature et le confort de leurs aménagements. Ceux d'entre eux qui sortent de l'ordinaire par l'agrément de leur situation et de leur cadre, par leur tranquillité, leur accueil, sont mis en évidence. Dans ces deux guides, on trouve également l'adresse et le numéro de téléphone du bureau de tourisme ou syndicat d'initiative.

Hébergement rural. – La Fédération nationale des Gîtes de France, 35, rue Godot-de-Mauroy, 75009 Paris, ☎ 47 42 25 43 *(message enregistré),* donne les adresses des comités locaux et publie des guides nationaux sur les différentes possibilités d'hébergement rural : chambres d'hôtes, gîtes d'étapes, gîtes ruraux. Sur minitel : 3615 code GITES DE FRANCE.
Les randonneurs, cyclotouristes, canoéistes peuvent consulter le guide *Gîtes et refuges, France et frontières,* par A. et S. Mouraret, Éditions La Cadole, B.P. 303, 75723 Paris Cedex 15, ☎ 45 75 45 36.

Tourisme et handicapés

Un certain nombre de curiosités décrites dans ce guide sont accessibles aux personnes handicapées. Pour les connaître, consulter les ouvrages *Touristes quand même ! Promenades en France pour voyageurs handicapés* (Comité national français de liaison pour la réadaptation des handicapés, 38, bd Raspail, 75007 Paris, ☎ 45 48 90 13) ou le *Guide Rousseau Handicaps* (SCOP : 4, rue Gustave-Rouanet, 75018 Paris, ☎ 42 52 97 00).
Ces recueils fournissent, par ailleurs, pour les principales villes de France, de très nombreux renseignements d'ordre pratique facilitant le séjour aux personnes à mobilité réduite, déficients visuels ou malentendants.
Le **guide Rouge Michelin France** et le **guide Camping Caravaning France** indiquent respectivement les chambres accessibles aux handicapés physiques et les installations sanitaires aménagées à leur effet.

Routes historiques

Les Routes historiques sont des itinéraires de visite axés sur le patrimoine architectural et signalés par des panneaux. Chacune d'entre elles est décrite dans une brochure.
Quatre Routes historiques parcourent la région couverte par ce guide : **Circuit Sud-Vendéen, Trésors de Saintonge, Abbayes et Monuments du Haut-Poitou, Route historique des Plantagenêts.**
S'adresser à la Caisse nationale des monuments historiques et des sites (C.N.M.H.S.), 62, rue St-Antoine, 75004 Paris, ☎ 44 61 20 00.

Thalassothérapie

La région est pourvue de nombreux centres de thalassothérapie : à Châtelaillon-Plage, à Royan, sur les îles de Ré et d'Oléron (s'adresser à la Maison Poitou-Charentes); à Pornic, St-Jean-de-Monts et aux Sables-d'Olonne (s'adresser aux comités départementaux).

Parc naturel régional

Parc naturel régional du Marais poitevin, Val de Sèvre et Vendée : *voir texte et carte en début de volume.*

Loisirs

Navigation de plaisance : *voir p. 00.*

Croisières maritimes et fluviales : *voir p. 00.*

Randonnées pédestres. – Des sentiers de Grande Randonnée ou GR, jalonnés de traits rouges et blancs horizontaux, parcourent la région couverte par ce guide. Le **GR 4** traverse les Charentes depuis Angoulême, longe l'océan et traverse la forêt de la Coubre jusqu'à Royan. Le **GR 36,** pris à Thouars, traverse les Deux-Sèvres, les forêts de Chizé et d'Aulnay avant de se diriger vers La Rochefoucauld et Angoulême. Le **GR 360** dérit une boucle parmi les églises romanes saintongeaises. Le **GR 364** part de Vivonne, dans la Vienne, pour atteindre la mer près d'Olonne-sur-Mer. Sur minitel : 3615 code RANDO.
Le pays de Retz est bien pourvu en sentiers balisés : GR de Pays et PR ou sentiers de petite randonnée.
Des topo-guides donnant le tracé détaillé de ces sentiers sont en vente au Centre d'information de la Fédération française de la randonnée pédestre, 64, rue de Gergovie, 75014 Paris, ☏ 45 45 31 02.

Cyclotourisme. – Forêts, plaines, îles, rivages sont autant de terrains que les amoureux de la petite reine trouveront dans les différents départements.
La liste des loueurs de cycles est fournie par les syndicats d'initiative et les offices de tourisme.
Certaines gares SNCF (Châtellerault, Niort, La Rochelle, Royan, les Sables-d'Olonne) proposent, pour une durée variable (1/2 journée, une journée, plusieurs jours), trois types de bicyclettes : des vélos de type traditionnel, randonneur ou des V.T.T. (vélos « tout terrain »). En fonction de la durée de la location, des tarifs dégressifs sont appliqués. Dépliant avec carte fourni dans les gares. Sur Minitel : 3615 code SNCF (rubrique : services offerts en gare).
Un circuit balisé pour V.T.T. a été mis en place près du lac de Moncontour; il est possible de louer des V.T.T. au camping de Moncontour, ☏ 49 98 91 60.
Des circuits à bicyclette organisés, de 2 à 7 jours, sont proposés par la Maison Poitou-Charentes.

Randonnées équestres. – La région dispose de centaines de kilomètres d'itinéraires équestres à travers les forêts, le bocage et le long des côtes.
L'ANTE (Délégation nationale du tourisme équestre, île St-Germain, 170, quai de Stalingrad, 92130 Issy-les-Moulineaux, ☏ 45 54 29 54) édite une brochure annuelle, *Tourisme et loisirs équestres en France,* où l'on trouve notamment les adresses des comités régionaux et départementaux de tourisme équestre ainsi que celles des associations régionales.
La Ligue Poitou-Charentes des sports équestres (10, av. du Point-du-Jour, 17400 St-Jean-d'Angély, ☏ 46 32 12 30) fournit également la liste des principaux clubs des quatre départements qui constituent la région.
L'Association Les Deux-Sèvres en selle, ☏ 49 69 87 71, édite un dépliant sur les randonnées équestres proposées dans le département. Pour les Deux-Sèvres, on peut s'adresser aussi à M. Bouillaud, La Charnière, 79200 Gourgé.
En Vendée, aux Sables-d'Olonne, le Poney Club, ☏ 51 32 03 07, organise des promenades à la campagne ou sur le front de mer.

Location de roulottes. – Il est possible de louer une roulotte tractée par un cheval et de suivre un circuit organisé pour une durée de 2 à 7 jours. Pour le Marais poitevin, s'adresser à la Maison du Parc, ☏ 46 27 82 44 (départ : Damvix). D'autres circuits en roulotte sont proposés dans la brochure diffusée par la Maison Poitou-Charentes.

Trains touristiques. – Plusieurs chemins de fer touristiques permettent d'effectuer d'agréables excursions à travers champs, bois ou marais, dans des wagons surannés tractés souvent par de pittoresques locomotives à vapeur. Consulter la nomenclature à : Les Herbiers, Richelieu, île de Ré (St-Trojan-les-Bains), estuaire de la Seudre.

Pêche en mer. – L'étendue des côtes, les baies sinueuses, les îles, les pertuis semblent promettre un champ d'activités sans limite à l'amateur de pêche en mer qu'il pourra pratiquer à pied, en bateau ou en plongée. Le pêcheur individuel se gardera de concurrencer les pêcheurs professionnels et d'enfreindre la réglementation nationale, ainsi que celle propre à chacun des quartiers des affaires maritimes (Noirmoutier, Yeu, Les Sables-d'Olonne, La Rochelle, Marennes-Oléron). Au départ des principaux ports, des sorties de pêche en mer peuvent être organisées à la journée. A **Noirmoutier,** départ tous les jours du port de l'Herbaudière en juillet et août; s'adresser à M. Couteleau, Café de l'Océan, rue du Port, ☏ 51 39 11 03. A **Royan,** s'adresser à la compagnie Birais, ☏ 46 05 29 91. A partir des **Sables-d'Olonne,** s'adresser à l'office de tourisme, ☏ 51 32 03 28 : pêche-promenade en chalutier (durée : 4 h) tous les jours, selon les conditions météorologiques; pêche à la ligne sur bateau de promenade, à partir de juin, le matin, après avoir réservé (☏ 51 21 31 43, Vedettes Diamant bleu et Aiguemarine). A partir de **St-Gilles-Croix-de-Vie,** renseignements à l'office de tourisme, ☏ 51 55 03 66.

Pêche en eau douce. – Au séjournant désireux de taquiner la truite, le brochet, la tanche, la carpe, le gardon, la région propose un riche réseau de rivières et de ruisseaux, les canaux du Marais mouillé et de vastes étangs et plans d'eau. Quel que soit l'endroit choisi, il est nécessaire d'observer la réglementation en vigueur et d'être affilié à une association agréée de pêche et de pisciculture. Contacter les Fédérations départementales de pêche et de pisciculture (sièges à Angoulême, ☎ 45 92 23 50, Niort ☎ 49 09 23 33, Poitiers ☎ 49 58 23 36, La Rochelle ☎ 46 44 11 18, La Roche-sur-Yon ☎ 51 37 19 05).

Documentation courante : la carte-dépliant commentée *Pêche en France,* diffusée par le Centre du Paraclet, BP 5, 80440 Boves, ☎ 22 09 37 47. En vente aussi auprès des Fédérations départementales citées ci-dessus.

Un label « Gîte de pêche » a été créé pour qualifier une formule d'hébergement correspondant aux besoins des amateurs de pêche. S'adresser à la Fédération nationale des Gîtes de France *(adresse ci-dessus).*

Voile et planche à voile. – Des écoles de voile s'échelonnent le long de la côte, de la Vendée (La Tranche-sur-Mer en particulier) à l'estuaire de la Gironde. Dans les grandes stations des régates sont organisées en saison.

A l'intérieur, des plans d'eau, moins fréquentés que le littoral, permettent la pratique de ce sport : étang de St-Yrieix au Nord d'Angoulême, parc de loisirs de St-Cyr au Nord de Poitiers, lac de Rochereau près de Pouzauges, lac de Mervent, etc. Renseignements à la Fédération française de voile (55, av. Kléber, 75784 Paris Cedex 16, ☎ 45 53 68 00) ou à la ligue régionale, Mme Claude Harlé, môle central des Minimes, 17000 La Rochelle, ☎ 46 44 58 31. A Royan, s'adresser aux Régates de Royan, ☎ 46 05 44 13.

La pratique de la **planche à voile** est réglementée sur les plages : s'adresser aux clubs de voile. Elle est autorisée dans les bases de plein air et sur les plans d'eau et lacs aménagés. Sur toutes les grandes plages, planches à voile en location.

L'Association France Station Voile a créé dans la région trois **« Stations-Voile »**. Noirmoutier, Les Sables-d'Olonne et le Pays Royannais – où sont proposées, grâce au Visa-Voile, des facilités d'hébergement et de pratique de la voile et de la planche à voile. S'adresser à France Station Voile (55, av. Kléber, 75784 Paris Cedex), à Noirmoutier, ☎ 51 39 80 71, ou aux Sables-d'Olonne, ☎ 51 32 03 28.

Canoë-kayak. – Pour les débutants ou les personnes confirmées, la Charente, la Dronne, la Touvre, la Seugne, le Thouet et la Vienne se prêtent à la pratique de ce sport. Parmi les principales bases, on trouve celle de Bourgines à Angoulême, le lac du Chambon près d'Eymouthiers en Charente, le plan d'eau d'Aubeterre sur la Dronne, le plan d'eau sur la Boutonne près de St-Jean-d'Angély, le plan d'eau de Tonnay-Charente, le lac d'Hautibus près d'Argenton-Château, la base de loisirs du Lambon près de Celles-sur-Belle. Informations auprès de la Fédération française de canoë-kayak, 87, quai de la Marne, 94340 Joinville-le-Pont, ☎ 48 89 39 89.

On peut pratiquer le kayak de mer à Fouras : s'informer à l'École de voile, Port Nord, ☎ 46 84 61 66.

Des randonnées en canoë sont organisées dans le Marais poitevin; s'adresser à Tonic, 17, rue de Sully, BP 37, 17410 St-Martin-de-Ré, ☎ 46 09 25 85.

Motonautisme et ski nautique. – Les régions décrites dans ce guide offrent des possibilités de pratique de ces sports sur tout le littoral ainsi que sur un bon nombre de plans d'eau aménagés. Pour le motonautisme, se conformer aux règles de circulation et de signalisation en usage.

Pour le **motonautisme,** s'adresser à St-Trojan-les-Bains, au Cercle nautique du Coureau d'Oléron, ☎ 46 76 02 08.

Pour le **ski nautique,** s'adresser aux offices de tourisme des Sables-d'Olonne, de St-Gilles-Croix-de-Vie, de Royan et des grandes stations du littoral.

Char à voile. – Certaines plages du littoral, vastes et plates, sont très adaptées à la pratique du char à voile, sorte de voilier monté sur trois roues et mû par la seule force du vent. En dehors de l'école du Centre de Chars à voile de N.-D.-de-Monts, 20, av. des Pins, ☎ 51 58 05 66, on peut s'entraîner à Chéray (Oléron), La Faute-sur-Mer, St-Jean-de-Monts, St-Georges-de-Didonne, St-Gilles-Croix-de-Vie, etc. Fédération française de char à voile : résidence Beaugency, 134, bd de Boulogne, 62600 Berck, ☎ 21 84 27 69.

Plongée sous-marine. – Ce sport, qui nécessite une bonne forme physique, peut se pratiquer en mer ou en eau douce. On trouve des clubs et des écoles de plongée dans les principales villes.

A St-Gilles-Croix-de-Vie et St-Hilaire-de-Riez, s'adresser au club de plongée, ☎ 51 55 10 46. Royan possède deux clubs de plongée, ☎ 46 38 38 31 ou 46 39 18 31. Aux Sables-d'Olonne, il existe quatre clubs : s'adresser à l'office de tourisme.

Foires. – En avril et septembre, à **Champdeniers :** foire aux bovins. En juin, à **Argenton-Château :** foire aux ovins. En juillet, à **Melle :** festival du Chabichou du Poitou et du Fromage de chèvre. En août, à **Sauzé-Vaussais (77** pli 3) : foire aux melons; à **St-Gilles-Croix-de-Vie :** foire aux oignons. En septembre, à **Argenton-Château :** foire des Champs avec concours d'ovins et de bovins; foire à la brocante et aux chiens (vente de chiens). En novembre, à **Sauzé-Vaussais :** foire aux vins et à la gastronomie.

Actualisée en permanence,

*la **carte Michelin** au 1/200 000 bannit l'inconnu de votre route :*
- *évolution et aménagement du réseau routier ;*
- *caractéristiques (largeur, tracé, profil, revêtement) de toutes les routes, de l'autoroute au sentier ;*
- *bornes téléphoniques de secours...*

*Équipez votre voiture de **cartes Michelin** à jour.*

PRINCIPALES MANIFESTATIONS

Janvier
Angoulême . . . . Festival international de la bande dessinée.

Avril
Cognac . . . . Festival international du film policier.

Vers avril
La Tranche-sur-Mer . . . . . . Fête des fleurs. *Office de tourisme :* ☎ *51 30 33 96.*

Mi-avril
Poitiers . . . . Le Printemps musical.

Avril-mai
Royan . . . . Festival Aventure Royan. *Rens. :* ☎ *46 38 65 11.*

Mai
Angoulême . . . . Festival international : Musiques métisses.

De fin mai à mi-juin
Melle . . . . Festival de Melle : musique de chambre.

Week-end avant la Pentecôte et Pentecôte
La Rochelle . . . . Semaine internationale de la voile. *Renseignements :*
☎ *46 44 62 44.*

De mi-juin à fin août *(vendredis, samedis)*
Le Puy du Fou . . . . Spectacle Son et lumière au château *(p. 122). Réserv. :*
☎ *51 64 11 11. Minitel 3615 code PUY DU FOU.*

Début juillet
Parthenay . . . . Festival international des jeux (tournois, animations
de rues, expositions, spectacles, etc.).

Parthenay et environs . . . . Jazz au fil de l'eau.

Juillet
St-Brévin-les-Pins . . . . Festival de spectacles de rue.

Juillet-août *(week-ends)*
Clisson . . . . Visite nocturne guidée et animée du château. *Syndicat d'initiative :* ☎ *40 54 02 95.*

Juillet-août
Moncontour . . . . Les Estivales de la Dive : musique, danse, théâtre.
Syndicat d'initiative : ☎ *49 98 94 94.*

Autour du 14 juillet
La Rochelle . . . . Francofolies : festival de la chanson francophone.
Rens. : ☎ *46 50 55 77. Minitel 3615 code FOLIZ.*

Saintes . . . . Les Jeux santons : festival international de folklore.

2e et 3e semaines de juillet
Saintes . . . . Festival de musique ancienne.

2e dimanche de juillet
Luçon . . . . Concert et féerie lumineuse au jardin Dumaine.

Mi-juillet-mi-août *(vendredis, samedis)*
La Rochefoucauld . . . . Spectacle Son et lumière au château. Environ
550 personnages costumés font revivre l'histoire
de la cité. *Rens. :* ☎ *45 63 02 33.*

Dernier dimanche de juillet
St-Aubin-du-Plain 🗺 pli 17
(1) . . . . Festival « La terre et ses métiers ».

Autour du 15 août
Luçon . . . . Foire-exposition. Avec animations.

Parthenay . . . . Sur les Chemins de St-Jacques : randonnées animées (musique, contes) à pied, à vélo ou V.T.T.

Fin août
Parthenay et environs . . . . De bouche à oreille : festival de musiques traditionnelles et métissées.

Septembre
Angoulême . . . . Circuit des remparts : course de vieilles voitures.

1er week-end de septembre
St-Maixent-l'École . . . . Fête des rosières.

Septembre-octobre
Cognac . . . . Fête des vendanges et Floralies en alternance
chaque année. *Office de tourisme :* ☎ *85 82 10 71.*

*La Maison Poitou-Charentes diffuse une brochure détaillée concernant les fêtes et
les festivals.*

---

*(1) Pour cette localité non décrite dans le guide, nous indiquons le numéro de la carte Michelin au
1/200 000 et le numéro du pli.*

QUELQUES LIVRES

ART - HISTOIRE - ARCHITECTURE

Châteaux de Charente; Châteaux des Deux-Sèvres; Châteaux de la Vienne *(Paris, Nouvelles Éditions Latines).*

Églises de Charente-Maritime; Églises des Deux-Sèvres; Églises de la Vienne *(Paris, Nouvelles Éditions Latines).*

La Charente de la préhistoire à nos jours; la Charente-Maritime : l'Aunis et la Saintonge des origines à nos jours; la Vendée des origines à nos jours; la Vienne des origines à nos jours *(St-Jean-d'Angély, Bordessoules).*

Poitou, Charentes, Limousin *(Larousse, coll. La France et ses trésors).*

Le Poitou-Charentes *(Larousse, coll. Beautés de la France).*

Haut-Poitou roman, Saintonge romane, Vendée romane *(Zodiaque, exclusivité Desclée de Brouwer).*

Pays de Retz - Noirmoutier - Ile d'Yeu, par E. BOUTIN *(Paris, France-Empire).*

TOURISME - GASTRONOMIE - FOLKLORE

La Vienne touristique, par R. CROZET; **Au Pays du Cognac,** par P. REVERCHON *(Paris, Nouvelles Éditions Latines).*

Vendée - Poitou - Charentes *(Paris, Solar).*

Recettes gastronomiques de Vendée et du Marais poitevin, Recettes gastronomiques de Charente par J.-E. PROGNEAUX *(La Rochelle, Rupella).*

Saintonge, pays des huîtres vertes, par M. GRELON *(La Rochelle, Rupella).*

LITTÉRATURE

La Terre qui meurt (marais de Challans), par R. BAZIN.

Le Bonheur de Barbezieux *(Stock),* **l'Épithalame** *(Albin Michel)* par J. CHARDONNE.

Monsieur des Lourdines (Bocage vendéen), par A. de CHATEAUBRIAND *(Grasset).*

Dominique (La Rochelle), par E. FROMENTIN *(GF Flammarion).*

Les Hauts Ponts (4 vol.) (Fontenay-le-Comte), par J. de LACRETELLE *(Gallimard).*

Le Roman d'un enfant (Rochefort, Oléron), par P. LOTI *(Flammarion).*

L'Accent de ma mère (Vendée); **la Louve de Mervent** (guerre de Vendée de 1832), par M. RAGON *(Le Livre de Poche).*

Enfances vendéennes, par M. RAGON *(Rennes, Ouest-France).*

Délices de la mer.

CONDITIONS DE VISITE

Les renseignements énoncés ci-dessous ont été obtenus en été 1991. Ils s'appliquent à des touristes voyageant isolément et ne bénéficiant pas de réduction. Ces données ne peuvent être fournies qu'à titre indicatif en raison de l'évolution du coût de la vie et de modifications fréquentes dans les horaires d'ouverture de nombreuses curiosités.

Lorsqu'il nous a été impossible d'obtenir des informations à jour, les éléments figurant dans l'édition précédente ont été reconduits. Dans ce cas, ils apparaissent en italique.

*Les **édifices religieux** ne se visitent pas pendant les offices. Certaines églises et la plupart des chapelles sont souvent fermées. Les conditions de visite en sont précisées si l'intérieur présente un intérêt particulier : dans le cas où la visite ne peut se faire qu'accompagnée par la personne qui détient la clé, une rétribution ou une offrande est à prévoir.*

*Dans certaines villes, des **visites guidées** de la localité dans son ensemble ou limitées aux quartiers historiques, sont régulièrement organisées en saison touristique. Cette possibilité est mentionnée en tête des conditions de visite, pour chaque ville concernée.*

A

AIRVAULT

Musée des Arts et Traditions populaires. – Visite du 1er juillet au 10 septembre tous les jours de 14 h 30 à 18 h; le reste de l'année, les dimanches et jours fériés de 14 h à 17 h (14 h 30 à 18 h du 1er avril au 30 juin). 10 F. ☎ 49 64 71 42.

Ile d'AIX

Accès. – Services réguliers : voir le guide Rouge Michelin France. Il existe en outre des liaisons régulières saisonnières avec l'île de Ré (voir à ce nom) et des croisières au départ d'Oléron, de La Rochelle, La Tranche-sur-Mer et La Tremblade (voir au nom), avec approche du fort Boyard et commentaires.

Promenades en calèche. – ☎ 46 84 07 18.

Musée Napoléonien. – Visite de 10 h à 12 h et de 14 h à 18 h (17 h du 1er novembre au 31 mars). Fermé le mardi. 11 F (6 F les dimanches et jours fériés). ☎ 46 84 66 40.

Musée Africain. – Visite accompagnée (3/4 h) de 10 h à 12 h et de 14 h à 18 h (17 h du 1er novembre au 31 mars). Fermé le mercredi et les 25 décembre et 1er janvier. 16 F (8 F les dimanches et jours fériés). ☎ 46 84 66 40.

Mont des ALOUETTES

Moulin à vent. – Visite accompagnée de fin juin à début septembre tous les jours à partir de 15 h; le reste de l'année, le week-end sauf en hiver. 14 F. ☎ 51 92 92 92 (Office de tourisme des Herbiers).

ANGLES-SUR-L'ANGLIN   🄱 Mairie - 86260. ☎ 49 48 61 20.

Visite guidée de la ville. – S'adresser à l'office de tourisme.

Ruines du château. – Visite accompagnée (1/2 h) en juillet et août de 10 h à 12 h et de 14 h à 18 h. Fermé le mardi. 8 F. ☎ 49 48 61 20.

ANGOULÊME   🄱 2, place St-Pierre - 16000. ☎ 45 95 16 84.

Visite guidée de la ville. – S'adresser à l'office de tourisme.

Hôtel de ville. – Visite accompagnée (1 h) en juillet et août à 10 h 30 et 15 h. Fermé le dimanche, le 14 juillet et le 15 août. 10 F. ☎ 45 95 16 84.

Chapelle des Cordeliers. – Pour visiter, s'adresser au bureau des entrées de l'hôpital de Beaulieu.

C.N.B.D.I. : musée et médiathèque. – Visite de 12 h (14 h les dimanches et jours fériés) à 19 h. Fermé les lundis et mardis, les 1er janvier, 1er mai, 25 décembre. Musée : 20 F. ☎ 45 95 87 20.

Musée municipal des Beaux-Arts. – Visite de 10 h à 12 h et de 14 h à 18 h. Fermé les mardis et jours fériés. 15 F. ☎ 45 95 07 69.

Atelier-musée du Papier. – Visite de 14 h à 18 h. Fermé les lundis et jours fériés. ☎ 45 92 73 43.

Musée de la Société archéologique. – Visite accompagnée (3/4 h) de 10 h à 12 h et de 14 h à 17 h. Fermé le mardi. ☎ 45 38 45 17.

APREMONT

Château. – Visite tous les jours du 15 mai au 30 septembre de 11 h à 12 h 30 et de 14 h à 18 h 30 (ouvert à 10 h 30 et à 13 h du 1er juin au 30 septembre); du 15 mars au 14 mai les samedis, dimanches et jours fériés aux mêmes heures; le reste de l'année le 1er samedi du mois aux mêmes heures. 12 F (billet combiné avec celui du château d'eau : 15 F). ☎ 51 55 27 18.

Château d'eau. – Visite du 20 juin à début septembre de 10 h 30 à 13 h et de 13 h 30 à 18 h 30. 15 F (y compris la visite du château). ☎ 51 55 27 18.

ARCHIGNY

Ferme acadienne. – Visite accompagnée (1 h) en juillet et août tous les jours sauf le lundi de 15 h à 19 h; du 1er mars au 30 juin et du 1er septembre au 15 novembre les samedis, dimanches et jours fériés aux mêmes heures (fermeture à 18 h en automne). Se renseigner au préalable : ☎ 49 85 30 98.

ARGENTON-CHATEAU
🯅 79150. ☎ 49 65 96 56.

Moulin des Plaines. – Visite accompagnée (1/2 h) de 15 à 19 h du 1er dimanche de mars au dernier dimanche d'octobre les dimanches et jours fériés (et les samedis en juillet et août). 12 F. ☎ 49 65 96 56 (Syndicat d'initiative).

AUBETERRE-SUR-DRONNE

Église monolithe St-Jean. – Visite de 9 h à 12 h et de 14 h à 18 h. Fermé le mardi de septembre à juin. 13 F. ☎ 45 98 50 33 (Syndicat d'initiative).

AULNAY
🯅 Mairie - 17470. ☎ 46 33 14 44.

Église St-Pierre. – Possibilité de visite guidée du 15 juin au 15 septembre. Téléphoner au syndicat d'initiative.

B

BARBEZIÈRES

Château. – Visite accompagnée (1/2 h) de Pâques au 1er octobre les samedis, dimanches et jours fériés de 14 h 30 à 17 h 30. 30 F.

La BARRE-DE-MONTS

Centre de découverte du Marais breton-vendéen. – Visite en juillet et août de 10 à 19 h (le dimanche à partir de 15 h); le reste de l'année de 10 h à 12 h et de 14 h à 18 h. Fermé le lundi (sauf en juillet et août), le dimanche matin, les 1er janvier, 25 décembre et du 12 novembre au 15 mars (sauf pendant les vacances de Noël et de printemps). 13 F. ☎ 51 68 57 03.

Abbaye de BASSAC

Bâtiments conventuels. – Visite accompagnée (1/2 h) tous les jours à 15 h, 16 h et 17 h sauf les jours de retraite. ☎ 45 81 94 22.

Château de BEAUFIEF

Visite accompagnée (1/2 h) de Pâques à la Toussaint de 14 h à 18 h 30. 15 F. ☎ 46 32 35 93.

BEAUSSAIS

Temple : Maison du Protestantisme poitevin. – Visite du 1er mai au 31 octobre les vendredis, samedis et dimanches de 14 h 30 à 19 h. 15 F. ☎ 49 32 83 46.

BEAUVOIR-SUR-NIORT

Moulin de Rimbault. – Visite accompagnée (1/2 h) de mai à octobre les dimanches et jours fériés de 15 h à 18 h. 12 F. – ☎ 49 09 73 05.

Abbaye de BOIS-AUBRY

Visite toute l'année de 10 h à 18 h.

Château du BOIS-CHEVALIER

Visite accompagnée (3/4 h) d'avril à septembre de 9 h 30 à 12 h et de 14 h à 19 h. 15 F. ☎ 40 26 62 18.

BOIS-DE-CÉNÉ

Abbaye de l'Ile-Chauvet. – Visite accompagnée (1/2 h) du 1er juillet au 8 septembre de 10 h à 12 h et de 14 h à 18 h. Fermé le samedi et le matin des dimanches et jours fériés. 15 F. ☎ 51 68 13 19.

Château du BOIS-DOUSSET

Visite de l'extérieur seulement en juillet et en septembre de 9 h 30 à 12 h 30 et de 14 h à 18 h. Fermé les samedis et dimanches et le 14 juillet.

Le BOIS-TIFFRAIS

Musée de la France protestante de l'Ouest. – Visite accompagnée (3/4 h) du 1er juillet au 15 septembre de 10 h (14 h le dimanche) à 18 h 30. Fermé le lundi. 12 F. ☎ 51 57 70 71.

Pointe des BOUCHOLEURS

Visite accompagnée (1 h 30) des parcs à huîtres et moules tous les jours du 15 juin au 15 septembre; départ en fonction de l'horaire des marées. 25 F. S'adresser à l'office de tourisme de Châtelaillon-Plage, ☎ 46 56 26 97.

Tumulus de BOUGON

Visite accompagnée (3/4 h) de juin à août de 9 h 30 à 19 h. ☎ 49 05 05 00 (M. Barbreau); le reste de l'année sur rendez-vous, ☎ 49 06 79 79 poste 2640.

BOURCEFRANC-LE CHAPUS

Fort Louvois. – Visite accompagnée (3/4 h) en juillet et août de 10 h 30 à 18 h; en juin et septembre à marée basse seulement. Entrée : 12 F. Accès en bateau à marée haute : 10 F. ☎ 46 85 07 59.

BOURG-CHARENTE

Église. – Ouverte les samedis et dimanches de 9 h à 18 h; les autres jours, s'adresser à la poste.

BOURGNEUF-EN-RETZ

Musée du Pays de Retz. – Visite de fin mars à mi-novembre de 10 h à 12 h et de 14 h à 18 h (15 h à 19 h en juillet et août). Fermé le mardi sauf en juillet et août. 6 F. ☎ 40 21 40 83.

BRESSUIRE 🏛 place de l'Hôtel-de-Ville - 79300 ☎ 49 65 10 27.

Musée municipal. – Visite de 10 h à 12 h et de 14 h à 18 h. Fermé le dimanche (sauf l'après-midi pendant les expositions temporaires), le lundi et les jours fériés. 6 F. ☎ 49 65 26 79. Visite accompagnée sur demande.

Château. – Visite libre toute l'année. Possibilité de visite accompagnée (1 h 30) le mardi à 15 h en juillet et août. ☎ 49 65 26 79.

BROUAGE 🏛 17320. ☎ 46 85 19 16.

Visite guidée des remparts et de la ville. – S'adresser au bureau du tourisme.

C

CADEUIL

Le Village des Oiseaux. – Visite du 15 juin au 15 septembre de 10 h à 19 h; de Pâques au 14 juin de 14 h à 19 h; du 16 au 30 septembre de 14 h à 18 h. 25 F (enfants : 15 F). ☎ 46 94 43 49.

CELLES-SUR-BELLE

Abbaye. – Visite accompagnée (1 h) sur rendez-vous. ☎ 49 79 83 47.

Château de la CHABOTTERIE

En cours de restauration : on ne visite pas.

CHAILLÉ-LES-MARAIS

Maison du Petit-Poitou. – Visite du 1er mai au 30 septembre de 10 h à 12 h et de 14 h à 19 h. Fermé le dimanche matin, le lundi et les jours fériés. 15 F. ☎ 51 56 77 30.

Château de CHAMBONNEAU

Visite accompagnée (3/4 h) du 1er juin au 15 septembre les vendredis, samedis, dimanches et jours fériés de 14 h 30 à 18 h 30. 10 F.

Vallée de la CHARENTE

Croisières. – Entre St-Savinien et Rouffiac (8 km à l'Est de Chaniers), des croisières sont organisées de début mai à fin septembre (1/2 journée ou une journée, départ : St-Savinien ou Saintes) par la compagnie Croisières inter-îles et fluviales : voir l'adresse à La Rochelle ou s'adresser aux offices de tourisme de Saintes (voir à Saintes) ou de St-Savinien (place de la Halle, ☎ 46 90 21 07).
Au départ d'Angoulême, croisières (1/2 journée) en juillet et août sur la péniche Germinal; s'adresser à l'office de tourisme.
Au départ de Cognac, croisières (1 h 45) sur le François-Ier d'avril à octobre; s'adresser à Charente-Plaisance, ☎ 45 82 79 71.

Viaduc de la CHARENTE

Péage aller simple : 30 F; AR 45 F. Sont exempts du péage les véhicules immatriculés en Charente-Maritime.

CHARROUX

Abbaye St-Sauveur. – Visite accompagnée (1/2 h) du 1er avril au 30 septembre de 9 h à 19 h 30; le reste de l'année de 10 h à 12 h et de 13 h 30 à 17 h (de 9 h 30 à 12 h et de 13 h 30 à 17 h 30 les dimanches et jours fériés). Fermé le mardi du 1er octobre au 31 mars, les 1er janvier, 1er mai, 1er et 11 novembre, 25 décembre. 18 F. ☎ 49 87 62 93.

CHASSENEUIL-SUR-BONNIEURE

Mémorial de la Résistance. – Visite de 8 h à 12 h et de 14 h 15 à 18 h (de 13 h 15 à 17 h du 1er octobre au 31 mars). Fermé le matin des samedis, dimanches et jours fériés. ☎ 45 39 65 21.

Prieuré de CHASSAY-GRAMMONT

Visite du 16 juin au 31 août tous les jours de 14 h à 19 h; du 1ᵉʳ mai au 15 juin et du 1ᵉʳ septembre au 15 novembre les dimanches et jours fériés de 14 h à 18 h 30 (18 h du 1ᵉʳ septembre au 15 novembre). 20 F. ☎ 51 66 40 96.

CHATEAUNEUF

Le Petit Moulin. — Visite accompagnée (1 h) de 14 h à 19 h les dimanches d'avril et mai, les jours fériés et tous les jours du 1ᵉʳ juin au 30 septembre et pendant les vacances scolaires. 10 F. ☎ 51 49 31 07.

CHATELLERAULT
🖼 1, avenue Treuille - 86100. ☎ 49 21 05 47.

Visite guidée de la ville. — S'adresser à l'office de tourisme.

Musée municipal. — Visite de 14 h à 18 h. Fermé les mardis, dimanches et jours fériés. 9 F. ☎ 49 21 01 27.

Maison Descartes. — On ne visite plus. Fermé pour travaux.

Musée de la Moto, de l'Automobile et du Cycle. — Réouverture prévue en 1993.

CHATRE

Église. — S'adresser au logis de Garde-Épée. ☎ 45 32 06 90.

CHAUVIGNY
🖼 Mairie - 86300. ☎ 49 46 30 21.

Visite guidée de la ville. — S'adresser à la Maison du Tourisme (juillet et août). ☎ 49 46 39 01.

St-Pierre-les-Églises : Église. — Ouverte de juin à septembre. En cas de fermeture, téléphoner au 49 46 33 91 ou s'adresser à M. Bodin (à l'Espinasse) ou à Mme Tranchant (maison à droite dans le chemin des Églises).

CIVAUX

Musée Archéologique. — Visite accompagnée (1/2 h) du 1ᵉʳ mars au 30 novembre de 10 h à 12 h et de 14 h à 18 h (15 h à 19 du 1ᵉʳ mai au 30 septembre). Fermé le mardi. 4 F.

CLISSON
🖼 6, place de la Trinité - 44190. ☎ 40 54 02 95.

Visite guidée de la ville. — S'adresser à l'office de tourisme. Possibilité de visiter à la fois la ville et la Garenne-Lemot.

Château. — Visite de 9 h 30 à 12 h et de 14 h à 18 h. Fermé le mardi et pendant les vacances scolaires de Noël et de février. 13 F. ☎ 40 54 02 22.

La Garenne-Lemot. — Visite du parc de 9 h à 20 h (18 h du 1ᵉʳ octobre au 31 mars). Visite de la maison du Jardinier de 10 h à 13 h et de 14 h à 18 h; fermé le lundi de début octobre à fin mai et les 1ᵉʳ janvier, 1ᵉʳ mai, 1ᵉʳ novembre, 25 décembre. ☎ 40 03 96 79.

COGNAC
🖼 16, rue du 14-Juillet. ☎ 45 82 10 71.

Visite guidée de la ville. — S'adresser à l'office de tourisme.

Usine de verrerie St-Gobain. — Visite accompagnée (1 h 30) du 15 juin au 15 septembre à dates précises. 40 F. S'adresser à l'office de tourisme. Visite interdite aux enfants de moins de 14 ans.

Les Chais. — Toutes les visites sont accompagnées (de 1 h à 1 h 30) :

Otard. — Visite du 1ᵉʳ avril au 30 septembre de 9 h 30 à 12 h et de 14 h à 17 h 30 (sans interruption du 15 juin au 15 septembre); le reste de l'année à 10 h, 11 h, 14 h, 15 h, 16 h et 17 h. Fermé les samedis, dimanches et jours fériés du 1ᵉʳ octobre au 31 mars. ☎ 45 82 40 00.

Hennessy. — Visite du 15 juin au 15 septembre de 9 h à 17 h 30; le reste de l'année de 8 h 30 à 11 h et de 14 h à 16 h. Fermé le samedi du 16 septembre au 14 juin et les dimanches et jours fériés toute l'année. ☎ 45 82 52 22.

Martell. — Visite de 8 h 30 à 11 h et de 14 h à 17 h. Fermé les dimanches et jours fériés toute l'année, le samedi (sauf en juillet et août) et le vendredi après-midi d'octobre à mai. ☎ 45 82 44 44.

Rémy Martin. — Visite en petit train de mai à octobre de 9 h 45 à 11 h 15 (11 h 30 en juillet et août) et de 13 h 30 à 17 h 15 (18 h en juillet et août). Fermé le dimanche et les 1ᵉʳ, 8 et 9 mai, 14 juillet, 15 août. 10 F. ☎ 45 35 76 66.

Camus. — Visite du 1ᵉʳ juin au 30 septembre de 10 h à 12 h et de 14 h 30 à 16 h 30. Fermé les vendredis après-midi, samedis, dimanches et jours fériés. ☎ 45 32 28 28.

Prince Hubert de Polignac. — Visite du 1ᵉʳ juillet au 15 septembre tous les jours à 10 h, 11 h, 15 h, 16 h et 17 h. ☎ 45 82 13 85.

Musée municipal. — Visite du 1ᵉʳ juin au 30 septembre de 10 h à 12 h et de 14 h à 18 h; le reste de l'année de 14 h à 17 h 30. Fermé le mardi et les 1ᵉʳ janvier, 1ᵉʳ et 8 mai, le jeudi de l'Ascension, les 14 juillet, 15 août, 1ᵉʳ et 11 novembre et 25 décembre. 10,50 F. ☎ 45 32 07 25.

Phare de CORDOUAN

Visite accompagnée (1/4 h) tous les jours sauf vendredi de 1 h 30 avant à 1 h après la basse mer. 15 F. ☎ 56 09 61 78 (Syndicat d'initiative du Verdon-sur-Mer).
L'accès est fonction des conditions météorologiques. Il est difficile d'octobre à avril. Pour partir de la pointe de Grave, se renseigner au syndicat d'initiative du Verdon-sur-Mer. Pour partir de Royan, téléphoner au 46 05 29 91.

La COUARDE

Maison du Protestantisme poitevin. – Mêmes conditions de visite que pour la maison du Protestantisme poitevin de Beaussais.

Forêt de la COUBRE

Visite commentée des dunes et de la forêt du 14 juillet au 15 août. 25 F. S'adresser aux offices de tourisme de La Palmyre (☎ 46 22 41 07) ou de La Tremblade (☎ 46 36 02 35).

Château du COUDRAY-SALBART

Visite du 1ᵉʳ mai au 30 septembre de 9 h à 19 h; du 15 mars au 30 avril et en octobre de 9 h à 12 h et de 14 h à 19 h; du 1ᵉʳ novembre au 14 mars de 10 h à 12 h et de 14 h à 17 h. Fermé le mardi et en janvier. 10 F. ☎ 49 25 71 07.

COULON

Promenades en barque. – Avec ou sans guide. S'adresser à M. Fichet, ☎ 49 35 90 88, M. Prada, ☎ 49 35 97 63, La Roselière, ☎ 49 35 90 88, M. Thibaudeau, ☎ 49 35 91 71, à J.F. (possibilité de barques agréées pour le transport des handicapés), ☎ 49 35 90 88.

Promenade en petit train (Le Pibalou). – Départs réguliers, en saison, de la place de l'Église. Parcours de 1/2 h ou de 1 h 15 (avec commentaires). S'adresser à M. Egreteau, 6, rue de l'Église. ☎ 49 35 02 29.

Promenade en minibus (Le Grenouillon). – Circuit commenté. S'adresser à Mme Tingaud, place de l'Église, ☎ 49 35 08 08.

Aquarium. – Visite du 1ᵉʳ avril au 31 octobre de 10 h à 12 h 30 et de 14 h 30 à 19 h. 19 F (enfants : 8 F). ☎ 49 35 90 31.

Maison des Marais mouillés. – Visite de Pâques à la Toussaint de 10 h à 12 h et de 14 h à 19 h. Fermé le lundi. 15 F. ☎ 49 35 81 04.

Château de la COURT D'ARON

Parc floral. – Visite d'avril à septembre de 10 h à 19 h. 30 F. ☎ 51 30 86 74.

Château. – Pour y accéder, il est nécessaire d'avoir acquitté le droit d'entrée au parc floral. Visite accompagnée du château (1/2 h) en juillet et août de 10 h à 12 h et de 14 h à 18 h. 9 F. ☎ 51 30 81 82.

Château de COUSSAY

Visite de l'extérieur seulement. Pour visiter l'intérieur, s'adresser à M. Thibault, 7, rue Arnoux, 92340 Bourg-la-Reine.

Château de CRAZANNES

Visite accompagnée (1/2 h) les samedis et dimanches et pendant les vacances scolaires de 14 h à 19 h. 20 F (parc seulement : 15 F). ☎ (1) 45 56 15 25.

Chapelle des Templiers de CRESSAC

Pour visiter, s'adresser à Mme Labrousse, ☎ 45 64 08 74, ou au temple de Barbezieux, ☎ 45 78 10 92.

D

DAMPIERRE-SUR-BOUTONNE

Château. – Visite accompagnée (3/4 h) du 1ᵉʳ juin au 30 septembre tous les jours de 14 h à 18 h 30; du 1ᵉʳ mars au 31 mai et du 1ᵉʳ octobre au 30 novembre les dimanches et jours fériés de 14 h à 18 h (17 h en octobre et novembre). 22 F (17 F parc seulement). ☎ 46 24 02 24.

Maison de l'Ane du Poitou. – Visite toute la journée. 15 F. ☎ 46 24 07 72.

Château de DIDONNE

On ne visite pas le château. L'arboretum est ouvert toute l'année. Visite du musée en juillet et août tous les jours de 10 h à 19 h; de Pâques à juin et en septembre et octobre les dimanches et jours fériés de 14 h à 18 h. 15 F. ☎ 46 05 05 91.

DISSAY

Château. – Visite accompagnée (1 h) du 15 juin au 31 août tous les jours sauf le mercredi de 15 h à 18 h; de Pâques au 14 juin et en septembre le dimanche seulement aux mêmes heures. Fermé les jours fériés. 15 F. ☎ 49 52 41 47.

Château du DOUHET

Visite du 1ᵉʳ avril au 31 octobre de 10 h à 12 h et de 14 h à 19 h; le reste de l'année les dimanches et jours fériés et pendant les vacances scolaires de 14 h à 17 h 30. 34 F pour la visite complète (parc : 13 F, musée : 15 F). ☎ 46 97 78 14.

E

Gare des ÉPESSES

Musée de l'Histoire des chemins de fer en Vendée. – Visite lorsque le train à vapeur du Puy du Fou circule. 5 F; gratuit pour les passagers du train. ☎ 51 57 64 64.

Train à vapeur du Puy du Fou. – Il circule de Mortagne aux Herbiers (halte à la gare des Épesses) de début juin à début septembre tous les week-ends et certains vendredis. Se renseigner au 51 64 11 11. 55 F AR, 45 F aller (billet donnant droit à la visite du musée). Déjeuner ou dîner à bord d'une voiture de l'Orient-Express : sur réservation.

ESNANDES
🏛 rue de l'Océan - 17137. ☎ 46 01 34 64.

Église. – Accès aux remparts du 15 juin au 30 septembre de 10 h à 19 h (14 h 30 à 19 h les dimanches et jours fériés). Fermé pendant les offices. 6 F. Visite accompagnée : 12 F. ☎ 46 01 34 64 (Office de tourisme).

Maison de la Mytiliculture. – Visite de 10 h à 12 h 30 et de 14 h 30 à 19 h (sans interruption du 15 juin au 30 septembre). Fermé le dimanche matin et le lundi. 18 F. ☎ 46 01 34 64 (Office de tourisme).

Les ESSARTS

Vieux château. – Visite du 15 juin au 15 septembre de 10 h à 12 h et de 14 h à 18 h. 10 F. ☎ 51 62 88 86.

F

La FAUTE-SUR-MER

Parc de Californie. – Visite du 1er avril au 15 septembre de 9 h 30 à 12 h et de 14 h à 19 h; en mars et du 16 septembre au 1er octobre de 10 h à 12 h et de 14 h à 18 h. 35 F. ☎ 51 27 10 48. Spectacle de rapaces en vol libre à 11 h et 15 h (et 18 h en juillet et août).

FAYE-LA-VINEUSE

Crypte de l'église St-Georges. – Visite de 9 h à 12 h et de 14 h à 18 h. S'adresser à M. Paul Baudu, en face de la cabine téléphonique, ☎ 47 95 63 32, ou au presbytère.

Moulin de FLEURAC

Visite accompagnée (1 h) en semaine de 10 h 30 à 12 h et de 14 h 30 à 18 h; les samedis, dimanches et jours fériés à 11 h, 15 h, 16 h et 17 h. Fermé le mardi. 15 F. ☎ 45 91 50 69.

Abbaye de FONTDOUCE

Visite accompagnée (3/4 h) en juillet et août tous les jours de 10 h à 12 h et de 14 h 30 à 18 h 30; de la Pentecôte à juin et de septembre à la Toussaint les dimanches et jours fériés de 14 h 30 à 18 h 30. 15 F. ☎ 45 82 76 00.

FONTENAY-LE-COMTE
🏛 tour de l'Octroi, quai Poey-d'Avant - 85200. ☎ 51 69 44 99.

Visite guidée de la ville. – A pied ou en calèche. S'adresser à l'office de tourisme.

Musée vendéen. – Visite de 14 h à 18 h; en outre du 16 juin au 15 septembre, de 10 h à 12 h les samedis, dimanches et jours fériés. Fermé le lundi toute l'année, le mardi du 16 septembre au 15 juin, le 1er janvier et le 25 décembre. 10 F. ☎ 51 69 31 31.

Église Notre-Dame. – Pas de visite le dimanche.

Château de Terre-Neuve. – Visite accompagnée (3/4 h) du 1er juin au 30 septembre de 9 h à 12 h et de 14 h à 19 h; en mai de 14 h à 18 h. 17 F. ☎ 51 69 17 75.

FOURAS

Promenades en mer. – S'adresser à la société Fouras-Aix à l'île d'Aix, ☎ 46 84 66 01; bureaux de La Rochelle, ☎ 46 41 76 24; à Fouras de mai à septembre, ☎ 46 84 60 50.

Fort Vauban : musée. – Visite de 15 h à 18 h tous les jours du 15 juin au 15 septembre, les dimanches et jours fériés seulement le reste de l'année. 10 F. ☎ 46 84 62 96.

FOUSSAIS-PAYRÉ

Visite guidée du bourg. – S'adresser à la Mairie, ☎ 51 51 41 23.

Le FUTUROSCOPE

Compter une journée de visite minimum. Visite de début mars à mi-novembre de 9 h (9 h 30 en octobre et novembre) à 18 h (18 h 30 de mars à juin et en septembre, 19 h en juillet et août). 110 F (2 jours : 200 F); enfants : 85 F (2 jours : 150 F). ☎ 49 49 30 20. Sur minitel : 3615 code FUTUROSCOPE.

G

La GARNACHE

Château. – Visite du 1er dimanche de juillet au dernier dimanche d'août de 14 h 30 à 19 h. 15 F. ☎ 51 49 12 65.

Musée Passé et Traditions. – Visite tous les jours du 15 juin au 15 septembre et les week-ends du 1er au 15 juin de 14 h 30 à 19 h. 10 F.

Château de la GATAUDIÈRE

Visite accompagnée (3/4 h) du 1er mars au 15 novembre de 10 h à 12 h et de 14 h à 18 h. Fermé le dimanche matin. 22 F. ☎ 46 85 01 07.

GENÇAY

Visite guidée de la ville. – S'adresser à l'Association des amis du vieux château de Gençay, ☎ 49 58 01 82 (le matin).

Château de la Roche-Gençay. – Visite accompagnée (3/4 h) tous les jours en juillet et août de 9 h à 12 h et de 14 h à 18 h; du 15 mars au 30 juin et du 1er septembre au 30 novembre les dimanches et jours fériés de 14 h à 18 h. 18 F (entrée du parc et du jardin gratuite en juin). ☎ 49 59 49 55.

Lac de GRAND-LIEU

Promenades en barque lors de la fête annuelle des Pêcheurs qui a lieu à Passay le 15 août et le 3e dimanche d'août et le 15 août.

Le GRAND-PRESSIGNY

Musée départemental de Préhistoire. – Visite de 9 h (9 h 30 en juillet et août) à 12 h et de 14 h à 17 h (18 h du 16 mars au 30 juin et en septembre, 18 h 30 en juillet et août). Fermé en décembre et janvier et le mercredi (du 1er février au 15 mars et du 1er octobre au 30 novembre). 18 F. ☎ 47 94 90 20.

Parc zoologique du GROS ROC

Visite de 9 h à 19 h. 35 F (enfants : 17 F). ☎ 51 00 22 54.

Le GUA

Musée historique 39-45 « La Poche de Royan ». – Visite de 10 h à 19 h (20 h du 1er juin au 30 septembre). 30 F. ☎ 46 22 89 90.

La GUERCHE

Château. – Visite accompagnée (3/4 h) tous les jours en juillet et août de 10 h 30 à 12 h (sauf dimanches et jours fériés) et de 14 h 30 à 19 h; pendant les vacances de Pâques de 14 h 30 à 18 h 30; le reste de l'année les samedis et dimanches de 14 h 30 à 18 h 30. Fermé du 1er octobre à Pâques. 16 F. ☎ 47 94 92 61.

Château de la GUIGNARDIÈRE

Pour se renseigner sur les possibilités de visite, s'adresser au bureau de tourisme d'Avrillé, ☎ 51 22 30 70.

H

La HAIE-FOUASSIÈRE

Maison des Vins de Nantes. – Visite de 8 h 30 (9 h 30 les dimanches et jours fériés) à 12 h 30 et de 13 h 30 à 18 h 30. Fermé les samedis, dimanches et jours fériés sauf en juillet et août. ☎ 40 36 90 10.

I

L'ILE-D'OLONNE

Observatoire d'oiseaux. – Accès en juillet et août de 9 h 30 à 12 h et de 15 h à 19 h. En dehors de cette période, s'adresser au 51 33 12 97 (A.D.E.V.).

Avant de prendre la route,
consultez 3615 MICHELIN sur votre Minitel :
votre meilleur itinéraire,
le choix de votre hôtel, restaurant, camping,
des propositions de visites touristiques.

J

La JAMONIÈRE

Musée des Amis de la forêt. – Visite de 14 h à 18 h (en outre ouvert de mai à octobre en semaine de 10 h à 12 h). 10 F. ☎ 51 00 27 26.

JARNAC

Maison Courvoisier : musée et chais. – Visite accompagnée du 1er mai au 31 octobre de 9 h 30 à 13 h et de 14 h à 18 h. Fermé le samedi en mai et octobre et les dimanches et jours fériés. ☎ 45 35 55 55.

La JARNE

Château de Buzay. – Visite accompagnée du 1er juillet au 30 septembre de 14 h 30 à 17 h 30. 15 F. ☎ 46 56 63 21.

JONZAC
🛈 place du Château - 17500. ☎ 46 48 49 29.

Ancien couvent des Carmes. – Visite accompagnée (1/4 h) en juillet et août de 15 h à 17 h tous les jours sauf le dimanche. En dehors de cette période, s'adresser au syndicat d'initiative.

Moulin des JUSTICES

Visite accompagnée (1/2 h) du 15 juin au 15 septembre tous les jours à partir de 15 h ; le reste de l'année les samedis, dimanches et jours fériés à partir de 15 h. 14 F. ☎ 51 57 80 84.

L

Abbaye de LIGUGÉ

Fouilles, galerie des moines, musée. – Visite en semaine de 9 h à 11 h et de 15 h à 17 h 30, les dimanches de 11 h 15 à 12 h 15, de 15 h à 16 h 15 et de 17 h 15 à 18 h. ☎ 49 55 21 12. Offices en chant grégorien : en semaine à 11 h 15, 18 h et 20 h, le dimanche à 10 h, 16 h 30 et 20 h.

LOUDUN
🛈 hôtel de ville - 86200. ☎ 49 98 15 96.

Visite guidée de la ville. – S'adresser à l'office de tourisme.

Tour Carrée. – Visite en juillet et août tous les jours sauf le mardi de 10 h à 12 h et de 14 h à 18 h ; le reste de l'année les dimanches et jours fériés de 14 h à 18 h (17 h d'octobre à mars). 10,50 F ou 22 F (billet donnant accès aux musées). ☎ 49 98 15 96 (Office de tourisme).

Église St-Hilaire-du-Martray. – Ouverte en été ; le reste de l'année, s'adresser au musée à côté de l'église.

Musée Charbonneau-Lassay. – Visite du 15 juin au 30 septembre tous les jours sauf le mardi de 10 h à 12 h et de 14 h à 18 h ; le reste de l'année les dimanches et jours fériés du 1er novembre au 31 mars). Fermé le 1er mai. 10,50 F ou 22 F (voir à la tour Carrée). ☎ 49 98 08 48.

Musée Théophraste-Renaudot. – Visite en juillet et août tous les jours sauf le mardi de 10 h à 12 h et de 14 h à 18 h ; le reste de l'année, les samedis, dimanches et jours fériés de 14 h à 18 h (17 h de novembre à mars). Fermé le 1er mai. 10,50 F ou 22 F (voir à la tour Carrée). ☎ 49 98 27 33.

LUSIGNAN
🛈 Centre André-Léo - 86600. ☎ 49 43 61 21.

Visite guidée de la ville. – S'adresser au syndicat d'initiative.

LUSSAC-LES-CHATEAUX

Musée de Préhistoire. – Visite de mai à septembre de 14 h à 18 h 30. Fermé le mardi. 20 F. ☎ 49 48 40 33 (Mairie).

M

MAILLEZAIS
🛈 85420. ☎ 51 87 23 01.

Promenades en barque. – S'adresser à l'Association familiale rurale, ☎ 51 87 21 87 ou à Aria Loisirs, ☎ 51 52 49 10.

Abbaye. – Visite en juillet et août de 9 h à 20 h ; le reste de l'année de 9 h à 12 h et de 14 h à 19 h (18 h d'octobre à mars). Fermé le jeudi de novembre à mars. Possibilité de visite accompagnée en juillet et août. 12 F. ☎ 51 00 70 11.

Le MAINE-GIRAUD

Manoir. – Visite de 9 h à 12 h et de 14 h à 18 h. ☎ 45 64 04 49.

MAISON DU PROTESTANTISME POITEVIN : voir à Beaussais et à La Couarde.

Réserve naturelle du MARAIS D'YVES

Centre nature. — Visite le dimanche d'octobre à juin et tous les jours pendant les vacances scolaires de 14 h à 18 h (15 h à 19 h en juillet et août). Fermé le 25 décembre et le 1er janvier. ☎ 46 99 59 97 (LPO). Possibilité de visite accompagnée de la réserve : téléphoner à la LPO.

Le MARAIS POITEVIN

Promenades en barques. — Avec ou sans guide. A Arçais, s'adresser à M. Bardet, ☎ 49 26 31 80, M. Guinouard, ☎ 49 35 37 34, Mme Juin, ☎ 49 35 39 63, l'Espérance, ☎ 49 35 38 39.

A Bessines, s'adresser à Picton Tours, ☎ 49 35 42 56.

A Damvix, s'adresser à l'Écrin Vert, ☎ 51 87 15 18.

A La Garette, s'adresser à M. Largeaud-Bouyer, ☎ 49 35 93 35, M. Thomas, ☎ 49 35 93 46, Embarcadère du port, ☎ 49 35 81 31.

A Magné, s'adresser à Cardineaud, ☎ 49 35 90 47.

Au Mazeau, s'adresser à M. Matray, ☎ 51 52 90 73.

A St-Hilaire-la-Palud, s'adresser à Conches et Rigoles, ☎ 49 35 32 15, au camping de Lidon, ☎ 49 35 33 64.

A St-Sigismond, s'adresser à l'Embarcadère de l'Autize, ☎ 51 52 94 12.

Voir aussi à Coulon et Maillezais.

Croisières sur la Sèvre Niortaise. — S'adresser à : Croisières du Val de Sèvre, le Port, Damvix, ☎ 51 87 13 13, ou à : Nouvelles Croisières, route de Damvix, à Arçais, ☎ 49 35 37 80.

Location de vélos ou de V.T.T. — S'adresser à la Bicyclette verte, à Arçais, ☎ 49 35 42 56.

Château de MARCONNAY

Visite accompagnée (1/2 h) en juillet et août tous les jours sauf le samedi de 14 h 30 à 18 h; le reste de l'année les dimanches et jours fériés seulement. ☎ 49 53 53 70.

MARENNES   🛈 place Chasseloup-Laubat - 17320. ☎ 46 85 04 36.

Église St-Pierre-de-Sales : terrasse. — Visite en juillet et août de 10 h à 12 h 30 et de 14 h 30 à 19 h 30; le reste de l'année, téléphoner au 46 85 03 86 (après-midi). 5 F.

Vidéorama de l'huître. — Séance d'1/2 h. S'adresser au syndicat d'initiative, ouvert de Pâques à fin septembre; le reste de l'année, téléphoner au 46 85 25 55 (poste 11). 6 F.

MARSILLY

Église St-Pierre. — Ouverte tous les jours (sauf pendant les offices) du 15 juin au 15 septembre de 10 h à 19 h (de 14 h 30 à 19 h les dimanches et jours fériés); le reste de l'année, s'adresser au syndicat d'initiative à Esnandes, ☎ 46 01 34 64. Montée au clocher et exposition : 8 F.

MAULÉON

Musée. — Visite du 1er juillet au 15 septembre tous les jours sauf mardi de 14 h 30 à 18 h; le reste de l'année le samedi et le dimanche aux mêmes heures et, en outre, le dimanche de 10 h à 12 h.

MELLE   🛈 place de la Poste - 79500. ☎ 49 29 15 10.

Mines d'argent des Rois francs. — Visite accompagnée (1 h 30) du 15 juin au 15 septembre tous les jours de 10 h à 12 h et de 14 h 30 à 19 h 30; du 1er mars au 14 juin et du 16 septembre au 15 novembre les samedis, dimanches et jours fériés de 14 h 30 à 18 h 30. 20 F. ☎ 49 29 19 54.

MÉNIGOUTE

Chapelle Boucard. — Pour visiter l'intérieur, prendre la clé à l'hôtel des Voyageurs.

MESCHERS

Grottes de Regulus. — Visite accompagnée (1/2 h) du 6 juillet au 5 septembre tous les jours de 10 h à 13 h et de 15 h à 19 h; du 15 juin au 5 juillet et du 6 au 20 septembre tous les jours sauf samedi de 14 h 30 à 18 h 30; du 19 avril au 14 juin les dimanches et jours fériés de 14 h 30 à 18 h 30. 15 F. ☎ 46 02 52 29.

MEUX

Château. — Visite accompagnée (3/4 h) du 1er mai au 30 septembre de 14 h 30 à 18 h 30 (de 15 h à 19 h les dimanches et jours fériés). Fermé le mardi et le 15 août. 20 F. ☎ 46 48 16 61.

MIGRON

Écomusée du Cognac. — Visite accompagnée (1 h) de 9 h 30 à 12 h 30 et de 14 h 30 à 18 h 30. ☎ 46 94 91 16. Dégustation-vente de cognac et pineau des Charentes.

MONTENDRE

Tour carrée : musée. — Visite accompagnée (3/4 h) du 1er juin au 31 août les mardis, jeudis et samedis de 10 h à 11 h 30 et de 15 h 30 à 18 h. Fermé le 14 juillet et le 15 août. 10 F. ☎ 46 49 41 44.

MONTMORILLON

🛈 21, avenue Ferdinand-Tribot - 86500. ☎ 49 91 11 96.

Visite guidée de la ville. — S'adresser à la Société archéologique et historique du Montmorillonnais, ☎ 49 91 02 32.

Musée de la Tour. — Visite accompagnée (1/2 h) en juillet et août de 10 h à 12 h et de 14 h 30 à 18 h 30; du 1er septembre au 30 juin de 14 h à 18 h. Fermé le jeudi du 1er septembre au 30 juin et le mardi. 5 F (ou 8 F avec entrée au musée de Préhistoire). ☎ 49 91 02 32.

Octogone. — Pour visiter, s'adresser au 49, rue des Augustins, tous les jours en été sauf le mardi. ☎ 49 91 11 96 (Office de tourisme).

Musée de Préhistoire. — Mêmes conditions de visite que pour le musée de la Tour.

MORTAGNE-SUR-GIRONDE

Ermitage St-Martial. — Visite accompagnée (1/2 h) en juillet et août de 11 h à 20 h; de Pâques à fin juin et en septembre, sur demande : ☎ 46 90 62 95.

MOUILLERON-EN-PAREDS

Musées nationaux. — Visite accompagnée (3/4 h) du 16 avril au 15 octobre de 9 h 30 à 12 h et de 14 h à 18 h; le reste de l'année de 10 h à 12 h et de 14 h à 17 h. Fermé le mardi, le 25 décembre et le 1er janvier. 11 F pour un musée, 16 F pour 2 musées. ☎ 51 00 31 49.

N

NIEUL-SUR-L'AUTISE

🛈 place de l'Église - 85240. ☎ 51 52 49 03.

Cloître. — Visite accompagnée (3/4 h) en juillet et août de 9 h à 19 h; du 15 mars au 30 juin et du 1er septembre au 15 octobre de 10 h à 12 h et de 14 h 30 à 18 h. 9 F. ☎ 51 52 49 03.

Maison de la Meunerie. — Visite en juillet et août tous les jours de 10 h 30 à 12 h 30 et de 15 h à 19 h; du 1er mai au 30 juin et du 1er septembre au 31 octobre les samedis et dimanches de 15 h à 19 h. 15 F. ☎ 51 52 47 43.

Camp néolithique de Champ-Durand. — Pour une visite guidée, s'adresser au syndicat d'initiative.

NIEUL-SUR-MER

Parc du manoir Capiplante. — Visite de Pâques à la Toussaint les samedis, dimanches et jours fériés de 14 h 30 à 19 h; en août tous les jours aux mêmes heures; 15 F. ☎ 46 01 34 64.

NIORT

🛈 place de la Poste - 79000. ☎ 49 24 18 79.

Visite guidée de la ville. — S'adresser à l'office de tourisme.

Musée du donjon. — Visite de 9 h à 12 h et de 14 h à 18 h (17 h du 15 septembre au 2 mai). Fermé le mardi, le 1er janvier, le 1er mai et le dimanche de Pâques. 14 F (billet valable pour la visite d'un 2e musée); gratuit le mercredi. ☎ 49 28 14 28.

Logis de l'Hercule. — Visite accompagnée (3/4 h) tous les jours du 15 juin au 15 septembre à 15 h, 16 h, 17 h, 18 h et 19 h; le reste de l'année, le 2e dimanche de chaque mois. 22 F. ☎ 49 24 18 79 (Office de tourisme).

Coulée verte. — Illuminations des quais et des monuments de début juin à mi-septembre.

Musée d'Histoire naturelle. — Mêmes conditions de visite que pour le musée du donjon. ☎ 49 28 14 32.

Musée des Beaux-Arts. — Mêmes conditions de visite que pour le musée du donjon. ☎ 49 24 97 84.

Château de La NOE DE BEL-AIR

Visite du parc de 10 h à 13 h et de 14 h à 18 h 30. Dégustation-vente de muscadet. ☎ 40 33 92 72.

Ile de NOIRMOUTIER

🛈 route du Pont - 85630 Barbâtre ☎ 51 39 80 71.

Pont routier. — Péage : 8 F.

Visite guidée de l'île. — S'adresser à l'office de tourisme, à Barbâtre.

Promenades en mer. — De L'Herbaudière à l'île du Pilier (1/2 journée ou 1 journée; durée de la traversée : 1/2 h); à la plage de Luzéronde ou au bois de la Chaize. S'adresser à M. Couteleau, Café de l'Océan, rue du Port à l'Herbaudière, ☎ 51 39 11 03.

De la Fosse à l'île d'Yeu : voir à Ile d'Yeu.

Noirmoutier-en-l'Ile

Musée du château. – Visite du 1er février au 15 novembre et pendant les vacances scolaires de 10 h à 12 h et de 14 h à 17 h 30 (de 10 h à 19 h en juillet et août). Fermé le mardi sauf en juillet et août. 15 F. ☎ 51 39 10 42.

Aquarium-Seeland. – Visite de 10 h à 12 h et de 14 h à 19 h (de 10 h à minuit en juillet et août). 32 F (enfants : 20 F). ☎ 51 39 08 11.

Musée de la Construction navale. – Visite du 1er avril au 15 novembre de 10 h à 12 h et de 14 h 30 à 18 h (de 10 h à 19 h en juillet et août). Fermé le lundi sauf en juillet et août. 15 F. ☎ 51 39 24 00.

La Guérinière

Musée des Arts et Traditions populaires. – Visite du 15 juin au 15 septembre de 10 h à 12 h et de 14 h 30 à 18 h 30; du 1er février au 14 juin et du 16 septembre au 31 novembre de 14 h 30 à 17 h. Fermé le lundi. 15 F. ☎ 51 39 41 39.

Grottes de la NORÉE

Visite accompagnée (40 mn) pendant les vacances de printemps ainsi qu'en juillet et août tous les jours de 14 h 30 à 18 h 30; le reste de l'année les samedis et dimanches et jours fériés de 14 h 30 à 18 h 30 (17 h 30 du 1er octobre au 31 mars), sur rendez-vous en semaine. Fermé les 1er janvier et 25 décembre. 23 F (enfants : 11,50 F).
☎ *49 58 30 18.*

Abbaye N.-D.-DE-LA-GRAINETIÈRE

Visite de 14 h 30 à 17 h 30. Fermé le lundi. 7 F. ☎ 51 67 21 19.

Abbaye N.-D.-DE-LIEU-DIEU

Visite accompagnée (3/4 h) en juillet et août de 10 h à 12 h et de 14 h à 18 h 30. 12 F. ☎ 51 33 40 06.

NOTRE-DAME-DE-MONTS

Château d'eau. – Visite du 16 mars au 11 novembre de 10 h à 12 h et de 14 h à 18 h (15 h à 19 h en juillet et août); le dimanche de 14 h à 18 h (15 h à 19 h de juin à septembre); pendant les vacances scolaires de Noël et de février tous les jours de 14 h à 17 h. Fermé le lundi, le 25 décembre et le 1er janvier. 10 F. ☎ 51 58 07 89.

O

OIRON

Château. – Visite accompagnée (1 h) du 15 juin au 15 septembre de 10 h à 19 h; le reste de l'année de 9 h à 17 h (fermé de 12 h à 14 h du 1er novembre au 15 juin). Fermé certains jours fériés : se renseigner au 49 96 51 25. 25 F.

Château de l'OISELLERIE

Planétarium de la Charente. – Séances pendant les vacances scolaires tous les jours à 15 h 30 et 17 h 30; le reste de l'année les samedis, dimanches et jours fériés aux mêmes heures. Fermé du 1er au 20 septembre, le 25 décembre et le 1er janvier. 30 F. ☎ 45 67 28 28.

Ile d'OLÉRON

Promenades en mer. – Liaison régulière saisonnière avec l'île d'Aix : voir le guide Rouge Michelin France (à Île d'Aix). Croisières en saison vers l'île d'Aix, La Rochelle, l'île de Ré et sur la Charente (départ St-Savinien) : ☎ 46 47 01 45. En juillet et août, excursions en mer au départ de St-Trojan et Boyardville : s'adresser aux Vedettes oléronaises, ☎ 46 76 09 50.

Phare de Chassiron

Visite du 1er avril au 30 septembre de 10 h à 12 h et de 14 h à 19 h; le reste de l'année de 14 h à 16 h.

Le Château-d'Oléron

🛈 place de la République - 17480. ☎ 46 47 60 51.

Visite guidée de la ville. – S'adresser à l'office de tourisme.

La Cotinière

La criée. – Elle a lieu tous les jours sauf les dimanches et jours fériés à partir de 7 h et de 16 h.

Le Grand-Village-Plage

Maison paysanne oléronaise. – Visite accompagnée (1 h) du 1er juin au 30 septembre de 11 h à 12 h et de 15 h à 18 h 30. ☎ 46 47 51 39.

Maisonneuve

Parc ornithologique. – Visite de 9 h 30 à 20 h (18 h du 1er novembre au 31 mars). 25 F (enfants : 12 F). ☎ 46 47 10 32.

Le Marais aux oiseaux

Visite en juillet et août tous les jours de 10 h à 20 h ; en avril, mai, juin et septembre tous les jours de 10 h à 12 h et de 14 h à 19 h ; d'octobre à mars tous les jours pendant les vacances scolaires et les samedis et dimanches de 14 h à 18 h. 18 F (enfants : 9 F). ☎ 46 75 37 54.

St-Pierre-d'Oléron
☐ place Gambetta - 17310. ☎ 46 47 11 39.

Visite guidée de la ville. — S'adresser à l'office de tourisme.

Musée oléronais Aliénor-d'Aquitaine. — Visite du 15 juin au 15 septembre et pendant les vacances scolaires de printemps de 10 h à 12 h et de 14 h à 18 h. Fermé les dimanches, 14 juillet et 15 août. 15 F. ☎ 46 47 39 88. Le reste de l'année, s'adresser 48 h à l'avance à M. Gabaret, 7, route de la Boirie, ☎ 46 47 18 08.

St-Trojan-les-Bains
☐ carrefour du Port - 17370. ☎ 46 76 00 86.

Pointe de Gatseau : train touristique. — Le train circule des vacances scolaires de printemps à fin septembre. Les jours et heures des départs varient suivant les saisons. Se renseigner : ☎ 46 76 01 26. 38 F (enfants : 19 F).

P

Parc ornithologique de PAGNOLLE

Visite du 1er avril au 1er novembre de 9 h à la tombée de la nuit. 25 F (enfants : 12 F). ☎ 51 69 02 55.

Le PALLET

Musée du Vignoble de Nantes. — Visite du 1er juin au 15 septembre tous les jours sauf le lundi de 14 h 30 à 18 h 30 ; de Pâques au 31 mai et du 16 septembre au 31 octobre les samedis, dimanches et jours fériés aux mêmes heures. 10 F. ☎ 40 80 40 24 (Mairie).

Zoo de La PALMYRE

Visite du 1er mai au 30 septembre de 9 h à 19 h ; le reste de l'année de 9 h à 12 h et de 14 h à 18 h. 50 F (enfants : 25 F). ☎ 46 22 46 06.

Château de PANLOY

Visite accompagnée (3/4 h) du 15 juin au 15 septembre de 14 h à 18 h. 19 F. ☎ 46 91 73 23.

PARTHENAY
☐ palais des Congrès, square Robert-Bigot - 79200. ☎ 49 64 24 24.

Visite guidée de la ville. — S'adresser à l'office de tourisme.

Marché au bétail. — Visite guidée le mercredi matin en juillet et août. S'adresser à l'office de tourisme.

Église St-Pierre (Parthenay-le-Vieux). — Pour visiter, s'adresser à M. Renaudot, maison à côté de l'église.

PASSAY

Maison du Pêcheur. — Visite de 10 h à 12 h et de 15 h à 18 h 30. 12 F. ☎ 40 31 36 46.

Parc d'attractions de PIERRE-BRUNE

Visite de juin à août de 10 h à 20 h ; de Pâques à mai et de septembre à la Toussaint de 14 h à 19 h. 20 F. ☎ 51 00 25 53.

Château de PIERRE-LEVÉE

Visite de la cour Ouest seulement.

POITIERS
☐ 8, rue des Grandes-Écoles - 86000. ☎ 49 21 21 24.

Visite guidée de la ville. — S'adresser à l'office de tourisme.

Palais de justice. — Visite de 8 h 30 à 18 h. Fermé les samedis, dimanches et jours fériés.

Baptistère St-Jean. — Visite du 1er avril au 1er novembre de 10 h 30 à 12 h 30 et de 15 h à 18 h ; le reste de l'année de 14 h 30 à 16 h 30. Fermé le mardi. 4 F.

Musée Ste-Croix. — Visite de 10 h à 12 h et de 13 h à 17 h (14 h à 18 h les samedis et dimanches). Fermé le mardi et les jours fériés. ☎ 49 41 07 53.

Musée de Chièvres. — Mêmes conditions de visite que pour le musée Ste-Croix, mais fermé en outre le lundi.

Hypogée martyrium. — Visite du 1er avril au 30 septembre de 10 h à 12 h et de 14 h à 18 h ; du 1er novembre au 31 mars de 14 h à 16 h. Fermé le mardi, les jours fériés et en octobre. ☎ 49 41 07 53.

PONS
☐ Donjon - 17800. ☎ 46 96 13 31.

Donjon du château. — Visite du 15 juin au 15 septembre de 10 h à 12 h et de 15 h à 19 h. 15 F. ☎ 46 96 13 31.

POUZAUGES 🏠 Cour de la Poste - 85700. ☎ 51 91 82 46.

Moulins du Terrier-Marteau. – Visite accompagnée (1/2 h) les jeudis, vendredis, samedis, dimanches et jours fériés en juillet et août et les samedis, dimanches et jours fériés en juin à partir de 15 h. ☎ 51 57 52 83.

Le PUY DU FOU

Écomusée de la Vendée. – Visite du 1ᵉʳ mai au 30 septembre de 10 h à 19 h; le reste de l'année de 10 h à 12 h et de 14 h à 18 h. Fermé le lundi, le 25 décembre et le 1ᵉʳ janvier. 12 F. ☎ 51 64 11 11. Sur minitel : 3615 code PUY DU FOU.

Le Grand Parcours. – Visite de début juin à début septembre tous les jours sauf le lundi de 10 h à 19 h; en mai les dimanches et jours fériés seulement. Fermé de début septembre à fin avril. 65 F (enfants : 30 F). ☎ 51 64 11 11. Sur minitel : 3615 code PUY DU FOU. Pique-nique non autorisé (aire disponible sur le parking) : sortie temporaire possible sur demande à l'entrée.

Train à vapeur du Puy du Fou. – Voir : gare des Épesses.

Q

Grottes du QUÉROY

Visite accompagnée (3/4 h) du 1ᵉʳ juin au 20 septembre tous les jours de 10 h à 19 h; le reste de l'année les mercredis et dimanches et pendant les vacances scolaires de 13 h à 18 h; en outre le samedi en avril et mai. Fermé de décembre à février. 21 F. ☎ 45 70 38 14 ou 45 65 47 09.

R

RANTON

Musée paysan. – Visite en juillet et août tous les après-midi de 15 h à 18 h (de 14 h 30 à 19 h les dimanches et jours fériés); en avril, mai, juin et septembre les dimanches et jours fériés de 14 h 30 à 19 h. 10 F.

Ile de RÉ

Pont-viaduc. – Péage AR : autos (conducteurs et passagers compris) 110 F du 1ᵉʳ juin au 30 septembre, 60 F le reste de l'année. Deux-roues immatriculés : 30 F, non immatriculés : 10 F.

Promenades en mer. – Liaisons régulières de juin à septembre avec l'île d'Aix (avec passage au fort Boyard), assurées par la compagnie Croisières inter-îles et fluviales, ☎ 46 09 87 27. Des croisières sont également organisées en saison le long des côtes de l'île et vers Oléron, ainsi que sur la Charente (départ St-Savinien) et sur la Sèvre Niortaise, ☎ ci-dessus.

L'Arche de Noé

Visite du 31 mai au 30 septembre de 10 h 30 à 11 h 45 et de 14 h 30 à 18 h. Entrée comprenant le spectacle : 42 F (enfants : 30 F). ☎ 46 29 23 23.

Ars-en-Ré

Église St-Étienne : clocher. – Accès en juillet et août de 10 h à 12 h 30 et de 15 h à 18 h. Fermé le dimanche.

Phare des Baleines

Visite de 10 h à 12 h et de 14 h à 18 h (16 h en hiver). ☎ 46 29 42 01.

Réserve naturelle de Lilleau des Niges

Pour une visite accompagnée : s'adresser à la LPO, ☎ 46 99 59 97.

St-Clément-des-Baleines

Maison des Marais. – Visite du 15 juin au 15 septembre de 10 h à 12 h 30 et de 15 h à 19 h. ☎ 46 99 59 97 (LPO).

St-Martin-de-Ré 🏠 avenue Victor-Bouthillier - 17410. ☎ 46 09 20 06.

Visite guidée de la ville. – S'adresser à l'office de tourisme.

Musée Naval et Ernest-Cognac. – Visite de 10 h à 12 h et de 15 h à 18 h. Fermé le lundi et le mardi. 20 F. ☎ 46 09 21 22.

Église St-Martin : clocher. – Visite accompagnée tous les jours sauf dimanches et jours fériés. ☎ 46 09 20 06.

Abbaye de La RÉAU

Visite accompagnée (1/2 h) de Pâques à la Toussaint tous les jours de 10 h à 18 h; le reste de l'année les jours fériés seulement, de 10 h à 20 h. 20 F (extérieur seulement : 10 F). ☎ 49 87 65 96.

RICHELIEU
🏛 6, Grande-Rue - 37120. ☎ 47 58 13 62.

Musée de l'hôtel de ville. — Visite accompagnée (1/2 h) de 10 h à 12 h et de 14 h à 18 h (16 h du 1er septembre au 30 juin). Fermé le mardi toute l'année et les samedis, dimanches et jours fériés de septembre à juin. 7 F. ☎ 47 58 10 13.

Parc du château. — Visite du musée, des caves et de l'orangerie de 10 h à 19 h 30; du 1er avril au 14 juin et du 16 septembre au 31 octobre les dimanches et jours fériés seulement aux mêmes heures. 10 F. Du 1er novembre au 31 mars, visite du parc seulement, tous les jours. ☎ 47 58 10 09.

Promenades en train à vapeur. — Départ des trains et visite du musée les samedis et dimanches de fin mai à début septembre à 15 h 15, 16 h 15 et 17 h 15. Durée du trajet : 1 h. 50 F (enfants : 30 F).

Château de la ROCHE-COURBON

Visite accompagnée (3/4 h) du 16 mars au 14 février de 10 h à 12 h et de 14 h 30 à 18 h 30 (17 h 30 en hiver). Fermé le jeudi du 15 septembre au 15 juin. 25 F. Les jardins, le parc et les grottes sont ouverts toute l'année : 18 F. ☎ 46 95 60 10.

Château de la ROCHE-DU-MAINE

Visite accompagnée (1 h) à 15 h, 16 h et 17 h tous les jours du 15 juin au 15 septembre, le dimanche seulement du 1er avril au 14 juin et du 16 septembre au 31 octobre. 25 F. ☎ 49 22 84 09.

ROCHEFORT
🏛 avenue Sadi-Carnot - 17300. ☎ 46 99 08 60.

Visite guidée de la ville. — S'adresser à l'office de tourisme.

Musées. — La Carte-Sésame, remise dans le 1er musée visité, donne droit à une réduction dans les autres musées de Rochefort.

Maison de Pierre Loti. — Visite accompagnée (1 h) du 20 janvier au 20 décembre à 10 h, 11 h, 14 h, 15 h, 16 h, 17 h (en été seulement) et 17 h 30 (les mercredis et vendredis en juillet, août et septembre). Fermé le mardi, le dimanche matin et les jours fériés. 30 F. ☎ 46 99 16 88.

Musée d'Art et d'Histoire. — Visite en juillet et août tous les jours de 13 h 30 à 19 h 30; le reste de l'année de 13 h 30 à 17 h 30. Fermé les dimanches et lundis (sauf en juillet et août) et les jours fériés. 10 F. ☎ 46 99 83 99.

Musée de la Marine. — Visite de 10 h à 12 h et de 14 h à 18 h. Fermé le mardi, les jours fériés (sauf Pâques et Pentecôte) et du 15 octobre au 15 novembre. 20 F. ☎ 46 99 86 57.

Centre international de la Mer. — Visite de 9 h à 19 h (20 h en juillet et août, 18 h pendant la période d'application de l'horaire d'hiver). Fermé le 1er janvier. 20 F. Possibilité de visite guidée : 25 F. ☎ 46 87 01 90.

Les Métiers de Mercure. — Visite en juillet et août de 10 h à 22 h; le reste de l'année de 10 h à 12 h et de 14 h à 19 h. Fermé le mardi (sauf en juillet et août) et en janvier. 30 F. ☎ 46 83 91 50.

Conservatoire du Bégonia. — Visite accompagnée (1/2 h) les mardis et jeudis à 15 h et 16 h; d'octobre à mai, les visites du mardi peuvent être supprimées. Fermé les jours fériés. Réservation obligatoire : ☎ 46 99 08 26. 15 F.

La ROCHEFOUCAULD
🏛 halle aux Grains, place de Gourville - 16110. ☎ 45 63 07 45.

Château. — Visite accompagnée (1 h) du 1er juin au 30 septembre de 10 h à 19 h; le reste de l'année les dimanches et jours fériés seulement ou, en semaine, sur demande (entrer dans la cour et sonner la cloche). 20 F. ☎ 45 63 54 94.

Ancienne pharmacie de l'hôpital. — Visite accompagnée (1/2 h) de 10 h à 12 h et de 14 h à 18 h. ☎ 45 67 54 00.

La ROCHELLE
🏛 quartier du Gabut, place de la Petite-Sirène - 17000. ☎ 46 41 14 68.

Visite guidée de la ville. — S'adresser à l'office de tourisme.

Promenades en bateau. — Dans la rade : départ cours des Dames, des Rameaux au 11 novembre; 50 mn; 25 F. ☎ 46 44 01 12 (M. Guilloteau).
Vers les îles (Aix, Oléron, Ré), vers La Tranche-sur-Mer, sur la Sèvre Niortaise (avec passage dans la baie de l'Aiguillon), sur la Charente (départ St-Savinien) : s'adresser à Croisières inter-îles et fluviales, 14 bis, cours des Dames, ☎ 46 50 55 54. Pour l'accès en car à St-Savinien, s'adresser à Océcars, ☎ 46 41 93 93.

Musées. — Billet global pour la visite des 5 musées municipaux (Nouveau-Monde, Orbigny-Bernon, Beaux-Arts, Histoire naturelle, Océanographique) : 35 F.

Tour St-Nicolas. — Visite du 1er juin au 31 août de 9 h 30 à 19 h; le reste de l'année de 9 h 30 à 12 h 30 et de 14 h à 18 h 30 (17 h du 1er octobre au 31 mars). Fermé le mardi sauf de juin à août et les 1er janvier, 1er mai, 1er et 11 novembre et 25 décembre. 20 F. ☎ 46 41 74 13.

Tour de la Chaîne. — Visite (séances d'1/4 h) du samedi des Rameaux au 1er novembre de 10 h à 12 h et de 14 h à 18 h 30. 15 F. ☎ 46 50 52 36.

Tour de la Lanterne. — Mêmes conditions de visite que la tour St-Nicolas. ☎ 46 41 09 57.

Maison Henri II. — Visite en juillet et août de 10 h à 12 h et de 14 h à 18 h. Fermé les samedis et dimanches et les 14 juillet et 15 août. ☎ 46 34 88 59.

Cathédrale St-Louis : trésor. – Visite en juillet et août de 10 h à 12 h et de 15 h à 17 h. Fermé le dimanche, le mardi, le 14 juillet et 15 août.

Hôtel de ville. – Visite accompagnée (3/4 h) tous les jours de juin à septembre, à 11 h, 15 h et 16 h (en outre à 10 h et 17 h en juillet et août); le reste de l'année, les samedis, dimanches et pendant les vacances scolaires, à 11 h, 15 h et 16 h. La visite n'a pas lieu pendant les réceptions officielles. 12 F. ☎ 46 41 14 68 (Office de tourisme).

Aquarium. – Visite de 10 h à 12 h et de 14 h à 19 h (sans interruption à midi en juin); nocturne jusqu'à 23 h en juillet et août. 37 F (enfants : 20 F). ☎ 46 44 00 00.

Musée Océanographique. – Visite en juillet et août de 10 h 30 à 12 h 30 et de 15 h à 19 h; en avril, mai, juin et septembre de 10 h 30 à 12 h 30 et de 14 h 30 à 18 h (de 15 h à 19 h les dimanches en mai et juin); en janvier, février et mars de 10 h à 12 h et de 14 h à 17 h 30. Fermé le lundi (sauf l'après-midi des jours fériés) et le matin des dimanches et jours fériés. 15 F. ☎ 46 45 17 87. Repas des phoques à 11 h et 16 h 30.

Musée d'Histoire naturelle. – Visite en semaine de 10 h à 12 h et de 14 h à 18 h (17 h du 16 septembre au 14 juin). Fermé le dimanche matin, le lundi et les 1er janvier, 1er mai, lundi de Pâques, jeudi de l'Ascension, 15 août, 25 décembre. 12 F. ☎ 46 41 18 25.

Musée du Nouveau Monde. – Visite en semaine de 10 h 30 à 12 h 30 et de 13 h 30 à 18 h, le dimanche de 15 h à 18 h. Fermé le mardi, les 1er janvier, 1er mai, 14 juillet, 1er et 11 novembre et 25 décembre. 12 F. ☎ 46 41 46 50.

Musée des Beaux-Arts. – Visite de 14 h à 17 h. Fermé le mardi et les mêmes jours fériés que le musée du Nouveau-Monde. 12 F. ☎ 46 41 64 65.

Muséum d'Orbigny-Bernon. – Visite de 10 h à 12 h et de 14 h à 18 h. Fermé le dimanche matin, le mardi et les mêmes jours fériés que le musée du Nouveau-Monde. 12 F. ☎ 46 41 18 83.

Musée Maritime : frégate France I. – Visite de 10 h à 19 h. 33 F. ☎ 46 50 58 88.

Musée Grévin. – Visite du 1er juin au 15 septembre de 9 h 30 à 23 h; le reste de l'année de 9 h 30 à 19 h. 25 F (enfants : 18 F). ☎ 46 41 08 71.

Musée des Automates. – Visite du 1er juin au 15 septembre de 9 h 30 à 19 h; le reste de l'année de 10 h à 12 h et de 14 h à 18 h 30. Fermé en janvier. 30 F (enfants : 15 F). Billet comprenant la visite du musée des Modèles réduits : 50 F (enfants : 15 F). ☎ 46 41 68 08.

Musée des Modèles réduits. – Mêmes conditions de visite que pour le musée des Automates. ☎ 46 41 64 51.

Musée rochelais de la Dernière Guerre. – Visite en juillet et août de 10 h à 18 h. Fermé le dimanche et le lundi. 22 F. ☎ 46 34 12 92.

Musée du Flacon à parfum. – Visite de 10 h à 12 h et de 14 h 15 à 19 h. Fermé les dimanches et jours fériés (sauf en juillet et août : ouverture de 15 h à 18 h 30) et le lundi matin. 20 F. ☎ 46 41 32 40.

Temple protestant : musée protestant. – Visite en juillet et août tous les jours de 14 h 30 à 18 h (en outre le dimanche de 10 h 30 à 12 h); le reste de l'année, sur demande : ☎ 46 41 32 84.

La **ROCHE-SUR-YON** 🛈 galerie Bonaparte, place Napoléon - 85000. ☎ 51 36 00 85.

Musée. – Visite en semaine de 10 h à 12 h et de 14 h à 18 h, le dimanche de 15 h à 18 h (19 h en juillet et août). Fermé le mardi (sauf en juillet et août) et les jours fériés. ☎ 51 05 54 23.

Haras. – Visite accompagnée (1 h) du 15 juillet au 15 février de 14 h 30 à 17 h. Fermé les samedis, dimanches et jours fériés.

ROYAN 🛈 palais des Congrès - 17200. ☎ 46 38 65 11.

Visite guidée de la ville. – S'adresser à l'office de tourisme.

Promenades en mer. – Promenades en mer, visite du phare de Cordouan : s'adresser à la compagnie Birais, ☎ 46 05 29 91.

Église réformée. – Visite en été de 10 h à 18 h; le reste de l'année, s'adresser au concierge, rue d'Aunis.

Les **RURALIES**

Musée de la Machine agricole. – Visite de 8 h (10 h les samedis, dimanches et jours fériés) à 19 h (18 h du 16 septembre au 15 décembre et du 2 janvier au 15 juin, 17 h du 16 décembre au 31 décembre). Fermé le samedi en janvier, les 25 décembre et 1er janvier. 20 F. ☎ 49 75 68 27.

Maison des Ruralies : exposition L'aventure humaine. – Visite de 10 h à 18 h (19 h les samedis, dimanches et jours fériés; 20 h de début avril à mi-septembre). ☎ 49 75 80 70.

S

Les SABLES-D'OLONNE
☎ rue du Maréchal-Leclerc - 85100. ☎ 51 32 03 28.

Visite guidée de la ville. – A pied ou en petit train. S'adresser à l'office de tourisme. Possibilité de visiter aussi les ports ou le quartier de la Chaume.

Promenades en mer. – Organisées par la compagnie Croisières inter-îles et fluviales, ☎ 51 21 31 43.

Parc zoologique de Tanchet. – Visite du 1er avril au 30 septembre de 9 h à 19 h; le reste de l'année de 10 h à 12 h et de 14 h à 17 h 30. 40 F (enfants : 15 F). ☎ 51 95 14 10.

Musée de l'abbaye Ste-Croix. – Visite du 16 juin au 30 septembre de 10 h à 12 h et de 14 h 30 à 18 h 30; le reste de l'année de 14 h 30 à 17 h 30. Fermé le lundi du 2 novembre au 14 juin, les 1er janvier, 1er mai, jeudi de l'Ascension, 14 juillet, 15 août et 25 décembre, et en octobre. 20 F. ☎ 51 32 01 16.

Musée des Guerres de Vendée. – Visite d'avril à septembre de 10 h à 12 h 30 et de 15 h à 19 h. 16 F. ☎ 51 95 83 57.

La Chaume : Tour d'Arundel. – Accès au sommet de 9 h à 17 h 30 (19 h en été). En cas de fermeture, s'adresser à la maison du gardien, à côté. ☎ 51 32 08 34.

ST-BRÉVIN-LES-PINS
☎ 10, rue de l'Église - 44250. ☎ 40 27 24 32.

Visite guidée de la ville. – En petit train. S'adresser à l'office de tourisme.

Mindin : musée de la Marine. – Visite du 15 juin à fin septembre de 15 h à 19 h. Fermé le lundi. 10 F. ☎ 40 27 00 64 (musée) ou office de tourisme.

Mindin : maison du Tourisme : exposition. – Visite en juillet et août de 10 h à 12 h 30 et de 14 h 30 à 19 h.

Parc de loisirs de ST-CYR

Ouvert toute l'année. Entrée : 10 F d'avril à septembre ainsi que les samedis, dimanches et jours fériés le reste de l'année. Certaines activités sont payantes.

ST-DENIS-DU-PAYRÉ

Réserve naturelle Michel Brosselin. – Visite accompagnée (1 h) en juillet et août tous les jours de 10 h à 12 h et de 15 h à 19 h; de février à juin, le 1er dimanche du mois de 14 h 30 à 18 h. 17 F. ☎ 51 27 23 92 (A.D.E.V.).

ST-DIZANT-DU-GUA

Château de Beaulon. – Visite de 9 h (10 h les dimanches et jours fériés) à 12 h et de 14 h 30 à 18 h. Fermé les samedis et dimanches du 16 septembre au 30 avril et le 25 décembre. 13 F. ☎ 46 49 96 13.

ST-GEORGES-DE-DIDONNE
☎ boulevard Michelet - 17110. ☎ 46 05 09 73.

Phare de St-Georges. – Pour visiter, s'adresser au phare ou à la capitainerie du port, en saison.

ST-GILLES-CROIX-DE-VIE
☎ forum du port de Plaisance, bd Égalité - 86800. ☎ 51 55 03 66.

Visite guidée de la ville. – En petit train. S'adresser à l'office de tourisme.

Promenades en mer. – S'adresser à l'office de tourisme.

ST-HILAIRE-DE-RIEZ
☎ 21, place Gaston-Pateau - 85270. ☎ 51 54 31 97.

Bourrine du Bois Juquaud. – Visite de fin mars à début novembre en semaine de 14 h 30 à 18 h 30 (14 h à 18 h de mi-septembre à début novembre); les dimanches et jours fériés de 15 h à 19 h. Ouvert en outre de 10 h à 12 h de début juin à mi-septembre. Fermé le lundi. 8 F. ☎ 51 54 31 97 (Office de tourisme).

ST-HILAIRE-LA-FORÊT

Cairn. – Visite du 8 juillet au 9 septembre tous les jours sauf le lundi matin de 10 h à 12 h 30 et de 14 h 30 à 19 h; du 18 avril au 10 mai, du 14 juin au 7 juillet et du 10 au 20 septembre tous les jours de 15 h à 18 h; du 17 mai au 8 juin et du 27 septembre au 25 octobre les dimanches et jours fériés de 15 h à 18 h. Visite commentée à 10 h 30 en été, à 15 h 15 le reste de l'année. Animations techniques préhistoriques en été de 15 h à 18 h. 25 F. ☎ 51 33 38 38.

ST-JEAN-D'ANGÉLY
☎ square de la Libération - 17400. ☎ 46 32 04 72.

Musée. – Visite de 14 h à 17 h tous les jours sauf samedi du 1er juillet au 15 septembre; les mercredis, jeudis et dimanches du 1er avril au 30 juin et du 16 septembre au 31 octobre. 10 F. ☎ 46 32 26 54.

ST-JUST-LUZAC

Atlantrain. – Visite du 15 juin au 15 septembre de 14 h 30 à 18 h. Fermé le lundi. 20 F. ☎ 46 85 33 35.

ST-LAURENT-SUR-SÈVRE

Maison du Saint-Esprit : la Maison Longue. — Visite accompagnée (1/2 h) sur demande.

Maison mère des Filles de la Sagesse. — Visite toute la journée sauf pendant les offices (10 h 30 et 18 h 30).

Centre gabriéliste. — Pour visiter, s'adresser à l'institution St-Gabriel, impasse Rémy-René-Bazin.

ST-LOUP-LAMAIRÉ

Château. — Visite de la cour d'honneur toute l'année. Visite de la 2e cour en juillet, août et septembre tous les jours sauf samedi et dimanche de 10 h à 17 h.

ST-MAIXENT-L'ÉCOLE   🛈 porte Chalon - 79400. ☎ 49 05 54 05.

Visite guidée de la ville. — S'adresser à l'office de tourisme.

Abbaye : bâtiments conventuels. — Visite accompagnée (1/2 h) les samedis et dimanches de 10 h à 12 h et de 14 h à 18 h ou sur rendez-vous. ☎ 49 76 13 43, poste 501.

Musée militaire. — Visite tous les jours de 14 h à 17 h 30. ☎ 49 76 13 43, poste 486.

ST-MICHEL-EN-L'HERM   🛈 rue de l'Église - 85580. ☎ 51 30 21 89.

Ancienne abbaye bénédictine. — Visite accompagnée (1/2 h) en juillet et août les mardis, jeudis et vendredis de 10 h à 12 h et de 15 h à 17 h. 10 F. ☎ 51 30 21 89 (Syndicat d'initiative).

ST-MICHEL-MONT-MERCURE

Église : clocher. — Visite du 15 mai au 15 septembre de 8 h à 20 h (19 h le reste de l'année). 2 F. Longue-vue payante.

ST-PHILBERT-DE-GRAND-LIEU

Maison du Lac. — Visite du 1er avril au 30 septembre de 10 h à 12 h et de 15 h à 18 h 30; le reste de l'année de 9 h 30 à 12 h 30 et de 14 h à 17 h. Fermé le lundi. 11 F. ☎ 40 78 73 88 (Syndicat d'initiative).

ST-ROMAIN-DE-BENET

Musée des Alambics. — Visite accompagnée tous les jours en juillet et août. ☎ 46 02 00 14.

ST-SAVIN

Abbaye. — Possibilité de visite guidée tous les jours de juin à octobre; le reste de l'année, les week-ends et jours fériés. S'adresser à l'accueil. ☎ 49 48 66 22.

ST-VINCENT-SUR-JARD

Maison de Clemenceau. — Visite accompagnée (1/2 h) de 9 h 30 à 12 h 30 et de 14 h à 18 h (19 h en juillet et août, 20 h d'octobre à mai). Fermé le mardi sauf en juillet et août. 17 F. ☎ 51 33 40 32.

SAINTES   🛈 villa Musso, 62, cours National - 17100. ☎ 46 74 23 82.

Visite guidée de la ville. — S'adresser à l'office de tourisme.

Abbaye aux Dames. — Possibilité de visite guidée. S'adresser à l'office de tourisme.

Musée Archéologique. — Visite du 3 mai au 1er octobre de 10 h à 12 h et de 14 h à 18 h, le reste de l'année de 14 h à 17 h. Fermé le mardi, le 1er lundi du mois, les 1er janvier, 1er mai, 1er novembre et 25 décembre. ☎ 46 74 20 97.

Cathédrale St-Pierre : trésor. — Visite de 14 h à 18 h en juillet et août et pendant les vacances de Pâques. 5 F. Le reste de l'année, s'adresser au presbytère : ☎ 46 93 09 92.

Église St-Eutrope. — Possibilité de visite guidée dans le cadre des visites guidées de la ville. Voir ci-dessus.

Musée Dupuy-Mestreau. — Ouvert l'après-midi. Pour connaître les conditions de visite exactes, téléphoner au 46 93 36 71.

Musée des Beaux-Arts. — Mêmes conditions de visite que pour le musée Archéologique, mais ouvert le 1er lundi du mois.

Musée de l'Échevinage. — Mêmes conditions de visite que pour le musée Archéologique, mais ouvert le 1er lundi du mois.

Musée éducatif de Préhistoire. — Visite de 10 h à 11 h 30 et de 15 h à 17 h 30. ☎ 46 93 43 27.

Haras. — Visite du 15 juillet au 15 février de 15 h à 17 h 30. ☎ 46 74 35 91.

SALLERTAINE

Moulin de Rairé. – Visite accompagnée (3/4 h) en juillet et août de 10 h à 12 h et de 14 h à 18 h 30; du 15 juin au 30 juin et du 1er au 15 septembre de 14 h à 18 h 30; du 1er avril au 15 juin, ouvert seulement pendant les vacances scolaires et les jours fériés, de 14 h à 18 h 30. 12 F. ☎ 51 35 51 82.

La Bourrine à Rosalie. – Visite en juillet et août de 10 h (11 h les dimanches et jours fériés) à 12 h et de 14 h à 19 h; du 15 au 30 juin, du 1er au 15 septembre, pendant les vacances de printemps et les week-ends de Pâques et Pentecôte de 15 h à 19 h. 7 F. ☎ 51 49 43 60.

SANXAY
🛈 site archéologique - 86600. ☎ 49 53 61 48.

Ruines gallo-romaines. – Visite (1 h 1/2) du 1er avril au 30 septembre de 9 h 30 à 19 h 30; le reste de l'année de 9 h 30 à 12 h et de 14 h à 17 h (13 h 30 à 17 h 30 les dimanches et jours fériés). Fermé le mardi du 1er octobre au 31 mars et les 1er janvier, 1er mai, 1er et 11 novembre, 25 décembre. 20 F. ☎ 49 53 61 48 (Office de tourisme).

SCORBÉ-CLAIRVAUX

Château de Clairvaux. – Visite accompagnée (1 h) du 1er juin au 15 septembre de 14 h à 18 h. 20 F. ☎ 49 93 90 08.

Estuaire de la SEUDRE

Chemin de fer touristique de la Seudre. – Départs de La Tremblade (9 h 30 et 15 h 30) et de Saujon (11 h 05, 14 h 15 et 17 h 15) le dimanche de mi-juin à mi-septembre et en outre le mercredi de juillet à septembre. Train à vapeur ou autorail suivant les heures. Transport gratuit des vélos. 50 F (enfants : 30 F). ☎ 46 36 64 59.

SOULLANS

Musée Milcendeau-Jean-Yole. – Mêmes conditions de visite que pour le château d'eau de Notre-Dame-de-Monts.

SOUSMOULINS

Église. – En cas de fermeture, s'adresser à l'auberge du Presbytère, place de la Mairie.

T - U

TALMONT-ST-HILAIRE

Château de Talmont. – Visite du 1er mars au 15 novembre de 9 h à 12 h et de 14 h à 19 h. 8 F. ☎ 51 90 27 43.

Musée automobile de Vendée. – Visite du 15 mars au 15 novembre de 9 h 30 à 12 h et de 14 h à 19 h. 30 F (enfants : 15 F). ☎ 51 22 05 81.

Château de TERNAY

Visite accompagnée (1 h 30) uniquement sur rendez-vous, de Pâques à la Toussaint les samedis et dimanches à 15 h et 16 h 30. 25 F S'adresser au château, 86120 Les Moutiers, ☎ 49 22 92 82 ou 49 22 97 54.

THOUARS
🛈 17, place St-Médard - 79100. ☎ 49 66 17 65.

Visite guidée de la ville. – S'adresser à l'office de tourisme.

Château (collège). – Seule une partie de la galerie ceinturant le château est accessible au public.

TIFFAUGES

Château. – Visite accompagnée (1 h) du 1er mai au 15 septembre de 10 h à 12 h et de 14 h à 19 h (sans interruption en juillet et août); le reste de l'année les dimanches et jours fériés de 14 h à 18 h. Fermé les mardis et mercredis (du 1er au 15 septembre et en mai et juin) et les 25 décembre et 1er janvier. 15 F. ☎ 51 65 72 25 (Mairie).

Château de TOUFFOU

Visite accompagnée (1/2 h) du 15 juin au 1er septembre de 9 h à 12 h et de 14 h à 19 h. Fermé le lundi. 20 F.

La TRANCHE-SUR-MER

Croisières. – De mi-juin à mi-septembre, des croisières sont organisées par la compagnie Croisières inter-îles et fluviales, en direction des îles d'Aix, d'Oléron et de Ré. ☎ 51 27 43 04.

Les Floralies tranchaises. – Visite de fin mars à début mai de 10 h à 19 h et de fin juin à fin septembre de 10 h à 20 h. 28 F (20 F de fin juin à fin septembre).

La TREMBLADE
 place Gambetta - 17390. ☎ 46 36 02 35.

Promenades en mer. – Croisières organisées en juillet et août vers l'île d'Aix et La Rochelle par la compagnie Croisières inter-îles et fluviales. ☎ 46 36 00 32.

Visite du bassin ostréicole de Marennes-Oléron : s'adresser à l'office de tourisme ou au 46 36 48 10 (M. Goetz).

Musée Maritime. – Visite du 1er juin au 10 septembre de 10 h 30 à 18 h 30; du 1er avril au 31 mai et du 11 au 30 septembre de 13 h à 17 h. Fermé le mardi hors saison. 20 F. ☎ 46 36 30 11.

TROIS-PALIS

Chocolaterie Letuffe. – Visite accompagnée (1 h 1/4) du lundi au vendredi de 9 h à 18 h; les samedis, dimanches et jours fériés de 14 h à 17 h 30. ☎ 45 91 05 21.

Château d'USSON

Visite du 1er juillet au 15 septembre de 15 h à 19 h.

V

Château de VAYRES

Visite accompagnée (3/4 h) en juillet et août de 15 h à 18 h. Fermé le mardi. 10 F. ☎ 49 52 71 89.

Moulin du VERGER

Visite accompagnée (1 h) en semaine de 8 h 30 à 12 h 30 et de 13 h 30 à 19 h, les dimanches et jours fériés de 15 h à 19 h. ☎ 45 61 10 38.

VERTEUIL-SUR-CHARENTE

Église. – S'adresser à M. Forillière, place de l'Église, ☎ 45 31 46 10, ou à Mme Louineau, rue de l'Église, ☎ 45 31 49 09.

Le VIEUX-POITIERS

Vestiges de la ville gallo-romaine. – Visite en juillet et août tous les jours de 10 h à 12 h et de 15 h à 19 h 30; en avril, mai, juin et septembre les dimanches et jours fériés seulement de 15 h à 18 h; le reste de l'année, sur demande préalable, ☎ 49 21 22 77 ou 49 90 03 65 (mairie de Naintré). 5 F.

Prieuré de VILLESALEM

Église. – Visite accompagnée de 8 h à 11 h et de 14 h à 18 h. Fermée le mardi. ☎ 49 91 62 26.

VILLIERS-EN-BOIS

Zoorama européen. – Visite du 1er avril au 30 septembre de 9 h à 19 h (20 h les dimanches et jours fériés et en juillet et août); le reste de l'année de 10 h à 12 h et de 14 h à la tombée de la nuit (sans interruption les dimanches et jours fériés). Fermé le mardi en hiver. 36 F (enfants : 16 F). ☎ 49 09 60 64. En saison, possibilité de promenade en calèche : 15 F (enfants : 9 F).

VOUVANT
 place du Bail - 85120. ☎ 51 00 80 15.

Visite guidée du bourg. – S'adresser à l'office de tourisme.

Château. – Pour visiter la tour Mélusine, s'adresser au café du Centre, ☎ 51 00 81 34. 2 F.

Y

Ile d'YEU
 place du Marché, Port-Joinville - 85350. ☎ 51 58 32 58.

Accès. – Au départ de Fromentine : voir le guide Rouge Michelin France ou, sur minitel, 3614 code YEU.
Au départ de Noirmoutier, liaisons de fin mars à début octobre : s'adresser à Navix, ☎ 51 39 00 00. Sur minitel : 3614 code NAVIX.

Visite guidée de l'île. – S'adresser à l'office de tourisme, à Port-Joinville.

Élevage d'anguilles. – Visite accompagnée tous les jours sauf le dimanche de 11 h 30 à 12 h et de 17 h 30 à 18 h. 20 F. ☎ 51 58 32 72.

Musée-Historial. – Visite accompagnée (1/2 h) en juillet et août de 10 h à 12 h et de 16 h à 19 h; le reste de l'année s'adresser à l'hôtel des Voyageurs, ☎ 51 58 36 88. Fermé en février. 20 F.

Grand Phare. – Visite pendant toutes les vacances scolaires de 9 h (10 h en hiver) à 12 h et de 14 h à 17 h 30 (17 h en hiver); le reste de l'année, sur rendez-vous. ☎ 51 58 30 61.

INDEX

SOURCES DES PHOTOGRAPHIES ET DESSINS

p. 11 MICHELIN, Paris
p. 14 Delu/EXPLORER, Paris
p. 15 D'après photo Bras/EXPLORER, Paris
p. 15 D. Clément/EXPLORER, Paris
p. 16 Corte/VLOO, Paris
p. 17, 73, 94 PIX, Paris
p. 20 D'après photo Yan
p. 23 D'après photo Arthaud/PIX, Paris
p. 28, 169 Pélissier/VLOO, Paris
p. 29 D'après photo Chasseloup-Laubat
p. 35 S. Chirol, Paris
p. 44, 48 LAUROS GIRAUDON, Paris
p. 47 J.-P. Mohen, Musée des Antiquités Nationales
p. 51 D'après photo Lescuyer, Lyon
p. 65 B. Chemin/HOA-QUI, Paris
p. 67 BIBLIOTHÈQUE DE L'ARSENAL, Paris

p. 69 Giraud/RAPHO, Paris
p. 74 M. Baret/RAPHO, Paris
p. 87 Errath/EXPLORER, Paris
p. 91 Librairie Montazeau, Melle
p. 102 J. Dupont/EXPLORER, Paris
p. 109 O. Garguil/VLOO, Paris
p. 123 Chesnot/SIPA PRESS, Paris
p. 131 Labat/EXPLORER, Paris
p. 135 Hôtel de Ville, La Rochelle/GIRAUDON, Paris
p. 147 Soulard/RAPHO, Paris
p. 158 Sudres/SCOPE, Paris
p. 164 D. Mar/EXPLORER, Paris
p. 169 Guillard/SCOPE, Paris
p. 177 J. Dupont/EXPLORER, Paris
p. 182 J.-C. Mayer/VLOO, Paris

MANUFACTURE FRANÇAISE DES PNEUMATIQUES MICHELIN

Société en commandite par actions au capital de 2 000 000 000 de francs
Place des Carmes-Déchaux - 63 Clermont-Ferrand (France)
R.C.S. Clermont-Fd B 855 200 507

© Michelin et Cie, Propriétaires-Éditeurs 1992
Dépôt légal 1992 - 4ᵉ trim. - ISBN 2-06-700372-2 - ISSN 0293-9436

Printed in France 10-92-80
Photocomposition : APS, Tours - Impression : MAURY Imprimeur S.A., Malesherbes -
Brochage : MAME, Tours